Y Gyfraith yn ein Llên

R. Gwynedd Parry

Gwasg Prifysgol Cymru
2019

www.gwasgprifysgolcymru.org

Mae cofnod catalogio'r gyfrol hon ar gael gan y Llyfrgell Brydeinig.

ISBN 978-1-78683-427-0
e-ISBN 978-1-78683-428-7

Cysodwyd gan Eira Fenn Gaunt, Pentyrch
Argraffwyd gan CPI Antony Rowe, Melksham.

I Meinir, Ifan, Tomos a Deio,
ac er cof am
fy nhad yng nghyfraith,
Aneurin Jones

Cynnwys

Bywgraffiad

Y mae Gwynedd Parry yn athro ym Mhrifysgol Abertawe. Graddiodd yn y gyfraith yng Ngholeg Prifysgol Cymru, Aberystwyth, ac enillodd ddoethuriaeth yn y gyfraith ym Mhrifysgol Caerhirfryn. Cwblhaodd ei astudiaethau cyfreithiol proffesiynol yn yr Inns of Court School of Law, Llundain, gan gael ei alw i'r Bar o Ysbyty Gray's ym 1993.

Wedi cyfnod yn fargyfreithiwr yn Abertawe, trodd ei olygon tuag at yrfa academaidd, gan dderbyn penodiadau ym Mhrifysgol Caerdydd a Phrifysgol Abertawe. Fe'i penodwyd i gadair bersonol yn 2011. Yn 2010 cafodd ei ethol yn Gymrawd o'r Gymdeithas Hanesyddol Frenhinol ac yn 2018 fe'i hetholwyd yn Gymrawd o Gymdeithas Ddysgedig Cymru.

Dyma'r drydedd gyfrol iddo ei chyhoeddi gyda Gwasg Prifysgol Cymru yn ystod y ddegawd hon, yn dilyn *David Hughes Parry: A Jurist in Society* (2010) a *Cymru'r Gyfraith: Sylwadau ar Hunaniaeth Gyfreithiol* (2012).

Rhagair

Yr Arglwydd Goff, un o arglwyddi'r gyfraith, awdur llyfrau cyfreithiol a chymrawd o Goleg Lincoln, Rhydychen, a ddywedodd yn un o'i ddyfarniadau enwog mai pererinion ar siwrnai ddiddiwedd tuag at berffeithrwydd anghyraeddadwy yw ysgolheigion ac ymarferwyr y gyfraith fel ei gilydd. Y mae'r trosiad yn un y medraf uniaethu ag ef, gan mai ffrwyth pererindod yw'r gyfrol hon, a hynny mewn sawl ystyr.

Pererindod ysgolheigaidd i ddechrau, gan nad oeddwn wedi cyhoeddi gair ar lenyddiaeth Gymraeg, na hanes Cymru'r oesoedd canol, erioed o'r blaen. Er fy mod yn bur gyfarwydd â hanes cyfreithiol Cymru, a minnau wedi dysgu, ymchwilio a chyhoeddi yn y maes ers rhai blynyddoedd, nid oedd gen i unrhyw hawl i ymhonni bod yn hanesydd llên o unrhyw fath. Yr oeddwn yn ei mentro i dir dieithr, a bu'n rhaid troedio llwybrau anghynefin wrth ymchwilio'n ddyfal yn y maes.

Daeth y bererindod ddeallusol law yn llaw â phererindod broffesiynol hefyd, gan imi gychwyn ar yr ymchwil pan oeddwn yn trigo ymysg ysgolheigion y gyfraith. Â'r gwaith yn mynd rhagddo, daeth cyfle i symud i Adran y Gymraeg yn y brifysgol yn Abertawe. Rhoddwyd imi'r cyfle i ddatblygu a gweithredu syniadau newydd, a chael adnewyddiad personol yr un pryd. Efallai nad oedd y mudo disgyblaethol hwn yn ddim mwy na chadarnhad mai cydymaith ag ysgolheigion y Gymraeg, mewn ysbryd, a fûm ers blynyddoedd. Byddwn bellach, gnawd ac enaid, yng nghwmni eraill o gyffelyb fryd.

Fel yn hanes pererinion yr oesau, nid siwrnai unig a fu. Cefais gwmni, cyfeillgarwch a chefnogaeth ar y daith, a dyma gyfle i fynegi fy niolchgarwch am hynny. Fel yn esblygiad cynnyrch y mwyafrif o ysgolheigion, siapiwyd y gwaith hwn trwy gymryd rhan mewn cynadleddau a seminarau. Bûm yn traethu mewn cynadleddau yng Ngholeg Prifysgol

Llundain, a gynhaliwyd gan Gymdeithas Hanes Cyfreithiol Prydain, ac ym Mhrifysgol Caergrawnt, ar wahoddiad Paul Russell ac eraill. Cyflwynais bapur mewn seminar ym Mhrifysgol Abertawe, ac yn Seminar Cyfraith Hywel a gynhaliwyd yn y Ganolfan Uwchefrydiau Cymraeg a Cheltaidd yn Aberystwyth. Ynddynt, cafwyd sgyrsiau buddiol am y gwaith gyda haneswyr, gan gynnwys haneswyr cyfreithiol megis Sara Elin Roberts, Morfydd Owen, Thomas Charles-Edwards, Paul Russell, Gwen Seabourne, Richard Ireland a Thomas Watkin. Mawr fu dylanwad Thomas Watkin a Richard Ireland arnaf dros y blynyddoedd, ac y mae'r gyfrol hon yn ymgais i gynnig dilyniant i'w llafur ym maes hanesyddiaeth gyfreithiol Gymreig. Buont hefyd yn gyfeillion ffyddlon, a gwerthfawrogaf eu haml gyngor doeth.

Yn ogystal â'r ymddiddan â haneswyr y gyfraith, cefais fudd mawr o gwmni ac anogaeth ysgolheigion y Gymraeg hefyd. Yr wyf yn ddiolchgar am bob sgwrs neu awgrym a gefais gan Christine James, Cynfael Lake, Robert Rhys, Tudur Hallam, Rhian Jones, Hannah Sams, Densil Morgan a Bleddyn Owen Huws. Yr wyf yn dra diolchgar i Dafydd Johnston am fwrw golwg ar y penodau ar yr oesoedd canol, ac am ei sylwadau arnynt. Ond mae fy nyled pennaf i Alan Llwyd am lu o awgrymiadau a chywiriadau wedi iddo ddarllen y gyfrol gyfan o glawr i glawr gyda'i ofal a'i graffter nodweddiadol. Ac yntau â'i wybodaeth ddofn ac eang o hanes ein llên, bu ei gefnogaeth hefyd yn ysgogiad imi gyrraedd pen y daith.

Hoffwn ddiolch i staff Gwasg Prifysgol Cymru am eu gwaith, ac am eu hymddiriedaeth ynof. Diolch i'r ddau ddarllenydd anhysbys am eu sylwadau cefnogol a'u hawgrymiadau gwerthfawr. Diolch yn enwedig i Llion Wigley, Bethan Phillips, Siân Chapman, Leah Jenkins, Elin Williams a Dafydd Jones am eu ffydd yn y prosiect ac am bob cymorth yn ystod y broses gyhoeddi. Diolch hefyd i'r cysodydd Eira Fenn Gaunt, ac i Janet Davies am lunio'r mynegai. Y mae'r gyfrol hon yn cwblhau trioleg o gyfrolau a gyhoeddais gyda'r wasg yn y ddegawd ddiwethaf. Braint oedd cael arfbais anrhydeddus y wasg ar bob un.

Diolch i'r beirdd a'r llenorion, eu teuluoedd neu eu hysgutorion yn achos yr ymadawedig, am eu cydweithrediad ac am gael eu caniatâd i ddyfynnu eu gwaith (yn enwedig yn y nawfed bennod). Gwnaethpwyd pob ymdrech i gysylltu â hwynt o flaen llaw, ac ymhob achos cafwyd cefnogaeth barod.

Buaswn wedi diffygio ers talwm oni bai am fy nghyd-bererinion pennaf, fy ngwraig, Meinir, a'n plant, Ifan, Tomos a Deio. Pan gyhoeddais fy nghyfrol ddiwethaf yn 2012, yr oedd Meinir yn disgwyl y cyw melyn olaf, a daeth Deio Aneurin Gwynedd i'r byd ar 12 Rhagfyr 2012. Dyma'r gyfrol gyntaf imi fedru ei chyflwyno iddo ef. Diolch hefyd i Ifan a Tomos am eu haml sgyrsiau, ac i Ifan am y darlun trawiadol sydd ar glawr y gyfrol. Y maent wedi eu bendithio â dawn yr artist o ochr eu mam. Mae'r diolch am y gyfrol hon iddynt hwy, a gwerthfawrogaf eu cariad sydd yn gynhaliaeth wastadol.

Ysywaeth, os daeth Deio Aneurin atom, fe gollasom Aneurin, ein tad, tad-cu a chyfaill annwyl, ar 25 Medi 2017. Sychodd y paent, gadawyd y cynfas yn wag, a thawelodd y cwmnïwr diddan, digyffelyb. Bu'n gefn diwyro i mi ar hyd y blynyddoedd. Buasai wedi mwynhau darllen y gyfrol hon. Fe'i cyflwynir, ar ran y teulu, er cof amdano.

Byrfoddau

BDdG	Thomas Parry, *Baledi'r Ddeunawfed Ganrif* (Caerdydd: Gwasg Prifysgol Cymru, 1986)
BT	Thomas Jones (gol.), *Brut y Tywysogyon or The Chronicle of the Princes (Red Book of Hergest Version)* (Cardiff: University of Wales Press, 1955)
CBT I	J. E. Caerwyn Williams a Peredur I. Lynch (goln), *Gwaith Meilyr Brydydd a'i Ddisgynyddion ynghyd â Dwy Awdl Ddi-enw o Ddeheubarth*, Cyfres Beirdd y Tywysogion, I (Caerdydd: Gwasg Prifysgol Cymru, 1994)
CBT II	Kathleen Anne Bramley et al. (goln), *Gwaith Llywelyn Fardd I ac Eraill o Feirdd y Ddeuddegfed Ganrif*, Cyfres Beirdd y Tywysogion, II (Caerdydd: Gwasg Prifysgol Cymru, 1996)
CBT III	Nerys A. Jones ac Ann P. Owen (goln), *Gwaith Cynddelw Brydydd Mawr I*, Cyfres Beirdd y Tywysogion, III (Caerdydd: Gwasg Prifysgol Cymru, 1991)
CBT V	Elin M. Jones a Nerys Ann Jones (goln), *Gwaith Llywarch ap Llywelyn 'Prydydd y Moch'*, Cyfres Beirdd y Tywysogion, V (Caerdydd: Gwasg Prifysgol Cymru, 1991)
CBT VII	Rhian M. Andrews et al. (goln), *Gwaith Bleddyn Fardd a Beirdd Eraill Ail Hanner y Drydedd Ganrif ar Ddeg*, Cyfres Beirdd y Tywysogion, VII (Caerdydd: Gwasg Prifysgol Cymru, 1996)
CDG	Dafydd Johnston et al. (goln), *Cerddi Dafydd ap Gwilym* (Caerdydd: Gwasg Prifysgol Cymru, 2010)
CT	Ifor Williams, *Canu Taliesin* (Caerdydd: Gwasg Prifysgol Cymru, 1960)

CHCSF	*Cylchgrawn Cymdeithas Hanes Sir Feirionnydd*
CLLGC	*Cylchgrawn Llyfrgell Genedlaethol Cymru*
GBC	Ellis Wynne, *Gweledigaethau y Bardd Cwsg*, gol. Patrick J. Donovan a Gwyn Thomas (Llandysul: Gwasg Gomer, 1998)
GDE	Thomas Roberts (gol.), *Gwaith Dafydd ab Edmwnd* (Bangor: Jarvis & Foster, 1914)
GDG	Thomas Parry (gol.), *Gwaith Dafydd ap Gwilym* (Caerdydd: Gwasg Prifysgol Cymru, 1952)
GGH	D. J. Bowen (gol.), *Gwaith Gruffudd Hiraethog* (Caerdydd: Gwasg Prifysgol Cymru, 1990)
GGGL	J. Llywelyn Williams ac Ifor Williams (goln), *Gwaith Guto'r Glyn* (Caerdydd: Gwasg Prifysgol Cymru, 1939)
GGrGr	Barry J. Lewis ac Eurig Salisbury (goln), *Gwaith Gruffudd Gryg* (Aberystwyth: Canolfan Uwchefrydiau Cymraeg a Cheltaidd Prifysgol Cymru, 2010)
GGME	Nerys Ann Howells (gol.), *Gwaith Gwerful Mechain ac Eraill* (Aberystwyth: Canolfan Uwchefrydiau Cymreig a Cheltaidd Prifysgol Cymru, 2001)
GHD	A. Cynfael Lake (gol.), *Gwaith Huw ap Dafydd ap Llywelyn ap Madog* (Aberystwyth: Canolfan Uwchefrydiau Cymreig a Cheltaidd Prifysgol Cymru, 1995)
GHSD	Dylan Foster Evans (gol.), *Gwaith Hywel Swrdwal a'i Deulu* (Aberystwyth: Canolfan Uwchefrydiau Cymreig a Cheltaidd Prifysgol Cymru, 2000)
GIG	Dafydd Johnston (gol.), *Gwaith Iolo Goch* (Caerdydd: Gwasg Prifysgol Cymru, 1988)
GLGC	Dafydd Johnston (gol.), *Gwaith Lewys Glyn Cothi* (Caerdydd: Gwasg Prifysgol Cymru, 1995)
GLlGMH	Dafydd Johnston (gol.), *Gwaith Llywelyn Goch ap Meurig Hen* (Aberystwyth: Canolfan Uwchefrydiau Cymreig a Cheltaidd Prifysgol Cymru, 1998)
GLMorg I	A. Cynfael Lake (gol.), *Gwaith Lewys Morgannwg I* (Aberystwyth: Canolfan Uwchefrydiau Cymreig a Cheltaidd Prifysgol Cymru, 2004)

GLMorg II	A. Cynfael Lake (gol.), *Gwaith Lewys Morgannwg II* (Aberystwyth: Canolfan Uwchefrydiau Cymreig a Cheltaidd Prifysgol Cymru, 2004)
GMLL	T. E. Ellis (gol.), *Gweithiau Morgan Llwyd* (Bangor: Jarvis & Foster, 1899)
GST	Enid Roberts (gol.), *Gwaith Siôn Tudur I* (Caerdydd: Gwasg Prifysgol Cymru, 1980)
GTA	T. Gwynn Jones (gol.), *Gwaith Tudur Aled*, I (Caerdydd: Gwasg Prifysgol Cymru, 1926)
GTP	Thomas Roberts (gol.), *Gwaith Tudur Penllyn ac Ieuan ap Tudur Penllyn* (Caerdydd: Gwasg Prifysgol Cymru, 1958)
GYN	Huw Meirion Edwards (gol.), *Gwaith y Nant* (Aberystwyth: Canolfan Uwchefrydiau Cymreig a Cheltaidd Prifysgol Cymru, 2013)
LlB	S. J. Williams a J. E. Powell, *Cyfraith Hywel Dda yn ôl Llyfr Blegywryd* (Caerdydd: Gwasg Prifysgol Cymru, 1961)
LLGC	*Llyfrgell Genedlaethol Cymru*
LLI	Aled Rhys William (gol.), *Llyfr Iorwerth* (Caerdydd: Gwasg Prifysgol Cymru, 1960)
OBWV	Thomas Parry (gol.), *Oxford Book of Welsh Verse* (Oxford: Oxford University Press, 1962)
ODNB	*Oxford Dictionary of National Biography*
TCHSD	*Trafodion Cymdeithas Hanes Sir Ddinbych*

Pan oedd Cymru'n wlad uniaith, mor Gymreig,
mor wâr oedd ein Cyfraith,
nes caethiwo, rhwymo'r iaith
yng ngefyn gwlad anghyfiaith.

Alan Llwyd

1

'Nes na'r hanesydd . . .': Adnabod y *Genre*

Nid consérn i gyfreithwyr yn unig yw'r gyfraith. Y mae'r gyfraith yn rym sydd yn treiddio holl wythiennau ein cymdeithas, a chaiff pob enaid byw ei effeithio ganddi mewn rhyw ffordd neu'i gilydd. Fe ŵyr gwleidyddion mai troi polisi yn ddeddf yw un o swyddogaethau pwysicaf unrhyw senedd. I reolwyr a gweinyddwyr sefydliadau o bob lliw a llun, y mae gweithredu o fewn terfynau'r ddeddf a'i rheoliadau yn ofyniad parhaus arnynt. Nid oes yr un gyrrwr modur ar y ffordd fawr nad yw yn cyson ymholi a yw yn gyrru, ac a yw cyflwr ei gerbyd, o fewn gofynion y ddeddf. Go brin nad oes diwrnod yn mynd heibio yn hanes y mwyafrif llethol ohonom na chyfyd angen inni ystyried, mewn rhyw amgylchiad neu'i gilydd, beth yw gofynion y gyfraith. Ac wrth wneud hynny, yr ydym yn rhwym o ofyn y cwestiynau anorfod: a yw hyn yn deg ac a yw'r ddeddf yn gyfiawn?

Ers dyddiau'r athronwyr clasurol yng Ngroeg a Rhufain, hawliwyd bod y gyfraith yn un o gonglfeini'r gwareiddiad dynol.[1] Cadw at reolau'r gyfraith yw'r pris a delir am wareiddiad, ac am gymdeithas heddychlon a sefydlog. Aberthir penrhyddid yr unigolyn a'r cyflwr cyntefig ar allor cyfraith a threfn. I'r dinesydd, gan hynny, nid oes modd iddo osgoi'r gyfraith. Nid rhyfedd, felly, fod y gyfraith wedi bod o ddiddordeb i feirdd, llenorion, dramodwyr, artistiaid a chynhyrchwyr ffilmiau a theledu. O gyfnod y tywysogion hyd at ein dyddiau ni, y mae'r awen greadigol wedi ei hysgogi i ymateb i gyfreithiau ac i weinyddu neu gamweinyddu cyfiawnder. Y mae'r ymholi a yw'r ddeddf yn deg ac yn gyfiawn yn weithgaredd sydd wedi ysbrydoli cerdd neu ysgrif ar hyd y canrifoedd. Yma yng Nghymru, gwlad sydd wedi byw yng nghysgod cymydog pwerus a'i gyfreithiau ers canrifoedd, y mae'r bardd a'r llenor wedi chwarae swyddogaeth gymdeithasol bwysig ychwanegol wrth ofyn: a oes cyfiawnder i'n cenedl ni yn y ddeddf?

Astudiaeth banoramig a thematig sydd yn bwrw golwg ar y traddodiad llenyddol Cymraeg yn ei ymwneud â'r gyfraith sydd yma. Cyflwynir y traddodiad barddol a llenyddol o ddelweddu'r gyfraith o Taliesin Ben Beirdd hyd at ein dyddiau ni. O ganlyniad, amlygir y traddodiad llenyddol a'i gynnyrch fel ffynonellau sydd yn dyfnhau ein dealltwriaeth o'r gyfraith a'i dylanwad mewn cymdeithas, a chymdeithas yng Nghymru yn benodol. Gan fabwysiadu strwythur cronolegol yn bennaf, rhoddir dadansoddiad o'r ymateb llenyddol i gyfundrefn gyfreithiol yng Nghymru mewn cyfnodau penodol yn ei hanes. Ystyrir y dystiolaeth o safbwynt hanesydd cyfraith. Nid astudiaeth ieithyddol neu feirniadaeth lenyddol sydd yma, er y byddai'n amhosibl hepgor elfen o feirniadaeth lenyddol wrth ddehongli'r deunydd. Ond y prif ddiddordeb o fewn yr astudiaeth hanesyddol-gyfreithiol hon yw'r cyfeiriadau cyfreithiol mewn cynnyrch llenyddol, a'r nod yw gwerthfawrogi llenyddiaeth fel cyfrwng i fynegi syniadau neu i ymateb i ffenomena cyfreithiol. Neu, fel y'i disgrifiwyd gan ddarllenydd Gwasg Prifysgol Cymru, y mae'n ffurf o 'ymarferiad mewn beirniadaeth hanesyddiaethol'.

Y mae'r astudiaeth hon yn adeiladu ar lafur y gorffennol, wrth gwrs. Diolch i haneswyr llên, haneswyr cyfraith a haneswyr Cymru o bob ongl, y mae'r tir ar ei chyfer eisoes wedi ei fraenaru. Y mae ein dyled fel cenedl yn drwm i ysgolheigion Canolfan Uwchefrydiau Cymreig a Cheltaidd Prifysgol Cymru, ac yn enwedig eu cyfresi awdurdodol, Cyfres Beirdd y Tywysogion a Chyfres Beirdd yr Uchelwyr. Llwyddasant i daflu goleuni newydd ar etifeddiaeth lenyddol yr oesoedd canol, a chyflwyno'r gwaith mewn orgraff sydd yn ddealladwy ac yn hygyrch i'r darllenydd yn yr unfed ganrif ar hugain. Yn ddiweddar, wrth iddynt droi fwyfwy at yr oes fodern, cafwyd ganddynt gyfrolau cynhwysfawr ar hanes cymdeithasol yr iaith Gymraeg, ynghyd â llenyddiaeth Cymru yn oes y Chwyldro Ffrengig. Heb y gwaith arloesol hwn, go brin y byddai cyfrol fel hon yn bosibl. Gall y cyfreithiwr neu'r hanesydd fentro'n hyderus i ddrachtio o'r cawg llenyddol diolch i'r canllaw gwerthfawr a gafwyd.

Yn ogystal â'r ysbrydoliaeth a gaed gan ysgolheigion ein llên, rhaid cydnabod llafur yr haneswyr, gan gynnwys haneswyr y gyfraith. Cyhoeddwyd y prif gynnyrch ar hanes Cymru yn ystod y ganrif a aeth heibio gan Wasg Prifysgol Cymru neu gan Wasg Prifysgol Rhydychen. Digon yw cyfeirio'r darllenydd at y troednodiadau neu'r llyfryddiaeth ar gyfer y manylion. O safbwynt hanesyddiaeth gyfreithiol yn benodol, bu cyfrol Thomas Glyn Watkin ar hanes y gyfraith yng Nghymru yn gyfraniad pwysig i'n hysgolheictod, gan iddo lwyddo i gostrelu hanes cyfreithiol y genedl mewn un gyfrol.[2] Un a luniodd gyfrol yn adrodd hanes troseddu yng Nghymru ar hyd yr oesoedd oedd Richard Ireland, gan gynnig trosolwg gwerthfawr o'r maes.[3]

Yr hyn a wna'r gyfrol hon – ei chyfraniad i'r corpws ysgolheigaidd os mynnwch – yw cyflwyno gwerthfawrogiad o'r traddodiad llenyddol Cymraeg yn ei ymwneud â chyfraith, a hynny trwy lygaid y cyfreithiwr. Ceid sawl astudiaeth thematig o lenyddiaeth Gymraeg dros y blynyddoedd, gan gynnwys blodeugerddi thematig, o'r masweddus i'r crefyddol, menywod mewn llenyddiaeth a cherddi rhyfel.[4] Ond dyma'r tro cyntaf i ysgolhaig cyfreithiol fwrw golwg ar y canon llenyddol yn ei grynswth er mwyn canfod delweddau o'r gyfraith. Fel y dangosir yng nghorff y gyfrol, bu cyfreithwyr, llenorion a haneswyr y gorffennol yn ymwybodol o'r argraffiadau llenyddol hyn o'r gyfraith ac yn cyfeirio atynt o bryd i'w gilydd yn eu gwaith. O'r herwydd, bydd rhai o'r delweddau cyfreithiol yn bur adnabyddus i'r darllenydd. Ond ni fu erioed o'r blaen ymgais i ymchwilio'n benodol, ac yn banoramig, ar ddelweddau o'r gyfraith yn ein llên. Dyna, yn gryno, yw nod y gyfrol hon.

Y mae'r syniad o drin llenyddiaeth fel ffynhonnell bwysig o hanes, ac fel ffurf o hanesyddiaeth ynddi ei hun, wedi hen ennill ei blwyf fel gweithgaredd ysgolheigaidd. Ceir yr ysgol hanesyddol amgen honno sydd yn herio gwrthrychedd hanes ac yn herio dibynadwyedd ei ffynonellau traddodiadol, gan fynnu mai gweithred ddynol a goddrychol yw llunio naratif hanes.[5] O fewn ei rhengoedd, ceir ysgolheigion sydd yn hawlio bod llenyddiaeth yn cynnig adeiladwaith amgen ond dilys ar gyfer dadansoddi'r gorffennol.[6] R. Williams Parry, yn y cwpled sydd yn cloi'r soned 'Gwae Awdur Dyddiaduron', a fynegodd y peth yn fwyaf cofiadwy yn Gymraeg: 'Nes na'r hanesydd at y gwir di-goll, ydyw'r dramodydd, sydd yn gelwydd oll.'[7]

Beth am yr ysgolhaig cyfreithiol, neu'r hanesydd cyfreithiol yn benodol? A oes sail dros hawlio bod ein dealltwriaeth o natur a hanfod y gyfraith i'w ganfod mewn ffynonellau llenyddol? Y mae'r berthynas rhwng llenyddiaeth a'r gyfraith wedi ennyn diddordeb ysgolheigion cyfreithiol yn y byd Saesneg ers blynyddoedd. Y mae delweddu'r gyfraith mewn llenyddiaeth Saesneg yn hen draddodiad, wrth gwrs. Bydd llawer yn cofio'r hen rigwm, 'A fox may steal your hens, sir', gan John Gay, a geir yn *Opera'r Cardotyn*.[8] Trachwant y twrnai yw byrdwn y rhigwm sy'n mynnu, er bod sawl creadur yn lladrata o dro i dro, y lleidr pennaf yw'r cyfreithiwr:

A fox may steal your hens, sir,
A whore your health and pence, sir,
Your daughter may rob your chest, sir,
Your wife may steal your rest, sir,
A thief your goods and plate.

But this is all but picking,
With rest, pence, chest, and chicken;
It ever was decreed, sir,
If Lawyer's hand is fee'd, sir,
He steals your whole estate.

Yn Saesneg, ceir nifer o astudiaethau ar y gyfraith mewn llenyddiaeth, ac yn enwedig yng nghyswllt gweithiau Shakespeare.[9] Y mae cyfeiriadau cyfreithiol yn britho'i ddramâu, i'r graddau bod dwy ran o dair o'i ddramâu yn cynnwys golygfeydd o dreialon cyfreithiol. Ymysg y cyfeiriadau niferus ac adnabyddus at y gyfraith yn ei waith, efallai mai honno yn *Henry VI*, rhan 2, sydd yn fwyaf enwog a'r un a ddyfynnir amlaf. Cyn y gall Cade, y gwrthryfelwr, weithredu fel brenin a gosod ei gyfreithiau abswrd ar y bobl, rhaid iddo'n gyntaf ladd y cyfreithwyr. Y mae gan hynny'n cyhoeddi: 'the first thing we do, let's kill all the lawyers'.[10] Gwelir fod y cynnwys cyfreithiol yn ganolog yn rhai o ddramâu Shakespeare, megis yng ngolygfa'r treial ym *Marsiandïwr Fenis*.[11] Yn ddi-os, y mae ieithwedd y gyfraith, dynion y gyfraith, a phynciau a chanddynt gynnwys cyfreithiol, neu yn ymwneud â chyfiawnder, yn ymddangos yn gyson yn ei waith.[12]

Bu ysgolheigion yn dyfalu beth oedd i gyfrif dros y diddordeb hwn yn y gyfraith. Bu rhai'n damcaniaethu bod gan y bardd ryw gymaint o gefndir cyfreithiol.[13] Ymysg y diweddaraf i fyfyrio ar gynnwys cyfreithiol gweithiau Shakespeare yw Daniel Kornstein.[14] Iddo ef, y mae dramâu Shakespeare yn cynnig gwersi ar gyfer y proffesiwn cyfreithiol yn y byd cyfoes, a'u bod megis drych y medrwn weld ynddo y gyfraith a'i effaith ar gymdeithas. Cenfydd Kornstein yng ngwaith Shakespeare syniadau oesol parthed pwysigrwydd y gyfraith mewn cymdeithas, didwylledd y farnwriaeth a phriod le trugaredd yng ngweinyddiaeth y gyfraith.

Perthyn gwaith Kornstein i gorff o ymchwil ar y modd y portreadwyd y gyfraith mewn llenyddiaeth. Y mae'r diddordeb cyfreithiol mewn llenyddiaeth yn medru bod yn broffesiynol ei natur, wrth gwrs. Ceir cyfreithiau sydd yn ymwneud â llenyddiaeth o safbwynt rheoleiddio cynnwys llenyddol, megis cyfreithiau sensora, neu hawlfraint neu berchnogaeth ar eiddo deallusol.[15] Gall y diddordeb cyfreithiol mewn llenyddiaeth hefyd darddu o'r defnydd o lenyddiaeth wrth weithredu'r gyfraith, megis mewn dyfarniadau barnwrol. Yn achlysurol, ceir barnwyr yn cyfeirio at lenyddiaeth, boed yn gymeriadau neu yn sefyllfaoedd llenyddol, fel dyfais rethregol i esbonio eu meddylfryd, eu dealltwriaeth o anghydfod mewn achos llys neu eu dehongliad o'r gyfraith. Wrth iddo egluro natur a hanfod Confensiwn Hawliau Dynol Ewrop, cydnabu'r Arglwydd Bingham, gan ddyfynnu araith enwog Hamlet, nad ydyw'r confensiwn yn cynnig rhyddhad o'r 'heartache and the thousand natural shocks that flesh is heir to'.[16]

Dros amser, esgorwyd ar y mudiad cyfraith a llenyddiaeth ymysg ysgolheigion cyfreithiol, a hwythau'n cynnig myfyrdodau pur ddyrys weithiau ar natur ymresymu cyfreithiol a'i gysylltiadau llenyddol. Caed corff o ysgolheictod a oedd yn amau dilysrwydd y gyfraith fel gwyddor a allai gynnig ystyr o fewn ei therfynau disgyblaethol a'i rheolau mewnol ei hun, ac yn annibynnol ar unrhyw ddisgyblaeth arall. Honnwyd bod yn rhaid i'r gyfraith, i fod yn ddisgyblaeth ystyrlon, ymgysylltu â'r cyd-destun diwylliannol neu gymdeithasol ehangach. Dywedwyd mai dyna'r allwedd i ddeall gwerthoedd ac egwyddorion y gyfraith, a dadleuwyd fod llenyddiaeth yn cynnig cyfrwng priodol i'r ymgysylltu hwnnw.[17] Yr oedd rhai o'r arloeswyr cynnar ym maes y gyfraith a llenyddiaeth hefyd yn hawlio rhyngberthynas rhwng y gyfraith a llenyddiaeth o safbwynt y defnydd o iaith a thechnegau dehongli, gan fynnu bod gan y gyfraith bethau i'w dysgu o lenyddiaeth ynglŷn â'r broses o ddehongli testun a'r defnydd o iaith wrth ei lunio. Dros amser, ymddangosodd dwy brif ysgol wrth ymdrin â'r maes hwn.[18]

Yn gyntaf, ceid ysgolheigion ac awduron yn edrych ar y gyfraith *mewn* llenyddiaeth.[19] Eu hamcan oedd astudio'r modd y mae'r gyfraith a sefyllfaoedd cyfreithiol yn cael eu portreadu mewn llên. Gwelsant werth yn y persbectif allanol y gall llenorion ei gynnig yn eu dehongliad o ffenomena cyfreithiol. Honnwyd bod awduron creadigol yn cynnig dealltwriaeth amgen o'r gyfraith gan eu bod yn ei gosod yn ei chyd-destun cymdeithasol, a bod eu cynnyrch yn cynnig dealltwriaeth o effaith y gyfraith ar gymdeithas neu'r cyflwr dynol. Ac er mai dychmygus yw llawer o'r portreadu mewn llenyddiaeth greadigol, wrth gwrs, y mae yn adlewyrchu rhai gwirioneddau sylfaenol am y gyfraith. Gall fod yn gyfrwng i gyfleu argraffiadau'r bobl sydd yn eu cael eu hunain o flaen llysoedd neu sydd yn ymwneud â'r gyfraith mewn ffordd arall, argraffiadau na fyddai'r ffynonellau swyddogol yn eu cyfleu. Nid cronicl llythrennol o reolau neu brosesau'r gyfraith a geir yn y gweithiau creadigol hyn. Yn hytrach, y maent yn costrelu effaith y gyfraith trwy gyfleu profiadau o'r gyfraith. O'r herwydd, gall y cyfreithiwr, trwy gyfrwng yr ymatebion llenyddol i'r gyfraith, feithrin dealltwriaeth ddyfnach o effaith y gyfraith ar bobl ac ar gymdeithas.[20]

Bu'r ysgol arall, a fynnai bod testunau'r gyfraith yn ffurf o lenyddiaeth ynddynt eu hunain, yn fwy dadleuol. Gan ddefnyddio arddulliau beirniaid llenyddol, archwiliant y defnydd o iaith mewn dogfennau cyfreithiol, gan eu trin fel ffurfiau llenyddol. Tueddant i fabwysiadu beirniadaeth lenyddol wrth ganfod ystyr, neu ddiffyg ystyr, mewn dogfennau cyfreithiol. Pwysleisiant y creadigrwydd, yr amwyster, y rhagfarnau a'r llu o elfennau dynol eraill a gyfrennir i greu testunau sydd, ar yr olwg gyntaf, yn dechnegol a ffeithiol. O bwysleisio'r elfennau goddrychol, gwelir y gyfraith fel cynnyrch dynol lle y mae ffaith a gwirionedd yn gysyniadau hyblyg sydd yn cael eu llywio gan duedd a rhagfarn, a rhaid, wrth ddehongli testunau cyfreithiol, ddefnyddio technegau'r beirniaid llenyddol.[21] Honnir hefyd y gall cyfreithwyr a barnwyr elwa trwy ddehongli testunau cyfreithiol yn y modd llenyddol hwn, gan ei fod yn dyfnhau eu gwerthfawrogiad o gyfyngiadau, peryglon ac amwyster iaith, a gall hynny eu gwneud yn fwy crefftus ac effro wrth lunio rhyddiaith gyfreithiol.

Ni fu pawb mor argyhoeddedig o werth y berthynas rhwng y gyfraith a llenyddiaeth. Ym marn ysgolheigion fel Posner, yr oedd tueddiad yn y mudiad cyfraith a llenyddiaeth i orbwysleisio arwyddocâd llenyddiaeth i'n dealltwriaeth o'r gyfraith.[22] Safbwynt Posner yw bod y prosesau sydd yn arwain at greu nofel neu lenyddiaeth greadigol yn gwbl wahanol i'r prosesau sydd yn creu testunau cyfreithiol. Gall ymateb llenyddol i'r gyfraith fod yn bersonol neu yn fympwyol, ac y mae'n bosibl nad cynnig beirniadaeth gymdeithasol oedd pennaf fwriad yr awdur wedi'r cwbl. Eilbeth i ystyriaethau mwy esthetig, neu ofynion plot, neu'r awydd i ddiddanu yw'r feirniadaeth neu'r sylwebaeth o'r gyfraith. Nid yw portreadu cymeriad, llunio plot neu greu gwrthdaro yn berthnasol o gwbl i'r cyfreithiwr sydd yn creu testun cyfreithiol. Nid oes ganddo fwriad i ddiddanu, i gysuro neu i feirniadu. Ac nid er mwyn gweithredu fel llawlyfr cyfreithiol y mae'r bardd, y nofelydd neu'r dramodydd yn mynd ati i ysgrifennu gwaith creadigol. I Posner a'i ddilynwyr, gweithred anfuddiol, gan hynny, yw mabwysiadu beirniadaeth lenyddol fel mecanwaith i ddadansoddi testunau cyfreithiol.

Y mae gan Posner bwynt teg, wrth gwrs. Y mae'n anodd cefnogi rhai o'r honiadau mwyaf abswrd a wneir am arwyddocâd llenyddiaeth i weithredu'r gyfraith y dwthwn hwn, ac y mae methodoleg rhai o'r astudiaethau mwyaf arbrofol yn bur sigledig. Yn sicr, nid gweld testun llenyddol fel testun cyfreithiol confensiynol, neu honni mai ffurf ar lenyddiaeth greadigol yw'r gyfraith yw nod y gyfrol hon. Nid ymarferiad mewn semanteg yw'r dadansoddiad hwn o'r gyfraith mewn llên, ac nid hanes y gyfraith sydd yma ychwaith, fel y cyfryw – hynny yw, nid hanes cysyniadau neu athrawiaethau'r gyfraith. Yn sicr, nid chwilio am sylwebaeth fanwl ac awdurdodol ar y gyfraith, neu ganfod ffyrdd o ddatrys rhai o broblemau technegol y gyfraith yw'r amcan yma.

O'i rhoi yng nghyd-destun astudiaethau cyfraith a llenyddiaeth, astudiaeth o'r gyfraith *mewn* llên sydd yma, a hanes ymateb llenyddol i'r gyfraith ac o ddelweddu'r gyfraith mewn llenyddiaeth. Gan hynny, fel y dywedodd Lucas mewn cyd-destun arall: 'we are here not so much dealing with general truths as with perceptions'.[23] Er hyn, ac wrth edrych ar destunau o'r gorffennol, gwelwn nad yw'r ffin rhwng rhyddiaith gyfreithiol, ffeithiol, a llenyddiaeth greadigol mor glir â hynny. Yr oedd rhai o awduron llyfrau cyfraith yr oesoedd canol yng Nghymru hefyd yn feirdd, ac yr oedd llawer o'r testunau cyfreithiol a luniwyd ganddynt yn meddu ar nodweddion llenyddol a thechnegau barddonol. Fel y dangosodd Sara Elin Roberts yn ei hastudiaethau manwl o gynnwys cyfreithiol mewn trioedd a'r defnydd o drioedd i bwrpas cyfreithiol, defnyddid y ffurfiau llenyddol hyn er mwyn cofnodi arferion cyfreithiol neu fel ychwanegiadau i destunau cyfreithiol.[24] Rhaid gochel, gan hynny, rhag cymryd y rhaniad rhwng rhyddiaith ffeithiol a rhyddiaith greadigol fel un pendant, yn enwedig mewn cyfnodau penodol mewn hanes.

Gwir werth y portreadau o'r gyfraith a geir mewn llenyddiaeth yw'r modd y maent yn cyfoethogi ein dealltwriaeth o'r gyfraith a'i heffaith mewn cymdeithas. Y mae llenyddiaeth sydd yn ymdrin â'r gyfraith yn aml yn codi cwestiynau mawr am gyfiawnder, moesoldeb, gwerthoedd cymdeithas a'r natur ddynol, pethau sydd o bwys i'r gyfraith.[25] Swyddogaeth llenyddiaeth yn sylfaenol yw bod yn gyfrwng i fynegi profiad o'r bywyd a'r fodolaeth dynol. Y mae'r gyfraith yn rhan o'r bywyd hwnnw, wrth gwrs, a gall llenyddiaeth gyfleu argraffiadau o'i chryfderau a'i gwendidau yn yr un modd ag y portreadir gwleidyddiaeth, rhyfel, cariad, angau, a llu o brofiadau dynol eraill mewn llên. Y mae llenyddiaeth, gan hynny, â'r potensial i daflu goleuni ffres ar werthoedd y gyfraith a'i heffaith ar gymdeithas, ac yn cynnig modd newydd o ddeall sut y mae'r gyfraith yn adlewyrchu'r cyflwr dynol. Yn yr un modd, wrth ddeall diwylliant ac arferion cyfreithiol y cyfnod deuwn i werthfawrogi ystyr a phwrpas cynnwys cyfreithiol mewn testun llenyddol. Cydnabod y rhyngberthynas, a'i dadansoddi, sydd yn rhoi gwir werth i'r math yma o astudiaeth. Fel y dywedodd Eska:

> Knowledge of the legal tracts can help us to understand the events that occur in literary texts, passages in literary texts can help us fill out gaps in the law tracts, and both subjects can help us contextualize what we know of historical events and social institutions.[26]

O gofio cyfoeth y traddodiad llenyddol Cymraeg, a'r traddodiad o ysgolheictod ar gyfreithiau'r Cymry, y syndod yw mai prin yw'r ysgolheigion cyfreithiol Cymraeg a ymddiddorodd yn y pwnc hyd yma. Un ohonynt yw Catrin Huws, a welodd bosibiliadau diddorol o ddatblygu'r cyswllt rhwng llenyddiaeth a'r gyfraith o fewn y cyd-destun Cymreig. Dadleuodd fod Cymru, a'r Gymraeg yn enwedig, yn cynnig cyd-destun amgen ar gyfer astudiaeth o'r gyfraith mewn llên, lle ceir cymhlethdodau hunaniaeth a chyfres o ddeuoliaethau nad ydynt yn bodoli yn yr un modd yn Lloegr. Cododd deuoliaeth yng nghyswllt cydfodolaeth y cyfreithiau cynhenid Cymreig â'r cyfreithiau Seisnig yng Nghymru'r oesoedd canol. Cafwyd deuoliaeth ieithyddol â datblygiad y gymdeithas ddwyieithog yn ystod y bedwaredd ganrif ar bymtheg, a'r tyndra yn y maes cyfreithiol a ddaeth yn ei sgil. Ceir heddiw'r haenau cymhleth o hunaniaethau Cymreig/Seisnig, Prydeinig ac Ewropeaidd, hunaniaethau sydd yn codi cwestiynau cyfansoddiadol a chyfreithiol. Y mae Cymru, felly, yn faes llafur cyfoethog i bori'r rhyngberthynas rhwng cyfraith a llenyddiaeth gan ei fod yn cynnig cyd-destun cymdeithasol ac ieithyddol gwahanol iawn i'r hyn a geir yn Lloegr.[27]

Yn ychwanegol at ddadleuon cyffredinol am werth llenyddiaeth fel ffynhonnell dealltwriaeth o'r gyfraith, y mae gan lenyddiaeth swyddogaeth bwysig ymysg pobloedd sydd wedi eu darostwng. I'r bobloedd hyn, lle nad oes tystiolaeth o'u profiad a'u hargraff hwy o'r gyfraith wedi ei gadw yng nghofnodion cyfraith, a lle nad oes 'hanes' o'r profiad hwnnw wedi ei groniclo mewn ffynonellau swyddogol, y mae llenyddiaeth yn cymryd swyddogaeth amhrisiadwy arni'i hun. Y mae'n rhoi tystiolaeth sydd weithiau yn guddiedig yn y cofnod swyddogol, tystiolaeth o argraffiadau o gyfiawnder, awdurdod a dilysrwydd (*legitimacy*) y gyfundrefn gyfreithiol. Gall hefyd ddangos inni i ba raddau y profodd y gyfraith gefnogaeth a pharch y boblogaeth. Nid oedd gan Gymru'r seilwaith na'r sefydliadau cenedlaethol ar gyfer cynnal ei bywyd cenedlaethol cyn y bedwaredd ganrif ar bymtheg. Wedi'r cwbl, yr oedd Cymru wedi ei hymgorffori o fewn cyfundrefn gyfreithiol Lloegr ers yr unfed ganrif ar bymtheg. Y traddodiad barddol a llenyddol Cymraeg, ynghyd â'r diwylliant gwerin, a roddodd i'r bobl eu llais ac a fynegodd eu profiadau o'r gyfraith. Llenyddiaeth, yn yr amgylchiadau hyn, yw'r brif ffynhonnell o ymateb pobl i'r gyfraith.

Dywedaf air neu ddau am fethodoleg. Un o'r heriau mwyaf yw dethol a dewis y deunyddiau priodol. I ba raddau y mae'n rhaid i'r cynnwys cyfreithiol fod yn amlwg yn y gwaith llenyddol? Pa mor uniongyrchol a ddylai'r cynnwys cyfreithiol fod er mwyn iddo fod yn berthnasol ac i gymhwyso fel 'cyfraith mewn llên'? Gall fod testun llenyddol yn ymboeni am foesoldeb, cosb a chyfiawnder ond heb fod ynddo gyfeiriadaeth uniongyrchol at y gyfraith fel y cyfryw. Y mae hel a didol y cynnwys ar sail yr hyn sydd, ym marn yr awdur, yn cyfeiriadaeth gyfreithiol, yn her sydd yn rhaid ei hwynebu. Ac y mae yna elfen oddrychol wrth ddiffinio'n bersonol yr hyn sydd yn teilyngu sylw, y deunydd sydd â'r cwota cyfreithiol angenrheidiol.

Yn sicr, nid blodeugerdd hollgynhwysfawr sydd yma. Detholwyd enghreifftiau sydd yn adlewyrchu tueddiadau neu'n disgleirio yn eu harwyddocâd cyfreithiol. Ni fu hi'n fwriad i droi pob carreg ac i chwilio am y gyfeiriadaeth leiaf. Nid detholiad o'r goreuon sydd yma ychwaith, ac nid ymgais i gloriannu rhagoriaeth lenyddol. Bydd rhai o'r cerddi yn cyrraedd y copaon uchaf, ac eraill yn nes at y gwastadeddau. Ond wrth astudio corff o lenyddiaeth dros gyfnod o amser, a chymryd ymagwedd enghreifftiol, bu modd gweld patrymau a chanfod barn a safbwyntiau sydd yn fwy na mympwyon unigolion. Dyna nodwedd amlycaf y gyfrol hon, sef nad astudiaeth o un awdur ydyw, neu o gyfnod penodol, ond o gorff o lenyddiaeth dros gyfnod o fil a rhagor o flynyddoedd. Anodd yw anwybyddu neu ddibrisio safbwyntiau sydd yn eu hamlygu eu hunain dros y canrifoedd gan nifer o feirdd ac awduron. Ac o'u casglu ynghyd, gellir canfod yr ymateb llenyddol i'r gyfraith fel corff o syniadaeth neu draddodiad. Hyderaf fod y gyfrol yn cyflwyno'r traddodiad o ymateb llenyddol Cymraeg i'r gyfraith – ar sail enghreifftiol, ie, ond yn ddigon cynhwysfawr i ddiffinio'r prif themâu neu dueddiadau sydd yn nodweddu'r traddodiad hwnnw.

Llenyddiaeth yn yr iaith Gymraeg fu deunydd yr astudiaeth hon. Efallai daw eraill maes o law i astudio delweddau o'r gyfraith mewn llenyddiaeth Eingl-Gymreig. Da o beth fyddai hynny. Ac efallai y bydd eraill yn y dyfodol am bori'n ddyfnach i gyfnodau penodol, neu awduron penodol, neu gyfryngau neu arddulliau penodol wrth iddynt archwilio'r gyfraith mewn llên. Os dyna fydd prif gynhysgaeth y gyfrol hon, bydd lle i lawenhau. Y gobaith, yn y pen draw, yw y bydd cynulleidfa newydd yn canfod, fel y gwneuthum innau, mai grym gwareiddiol yw llenyddiaeth sydd yn ein hysgogi, ein hysbrydoli a'n haddysgu am natur cyfraith mewn cymdeithas. Cawn ein pryfocio i feddwl yn ddyfnach am bethau mawr fel cyfiawnder, tosturi, parch a dilysrwydd, a hynny trwy gyfrwng crefft a dawn dweud.

Ar y dechrau, dywedais nad mater i gyfreithwyr yn unig yw'r gyfraith. Af gam ymhellach. Mentraf ddweud, fel y gwnaeth yr Arglwydd Wilberforce, un o arglwyddi'r gyfraith yng nghanol yr ugeinfed ganrif: y mae'r gyfraith yn rhy bwysig i'w gadael i gyfreithwyr yn unig.[28]

Nodiadau

1 Dennis Lloyd, *The Idea of Law* (London: Penguin, 1964), tt. 12–25.

2 Thomas Glyn Watkin, *The Legal History of Wales*, 2il arg. (Cardiff: University of Wales Press, 2012).

3 Gweler Richard W. Ireland, *Land of White Gloves? A History of Crime and Punishment in Wales* (Oxford: Routledge, 2015); gweler hefyd ei gyfraniad arall i hanesyddiaeth gyfreithiol Gymreig: Richard W. Ireland, *A Want of Good Order and Discipline: Rules Discretion and the Victorian Prison* (Cardiff: University of Wales Press, 2007).

4 Gweler, er enghraifft, Dafydd Johnston (gol.), *Canu Maswedd yr Oesoedd Canol* (Pen-y-bont ar Ogwr: Seren, 1991); Marged Haycock (gol.), *Blodeugerdd Barddas o Ganu Crefyddol Cynnar* (Llandybïe: Cyhoeddiadau Barddas, 1994); Siwan M. Rosser, *Y Ferch ym Myd y Faled: Delweddau o'r Ferch ym Maledi'r Ddeunawfed Ganrif* (Caerdydd: Gwasg Prifysgol Cymru, 2005); Alan Llwyd ac Elwyn Edwards (goln), *Gwaedd y Bechgyn: Blodeugerdd Barddas o Gerddi'r Rhyfel Mawr 1914–1918* (Llandybïe: Cyhoeddiadau Barddas, 1989).

5 Ceir trafodaeth ar ffurfiau o hanesyddiaeth gan, er enghraifft: P. Burke, 'History of Events and the Revival of Narrative', yn P. Burke (gol.), *New Perspectives on Historical Writing* (Cambridge: Polity Press, 1991), tt. 233–48; Georg G. Iggers, *Historiography in the Twentieth Century* (Middletown: Wesleyan University Press, 2005), tt. 149–60; Anna Green a Kathleen Troup, *The Houses of History: A Critical Reader in Twentieth-Century History and Theory* (Manchester: Manchester University Press, 1999), tt. 230–7; W. Thompson, *Postmodernism and History* (Basingstoke: Palgrave, 2004); H. White, *The Content of the Form: Narrative Discourse and Historical Representation* (Baltimore: Johns Hopkins University Press, 1987); E. M. Wood a J. B. Foster (goln), *In Defense of History: Marxism and the Postmodern Agenda* (New York: Monthly Review Press, 1997); John Warren, *The Past and its Presenters: An Introduction to Issues in Historiography* (London: Hodder & Stoughton, 1998), tt. 163–71.

6 Sonja Fielitz (gol.), *Literature as History/History as Literature: Fact and Fiction in Medieval to Eighteenth-Century British Literature* (Frankfurt-am-Main: Peter Lang, 2007).

7 R. Williams Parry, *Cerddi'r Gaeaf* (Dinbych: Gwasg Gee, 1952), t. 66.

[8] John Gay (1685–1732). Yr oedd Gay yn fardd a dramodydd adnabyddus yn ei ddydd, ac fe'i cofir yn bennaf am awdur geiriau *The Beggar's Opera* (1728), cyfansoddiad cerddorol Johann Christoph Pepusch.

[9] Gweler, er enghraifft: George W. Keeton, *Shakespeare's Legal and Political Background* (London: Pitman, 1967); O. Hood Phillips, *Shakespeare and the Lawyers* (London: Methuen, 1972); Andrew Zurcher, *Shakespeare and Law* (London: Methuen Drama, 2010).

[10] *Henry VI*, rhan 2, act 4, golygfa ii.

[11] *The Merchant of Venice*, act 4, golygfa i.

[12] Gweler hefyd erthygl Eric Heinze, '"Were it not against our laws": oppression and resistance in Shakespeare's *Comedy of Errors*', *Legal Studies*, 29 (2) (2009), 230–63.

[13] Gweler Phillips, *Shakespeare and the Lawyers*, tt. 176–92.

[14] Gweler Daniel J. Kornstein, *Kill All the Lawyers? Shakespeare's Legal Appeal* (Princeton: Princeton University Press, 1994).

[15] Gweler, er enghraifft, Lionel Bently, Brad Sherman, Dev Gangjee a Phillip Johnson, *Intellectual Property Law*, 5ed arg. (Oxford: Oxford University Press, 2018).

[16] *Brown v. Stott* [2001] 2 All E.R. 97. Mae'n dyfynnu o'r araith enwog yn *Hamlet*, act 3, golygfa i.

[17] James Boyd White, *The Legal Imagination: Studies in the Nature of Legal Thought and Expression* (Boston: Little, Brown and Co., 1973).

[18] Gweler Anthony Julius, 'Introduction', yn Michael Freeman ac Andrew Lewis (goln), *Law and Literature: Current Legal Issues 1999, Volume 2* (Oxford: Oxford University Press, 1999), tt. xi–xxv.

[19] Gweler, er enghraifft, G. H. Treitel, 'Jane Austen and the Law', *Law Quarterly Review*, 100 (1984), 549–86.

[20] Gweler hefyd Richard Weisberg, *Poethics and Other Strategies of Law and Literature* (Columbia: Columbia University Press, 1992), tt. 3–47.

[21] Gweler, er enghraifft, Ronald M. Dworkin, 'Law as Interpretation', *The Politics of Interpretation*, 9 (1) (1982), 179–200.

[22] Richard Posner, *Law and Literature: A Misunderstood Relation* (Cambridge: Harvard University Press, 1988).

[23] John Lucas, 'The Weight of History: Poets and Artists in World War Two', yn Simon Barker a Jo Gill (goln), *Literature as History: Essays in Honour of Peter Widdowson* (London: Continuum, 2010), tt. 66–79, t. 72.

[24] Gweler Sara Elin Roberts, 'Emerging from the Bushes: The Welsh Law of Women in the Legal Triads', yn Joseph F. Eska (gol.), *Law, Literature and Society*, CSANA Yearbook 7 (Dublin: Four Courts Press, 2008), tt. 58–76.

[25] James Seaton, 'Law and Literature: Works, Criticism, and Theory', *Yale Journal of Law & Humanities*, 11 (1999), 479–507. Meddai: 'Literature, more

than any other art, is a vehicle for moral reflection and discrimination' (506).

[26] Gweler y rhagair i Eska (gol.), *Law, Literature and Society*, t. 7.

[27] Gweler Catrin Fflur Huws, 'Law, Literature, Language and the Construction of Welsh Identity', yn Thomas Glyn Watkin (gol.), *The Carno Poisonings and Other Essays* (Bangor: Welsh Legal History Society, 2010), tt. 99–120.

[28] Fe'i dyfynnir mewn trafodaeth gan Peter North, 'Is Law Reform too Important to be left to Lawyers?', *Legal Studies*, 5 (2) (1985), 119–32.

2

'Cymhenraith gyfraith': Cyfraith a Phencerdd yn Oes y Tywysogion

Y mae haneswyr llenyddiaeth Gymraeg yn rhannu'r oesoedd canol yn dri chyfnod.[1] Y cyntaf yw'r cyfnod o tua'r flwyddyn 600 i tua'r flwyddyn 1100, sef cyfnod y Cynfeirdd a'r Hengerdd. Yna, ceir cyfnod y Gogynfeirdd, neu feirdd y tywysogion, o tua 1100 hyd oddeutu 1282, sef, i bob pwrpas, y cyfnod Normanaidd. Dyma gyfnodau yn hanes barddoniaeth Gymraeg pan oedd rhannau helaeth o Gymru, os nad Cymru gyfan, o dan reolaeth y tywysogion Cymreig. Y trydydd cyfnod yn hanes llên yr oesoedd canol yw oes Beirdd yr Uchelwyr, sef y cyfnod ar ôl goresgyniad 1282 a hyd at ganol neu ddiwedd yr ail ganrif ar bymtheg. Os yw'r rhaniadau hyn yn arwyddocaol o safbwynt hanes ein llên, y mae iddynt arwyddocâd o safbwynt hanes gwleidyddol, cymdeithasol a chyfreithiol Cymru yn ogystal. I raddau helaeth, y mae hanes llenyddol a hanes cyfreithiol Cymru yr oesoedd canol wedi eu plethu'n dynn. A phlethiad llenyddol ydyw hefyd, gan fod cyfran helaeth o'r testunau yn Gymraeg sydd wedi goroesi o'r oesoedd canol un ai yn destunau barddonol neu yn destunau cyfreithiol.[2]

Cydnabyddid statws a swyddogaeth y beirdd yn y cyfreithiau Cymreig. Gyda thrai'r cyfreithiau hynny ar ôl 1282, collodd eu beirdd eu statws cyfansoddiadol ffurfiol fel aelodau o'r osgordd frenhinol. Nawdd y bonheddwyr, a'u parodrwydd i gynnal a pharhau'r hen draddodiad barddol, ynghyd â gwytnwch y gyfundrefn farddol, a oedd yn annibynnol o gyfreithiau'r llys, oedd yn gyfrifol am lwyddiant Beirdd yr Uchelwyr. Cyn mynd ymhellach, rhaid ymhelaethu ychydig ar yr hyn a olygir wrth gyfreithiau Cymreig. Ceid corff o gyfreithiau brodorol yng nghyfnod y Cynfeirdd a'r Gogynfeirdd (yma, defnyddir yr ymadrodd 'Beirdd y Tywysogion' i gwmpasu'r ddau), cyfreithiau a ddefnyddid i raddau helaeth ymhob cwr o Gymru, a chyfreithiau a gysylltir yn draddodiadol â thywysog o'r ddegfed ganrif, sef Hywel ap Cadell, neu Hywel Dda. Dyma'r unig frenin neu dywysog yn hanes y Cymry i'w lysenwi'n 'dda', un a ddisgrifid yng nghronicl *Brut y Tywysogion* fel 'pen a molyant yr holl Vrytanyeit'.[3]

Yn ôl y naratif traddodiadol, ef a gofnododd gyfreithiau'r Cymry am y tro cyntaf, gan roddi sêl bendith frenhinol arnynt yn unol â phatrwm brenhinoedd gwledydd cred y cyfnod. Mewn cynulliad yn yr Hen Dŷ Gwyn ar Daf yn ystod hanner cyntaf y ddegfed ganrif, galwodd gynrychiolwyr o bob rhan o Gymru i gofnodi, safoni, diweddaru a chymeradwyo cyfreithiau'r Cymry. Ar ei ddeheulaw yr oedd Blegywryd, clerigwr a chyfreithiwr, a fu'n gofiadur yn y gweithrediadau.[4] Dyna'r stori gyfarwydd. Serch hynny, ni fu undod barn ymysg haneswyr parthed dilysrwydd y traddodiad hwn. Tra oedd Syr John Edward Lloyd yn eiriolwr brwd drosti, yr oedd Syr Goronwy Edwards yn fwy o amheuwr. I Edwards a'i ddilynwyr, cynnyrch propaganda'r ddeuddegfed ganrif oedd y traddodiad Hywelaidd hwn, yn dilyn y patrwm Ewropeaidd cyffredinol o olrhain tras cyfreithiau i ryw ffigwr awdurdodol neu arwr o'r gorffennol.[5] A chyda chysylltiadau teuluol agos Hywel â thywysogion Dinefwr, gellir yn hawdd ddychmygu brwdfrydedd ac awydd yr Arglwydd Rhys, ac yntau yn ddisgynnydd i Hywel, i hyrwyddo'r honiad mai Hywel oedd pensaer cyfreithiau'r Cymry.[6]

Beth bynnag fo'r gwirionedd llythrennol am gyfraniad personol Hywel Dda i etifeddiaeth gyfreithiol y genedl, nid oes unrhyw amheuaeth bod y cyfreithiau Cymreig yn elfen allweddol yn y gwneuthuriad cenedlaethol erbyn y ddeuddegfed ganrif a'r ganrif a'i dilynodd. Nid oes amheuaeth, ychwaith, fod swm a sylwedd y cyfreithiau a ddefnyddid yn y drydedd ganrif ar ddeg yn dyddio'n ôl i'r ddegfed ganrif, os nad ynghynt. Bu'r cyfreithiau Cymreig yn allweddol yn ystod ymrafael gwleidyddol y cyfnod.[7] Yr oedd sofraniaeth neu ymreolaeth gyfreithiol yn allweddol i sofraniaeth genedlaethol yn yr oesoedd canol.[8] Yn y cronicl hanesyddol *Brut y Tywysogion*, cawn dystiolaeth o wrthsafiad y tywysogion Cymreig yn erbyn bygythiadau Seisnig i'r traddodiad cyfreithiol Cymreig. Wrth gyfeirio at y Normaniaid fel 'y Ffreinc', disgrifir ymgyrch y Cymry yn eu herbyn o dan arweiniad Owain ab Edwin yn ail hanner yr unfed ganrif ar ddeg:

> A gwedy na allei y Gwyndyt godef kyfreitheu a barneu a threis y Ffreinc arnunt, kyfodi a orugant eilweith yn eu herbyn, ac Ywein vab Etwin yn tywyssawc arnunt . . .[9]

> (A chan na allai gwŷr Gwynedd ddioddef cyfreithiau a barnau a thrais y Ffreinc arnynt, cyfodi a wnaethant eilwaith yn eu herbyn, ac Owain ab Edwin yn dywysog arnynt . . .)

Ym mlynyddoedd olaf teyrnasiad Llywelyn ap Gruffudd, ein Llyw Olaf, daeth y rhyfel dros annibyniaeth wleidyddol i olygu rhyfel dros amddiffyn cyfreithiau ac arferion y Cymry yn ogystal.[10] Pa ryfedd i'r cyfreithiau Cymreig wynebu trai wedi 1282, gyda'r cyfansoddiad a sefydlwyd gan Statud Rhuddlan 1284 yn rhoi'r flaenoriaeth i gyfreithiau'r brenin. Er y byddai elfennau o gyfreithiau Hywel Dda yn cael parhau i amrywiol raddau, eilradd fyddent bellach. Gan hynny, yr oedd y goresgyniad yn drobwynt yn hanes cyfreithiol a llenyddol Cymru fel ei gilydd.[11]

Y mae corff anrhydeddus o ysgolheictod ar gynnwys a chyd-destun cyfreithiau Hywel Dda, ysgolheictod sydd yn dangos bod gan gyfreithiau Hywel Dda eu nodweddion arbennig a nodweddion sydd yn eu gosod ar wahân i gyfreithiau Lloegr.[12] Y nodwedd amlycaf oedd mai'r Gymraeg oedd iaith cyfreithiau'r Cymry, ac yr oedd yr eirfa gyfreithiol a geid ynddynt yn gyfoethog. Treiddiodd yr eirfa gyfreithiol hon drwy'r iaith lafar a'r iaith lenyddol. Daeth termau'r gyfraith, megis 'nawdd', 'cyfran', 'gwaddol' a 'chanllaw' yn eiriau beunyddiol yn yr iaith. Rhaid cofio hyn wrth chwilota am gyfeiriadaeth gyfreithiol mewn llên. Efallai y gwelir termau cyfreithiol o bryd i'w gilydd mewn cerdd, ond nid at bwrpas cyfreithiol penodol y'u defnyddiwyd bob amser. Er bod geirfa'r gyfraith yn tarddu o'r iaith lafar, y mae hithau'n ei thro yn allforio'i geirfa yn ôl, ac yn enwedig yr eirfa a gollodd ei lle dros dreigl amser ym mharabl beunyddiol.

Yr oedd yna wahaniaethau yn sylwedd a chynnwys cyfreithiau Hywel o'u cymharu â chyfreithiau Lloegr hefyd. Er y ceid sôn am y *diheurbrawf* yng nghyfraith Lloegr hyd at ddechrau'r drydedd ganrif ar ddeg, nid oes sôn amdano yng nghyfreithiau'r Cymry. Yng Nghymru, yn hytrach, ceid pwyslais ar *rwym dadl*, lle gosodid natur yr anghydfod yn ysgrifenedig a phrofid y mater â thystion a llwon. Yr oedd dull *cyfran* o etifeddu tir yn sicrhau etifeddiaeth gyfartal rhwng y meibion, yn wahanol i ddull cyntafanedigaeth (*primogeniture*) a geid yn gynyddol yn Lloegr yr oesoedd canol. Ceid yng Nghymru bwyslais ar gadw'r tir teuluol, sef y *gwely*, yn uned gyflawn a heb ei rhannu o fewn y teulu, ac anodd oedd gwerthu'r tir hwnnw.[13] Yr oedd gan ferched Cymru statws pur annibynnol o fewn priodas a hawliau i berchnogi eiddo yn rhydd o ymyrraeth eu gwŷr. Yr oedd statws y fenyw yng Nghymru'r oesoedd canol yn well nag mewn gwledydd eraill yn yr un cyfnod.[14] Efallai mai'r nodwedd bwysicaf yng Nghyfraith Hywel Dda oedd y pwyslais amlwg ar dalu iawndal i'r dioddefwr y cyflawnid camwedd yn ei erbyn yn hytrach na chosbi'r drwgweithredwr. Er mwyn osgoi cynnen yn dilyn llofruddiaeth, *galanas*, estynnid y cyfrifoldeb ar y drwg-weithredwr a'i dylwyth i dalu'r iawndal i dylwyth y dioddefwr, a hynny hyd at y seithfed ach.[15]

Yn ogystal â chipolwg ar egwyddorion a gwerthoedd y Cymry, cawn hefyd amgyffred y drefn gymdeithasol wrth bori yn y cyfreithiau Cymreig. Ynddynt, cawn ganfod bod lle anrhydeddus i'r bardd yn y gymdeithas, ac yn enwedig yn llys y brenin neu'r arglwydd. Yn ôl y cyfreithiau, nid oedd gan y taeog yr hawl i arfer 'crefftau anrhydeddus y bardd a'r gof'.[16] Cyflawnai'r bardd teulu swyddogaeth bwysig yn llys ei arglwydd, ac yr oedd yn un o swyddogion y llys. Yn ogystal, cydnabyddid y beirdd gorau fel penceirddiaid o dan y gyfundrefn farddol a oedd yn annibynnol o awdurdod brenhinol.[17] Yr oedd y cyfreithiau Cymreig yn datgan dyletswyddau'r bardd teulu a'r pencerdd a'r gwahaniaeth rhwng y ddau, a'r hyn a oedd yn ddyledus iddynt gan y brenin a'i lys.[18] Rhydd-ddeiliad oedd y bardd teulu, a châi eistedd wrth ymyl y penteulu yn llys y brenin ar yr adegau arbennig pan roddid y delyn iddo i'w chanu. Byddai'n diddanu'r llys ar adeg gwledd, ac yr oedd ganddo freintiau penodol, megis yr hawl i fodrwy aur gan y frenhines, neu fuwch neu ychen o'r ysbail y daethai gosgordd y llys gyda hwynt o'u brwydrau.[19] Yr oedd gan y pencerdd yntau ei freintiau yn ôl cyfreithiau'r llys. Rhydd-ddeiliad oedd y pencerdd yntau, a'i sedd yn llys y brenin wrth ochr y brawdwr, sef barnwr y llys.[20] Yr oedd ei freintiau yn cynnwys yr hawl i daliad *amobr* merched y cerddorion, sef y taliad yr arferid ei hawlio gan arglwydd neu bencenedl pan fyddai merch yn priodi neu yn colli ei gwyryfdod.[21] Yn ddiweddarach, byddai llawer o feirdd yr uchelwyr hwythau yn hanu o'r dosbarth uchaf yn y gymdeithas, a hynny'n barhad yn natur uchelwrol y grefft.[22]

Y mae'n sicr, felly, nad rhyw glerwyr tlawd yn mynd o ffair i ffair oedd penceirddiaid a beirdd llys yr oesoedd canol. I'r gwrthwyneb, uchelwyr yn canu am uchelwyr eraill oeddent. Yn ogystal, yr oedd nifer o feirdd y tywysogion hefyd yn gyfreithwyr neu yn hanu o dras cyfreithwyr.[23] Er enghraifft, yr oedd Einion ap Gwalchmai yn uchelwr o dras Meilyr Brydydd ac yn fardd ac yn ŵr cyfraith a wasanaethodd fel ynad llys yng nghyfundrefn lywodraethol y tywysog Llywelyn ab Iorwerth.[24] Bu'n un o gynghorwyr pwysicaf Llywelyn, a cheir tystiolaeth ei fod wedi cymryd rhan flaenllaw yn nifer o ddigwyddiadau cyfansoddiadol pwysicaf y cyfnod. Fe'i henwir fel un o gynghorwyr Llywelyn yng Nghytundeb Caerwrangon 1218, er enghraifft.[25] Gan gyfnewid ei glogyn cyfreithiwr am gadair bardd, canodd awdl o fawl i Lywelyn, a'i gyfarch, 'Llywelyn, llew glwys, Loegrwys lugyrn'.[26]

Beirdd eraill a oedd o dras cyfreithwyr oedd Einion ap Madog ap Rhahawd a Gruffudd ab yr Ynad Coch. Yr oeddent ill dau yn geifn ac yn hanu o frid enwog o gyfreithwyr, os nad y teulu mwyaf blaenllaw ym myd cyfraith Cymru'r oesoedd canol, sef llwyth Cilmin Droetu o Uwch Gwyrfai yn Arfon.[27] Un o frodyr Einion oedd Iorwerth ap Madog, awdur honedig Llyfr Iorwerth, sef un o lawysgrifau cyfraith pwysicaf y drydedd ganrif ar ddeg. Y mae cysylltiadau cyfreithiol Gruffudd fel mab i Fadog Goch Ynad yn amlwg o'i enw, er mai fel awdur marwnad ddirdynnol i Llywelyn ein Llyw Olaf y caiff Gruffudd ei le teilwng yn hanes llên Cymru.[28]

Yr oedd cysylltiad agos rhwng crefft fonheddig y bardd a chrefft fonheddig y cyfreithiwr gan mai crefftau'r uchelwyr oeddent ill dwy.[29] Credir mai rhai o'r beirdd-gyfreithwyr hyn oedd awduron y llyfrau cyfraith, a'u bod wedi mabwysiadu arddulliau llenyddol neu wedi eu dylanwadu gan syniadau llenyddol wrth fynd at eu gwaith. Credir, er enghraifft, fod y defnydd cyson o drioedd yn y llyfrau cyfraith wedi ei ysbrydoli gan eu defnydd mewn chwedlau a barddoniaeth. Cefnoga hyn y gred ei bod yn rhaid i'r cyfreithwyr, fel y beirdd, ddibynnu rywfaint ar eu cof er mwyn arfer eu crefft.[30] Mae'r ymwybyddiaeth o'r traddodiadau sy'n gysylltiedig â pherson Hywel Dda yn amlwg yn llyfrau cyfraith y drydedd ganrif ar ddeg, a hynny yn arwydd o ddylanwad diwylliant a thraddodiad, yn enwedig syniadau am undod y genedl ac awdurdod y brenin, ar gynnwys a natur y llyfrau cyfraith.[31]

Y mae'r ddolen glòs rhwng y cyfreithiwr a'r bardd yn yr oesoedd canol yn allweddol i'n dealltwriaeth o ddiddordeb y beirdd yn y gyfraith a'r cyfeiriadau cyfreithiol a geir yn eu cynnyrch barddol. Yr oedd yna ryngberthynas agos rhwng traddodiad a chwedl, cynnyrch diwylliannol a chynnwys a gwerthoedd y gyfraith Gymreig, ac yr oedd y syniadaeth a geid ynddynt yn gydgynhaliol. Gan hynny, nid llyfrau cyfraith oedd yr unig ffynonellau ar gyfer gwerthoedd ac egwyddorion Cymru'r oesoedd canol. Y mae chwedlau'r Mabinogi yn llawn o gyfeiriadaeth gyfreithiol, ac o foesoli neu o bregethu egwyddorion cyfreithiol trwy gyfrwng chwedl.[32] Ceir ynddynt gyfoeth o gysyniadau'r cyfreithiau am anrhydedd, gwaradwydd, sarhad ac iawndal, ac yn enwedig y syniad o iawndal fel dyfais i osgoi dial a chynnen. Er enghraifft, ar ddechrau chwedl Pwyll Pendefig Dyfed, cawn Pwyll yn cynnig iawndal i Arawn, brenin Annwfn, fel cymod am iddo dresmasu drwy ganiatáu i'w helgwn ladd carw ar ei diroedd. Themâu gwaradwydd ac iawndal sydd yn gosod y sail i'r stori sy'n dilyn. Yn chwedl Math fab Mathonwy, cawn yr uchelwr Gronw Pebr yn cydnabod bod ei weithredoedd a'i ystrywiau yn gyfystyr â brad tuag at Lleu Llaw Gyffes. Nid yn unig y cymerodd Flodeuwedd, y wraig ledrithiol a greodd y dewin Gwydion i Lleu, oddi wrtho, cynllwyniodd gyda Blodeuwedd i ladd Lleu. Yr oedd hyn yn sarhad y bu'n rhaid i Gronw yn bersonol dalu amdano, a gwnaeth hynny o'i wirfodd er mwyn osgoi galanas a chynnen rhwng teuluoedd a llwythau. Dyma gysyniadau sydd yn sail i rai o egwyddorion sylfaenol y cyfreithiau Cymreig parthed sarhad ac iawndal.

Yn chwedl Branwen, y mae gwaradwydd ac iawndal yn themâu canolog hefyd. Rhoddodd Bendigeidfran ei chwaer, Branwen, yn wraig i Matholwch, brenin Iwerddon, ond nid ymgynghorwyd â hanner brawd iddynt, Efnisien. Teimlodd hwnnw'r gwarth o fod wedi ei anwybyddu yn y trafodaethau a fu. Ei ymateb oedd anffurfio meirch Matholwch, gan dorri eu gweflau, eu clustiau, eu hamrannau a'u cyffonnau, a thrwy hynny eu difetha. Mewn ymateb, rhydd Bendigeidfran feirch glân a phair y dadeni i Matholwch, brenin Iwerddon, yn iawndal am y gwaradwydd a ddioddefodd dan law Efnisien, pan anffurfiodd hwnnw'r meirch. Trwy hynny, talodd Bendigeidfran *wynebwerth* i Matholwch. Dyma ymadrodd cyfreithiol a greai ddyletswydd gyfreithiol, ac y cyfeirir ato yng Nghyfraith Hywel.[33] Cawn wybod fel na fu'r iawndal yn ddigon i fodloni Matholwch ac i sicrhau heddwch rhwng y ddwy deyrnas, ac wedi dychwelyd i'w wlad dialodd Matholwch ar Branwen, a hithau'n wraig iddo bellach, a'i sarhau.

Yn ddi-os, byddai gwrandawyr gwybodus wedi gwgu ar glywed y modd y sarhawyd Branwen yn Iwerddon, gan nad ei bai hi oedd gweithredoedd ei brodyr, ac yr oedd y drasiedi a ddilynodd yn esgor ar wrthdaro rhwng y Cymry a'r Gwyddelod parthed cyfrifoldeb am y gwaradwydd, y modd y dylid fod wedi ei osgoi, a'r iawndal oedd yn ddyledus amdano. Bron na ellir honni mai moeswers ynglŷn â chost dial a chynnen, a gwerth cymod ac iawndal yw hanfod y stori. Ond, yn ogystal, mae'n cyfleu'r ddelwedd o'r Gwyddelod fel pobl anwar, agwedd a ganfyddir mewn ffynonellau eraill hefyd, fel y mae'r dyfyniad hwn o *Brut y Tywysogion* yn ei awgrymu:

> A gwedy bychydic o amser ŷd ymhoelawd Madoc ap Ridit o Iwerdon hep alel godef anynolyon uoesseu y Gwydyl.[34]
>
> (Ac wedi ychydig o amser y dychwelodd Madog ap Rhiddid o Iwerddon heb allu dioddef moesau annynyol neu anwaraidd y Gwyddyl.)

Yn sicr, ceir digon o dystiolaeth o arwyddocâd cyfreithiol a chyfeiriadaeth gyfreithiol yn nhestunau'r Mabinogi.[35] Cofier fod gwreiddiau'r chwedlau sy'n ffurfio'r Mabinogi yn ddwfn mewn mytholeg Geltaidd cyn dyfodiad Cristnogaeth, a throsglwyddwyd y storïau ar lafar o genhedlaeth i genhedlaeth. Ond y mae'r fersiynau sydd wedi goroesi i'w cael mewn llawysgrifau sydd yn dyddio yn ôl i'r bedwaredd ganrif ar ddeg.[36] O ganlyniad i'r trosglwyddo llafar ac ysgrifenedig fel ei gilydd, ceid mân newidiadau ac ychwanegiadau gyda golygyddion yn addasu neu ychwanegu at y testunau ysgrifenedig gwreiddiol. Gyda thystiolaeth o ddiweddaru ac addasu ar y fersiynau gwreiddiol, mae'n bosibl i egwyddorion ac arferion cyfreithiol ffasiynol ddylanwadu ar y fersiynau o'r chwedlau sydd wedi goroesi. Ar y llaw arall, gellid dadlau bod y mabinogi a'r cyfreithiau fel ei gilydd yn ffurfiau sydd yn mynegi gwerthoedd, hunaniaeth a bydolwg y genedl, a'u bod yn tynnu ar yr un ffynhonnell greiddiol, sef diwylliant y Cymry.

Yng ngwaith y Cynfeirdd a'r Gogynfeirdd, canu mawl a marwnad i dywysogion ac uchelwyr yw swmp y cynnyrch barddonol sydd wedi goroesi. Dyna a ellir ei ddisgwyl. O barodïo'r hen ddihareb Saesneg am bibydd a thiwn, yr hwn sy'n talu'r bardd sy'n sbarduno'r gerdd. Gan hynny, y mae cyfeiriadaeth gyfreithiol yn dueddol o godi yng nghyd-destun y canu mawl a marwnad, gan mai un o swyddogaethau'r tywysog oedd cynnal cyfraith, breiniau ac arferion y bobl.[37] Yn ogystal, awgryma'r cyfeiriadau cyson at y gyfraith yn y canu hwn fod gan y beirdd ddiddordeb ym materion gwleidyddol a chyfansoddiadol eu hoes.[38] Ac weithiau, ceid ynddynt gyfeiriadau at arferion cyfreithiol penodol, megis yn ymwneud â chyfnewid eiddo, neu dderbyn tâl am wasanaeth penodol yn llys y tywysog.

Y mae'r cerddi a briodolir i Taliesin (bl. 6ed ganrif), un o'r Cynfeirdd cynharaf, wedi goroesi mewn llawysgrifau o'r bedwaredd ganrif ar ddeg a adnabyddir fel Llyfr Coch Hergest a Llyfr Taliesin. Yng nghanu Taliesin, er enghraifft, ceir yn y farwnad i Owain ab Urien sôn am haelioni'r tywysog a chyfeiriad at feirch a dderbyniodd y bardd gan ei noddwr: 'Gŵr gwiw uch y amliw seirch/a rodai veirch y eircheit.'[39] Yr oedd derbyn march yn y modd hwn yn gyson â'r cyfeiriadau a geir yng nghyfreithiau Hywel Dda at y bardd teulu yn derbyn march yn rhodd gan y brenin.[40] Cawn enghraifft arall o gyfeiriad cyfreithiol yng nghanu Taliesin yn y gerdd 'Prif Gyuarch Geluyd', cerdd sydd yn gyfuniad o broffwydo, ddoethinebu a beirniadu. Ynddi, mae'r bardd yn beirniadu ei wrthwynebwyr, ac yn eu mysg y gwŷr sy'n ymhonni eu bod yn feirdd, sef ffug-feirdd neu *posbeird*. Prydyddion ydynt sydd yn camfarddoni er mwyn derbyn rhai o freintiau'r beirdd, er nad oes ganddynt hawl gyfreithiol iddynt.[41]

> Pos beirdein bronrein a dyfei.
> A deuhont uch medlestri.
> A ganhont gam vardoni.
> A geissont gyfarws nys deubi.
> Heb gyfreith heb reith heb rodi.[42]

Dyma gerdd lle mae'r bardd yn pwysleisio statws cyfreithiol y beirdd, ac yn gwarafun ymddygiad yr ymhonwyr nad oeddent yn wir grefftwyr ac nad oedd ganddynt yr hawl gyfreithiol i farddoni. Mae hyn eto'n adleisio'r hyn a ddywed llawysgrifau cyfraith am freintiau'r penceirddiaid a'r beirdd teulu.

Yn Llyfr Du Caerfyrddin, un o'r llawysgrifau hynaf o farddoniaeth Gymraeg sydd wedi goroesi, ceir awdl ddienw yn moli Cuhelyn Fardd.[43] Yr oedd Cuhelyn Fardd (bl. 1100–30) yn fab i Gwynfardd Dyfed, ac yn un o hynafiaid Dafydd ap Gwilym. Credir ei fod yn un o fân dywysogion

Dyfed yn ogystal â bod yn fardd o linach beirdd. Gyda chraidd ei diriogaeth yng nghantref Cemais, yr oedd yn un o'r arweinwyr Cymreig a ddaeth i delerau â'r Normaniaid. Derbyniodd eu cefnogaeth a'u ffafr ar ôl plygu i'w hawdurdod wedi iddynt oresgyn ei diriogaeth ar ddechrau'r ddeuddegfed ganrif.[44]

Lluniwyd yr awdl o fawl i Cuhelyn yn gynnar yng nghyfnod y Gogynfeirdd. Ni wyddom pwy oedd ei hawdur. Fe'i lluniwyd ar fesur rhupunt, sef llinellau wedi eu rhannu yn dair rhan ac yn cynnwys pedair sillaf yr un. Mae'r rhan gyntaf a'r ail ran yn odli, a'r drydedd ran yn cynnal y brif odl a geir drwy'r awdl. Ceir ynddi enghraifft o'r saernïo crefftus a'r pwyslais ar odl a chyflythrennu a ddaeth yn sylfaen i fesurau caeth yr oesoedd canol. Canmol dewrder a haelioni Cuhelyn fel arweinydd a wna'r awdl yn bennaf. Y mae swyddogaeth arglwydd neu dywysog fel cynhaliwr a gweinyddwr cyfiawnder a chyflafareddwr doeth mewn achosion o anghydfod yn derbyn clod yn ogystal. Yn y llinellau hyn, caiff ei ddisgrifio fel un sydd ar ororau ei genedl, sef ei bobl, yn rhyfelwr ffyrnig ac yn gynghorwr i farnwr ('cyngor hygnaid'):

Ceneddl woror,   cywrisg wosgor,   cyngor hygnaid;[45]

Y mae'r awdl hefyd yn clodfori Cuhelyn fel un sydd yn gyfuniad perffaith o'r rhyfelwr dewr, sydd fel blaidd ffyrnig ond hefyd yn farnwr doeth yn cynnal arferion cywir:

Graid blaidd blyngawd,   greddf deddf ddurawd,   gwnawd brawdwriaeth;
Gŵr oedd Eiddol,   gorwy reol   gorddethol ddoeth;[46]

Mewn mannau eraill yn yr awdl, disgrifir Cuhelyn fel 'Cuhelyn ddoeth',[47] 'cerennydd nod' (cymodwr perffaith)[48] a 'Rhychedwis ddeddf' (cynhaliwr arferion cyfreithiol).[49] Y mae'r cyfeiriad ato fel cymodwr yn arwyddocaol, gan fod pwyslais cyson yng nghyfreithiau'r Cymry ar gymodi a chyflafareddu. Yn rhai o'r cerddi mawl a marwnad i dywysogion a ffigurau hanesyddol mawr yr oes, cawn ein hatgoffa o'u rhagoriaethau fel cynheiliaid cyfiawnder. Yn ei awdl farwnad i Owain

Gwynedd, yr oedd Daniel ap Llosgwrn Mew (bl. 1170–1200) yn ymhyfrydu yn nawn y tywysog i anrheithio'r gelyn. Yr oedd hefyd yn hawlio nad oedd Owain yn un oriog na thwyllodrus, ac ni feiddiai neb dorri ei gyfraith:

> Nid oedd ŵr dwy awr, dwy araith – wrth neb,
> Ni thorrid ei gyfraith.
> Gŵr a wnâi ar Loegr llwyr anrhaith
> A dwyn ei dynion yn gaith.[50]

Yr oedd Daniel ap Llosgwrn Mew yn un o feirdd llys y Tywysog Owain Gwynedd, ac felly yn agos iawn at wrthrych y farwnad.[51] Yn yr un modd, canodd Gwynfardd Brycheiniog (bl. 1176) awdl o fawl i'w noddwr, yr Arglwydd Rhys, ac ymhyfrydodd yng nghyfrwystra ei dywysog ynghyd â'i allu i ddarparu cyfraith gyfiawn a doeth i bawb:

> Cymhenrwydd gyfrwydd, gyfrwystra haeddu,
> Cymhenraith gyfraith, gobaith pob tu.[52]

Yn ei awdl i Dewi Sant, pwysleisio statws cyfreithiol y beirdd a wnaeth Gwynfardd Brycheiniog, wrth iddo fynegi ei ddymuniad i ganu yn ôl 'cyfraith barddoni'.[53] Ceir enghraifft arall o foli tywysog fel cynhaliwr y gyfraith yng ngwaith Llygad Gŵr (bl. 1268), bardd na wyddys nemor ddim amdano, gan gynnwys ei enw iawn, gan mai ei lysenw yn unig sydd wedi goroesi. Credir mai Edeirnion oedd ei gynefin a'i fod yn ei anterth yn oes y Tywysog Llywelyn ap Gruffydd, ein llyw olaf. Un o'i gerddi pwysicaf yw ei fawl i'r llyw olaf, ac wrth restru rhagoriaethau'r tywysog, y mae'n datgan bod cyfreithiau'r tywysog yn allweddol i'w lwyddiant, ac oherwydd ei gyfraith bydd goruchafiaeth: 'Am ei wir bydd dir o'r diwedd'.[54]

Y mae'r gyfeiriadaeth gyfreithiol yng nghyd-destun canu mawl yn bur luosog fel y gellir disgwyl, gan mai un o brif swyddogaethau'r llywodraethwr oedd gweinyddu cyfiawnder. Weithiau, ceir cyfeiriadaeth sydd yn arddangos arbenigedd cyfreithiol y bardd ei hun. Un o feirdd oes y Gogynfeirdd a rannodd ei wybodaeth drylwyr o Gyfraith Hywel trwy gerdd oedd Cynddelw Brydydd Mawr (bl. 1155–1200).[55] Yr oedd yn un o feirdd pwysicaf ei oes ac yn helaeth ei gynhyrchion barddol. Canodd i dywysogion Gwynedd, Powys a'r Deheubarth, ac yn ei awdl i Owain ap Madog o Bowys, cyffelybodd ragoriaeth y tywysog (rhiau) fel pennaeth a chynheiliaid cyfraith (rhaith) i'w ragoriaeth ef fel pen beirdd:

> Prif ragor, plu porffor perffaith,
> Delw ydd wyt pen rhiau, pen rhaith,
> Ydd wyf pen prifeirdd o'm prifiaith,
> Delw ydd wyt wawr torf, corf cyfraith.[56]

Yr oedd Cynddelw yntau yn ymwybodol iawn o'i statws breintiedig fel pencerdd, a bod y statws yn un a gydnabyddid yn y cyfreithiau. Hyn a barodd iddo'i ddisgrifio ei hun yn ei awdl 'Rhieingerdd Efa ferch Madog mab Maredudd' fel 'cerddawr cyfraith', sef un sydd yn canu yn unol â'i statws o dan y gyfraith.[57] Powys oedd cynefin Cynddelw Brydydd Mawr, a thrwy ei gysylltiadau â'r dalaith honno a'i wybodaeth helaeth o'i harferion, lluniodd gyfres o englynion sydd yn brawf pendant o'i wybodaeth gyfreithiol.

Ar y thema 'Breintiau Gwŷr Powys', rhestrodd hawliau etifeddol uchelwyr neu osgordd Powys, gan egluro mai 'o ganon cerddorion canaf', sef ei fod yn canu yn unol â chyfraith y prydyddion.[58] Y mae'r englynion hyn yn gysylltiedig â chyfres o englynion eraill o'i eiddo, sef 'Gwelygorddau Powys', sydd yn rhestru pedair ar ddeg o welygorddau Powys.[59] Cymhellion gwleidyddol a sbardunodd y cynnyrch barddonol hwn. Credir bod tywysogion Powys yn prysur erydu rhai o imiwneddau cyfreithiol traddodiadol uchelwyr Powys yn ystod ail hanner y ddeuddegfed ganrif. Yr oedd tensiwn rhwng awdurdod y tywysog a breintiau etifeddol yr uchelwyr yn un a godai'n aml yn oes y tywysogion. Ymddengys fod Cynddelw Brydydd Mawr wedi gweithredu fel eiriolwr ar ran gosgordd Powys, gan gyflwyno rhestr o freintiau, trwy ddefnyddio mydr ac odl, yr oedd am i'r tywysog eu hanrhydeddu. Testun tebyg o ran ei bwrpas, er nad o ran ei arddull, oedd 'Breintiau Arfon', testun a geid mewn llawysgrifau o'r drydedd ganrif ar ddeg, a oedd yn rhestru hawliau gwŷr y rhanbarth hwnnw.[60] Os nad oedd gwreiddioldeb yn yr amcan, llwyddodd Cynddelw Brydydd Mawr i gyflwyno ei neges yn hynod grefftus.

Y mae rhai o englynion 'Breintiau Gwŷr Powys' yn uniongyrchol eu cynnwys cyfreithiol, a gwelir defnydd o'r termau neu'r ymadroddion a geid yn y llawysgrifau cyfreithiol.[61] Maent yn atgoffa'r gynulleidfa fel y bu i osgordd Powys ennill breintiau ar ôl profi eu dewrder ar faes y gad, Brwydr Meigen yn enwedig. Bu i dywysogion Powys amlhau eu breintiau o'r herwydd, neu 'cynyddws brenhinedd breiniau'.[62] Yn un o'r englynion, ar ôl disgrifio gwroldeb yr osgordd, a'u parch tuag at ddefodau ac arferion eu bro, dywedir na ddisgwylid iddynt dalu 'deuprid':

> Cynyddws Powys perfoliant – er pell,
> Nid pallu yr ddigonsant,
> Dragon dwfn, defawd a gadwant,
> Dreigiau dewr deuprid ni daliant.[63]

Yr oedd y *prid* yn golygu'r benthyciad a wneid i dirfeddiannwr, a fyddai wedyn yn rhoi ei dir i'r benthyciwr fel gwarant am y ddyled. Math o les ydoedd mewn gwirionedd. Daeth y *prid* i fodolaeth oherwydd bod Cyfraith Hywel Dda yn atal aelodau'r teulu rhag gwerthu'r tir teuluol, y *gwely*, am bedair cenhedlaeth wedi marw'r penteulu. Yr oedd hyn yn medru bod yn rhwystr i brynu a gwerthu tiroedd yng Nghymru. Defnyddiwyd y *prid* fel dyfais i osgoi'r llyffetheiriau hyn gan na ddisgwylid i'r benthyciad gael ei ad-dalu, ac, o'r herwydd, byddai'r menthycwr yn cael cadw'r tir.[64]

Cawn yma un o'r cyfeiriadau cynharaf at y *prid*, cyfeiriad sy'n awgrymu ei fod yn cael ei ddefnyddio fel dyfais gyfreithiol mor gynnar â'r ddeuddegfed ganrif. Wrth ddefnyddio'r ymadrodd 'deuprid', mae'n bosibl mai cyfeirio y mae'r bardd at daliad ychwanegol y mynnai tywysogion ei dderbyn pan gwblheid trafodion cyfreithiol o'r math yma. Os felly, yr oedd y bardd, ar ran gosgordd Powys, yn edliw'r ffaith fod y tywysog yn mynnu tâl ychwanegol iddo'i hun, gan weithredu'n groes i'r hyn yr oedd uchelwyr Powys yn credu oedd yn ddisgwyliedig yn unol â'u breintiau. Y mae'r englyn a ganlyn yn dilyn y trywydd trethiannol eto, ac yn mynnu nad oes tâl yn ddyledus i arglwydd yn sgil marwolaeth milwr:

Ni thelir o wir, o ẃreiddrwydd – braisg
A brwysgaw yn rhodwydd,
Ebediw gŵr briw, braw ddygwydd,
Yn nydd brwydr rhag bron ei arglwydd.[65]

Yr oedd *ebediw* yn daliad a oedd yn ddyledus i arglwydd ar farwolaeth gŵr, a'r tâl hwnnw oedd creadur gorau'r ymadawedig (ebol neu farch) yn rhodd i'r arglwydd.[66] Ffurf o dreth etifeddol Gymreig ydoedd, ac, fel pob treth ymhob oes, yn amhoblogaidd yng ngolwg y rhai a oedd yn rhwym i'w thalu. Mynna'r bardd, gan hynny, fod gosgordd Powys yn rhydd o orfod talu'r dreth yn sgil marwolaeth milwr ar faes y frwydr. Mewn englyn arall, mae'r bardd yn hawlio mai gwŷr Powys yw'r 'penrhaith', sef prif wŷr cyfraith, ac y maent yn mynnu y dylid anrhydeddu'r rheolau a'r arferion cyfreithiol traddodiadol. Nid ydynt yn barod i dalu traean o'r anrhaith neu'r ysbail wedi brwydr i dywysog, gan ei fod yn un o'u breintiau i gadw'r ysbail i'w rannu ymysg ei gilydd:[67]

Ni'i tâl gwŷr Powys, penrhaith – ar Gymru,
Gan gymryd anghyfraith,
Wedi traul trylew diolaith,
Wedi trin, traean o anrhaith.[68]

Rhestru rhagor o freintiau gwŷr Powys a wna'r bardd yn yr englynion eraill. Protest yn erbyn ymyrraeth tywysogion a'u swyddogion ar freintiau a hawliau'r uchelwyr fel gwŷr rhydd ac fel milwyr ffyddlon sydd ynddynt, ac y mae'r bardd yn atgoffa'i gynulleidfa o seiliau cyfreithiol y breintiau hyn. Y mae ynddynt hefyd awgrym mai o dan ddylanwad arferion estron ac mewn efelychiad o gyfreithiau'r Saeson y mae tywysogion Powys yn anwybyddu breintiau'r osgordd. Yn un o'r englynion, ceir cyfeiriad sydd efallai yn awgrymu bod tywysogion Powys yn caniatáu i ferched etifeddu tir y teulu lle nad oedd ganddynt frodyr i'w etifeddu, rhywbeth a oedd yn dderbyniol yng nghyfraith Lloegr ond nid yng nghyfreithiau'r Cymry. Yn ôl dull *cyfran* a geid yng nghyfraith Hywel, nid oedd merched yn cael etifeddu a pherchnogi tir.[69] Byddai tir yr ymadawedig nad oedd ganddo feibion yn pasio i'w frodyr neu ei berthynas gwrywaidd agosaf. Y mae'n bosibl bod tywysogion Powys wedi dechrau mabwysiadu dull y Saeson o ganiatáu merched i etifeddu tir, ac mai mynegi'r egwyddor draddodiadol Gymreig a wna Cynddelw Brydydd Mawr yn y cwpled hwn:

> Rhan ei frawd, ei fraint a'i tywys,
> Rhan ei chwaer na chweir o Bowys.[70]

Os oedd arferion cyfreithiol y Saeson yn dylanwadu ar gyfreithiau'r Cymry yn oes y tywysogion, rhaid ystyried am ychydig y modd y digwyddodd hyn.

Yr oedd gan yr arglwyddi Normanaidd bresenoldeb parhaol ar ororau Cymru ac ar arfordir y de ers ail hanner yr unfed ganrif ar ddeg. Dyma ardal y Mers, ardal a chanddi ei diwylliant a'i harferion unigryw ac a oedd yn bur annibynnol ar ymyrraeth brenin Lloegr a thywysogion y Cymry fel ei gilydd. Datblygodd hunaniaeth gyfreithiol yn y rhan hon o Gymru hefyd, a chydnabyddid 'cyfraith y mers' fel cod cyfreithiol a oedd yn wahanol i'r gyfraith frenhinol neu'r gyfraith gyffredin, ac i gyfraith y Cymry, er ei bod yn ymgorffori elfennau o'r ddau ddiwylliant cyfreithiol. Crybwyllwyd cyfraith y Mers yn y Magna Carta yn 1216. Yr oedd cyfraith y Mers yn weithredol mewn rhannau o Gymru, y *Marchia Wallie* o'r unfed ganrif ar ddeg ymlaen, ac yn sicr yn dylanwadu ar ddiwylliant cyfreithiol *Pura Wallia*, sef y rhan o Gymru o dan reolaeth y tywysogion Cymreig.[71]

Yn y Mers, addaswyd rhai o'r arferion Cymreig a'u cadw gan y Normaniaid, yn enwedig arferion a fyddai o fantais economaidd i'r barwniaid. Yno, byddai traddodiadau a threfniadau tiriogaethol y Cymry (er enghraifft, y 'cwmwd') yn bodoli ochr yn ochr â threfniadau cyfraith gyffredin Lloegr. O'r herwydd, ni chafodd y gyfraith Gymreig ei disodli'n llwyr yno. Ar yr un pryd, yr oedd ffiwdaliaeth yn disodli arferion llwythol brodorol, nid yn unig yn y Mers, ond yn nhiriogaethau'r tywysogion Cymreig yn ogystal. Daeth y pwyslais ar ganoli grym ac ar awdurdod brenhinol yn nodwedd gynyddol yng nghyfreithiau'r Cymry fel ag yn y Mers. Er hynny, ceir tystiolaeth yn y llawysgrifau cyfreithiol Cymreig fod elfen o ymhyfrydu yn y gwahaniaethau rhwng diwylliant cyfreithiol Cymreig ac eiddo'r Saeson. Tra oedd treisio merch yn cael ei gosbi â disbaddiad yn ôl y gyfraith Normanaidd, nid felly yng nghyfraith y Cymry. Yn Llyfr Blegywryd, ceir brawddeg ddiamwys yn datgan: 'Nyt oes yg kyfreith Hywel Da yspadu gwr yr treissaw gwreic.'[72] Gan fod elfennau o'r cyfreithiau Cymreig yn cael eu harfer yn y Mers, cafodd fersiynau Lladin a Chymraeg o'r testunau eu paratoi gan y cyfreithegwyr Cymreig i wasanaethu'r tiroedd dan reolaeth y Normaniaid. Yn yr hinsawdd yma, yr oedd hi'n anorfod y byddai cyfreithiau'r Cymry yn cael eu dylanwadu gan syniadau cyfreithiol Seisnig. Gwyddys bod hyd yn oed tywysogion Gwynedd erbyn y drydedd ganrif ar ddeg yn tanseilio *galanas* ac yn hybu trefn cyntafanedigaeth am resymau gwleidyddol.[73]

Y mae cerdd arall yng nghanon y Gogynfeirdd a chanddi gynnwys cyfreithiol sydd yn dadlennu'r diwylliant cyfreithiol cymhleth a fodolai yng Nghymru erbyn dechrau'r drydedd ganrif ar ddeg. Yn wir, efallai mai 'Awdl yr Haearn Twym' o waith Llywarch ap Llywelyn (bl. *c.*1173–1220), neu Brydydd y Moch, yw'r esiampl fwyaf trawiadol a dyrys o gerdd gyfreithiol ym marddoniaeth y Gogynfeirdd. Credir bod Llywarch ap Llywelyn yn fardd o bwys yn llysoedd Gwynedd yn ystod chwarter olaf y ddeuddegfed ganrif a dwy ddegawd gyntaf y ganrif ddilynol.[74] Yr oedd yn ei anterth fel bardd erbyn dechrau teyrnasiad Llywelyn Fawr. Y mae cryn ddirgelwch o gwmpas tarddiad ei lysenw, 'Prydydd y Moch'. Ai am iddo dreulio cyfnod fel ffermwr moch cyn esgyn yr ysgol farddol ac ymddyrchafu'n gymdeithasol y cafodd yr enw gan gyfoeswyr eiddigeddus? Neu am fod ganddo gysylltiad â llefydd fel Mochnant neu Mochdre? Y mae'n debyg iddo dderbyn tiroedd yng nghantref Rhos, yng nghwmwd Is-Dulas yn benodol, gan Llywelyn ab Iorwerth.[75] Byddai treflan Mochdre o fewn ffiniau'r cantref, os nad y cwmwd, a byddai cysylltiad gyda'r lle yn cynnig esboniad o'r llysenw, er nad oes unrhyw dystiolaeth i gadarnhau hynny. Awgrym Melville Richards oedd bod ganddo gysylltiad â threfgordd Wigfair, ger yr afon Elwy, lle ceid Melin Prydydd y Moch.[76] Rhaid bodloni ar barhau i ddyfalu tarddiad llysenw'r bardd hynod hwn.

Y mae llawer o'i waith sydd wedi goroesi yn ymwneud â thywysogion Aberffraw a'u hymdrechion i gadarnhau eu hawdurdod fel pen llywyddion y genedl. Er mai canu mawl yw swmp ei waith, ceir lle i gredu ei fod hefyd yn greadur braidd yn gecrus a'i fod yn ddigon parod i gweryla â'i noddwr ar adegau. Y mae ei gerdd yn gofyn cymod â'r tywysog Dafydd ab Owain Gwynedd, er enghraifft, yn awgrymu ei fod yn fwy na pharod i roi tywysog yn ei le.[77] Ar yr un pryd, gallai lunio awdl serch yn llawn angerdd a dyhead.[78] Canodd nifer o gerddi yn clodfori llwyddiannau milwrol a gwleidyddol Llywelyn Fawr, a bu gweledigaeth Llywelyn o uno Cymru o dan un tywysog yn ddylanwad pwysig ar ganu Llywarch ap Llywelyn. Yn ogystal, ceir cerddi ganddo i fân dywysogion Powys a'r Deheubarth.[79] Yng nghyd-destun y canu mawl ceir ambell gyfeiriadaeth gyfreithiol, megis yn ei awdl i Dafydd ab Owain Gwynedd, pan gyfeiria at y meirch a gawsai ganddo (a hynny yn gyson â'r hyn a ddisgwylid yn unol â'r cyfreithiau):

> Maith y rhydd yr hyn ni'm adug:
> Meirch breisgir uwch brasgeirch haflug.[80]

Os mai gorchestion tywysogion Aberffraw oedd prif thema gwaith Llywarch ap Llywelyn, y mae ei awdl i'r haearn twym yn sefyll ar ei phen ei hun o ran ei chynnwys. Yn wir, nid oes dim tebyg iddi yng ngwaith Beirdd y Tywysogion. Cawn wybod mai'r amheuaeth a oedd ar led iddo ladd rhyw Fadog a barodd i'r bardd lunio'r awdl. Gwadu'r ensyniad a datgan y ffaith ei fod yn ddieuog o'r weithred y mae'r bardd, a hynny trwy ymbil am gael ei roi tan brawf yr haearn twym.[81]

Egyr y gerdd â datganiad gan y bardd o'i ffydd yn yr haearn twym. Y mae'n personoli'r haearn twym a'i gyfarch trwy ddatgan ei gred mai Duw ei hun yw ei luniwr, a'i fod gan hynny yn darostwng iddo ac yn ymddiried ynddo fel cyfrwng cyfiawnder ('Dof wyf it yn wanas'). Mynna y gellir ymddiried yn yr haearn twym fel y medrir ymddiried yn Efengyl Ioan, ac y bydd y gwirionedd yn disgleirio ('dywynnyg') yn wynias trwy'r haearn twym. Erfynnir am nawdd Crist a'r Saint wrth wynebu'r prawf. Ychwanega mai nad yn ddi-boen y ceir cyfiawnder trwyddo. Fe'i disgrifir fel y 'Dur ynad', sef barnwr caled, a'i fod yn 'wynias' ac yn achosi 'poethgur':

Creawdr nef, crededun i'i was,
Credwn i hwn fal y credwn i Ionas.
Dur ynad deddf rad rhyswynas – Dofydd,
Dof wyf it yn wanas.
Dywynnyg dy wir yn wynias,
Dy wynfyd i'm cywyd nid cas.
Edrych, pan fernych faint fy nhras,
Creadur poethgur, pa'th greas.
Archaf arch i Bedr o berthynas – Crist
A ddug Grog yn urddas,
Trwy eiriawl teg ymiawl Tomas
A Phylip a Phawl ac Andras.[82]

Ar derfyn yr awdl, y mae'r bardd yn rhoi esboniad o'r amgylchiadau sydd wedi arwain ato'n gorfod cyfarch yr haearn twym yn y modd hwn. Gofynna i'r haearn twym brofi nad ef a laddodd Madog ac nad yw'n euog o'r cyhuddiad, mwy na chaiff Cain a'i dylwyth le yn y nefoedd. Y mae'r awdl yn terfynu trwy ddatgan dymuniad bod mewn cymdeithas â Duw, a dianc rhag ei ddigofaint:

O afflau fy llaw, llafn wynlas,
O affaith golaith galanas,
Da haearn, diheura, pan llas
Llaith Madog, nad o'm llaw y'i cafas,

Nog a'i caiff Cäin a'i glas
Ran o nef a'i naw teÿrnas.
A minnau, mynnaf gyweithas,
Bodd Duw im, a dianc o'i gas.[83]

Pwy oedd Madog? Pryd ac ymhle y lladdwyd Madog? Pam yr amheuwyd Prydydd y Moch o'i ladd? Nid oes atebion parod i'r cwestiynau hyn mewn awdl sydd yn llawn dirgelwch. Llinell allweddol yn yr awdl yw, 'O affaith golaith galanas', lle mae'r bardd yn dymuno osgoi (golaith) cyfrifoldeb (affaith) am y lladd (galanas). Ond nid geiriau a ddefnyddir yn ysgafn sydd yma, oherwydd y maent hefyd yn gyfeiriadau uniongyrchol at gysyniadau cyfreithiol, gan arddangos gwybodaeth y bardd o Gyfraith Hywel Dda. Yng nghyfreithiau'r Cymry, yr oedd *galanas*, sef lladd, ynghyd â lladrad a llosgi, yn un o dair colofn y gyfraith, sef y gyfraith a oedd yn ymwneud â chamweddau ac a gofnodwyd yn Llyfr Prawf Ynaid, sydd yn llawysgrif Llyfr Iorwerth.[84] Cyfeirir yn nhair colofn y gyfraith at y 'naw affaith' a berthyn iddynt, sef y naw ffurf o gyflawni neu o fod yn gyfrifol am y camwedd.[85] Yr oedd y term 'galanas' yn ymadrodd eang ei ystyr, yn golygu'r weithred o ladd, y gynnen neu'r fendeta rhwng tylwyth y lladdwr a thylwyth y lladdedig wedi lladdedigaeth, a hefyd y broses o ddatrys hynny trwy'r iawndal a delid er mwyn lleddfu'r gynnen.[86]

Yr oedd y gair 'galanas', gyda'r sillaf cyntaf 'gal', yn tarddu o'r un gwreiddyn a'r gair 'gelyn', ac felly yn agos iawn o ran ei ystyr i 'gelyniaeth'. Prif bwrpas *galanas* oedd osgoi gelyniaeth.[87] Telid iawndal i berthnasau'r dioddefwr hyd at y seithfed ach gan y drwgweithredwr a'i dylwyth, hwythau yn gyfrifol mewn perthynas gyfatebol, hyd at y seithfed ach (neu, o'i roi mewn ffordd arall, ddisgynyddion y gorhengaw, sef hen, hen, hen, hen daid). Yr oedd y maint a delid gan bwy i bwy yn dibynnu ar ba mor agos oedd y berthynas rhwng y camweddwr a'r dioddefwr, ac yr oedd yma gyfundrefn bur gymhleth o'i gweithredu yn ôl y rheolau.

Ceid cyfundrefn gyffelyb yn hen gyfreithiau'r Gwyddelod, gyda'r *log n-enech*, a olygai wynebwerth, yn cyfatebu i *alanas* yng Nghyfraith

Hywel.[88] Pe bai teulu'r drwgweithredwr yn methu â thalu'r iawndal o'u harian neu eu heiddo symudol, caniateid iddynt werthu eu tiroedd teuluol, eu *gwely*, er mwyn codi'r arian (a'r tir hwnnw yn cael ei adnabod fel *gwaed tir*).[89] Efallai mai'r cymhlethdodau hyn, ynghyd â chwestiynu moesoldeb y fath drefn a arweiniodd at ddirywiad y system hyd yn oed cyn goresgyniad 1282. Yr oedd gofyn i holl deulu'r drwgweithredwr rannu'r baich o dalu iawndal am ei weithredoedd yn bur orthrymus arnynt. Serch hynny, yr hyn sy'n peri'r dirgelwch mwyaf ynglŷn â'r gerdd yw i'r bardd erfyn am gyfiawnder trwy gyfrwng penodol yr haearn twym.

Yr oedd y *diheurbrawf* ar ryw ffurf i'w ganfod trwy wledydd cred hyd at ddechrau'r drydedd ganrif ar ddeg. Y mae gwreiddiau'r *diheurbrawf* yn gynhanesyddol, a cheir amrywiadau arno bron ymhob cymdeithas ddynol gyntefig. Yn Lloegr, lle ceid y *diheurbrawf* ers oes y Sacsoniaid, rhoddwyd cymeradwyaeth ffurfiol i'r *diheurbrawf* yn yr *Assize of Clarendon* ym 1166, ac fe'i defnyddiwyd, er yn anaml mae'n bosibl,[90] yng ngweinyddiaeth cyfiawnder hyd at 1215.[91] Mewn nifer o achosion o anghydfod rhwng unigolion, neu mewn sefyllfa lle yr honnid bod mân gamwedd neu fân drosedd wedi ei chyflawni, byddai'r anghydfod neu'r cyhuddiad yn cael ei brofi trwy gymryd llwon a galw tystion. Disgwylid i'r cyhuddwr a'r cyhuddedig alw tystion i brofi'r honiad neu'r ymwadiad. Pan nad oedd tystiolaethu fel hyn yn ddigon dibynadwy neu yn cynnig ffordd dderbyniol o ddyfarnu ar gyhuddiad difrifol, gellid troi at y *diheurbrawf*.[92] Yr oedd y *diheurbrawf* hefyd yn cynnig cyfle olaf i'r un a gyhuddid o drosedd ddifrifol, gan olygu nad ar eiriau tystion yn unig y câi ei euogfarnu a'i gosbi (ei grogi neu ei ddienyddio, o bosibl), ond ar ôl cadarnhad dwyfol.[93]

Wrth ddefnyddio'r *diheurbrawf*, yr oedd y gyfundrefn gyfreithiol yn apelio am ymyrraeth ddwyfol. Credid mai Duw oedd yn rhoi'r ateb terfynol a'n dangos y gwirionedd trwy'r *diheurbrawf*. Gan hynny, byddai offeiriad yn chwarae rhan bwysig yn y gweithrediadau fel cynrychiolydd y Goruchaf. Y mae'r cyfeiriadau cyson yn 'Awdl yr Haearn Twym' at fendith Duw a chymorth Crist a'r saint yn adlewyrchu natur grefyddol y broses. Defnyddid gwahanol ffurfiau o brofi, ond profion yn ymwneud â dŵr a thân gan amlaf. Yr oedd yr un a roddid ar brawf yn gorfod ymprydio am rai dyddiau cyn wynebu'r prawf. Golygai brofi trwy ddefnyddio dŵr y byddai'r un o dan amheuaeth yn cael ei glymu a'i ostwng i mewn i bwll o ddŵr. Petai yn suddo i mewn i'r dŵr, golygai hyn ei fod yn cael ei dderbyn gan y dŵr ac yn derbyn bendith Duw, a'i fod gan hynny yn ddi-fai (yr oedd yn rhaid ei godi yn go sydyn o'r dŵr cyn iddo foddi, wrth gwrs). Gyda phrawf yr haearn twym, rhoddid darn o haearn yn y tân hyd nes ei fod yn wynias. Yna, gofynnid i'r unigolyn dan amheuaeth afael yn yr haearn a'i ddal am rai eiliadau, neu gerdded tri cham gydag ef. Yn dilyn hyn, rhwymid ei law mewn cadach. Mewn ychydig ddyddiau wedyn, byddai'r llaw yn cael ei harchwilio. Os oedd y llaw i'w weld yn lân ac yn gwella, byddai hynny yn arwydd bod Duw o blaid yr un a brofwyd. Os oedd y clwyf yn gwaethygu neu wedi ei heintio, byddai hynny yn arwydd o'i fai neu ei euogrwydd.[94] Rhoddi llw dynol ar ei brawf dwyfol oedd y *diheurbrawf*, neu, fel y dywedodd Milsom, 'the test of an oath in a believing age'.[95]

Erbyn dechrau'r drydedd ganrif ar ddeg, fodd bynnag, yr oedd yr Eglwys yn anesmwytho ynglŷn â'r defnydd o'r *diheurbrawf*. Onid yr Eglwys oedd yn cynnal yr ofergoeliaeth hon trwy ymyrraeth ei hoffeiriaid, a oedd yn gweinyddu'r *diheurbrawf*? Yr oedd gofyn i Dduw ddod i lawr ac ymyrryd mewn achosion fel hyn yn ofyn mawr, ac ni ellid cael sicrwydd bod Duw yn ei brysurdeb yn ymyrryd ymhob achos. Gan hynny, tyfodd amheuon am ddilysrwydd y dull hwn o ganfod cyfiawnder ymysg y credinwyr.[96] Credir bod y swyddogion a oedd yn gweithredu'r *diheurbrawf* mor anghyfforddus â'r gwaith nes iddynt ddechrau llunio ffyrdd i sicrhau canlyniadau trugarog. Y mae'n bosibl nad oedd yr haearn yn dwym iawn ymhob achos, er enghraifft, neu dehonglid cyflwr y llaw losgedig mewn ffordd a oedd yn ffafriol i'r un a losgwyd.

Ym 1215, daeth terfyn ar y *diheurbrawf* pan benderfynodd yr Eglwys, gyda datganiad Cyngor Lateran, fod erfyn ar Dduw yn y modd hwn yn annerbyniol, a gwaharddwyd offeiriadon rhag cymryd rhan yng ngweithredu'r *diheurbrawf*.[97] Gan fod presenoldeb yr offeiriad yn allweddol i ddilysrwydd dwyfol y ddefod, nid oedd hi'n bosibl i'r *diheurbrawf* oroesi, a pheidiodd â bod yn rhan ffurfiol o'r gyfundrefn gyfreithiol o hynny ymlaen (parhaodd y profi trwy ymladd neu frwydr am beth amser eto, gan nad oedd angen i offeiriaid gymryd rhan yn y broses honno).[98] O hyn ymlaen, dyletswydd dyn, nid Duw, oedd dyfarnu mewn materion cyfreithiol, a bu'n rhaid dyfeisio dull amgenach o wneud hynny. Yn dilyn hyn y daeth un o ddyfeisiadau cyfreithiol mwyaf hirhoedlog y Saeson i'r adwy, sef y rheithgor.

Cyn 1215, fodd bynnag, gallai'r un a gyhuddid o lofruddiaeth yn Lloegr ddisgwyl barn o dan drefn y *diheurbrawf*, ac y mae'n debyg i Llywarch ap Llywelyn lunio ei awdl yn ystod oes y *diheurbrawf* yn Lloegr. Os dyna'r drefn yn Lloegr, beth am Gymru? A oedd lle i'r *diheurbrawf* yn nhrefn cyfiawnder Gwynedd yn oes y tywysogion, ac a yw 'Awdl yr Haearn Twym' yn dystiolaeth o hynny? Ceir cytundeb ymhlith ysgolheigion nad oes na chyfeiriad nac awgrym yn un o'r llawysgrifau cyfreithiol Cymreig at y *diheurbrawf*, boed trwy gyfrwng yr haearn poeth, ddŵr neu frwydr.[99] Yn hytrach, cyfrifid y pwyslais ar *raith*, sef ar brofi trwy lwon tystion, fel un o ragoriaethau cyfreithiau'r Cymry o'u cymharu â'u cymdogion.[100] Ni cheir sôn am *ddiheurbrawf* yn Llyfr Cynghawsedd, sef y llawlyfr proses ar gyfer yr ymarferwyr yn y llysoedd Cymreig. Dim ond mewn ychydig o destunau llenyddol Cymraeg neu destunau a luniwyd o dan awdurdod arglwyddi Normanaidd y Mers y ceir unrhyw sôn am brofi trwy dân neu ddŵr yng Nghymru'r oesoedd canol. Nid yw'r ychydig ffynonellau hyn yn awgrymu ei fod yn cael ei ddefnyddio gan y gyfundrefn gyfreithiol yng Ngwynedd.[101] Yn wir, nid oedd y term 'diheurbrawf' i'w gael yn Gymraeg hyd nes y ddeunawfed ganrif.[102]

Wrth gwrs, ni ddylai hyn ganiatáu inni dybio nad oedd yng Nghymru unrhyw ddibyniaeth ar ofergoel i ddatrys anghydfod neu i ateb cyhuddiad. Gwyddom fod dulliau amgen, y tu hwnt i'r gyfundrefn gyfreithiol swyddogol, yn gyffredin o leiaf hyd at y ddeunawfed ganrif.[103] Ond, gan gofio swyddogaeth yr offeiriad wrth weinyddu'r *diheurbrawf*, a'r defodau ffurfiol a gysylltid â hi, y mae absenoldeb unrhyw gyfeiriad ato yn y cyfreithiau Cymreig yn awgrymu'n gryf nad oedd ganddo le yn y drefn gyfreithiol o gwbl. Pam, felly, y bu i Brydydd y Moch ganu mawl i'r haearn poeth? Ni ddylem ragdybio bod yr awdl yn dystiolaeth bod yr haearn poeth yn cael ei ddefnyddio yng Ngwynedd ar droad y drydedd ganrif ar ddeg. Yr oedd yr Athro T. Gwynn Jones yn credu mai cymeriad ychydig yn wyllt ac anwadal oedd Llywarch ap Llywelyn. Ond rhagdybiaeth ddi-sail yw ei sylw mai Madog ab Owain Gwynedd oedd y Madog a enwid yn awdl Llywarch.[104] Fel hyn y dywedodd T. Gwynn Jones amdano:

> Gŵr gwyllt ydoedd, yn canu mawl meibion Owain Gwynedd, ac eraill, bob yn ail â'u bygwth a chanu marwnadau ar eu holau. Cyhuddwyd ef o ladd Madog ab Owain Gwynedd, y gŵr y lluniwyd rhamant darganfod America o gwmpas ei enw; a chanodd yntau 'Awdl yr Haearn Twym', yn erfyn nawdd Dduw a'r Saint i brofi, drwy gerdded yr haearn poeth, ei fod yn ddieuog.[105]

Efallai mai pledio diniweidrwydd trwy ormodiaith farddonol a wnaed gan un nad oedd ganddo unrhyw fwriad gafael mewn haearn gwynias. Trwy ofyn am gael ei brofi mewn ffordd a olygai boen a dioddefaint iddo ei hun, y mae'n bosibl mai ei fwriad oedd argyhoeddi ei gynulleidfa yn hytrach na dwyn arno'i hun boenau'r haearn mewn gwirionedd. Tybed, hefyd, ai protest wleidyddol sydd yma, gan gofio bod tywysogion Gwynedd a Phowys yn cynyddol fabwysiadu arferion cyfreithiol y Saeson pan oedd hynny yn eu siwtio (megis yn ymgais Dafydd ap Llywelyn i ddiddymu *galanas* yn ei dywysogaeth).[106] Efallai mai ffurf ar feirniadaeth sydd yma, megis a welsom yng ngwaith Cynddelw Brydydd Mawr, a'r bardd yn herio'i noddwyr brenhinol am eu parodrwydd i gyfnewid hen arferion Cymreig am y dulliau Seisnig.

Posibilrwydd arall yw nad disgrifiad o ddigwyddiad go iawn a geir yma ond cynnyrch dychymyg neu gerdd drosiadol. Er mai yn ddiweddarach, yn oes Beirdd yr Uchelwyr, y gwelir ymddangosiad y ffug-awdl mewn gwirionedd, gwelwyd yn y cyfnod hwn hefyd farddoniaeth a oedd yn seiliedig ar ddychymyg. Ceid y cerddi marwysgafn, lle'r oedd y bardd yn ffugio bod ar wely angau, neu'r rhieingerddi a gynhwysai ddoluriau serch y bardd tuag at wraig fonheddig. Ac eto, hyd yn oed gyda'r math yma o gerddi a ysbrydolwyd yn bennaf gan ddychymyg y bardd, yr oedd iddynt rithyn o wirionedd a phwrpas wrth foli noddwr neu Dduw.[107] Er y ceir arlliw o fynegiant o ffydd yn Nuw yn yr awdl, ffydd yn yr haearn twym ac ymgais i osgoi cyfrifoldeb am ladd Madog yw pwnc 'Awdl yr Haearn Twym' mewn gwirionedd. Er hynny, nid yw'n amhosibl mai myfyrdod trosiadol ar farn ddwyfol ydyw, neu Ddydd y Farn hyd yn oed, gan gofio bod y *diheurbrawf* yn offeryn cymeradwy gan yr Eglwys a bod ganddo gynodiadau cryf a syniadau'r oes am farn Duw. Byddai'r haearn twym, o dderbyn y ddamcaniaeth hon, yn drosiad barddol ar gyfer ymyrraeth ddwyfol yn ei ystyr ehangach.

Esboniad arall a gynigwyd yw mai yn ystod ymweliad â'r Gororau y gorfu Prydydd y Moch ddadlau ei achos mewn ymateb i gyhuddiad iddo ladd, gan fod y *diheurbrawf* yn cael ei ddefnyddio yno.[108] Soniwyd eisoes am y cyfeiriadau at y *diheurbrawf* mewn ffynonellau yn tarddu o'r Mers, sef yr ardal honno lle'r oedd y Normaniaid wedi eu gwreiddio ers ail hanner yr unfed ganrif ar ddeg. Yno, lle'r oedd gan ddylanwadau Seisnig rwydd hynt i flaguro, ceid cyfraith y Mers, neu gyfraith Lloegr a Chyfraith Hywel yn cael eu gweithredu ar y cyd. Yr hyn sydd yn atgyfnerthu'r ddamcaniaeth hon yw bod yr awdl yn ymddangos yn llawysgrifau Hendregadredd a Llyfr Coch Hergest yn gyfochrog ag awdl ganddo i Gwenllian, merch Hywel ab Iorwerth o Wynllŵg, a gyfansoddwyd ar adeg ei phriodas. Yr oedd Gwynllŵg yn arglwyddiaeth yng Ngwent, a'i chanolfan yng Nghaerleon, ardal lle'r oedd ymryson cyson rhwng y Normaniaid a'r Cymry yn y cyfnod hwn. Yr oedd gan Hywel ab Iorwerth gysylltiadau teuluol â thywysogion Gwynedd a Phowys, gan iddo briodi Gwerful, merch Owain Cyfeiliog, ac wyres i Owain Gwynedd. Y mae'n bosibl bod Prydydd y Moch ar ymweliad â Gwynllŵg ar adeg y briodas, ac yno fel cennad ar ran tywysog Gwynedd, pan ddigwyddodd rhywbeth a barodd iddo wynebu cyhuddiad o ladd, a hynny mewn rhanbarth lle defnyddid y *diheurbrawf*.[109]

Ni ellir ond dyfalu'r amgylchiadau y tu ôl i lunio'r awdl hynod hon. Beth bynnag fo'r gwirionedd am fwriadau'r bardd wrth lunio'r awdl, y mae'n cadarnhau bod diwylliant cyfreithiol Cymru'r cyfnod yn llawn tyndra rhwng arferion traddodiadol y Cymry a'r arferion newydd a fewnforiwyd gan y Saeson. Yn raddol, byddai'r hen arferion Cymreig yn cael eu disodli gan ddulliau newydd, rhywbeth a enynnai ymateb gan feirdd y cyfnod. Efallai fod y testunau cyfreithiol yn gorbwysleisio'r hen arferion a oedd, efallai, ar drai, a bod iddynt hwythau eu helfen wleidyddol. Yn sicr, ni ddylid eu dehongli fel llawlyfrau cyfraith gyfoes, neu yn ymgais i roi datganiad moel o reolau a phrosesau'r gyfraith. Wedi'r cwbl, y mae'r llawysgrifau sydd wedi goroesi yn tarddu o gyfnod Prydydd y Moch neu'n ddiweddarach, cyfnod lle'r oedd newidiadau'n pwyso ar y traddodiadau cyfreithiol Cymreig.

I gloi, ceisiwyd dangos yma mai yng nghyd-destun y canu mawl neu farwnad y cyfyd y gyfeiriadaeth gyfreithiol amlycaf ym marddoniaeth oes y tywysogion. Ond nid dyna'r stori i gyd. Ceir hefyd enghreifftiau o'r cyfnod o feirdd yn canu ar bynciau cyfreithiol penodol, megis yn yr esiamplau o waith Cynddelw Brydydd Mawr a Phrydydd y Moch, canu sydd yn datgelu llawer am ymatebion beirdd a'u gwrandawyr i ddatblygiadau cyfreithiol eu hoes. Mewn oes pan oedd cyfreithiau'r Cymry yn parhau yn ganolog i'r bywyd cenedlaethol, a phan oedd y beirdd yn uchelwyr ac yn swyddogion llys a chanddynt wybodaeth fanwl am gyfreithiau'r genedl, pa ryfedd fod beirdd yn canu ar faterion cyfreithiol. Fe ddywedodd Syr Goronwy Edwards fod cenedligrwydd Cymry'r oesoedd canol wedi ei sylfaenu ar ddau beth, sef yr iaith Gymraeg a'r cyfreithiau Cymreig.[110] Mewn barddoniaeth, cawn y ddwy elfen yn cymhathu'n berffaith.

Nodiadau

1 Gweler Thomas Parry, *Hanes Llenyddiaeth Gymraeg hyd 1900* (Caerdydd: Gwasg Prifysgol Cymru, 1945), penodau 3 a 6.

2 Gweler sylwadau Sara Elin Roberts, 'Addysg Broffesiynol yng Nghymru yn yr Oesoedd Canol: y Beirdd a'r Cyfreithwyr', *Llên Cymru*, 26 (2003), 1–17.

3 BT, t. 12.

4 Gweler D. P. Kirby, 'Hywel Dda', *Welsh History Review*, 8 (1) (1976), 1–13.

5 Ceir trafodaeth yn T. M. Charles-Edwards, *Wales and the Britons 350–1064* (Oxford: Oxford University Press, 2013), tt. 267–72.

[6] R. R. Davies, *The Age of Conquest: Wales 1063–1415* (Oxford: Oxford University Press, 2000), t. 221.

[7] W. H. Waters, *The Edwardian Settlement of North Wales in its Administrative and Legal Aspects (1284–1343)* (Cardiff: University of Wales Press, 1935), tt. 150–3.

[8] Davies, *The Age of Conquest*, t. 18.

[9] BT, t. 38, ll.10.

[10] Davies, *The Age of Conquest*, t. 346.

[11] Gweler Thomas Glyn Watkin, *The Legal History of Wales*, 2il arg. (Cardiff: University of Wales Press, 2012), penodau 4 a 5.

[12] Gweler, er enghraifft, T. P. Ellis, *Welsh Tribal Law and Custom in the Middle Ages* (Oxford: Clarendon Press, 1926); ac yn fwy diweddar, Watkin, *The Legal History of Wales*, pennod 4, t. 74.

[13] Ceir sylwadau ar ystyr 'teulu' gan Sean Davies, 'The Teulu, *c*.633–1283', *Welsh History Review*, 21 (3) (2003), 413–54.

[14] Watkin, *The Legal History of Wales*, t. 49; Robin Chapman Stacey, 'Divorce, Medieval Welsh Style', *Speculum*, 77 (4) (2002), 1107–27; Dorothy Dilts Swartz, 'The Legal Status of Women in Early and Medieval Ireland and Wales in Comparison with Western European and Mediterranean Societies: Environmental and Social Correlations', *Proceedings of the Harvard Celtic Colloquium*, 13 (1993), 107–18; D. B. Walters, 'The European Context of the Welsh Law of Matrimonial Property', yn Dafydd Jenkins a Morfydd Owen (goln), *The Welsh Law of Women* (Cardiff: University of Wales Press, 1980), tt. 115–31.

[15] Dafydd Jenkins, *Cyfraith Hywel: Rhagarweiniad i Gyfraith Gynhenid Cymru'r Oesau Canol* (Llandysul: Gwasg Gomer, 1970), tt. 71–2.

[16] Jenkins, *Cyfraith Hywel*, t. 19.

[17] Gweler Dafydd Jenkins, 'Pencerdd a Bardd Teilu', *Ysgrifau Beirniadol*, XIV (1988), 19–46. Hefyd Charles-Edwards, *Wales and the Britons 350–1064*, t. 676.

[18] Ceir trafodaeth ddiddorol ar y gwahaniaethau honedig rhwng y bardd teulu a'r pencerdd gan Tudur Hallam, 'Croesholi Tystiolaeth y Llyfrau Cyfraith: Pencerdd a Bardd Teulu', *Llên Cymru*, 22 (1999), 1–11.

[19] LLI, t. 10; hefyd Dafydd Jenkins, *The Law of Hywel Dda* (Llandysul: Gomer, 2000), t. 20.

[20] LLI, tt. 21–2; hefyd, Jenkins, *The Law of Hywel Dda*, tt. 38–9.

[21] Dafydd Jenkins, 'Bardd Teulu and Pencerdd', yn T. M. Charles-Edwards, Morfydd E. Owen a Paul Russell (goln), *The Welsh King and his Court* (Cardiff: University of Wales Press, 2000), tt. 142–66.

[22] Ceir sylwadau ar ofynion crefftau'r cyfreithiwr a'r bardd o dan y cyfreithiau Cymreig yn Roberts, 'Addysg Broffesiynol yng Nghymru yn yr Oesoedd Canol', 1–17.

[23] Gweler Morfydd E. Owen, 'Noddwyr a Beirdd', yn Morfydd E. Owen a Brynley F. Roberts (goln), *Beirdd a Thywysogion: Barddoniaeth Llys yng Nghymru, Iwerddon a'r Alban* (Caerdydd ac Aberystwyth: Gwasg Prifysgol Cymru a LLGC, 1996), tt. 75–107, yn enwedig tt. 84–5.

[24] Gweler Roberts, 'Addysg Broffesiynol yng Nghymru yn yr Oesoedd Canol', 6.

[25] CBT I, tt. 427–503, t. 429.

[26] CBT I, cerdd 25, ll.7 (t. 439 a t. 440). O'i aralleirio: Llywelyn, llew hardd, ffaglwr tanau yng ngwlad gwŷr Lloegr.

[27] Gweler Dafydd Jenkins, 'A family of Medieval Welsh Lawyers', yn Dafydd Jenkins (gol.), *Celtic Law Papers: Introductory to Welsh Medieval Law and Government* (Bruxelles: Librairie Encyclopédique, 1973), tt. 121–34.

[28] CBT VII, cerdd 36, a tt. 414–33.

[29] Yng Ngwynedd yn enwedig: gweler Sara Elin Roberts, 'The Welsh Legal Triads', yn Thomas Glyn Watkin (gol.), *The Welsh Legal Triads and Other Essays* (Bangor: Welsh Legal History Society, 2012), tt. 1–22, yn enwedig tt. 7–10.

[30] Ceir ymdriniaeth fanwl o'r trioedd cyfreithiol gan Sara Elin Roberts yn *The Legal Triads of Medieval Wales* (Cardiff: University of Wales Press, 2007).

[31] Gweler Robin Chapman Stacey, 'Law and Literature in Medieval Ireland and Wales', yn Helen Fulton (gol.), *Medieval Celtic Literature and Society* (Dublin: Four Courts Press, 2005), tt. 65–82.

[32] Gweler Ifor Williams, *Pedeir Keinc y Mabinogi* (Caerdydd: Gwasg Prifysgol Cymru, 1930). Ceir fersiwn mewn iaith gyfoes yn *Y Mabinogion* (diweddariad gan Dafydd Ifans a Rhiannon Ifans) (Llandysul: Gomer, 1995).

[33] Gweler sylwadau Andrew Breeze, *Medieval Welsh Literature* (Dublin: Four Courts Press, 1997), tt. 102–3.

[34] BT, t. 72.16.

[35] Ceir rhagor o sylwadau ar hyn gan D. B. Walters, 'Honour and Shame', yn Thomas Glyn Watkin (gol.), *Canmlwyddiant, Cyfraith a Chymreictod* (Bangor: Cymdeithas Hanes Cyfraith Cymru/Welsh Legal History Society, 2011), tt. 229–48.

[36] Sioned Davies, *The Mabinogion* (Oxford: Oxford University Press, 2007), tt. xiii–xix.

[37] Ceir trafodaeth berthnasol gan J. Beverley Smith, 'Gwlad ac Arglwydd', yn Morfydd E. Owen a Brynley F. Roberts (goln), *Beirdd a Thywysogion: Barddoniaeth Llys yng Nghymru, Iwerddon a'r Alban* (Caerdydd ac Aberystwyth: Gwasg Prifysgol Cymru a LLGC, 1996), tt. 237–57.

[38] Gweler Peredur I. Lynch, 'Court Poetry, Power and Politics', yn T. M. Charles-Edwards, Morfydd E. Owen a Paul Russell (goln), *The Welsh King and his Court* (Cardiff: University of Wales Press, 2000), tt. 167–90.

[39] CT, cerdd X, ll.19–20, t. 12; gweler hefyd sylwadau Bleddyn Owen Huws, *Y Canu Gofyn a Diolch* (Caerdydd: Gwasg Prifysgol Cymru, 1998), tt. 26–7.

[40] LLI, t. 10; hefyd, Jenkins, *The Law of Hywel Dda*, t. 20.

[41] Gweler esboniad Marged Haycock (gol.), *Legendary Poems from the Book of Taliesin* (Aberystwyth: Cambrian Medieval Celtic Studies, 2015), tt. 49–50, 74–5.

[42] Haycock (gol.), *Legendary Poems from the Book of Taliesin*, cerdd 1, ll.94–8, t. 75.

[43] Gweler sylwadau R. Geraint Gruffydd, 'A Poem in Praise of Cuhelyn Fardd from the Black Book of Carmarthen', *Studia Celtica*, X–XI (1975–6), 198–209.
[44] CBT I, tt. 25–7.
[45] CBT I, cerdd 2, ll.10, t. 31.
[46] CBT I, cerdd 2, ll.15–16.
[47] CBT I, cerdd 2, ll.39.
[48] CBT I, cerdd 2, ll.13.
[49] CBT I, cerdd 2, ll.37.
[50] CBT II, cerdd 18, ll.7–10, tt. 313–30.
[51] CBT II, tt. 313–14.
[52] CBT II, cerdd 25, ll.13–14, tt. 417–92, t. 428.
[53] CBT II, cerdd 26, ll.3.
[54] CBT VII, cerdd 24, ll.29, tt. 220–303, t. 229.
[55] Gweler Ann Parry Owen, '"A mi, feirdd, i mewn a chwi allan": Cynddelw Brydydd Mawr a'i grefft', yn Morfydd E. Owen a Brynley F. Roberts (goln), *Beirdd a Thywysogion: Barddoniaeth Llys yng Nghymru, Iwerddon a'r Alban* (Caerdydd ac Aberystwyth: Gwasg Prifysgol Cymru a LLGC, 1996), tt. 143–65.
[56] CBT III, cerdd 13, ll.46–9, tt. 154–66, t.161.
[57] CBT III, cerdd 5, ll.72, t. 73. Gweler hefyd Haycock (gol.), *Legendary Poems from the Book of Taliesin*, t. 75.
[58] CBT III, cerdd 11, ll.8, t. 134.
[59] CBT III, tt. 113–27.
[60] CBT III, tt. 128–9; hefyd, Aneurin Owen (gol.), *Ancient Laws and Institutes of Wales*, 1 (London: *G. E. Eyre & A. Spottiswoode*, 1841), tt. 105–7.
[61] Ceir sylwadau gan Smith, 'Gwlad ac Arglwydd', tt. 250–1.
[62] CBT III, cerdd 11, ll.12, t. 134.
[63] CBT III, cerdd 11, ll.13–16.
[64] Gweler esboniad o ystyr cyfreithiol *prid* yn Jenkins, *The Law of Hywel Dda*, t. 374; hefyd, Watkin, *The Legal History of Wales*, tt. 113–14, 280.
[65] CBT III, cerdd 11, ll.17–20.
[66] Gweler esboniad o ystyr cyfreithiol *ebediw* yn Jenkins, *The Law of Hywel Dda*, tt. 340–1; hefyd, Watkin, *The Legal History of Wales*, tt. 61, 273.
[67] Jenkins, *The Law of Hywel Dda*, tt. 40–1; Watkin, *The Legal History of Wales*, t. 63.
[68] CBT III, cerdd 11, ll.21–4, t. 134.
[69] Jenkins, *Cyfraith Hywel*, t. 56; Watkin, *The Legal History of Wales*, t. 58.
[70] CBT III, cerdd 11, ll.39–40.
[71] Gweler R. R. Davies, 'The law of the March', *Welsh History Review*, 5 (1) (1970), 1–30.
[72] LlB, t. 63, ll.31–2.
[73] Watkin, *The Legal History of Wales*, tt. 81–2, 97.
[74] Ceir ei hanes a'i gefndir gan Esther Feer a Nerys Ann Jones, 'The Poet and his Patrons: the Early Career of Llywarch, Brydydd y Moch', yn Helen Fulton

(gol.), *Medieval Celtic Literature and Society* (Dublin: Four Courts Press, 2005), tt. 132–62.

75 CBT V, tt. xxi–xxiii.

76 Gweler Melville Richards, 'Prydydd y Moch', TCHSD, 11 (1962), 110–11.

77 CBT V, cerdd 2.

78 CBT V, cerdd 14.

79 CBT V, tt. xxi–xxxviii.

80 CBT V, cerdd 1, ll.125–6; hefyd, sylwadau Huws, *Y Canu Gofyn a Diolch*, t. 27.

81 CBT V, tt. 146–52.

82 CBT V, cerdd 15, ll.1–12, t. 150.

83 CBT V, cerdd 15, ll.13–20.

84 Ceir cyfres o ysgrifau ar hyn yn T. M. Charles-Edwards a Paul Russell (goln), *Tair Colofn Cyfraith: The Three Columns of Law in Medieval Wales* (Bangor: Cymdeithas Hanes Cyfraith Cymru/Welsh Legal History Society, 2005).

85 Jenkins, *Cyfraith Hywel*, tt. 60–79.

86 Gweler Jenkins, *The Law of Hywel Dda*, tt. 143–56.

87 Gweler Dafydd Jenkins, 'Towards the Jury in Medieval Wales', yn John W. Cairns a John McLeod, *'The Dearest Birth Right of the People of England': The Jury in the History of the Common Law* (Oxford: Hart, 2002), tt. 17–46, t. 24.

88 Fergus Kelly, *A Guide to Early Irish Law* (Dublin: Dublin Institute for Advanced Studies, 1988), tt. 125–7.

89 Watkin, *The Legal History of Wales*, tt. 66–7.

90 Gweler Margaret H. Kerr, Richard D. Forsyth a Michael J. Plyley, 'Cold Water and Hot Iron: Trial by Ordeal in England', *Journal of Interdisciplinary History*, 22 (4) (1992), 573–95, ar 581.

91 S. F. C. Milsom, *Historical Foundations of the Common Law* (London: Butterworths, 1981), t. 410.

92 Gweler Milsom, *Historical Foundations of the Common Law*, t. 408.

93 Gweler Kerr, Forsyth a Plyley, 'Cold Water and Hot Iron: Trial by Ordeal in England', 574.

94 Gweler J. H. Baker, *An Introduction to English Legal History*, 4ydd arg. (London: Butterworths, 2002), t. 5.

95 Gweler Milsom, *Historical Foundations of the Common Law*, t. 39.

96 Gweler Richard W. Ireland, 'First Catch your Toad: Medieval Attitudes to Ordeal and Battle', *Cambrian Law Review*, 10 (1980), 50–61.

97 Baker, *An Introduction to English Legal History*, t. 507.

98 Baker, *An Introduction to English Legal History*, t. 73; Milsom, *Historical Foundations of the Common Law*, t. 130.

99 Fel hyn y dywedodd Dafydd Jenkins: 'In Wales the classical and earlier lawbooks do not mention ordeal or battle: in a land which was never pagan, perhaps it was never thought proper to tempt God by asking for a miraculous vindication of the accused innocent. But the Welsh methods were objective: they depended on oaths sworn by the parties or by witnesses of various kinds,

and the lawbooks tell the judge what oaths are required in the different kinds of case.' Gweler Jenkins, *The Law of Hywel Dda* , t. xxxii.

[100] Gweler, er enghraifft, Watkin, *The Legal History of Wales*, t. 73; Jenkins, 'Towards the Jury in Medieval Wales', tt. 26–8.

[101] CBT V, tt. 146–7.

[102] Gweler Jenkins, 'Towards the Jury in Medieval Wales', t. 26.

[103] Gweler Richard W. Ireland, *Land of White Gloves? A History of Crime and Punishment in Wales* (Oxford: Routledge, 2015), t. 49.

[104] CBT V, t. 147.

[105] Gweler *Baner ac Amserau Cymru*, 14 Chwefror 1914, 3.

[106] Gweler Davies, *The Age of Conquest*, t. 127.

[107] Gweler Nerys Ann Jones, 'Prydydd y Moch: Dwy Gerdd "Wahanol"', *Ysgrifau Beirniadol*, XVIII (1992), 55–72, ar 68.

[108] Jones, 'Prydydd y Moch: Dwy Gerdd "Wahanol"', 71–2.

[109] Jones, 'Prydydd y Moch: Dwy Gerdd "Wahanol"', 55–72.

[110] J. Goronwy Edwards, 'Hywel Dda and the Welsh Lawbooks', yn Dafydd Jenkins (gol.), *Celtic Law Papers: Introductory to Welsh Medieval Law and Government* (Bruxelles: Librairie Encyclopédique, 1973), tt. 135–60, t. 160.

3

'Sesar dadlau a sesiwn': Beirdd yr Uchelwyr a'r Gyfraith

Yn dilyn difodiant llinach tywysogion Gwynedd, daeth Cymru gyfan yn ddarostyngedig i awdurdod Coron Lloegr. Er y byddai Cymru bellach yn un o drefedigaethau'r brenin, yr oedd y drefn o lywodraethu a'r cod cyfreithiol a weithredid yn amrywio o ardal i ardal. Yr oedd hyn yn deillio o'r sefyllfa gyfansoddiadol ar adeg y goresgyniad ym 1282. Yn achos y tiriogaethau hynny a oedd ym meddiant neu o dan awdurdod Llywelyn ap Gruffudd ar adeg ei farwolaeth, byddent bellach, fel tiroedd wedi eu fforffedu gan y brenin, yn cael eu rheoli yn uniongyrchol gan swyddogion y Goron.[1] Crëwyd tywysogaethau'r gogledd (yn cynnwys siroedd Môn, Caernarfon a Meirionnydd) a'r de (yn cynnwys siroedd Caerfyrddin ac Aberteifi) i lywodraethu'r tiroedd hyn yn enw'r brenin, a chyflwynwyd trefn a swyddogion cyfreithiol brenhinol, megis y siryf, y crwner a'r beili, i'r tywysogaethau yn unol â darpariaethau Statud Rhuddlan 1284. Bellach, byddai cyfreithiau brodorol y Cymry yn graddol ddirywio yn y tywysogaethau lle ceid awdurdodaeth gyfreithiol frenhinol.[2]

O ganlyniad i Statud Rhuddlan, gorfodwyd cyfreithiau'r Saeson ar y tywysogaethau, ac yn enwedig y gyfraith droseddol. Er hynny, yr oedd rhai cyfreithiau Cymreig i barhau yn y tywysogaethau hefyd. Fel y disgrifiodd un awdurdod ar hanes cyfansoddiadol, gan ddefnyddio'r term 'talaith' wrth sôn am Gymru: 'although many material alterations were at the same time made in the Welsh laws, the conquered people still retained several provincial immunities and disabilities'.[3] Caniatawyd i gyfreithiau Cymreig yn ymwneud â thir ac eiddo symudol i barhau.[4] Caniatawyd i'r cyfreithiau Cymreig ar etifeddiaeth, sef cyfran, i oroesi hefyd.[5] Yn ogystal â'r goddefgarwch tuag at rai o'r cyfreithiau Cymreig yn y tywysogaethau, llwyddodd rhai cyfreithiau Cymreig i oroesi yn y rhanbarthau hynny lle nad oedd Statud Rhuddlan yn weithredol.

Ceid awdurdodaethau a chyfreithiau cymysg, yn y Mers yn enwedig, a oedd yn gasgliad o arglwyddiaethau a chanddynt amrywiol lefelau o hunanlywodraeth yn ystod yr oesoedd canol hwyr. Yn yr arglwyddiaethau hyn, gweithredid cyfuniad o godau cyfreithiol, rhai Cymreig, rhai Seisnig, gan ddibynnu ar genedligrwydd y partïon.[6] Ceid llysoedd a chyfreithiau i'r brodorion Cymreig yn gweithredu trwy gyfrwng y Gymraeg ar y naill law, a llysoedd a chyfreithiau ar gyfer y mewnfudwyr Seisnig yn gweithredu mewn cyfuniad o Saesneg a Ffrangeg ar y llaw arall.[7] Yr oedd Cymru gyfan, gan hynny, yn gasgliad blêr o awdurdodaethau cyfreithiol, rhai o dan awdurdod uniongyrchol y Goron, eraill yn arglwyddiaethau'r Mers. Ceid gwahanol gyfreithiau mewn gwahanol ardaloedd, ynghyd ag elfen o arwahanrwydd ethnig yng ngweinyddiaeth cyfiawnder.[8]

Canfyddwn, felly, mai sefyllfa gyfansoddiadol a chyfreithiol bur gymhleth a fodolai rhwng concwest 1282 a Deddfau Uno 1536 a 1542. Ond er i dranc Llywelyn ein Llyw Olaf gael ei ddisgrifio fel trychineb gan feirdd ei oes, buan y daeth y bonedd Cymreig i delerau â'r drefn newydd.[9] Datblygodd teyrngarwch deublyg ymhlith nifer o uchelwyr y cyfnod. Ar y naill law, yr oeddent yn elwa o'r drefn newydd, gan dderbyn swyddi ac iddynt statws a breiniau. Parodd hyn iddynt ddod yn bur deyrngar i'r Goron. Ar y llaw arall, parhaent i fod yn deyrngar i'w diwylliant a'u hunaniaeth Gymreig, gan gynnal llawer o'r hen arferion.[10] Pobl oriog oeddent, yn wyliadwrus rhag ofn y daethai newid yn y llanw gwleidyddol. Wedi'r cwbl, gallai Cymru adennill ei hannibyniaeth eto rhyw ddydd. Daeth hynny yn bur agos ar adegau, ac yn enwedig rhwng 1400 a 1415, wrth gwrs.[11] Yr oedd bonedd Cymru'r oesoedd canol, fel ymhob oes, yn arfer craffter a chyfrwystra, gan sicrhau eu bod yn barod eu hymateb petai'r llanw'n troi.

Oherwydd parodrwydd brenin Lloegr i oddef parhad rhai o'r cyfreithiau Cymreig, ac oherwydd eu hirhoedledd yn y Mers, parhaodd y gwaith o addasu a chopïo testunau cyfreithiol Cymreig hyd nes yr unfed ganrif ar bymtheg.[12] Gan fod gwybodaeth o'r cyfreithiau brodorol yn parhau'n bwysig i'r uchelwyr, a hwythau'n gynheiliaid cyfraith a threfn, rhaid oedd iddynt gael eu trwytho yn y traddodiad cyfreithiol Cymreig.[13] Er i Statud Rhuddlan gyflwyno cyfansoddiad a diwylliant cyfreithiol newydd, ac i hynny arwain at fewnforio swyddogion cyfreithiol Seisnig i weithredu'r gyfundrefn newydd i ryw raddau, parhaodd nifer o'r hen fonedd Cymreig i arfer eu swyddogaethau llywodraethol a chyfreithiol o fewn eu tiriogaethau. Ni fu yna bolisi cynhwysfawr o ddisodli'r bonedd cynhenid, ac o'u cyfnewid am fonedd o dras Normanaidd fel y cafwyd yn Lloegr wedi 1066. Yn ogystal, yr oedd yna lawer mwy o barhad a dilyniant yn niwylliant cyfreithiol Cymru wedi 1282 nag a feddylir yn aml. Am hynny, bu'r bonedd Cymreig yn parhau i ymddiddori yng nghyfraith Hywel.

Ceir tystiolaeth lenyddol o'r parhad hwn. Y mae llawer o'r gyfeiriadaeth gyfreithiol sydd yng nghynnyrch Beirdd yr Uchelwyr un ai yn moli'r uchelwyr fel cynheiliaid y gyfraith, neu yn eu hatgoffa o'u dyletswydd i wneud hynny. Yr oedd Llywelyn Goch ap Meurig Hen (bl. 1350–1390) yn datgan pwysigrwydd dealltwriaeth o'r gyfraith i ŵr bonheddig y cyfnod wrth iddo ddisgrifio ei swyddogaethau yn llys ei neiaint.[14] Mewn cywydd moliant iddynt, sonia amdano'i hun yn darllen y gyfraith sifil i Hywel a Meurig Llwyd o'r Nannau, gan bwysleisio'r angen am iaith rugl ar gyfer y gwaith:

> Fy swydd gyda'm harglwyddi
> Hyn fydd, a'u câr hen wyf i:
> Darllain cyfraith, rugliaith raid,
> Sifil, i'm cyfneseifiaid;[15]

Canodd Llywelyn Goch ap Meurig Hen hefyd i fonedd diwylliedig sir Aberteifi, gan gynnwys y *dosbarthwyr* a weithredai fel arbenigwyr ar Gyfraith Hywel.[16] Wrth ganu i Llywelyn Fychan ap Llywelyn Goch o Anhuniog a Rhydderch ab Ieuan Llwyd o Lyn Aeron, canmolodd eu harbenigedd a'u trylwyrder wrth iddynt drin y gyfraith:

Dechrau a chanawl hawl a holynt,
Na diwedd cyfraith nid edewynt.[17]

Un o feirdd mawr y bymthegfed ganrif a chanddo ddiddordebau cyfreithiol oedd Lewys Glyn Cothi (bl. 1420–1489). Fe'i haddysgwyd ym mhriordy Caerfyrddin, a thrwy gydol ei yrfa doreithiog bu'n canu i linach y Tuduriaid ynghyd ag uchelwyr dros Gymru benbaladr. Pwy all anghofio ei gywydd marwnad dirdynnol i'w fab, Siôn y Glyn, sydd yn ennill iddo ei le yn oriel yr anfarwolion?[18] Yr hyn sydd yn nodedig amdano yw bod y mwyafrif o'i gerddi sydd wedi goroesi i'w cael yn ei lawysgrif ei hun. Yr oedd hefyd yn grefftwr ar lunio llawysgrifau cyfreithiol. Mewn un llawysgrif, Peniarth 40 (Llawysgrif K), cawn ganddo gyfrol o Gyfraith Hywel Dda ynghyd â phedair cerdd i Ieuan ap Phylib, Cwnstabl Cefn-llys ym Maelienydd, ardal a ymgorfforwyd yn niweddarach yn sir Faesyfed.[19] Mewn cywydd moliant i Ieuan ap Phylib, a luniwyd tua'r flwyddyn 1450, ceir Lewys yn moli'r gwrthrych fel cynheiliad cyfraith, gan ddefnyddio amryw o gyfeiriadau cyfreithiol, fel y dengys y detholiad a ganlyn:

Meistr i gyfraith Swydd Ieithon,
mae fo'n dadanhuddo hon.
Ieuan, grym pob un o Gred,
ap Phylib, ym mhob ffelwed.
Wedy ach Ifor ei daid
y try ddwyach Tordduaid.
Ei alw y bûm yn nhâl ban
ail iustus o Elystan.

Soniaw y mae fal Siôn Mil
ym Maesyfed am sifil.
Doethder Dafydd Hanmer hen
yn ei barabl, neu beren.
Bwrlei ynn neu Abrel yw,
brawdwr fal Merbri ydyw.
Ffu Warren holl Felienydd,
Ffu Harri doeth, o phraw dydd.[20]

Yn y cwpled cyntaf a ddyfynnir uchod ceir cyfeiriad at *dadanhudd*, egwyddor a phroses yng Nghyfraith Hywel a oedd yn caniatáu i ŵr adfeddiannu tir y dylai fod wedi ei etifeddu gan hynafiad, ond a ataliwyd iddo.[21] Gall fod ystyr wleidyddol hefyd i'r ymadrodd yn y cyd-destun hwn, sef bod Ieuan yn sicrhau bod gwŷr swydd Ieithon (Iddon) yn derbyn y tiroedd y dylent fod wedi eu hetifeddu ond a gymerwyd oddi arnynt, gan y Saeson o bosibl. Y mae'r rhan yma o'r cywydd hefyd yn cymharu Ieuan â chynheiliaid cyfraith y gorffennol, trwy ei gyfarch fel 'ail iustus i Elystan'. Cyfeiriad sydd yma at Elystan Glodrydd, hynafiad i Ieuan, un o dywysogion Maelienydd ac Elfael, a sylfaenydd y pumed llwyth brenhinol yn oes y tywysogion.[22] Cymherir Ieuan hefyd ag enwogion cyfreithiol eraill, megis Dafydd Hanmer, barnwr o fri y dychwelwn ato yn y man, John Milewater (Siôn Mil), William Burley (Bwrlei), John Aberhale (Abrel), John Merbury (Merbri), aelod o deulu Fitzwarine (Ffu Warren) a Meiler Fitzhenry (Ffu Harri).[23]

Yr oedd bardd mwyaf yr oesoedd canol, Dafydd ap Gwilym (bl. 1320–1370), yntau yn nodweddiadol o'r dosbarth bonheddig a gymerai ddiddordeb yn y gyfraith a'i gweinyddiaeth. Ceir tystiolaeth ei fod yn hyddysg yn y gyfraith a'i geirfa o'r aml gyfeiriadau a geir yn ei waith i bethau'r gyfraith.[24] Y mae llawer o'i waith yn moli'r uchelwr fel cynhaliwr cyfraith a threfn yn ei fro. Molodd Ifor Hael, fel 'ynad hoywfoes', sef barnwr moesgar, yn ei gywydd 'Ymado ag Ifor Hael'.[25] Canu mawl i'r cynhaliwr cyfraith sydd hefyd yn ei farwnad i Gruffudd Gryg, ac meddai am Gruffudd:

Lluniad pob dyall uniawn,
A llyfr cyfraith yr iaith iawn,
Agwyddor y rhai gwiwddoeth
A ffynnon cerdd a'i phen coeth.[26]

Bu ymrysonau barddol rhwng Gruffudd a Dafydd ap Gwilym, gan gynnwys llunio ffug-farwnadau i'w gilydd, gyda nifer o feirdd eraill yn eu tro yn ymuno yn yr ymrysonau barddol.[27] Hyd yn oed os mai ffug-farwnad oedd hon, yr oedd Dafydd yn portreadu'n gywir y ddelfryd o uchelwr fel un gwiwddoeth a oedd yn cynnal cyfraith a chyfiawnder yn ei fro.

Yr oedd gan Dafydd ap Gwilym gysylltiad agos â'r gyfraith ar lefel bersonol, gan fod ei ewythr, Llywelyn ap Gwilym, a fu'n athro barddol iddo efallai, yn Gwnstabl Castellnewydd Emlyn, a thrwy hynny yn gyfrifol am weinyddiaeth y gyfraith. Disgrifir amrywiol rinweddau cyfreithiol yr ewythr yn y cerddi mawl a marwnad a luniwyd gan Dafydd iddo.[28] Y mae'r cerddi hyn yn gyforiog o dermau cyfreithiol Cymreig, megis 'brawdwr' (barnwr), 'canllaw' (cynghorwr) a 'phen-rhaith' (prif dyst neu farnwr), fel y dengys yr enghreifftiau hyn: 'Llariaidd, brawdwriaidd, ail Bryderi',[29] 'fy nghanllaw y'm gadawud'[30] a 'penrhaith ar Ddyfed faith fu'.[31] Diau fod hyn yn adlewyrchu'r ffaith fod Cyfraith Hywel yn parhau'n hyfyw yn ne-orllewin Cymru yn y bedwaredd ganrif ar ddeg, ac y byddai'r uchelwyr lleol yn chwarae rôl bwysig wrth ei gweinyddu.

Mewn marwnad i Llywelyn ap Gwilym ar ffurf cyfres o englynion, cawn wybod bod amgylchiadau sinistr o gylch marwolaeth yr ewythr. Awgrymir iddo gael ei lofruddio, neu, fel y canodd Dafydd, 'honni mawr alanas'.[32] Ymddengys fod dirgelwch ynglŷn â phwy oedd yn gyfrifol a pham y cafodd ei lofruddio, ac y mae'r defnydd o'r term cyfreithiol *dygngoll* ddwywaith yn y farwnad yn arwyddocaol, gan ei fod yn golygu colled ddirfawr ond hefyd yn derm cyfreithiol penodol.[33] Yng Nghyfraith Hywel, cyfeirir at *dri dygngoll cenedl*, egwyddor gyf-reithiol a godai pan oedd aelod o'r teulu wedi lladd un arall, hwythau'r teulu wedi talu eu siâr o'r hyn a oedd yn ddyledus mewn iawndal am yr *alanas*, ac yntau'r lladdwr wedi talu iawndal ond yn brin o geiniog. Oherwydd na thelid yr iawndal yn llawn gan y lladdwr, caniateid o dan y gyfraith i deulu'r lladdedig ddial trwy ei ladd. O'r herwydd, yr oedd teulu'r lladdwr yn colli un o'u haelodau ac, ar yr un pryd, yn colli'r iawndal a dalwyd ganddynt yn wreiddiol.[34] Gan mai pwrpas iawndal o dan Gyfraith Hywel oedd osgoi dial, sef ystyr arall y gair 'galanas', caniateid i deulu'r lladdedig gymryd camau i ddial ar y llofrudd lle na thalwyd iawndal yn llawn.[35] Yn y farwnad i Llywelyn ap Gwilym, efallai mai'r hyn sydd mewn golwg yw'r golled ddwbl o'i farwolaeth ynghyd â'r ffaith na ellid disgwyl derbyn iawndal am y lladdedigaeth. Gan hynny, ceir ymdeimlad o anghyfiawnder ynghyd â sawr bygythiol i'r farwnad, gyda'r defnydd helaeth o eirfa'r gyfraith a phwyslais cyson ar ddial am y llofruddiaeth.[36]

Yn ogystal â'r gyfeiriadaeth gyfreithiol yn y canu mawl a marwnad, ceir hefyd gynnwys cyfreithiol yn yr hyn y medrir ei ddisgrifio fel canu trosiadol. Defnyddia rhai o'r beirdd y gyfraith a'r llysoedd fel trosiadau o brofiadau beunyddiol, yn enwedig profiadau o ddioddef cam neu golled yng nghyd-destun serch a chariad. Y mae rhai o gerddi Dafydd ap Gwilym ymysg yr enghreifftiau gorau o hyn, a chawn ef yn defnyddio'r gyfraith, ei geirfa a'i hegwyddorion, fel trosiadau. Ceir elfen o hyn yn 'Trafferth mewn Tafarn', lle mae Dafydd a'i antics â merch y dafarn yn deffro tri Sais sydd yn cysgu yno.[37] Cawn wybod fel y bu i Hicin a Siencin a Siac rybuddio'r gweddill yn y dafarn wrth iddynt ddatgan bod Cymro yno, a'i fod yno ar berwyl troseddol:

> 'Mae Cymro, taer gyffro twyll,
> Yn rhodio yma'n rhydwyll;
> Lleidr yw ef, os goddefwn,
> 'Mogelwch, cedwch rhag hwn'.[38]

Y mae hyn yn adlais o'r broses *gwaedd ac ymlid*, sef yr *hue and cry* a geid yng nghyfraith Lloegr i rybuddio'r gymdogaeth fod trosedd wedi ei chyflawni a bod troseddwr yn eu mysg.[39] Gwelir Dafydd eto, yn ei gywydd 'Y Gwynt', yn defnyddio termau cyfreithiol wrth ddisgrifio llwyr ryddid y gwynt, megis yn y dyfyniad isod. Yma, dywed na ellir ditio'r Gwynt (sef term cyfreithiol Saesneg, *to indicte*, sef i gyhuddo), na'i atal gan swyddogion y gyfraith megis y rhaglaw:

> Ni'th dditia neb, ni'th etail
> Na llu rhugl, na llaw rhaglaw,
> Na llafn glas na llif na glaw.[40]

Ceir defnydd mwy creadigol fyth o eirfa'r gyfraith gan Dafydd yn rhai o'i gerddi serch. Yn un o ddwy o'i gerddi sy'n dwyn y teitl 'Y Ceiliog Bronfraith', y mae Dafydd yn mynegi ei berthynas drallodus â gwrthrych ei serch gan ddefnyddio delweddau cyfreithiol.[41] Egyr y cywydd â'r bardd yn sôn am y ceiliog bronfraith sydd yn canu ym mis Mai, y mis gorau i gariadon meddai'r bardd, a hynny yn unol â'i hawl, neu, yng ngeiriau Dafydd, 'drwy gyfraith a gân'.[42] Molir y ceiliog bronfraith fel pendefig, pregethwr a siryf y coed, a honna'r bardd fod y creadur yn:

> Ustus gwiw ar flaen gwiail,
> Ystiwart llys dyrys dail;[43]

Cawn wybod fel y bu i'r ustus pluog hwn weithredu fel eiriolwr ar ran y bardd wrth iddo bledio'r cam a ddioddefai yn ei berthynas â'i gariad (ni ddatgelir fanylion y cam hwnnw). Gan dderbyn ei hymateb, sef gwadu ei bod wedi achosi unrhyw gamwedd, y mae'n dangos i'r ferch ei 'lythr gwarant',[44] sef ei hawl i gynnal llys. Adlewyrcha'r cyfeiriadau at y siryf a'r ustus, ac at y llythyr gwarant, y drefn gyfreithiol Seisnig a oedd yn prysur wreiddio yn nhywysogaethau Cymru yn y cyfnod hwn. Cawn adlais o'r gwarant y byddai ustusiaid neu siryfion y Goron yn eu harddangos i gadarnhau eu hawdurdod ac i gymell presenoldeb yn y llys. Y mae'r ceiliog bronfraith yn galw'r bardd i ymddangos yn y gwrandawiad, gan fod ei enw ar rôl y llys. Yna, cawn wybod nad yw Dafydd yn bresennol yn y llys, gan nad yw am wynebu dicter ei gariad, ac am hyn y mae'n cael dirwy am ddirmygu'r llys:

Gelwis yn faith gyfreithiol
Arnaf ddechrau'r haf o'r rhol.
Collais, ni ddymunais ddig,
Daered rym, dirwy dremyg.[45]

Yn ei absenoldeb o'r gwrandawiad, y mae'n colli ei achos. Er hyn, y mae'r bardd yn sicr na fydd yn colli serch ei gariad a bod ei gŵyn yn ei herbyn yn parhau yn ddilys. Y mae'n datgan ei obaith y bydd y ceiliog bronfraith yn cynnal dadl a fydd yn tanseilio gwrthwynebiad y ferch gan ddod â llwyddiant iddo. Cawn y bardd yn cloi ei gywydd gan ddymuno ei briod le i'r ceiliog bronfraith, yr ynad gwiwddoeth, ym mharadwys:

Ei adael ef a'i lef lwys,
Brydydd serch, i baradwys
Ynad, mygr gynheiliaid Mai,
Enw gwiwddoeth; yno y gweddai.[46]

Ceir cerddi serch eraill lle caiff Dafydd ysbrydoliaeth o'i wybodaeth gyfreithiol. Yn y cerddi 'Gofyn Cymod' ac 'Erfyn am ei Fywyd', y mae themâu cyfreithiol camwedd ac iawndal yn amlwg. Gofyn am gymod â Morfudd a wna'r bardd yn y gerdd gyntaf, gan hawlio mai athrod, sef enllib, yw'r sôn ar led ei fod yn ei chyhuddo o anwadalwch:[47]

Y dyn a ddoetai o dwyll,
Ar ei ruthr, air o athrod.[48]

Wrth derfynu'r cywydd, y mae'r bardd yn cynnig diheurad (ym-ddiheuriad) iddi:

Fy aur, cymer ddiheurad
Ac iawn lle ni aller gwad.[49]

Mewn cywydd arall, 'Erfyn am ei Fywyd', y mae Dafydd eto yn gofyn am gymod â'i gariad, gan syrthio ar ei fai y tro hwn. Gofynna iddi am roi dirwy iddo, a chan hynny roi'r gorau i'w chŵyn yn ei erbyn:[50]

> Cymer dan gêl a welych,
> Cymod am hyn, ddyn gwyn gwych,
> A dod, feinir, ym ddirwy,
> A phaid â'th gŵyn, ddyn mwyn, mwy.[51]

Nid Dafydd oedd yr arloeswr yn y defnydd trosiadol o'r gyfraith mewn barddoniaeth. Yr oedd yn dilyn yn ôl troed beirdd eraill a fu'n defnyddio delweddau'r gyfraith fel trosiadau yn eu gwaith. Ceir cerdd serch o eiddo Gruffudd ap Dafydd ap Tudur (bl. 1300) yn Llyfr Coch Hergest, ac ynddo mae'r bardd yn cyhuddo ei gariad o'i ladd. Gwadu'r cyhuddiad gerbron y llys sydd yn nychymyg y bardd a wna'r ferch, gan fynnu ei bod yn ei weld yn fyw:

> A'i gwadawdd yn faith i'r llys, dyfrys daith,
> Cam ac anghyfraith, gwaith gwythlawn drais.[52]

Os nad ef oedd yr arloeswr, yr oedd Dafydd ap Gwilym yn sicr yn defnyddio'r ddyfais drosiadol yn fwy crefftus, ac yn gosod y safon a fyddai'n ysbrydoli eraill i wneud pethau cyffelyb. Un ohonynt oedd Hywel ab Einion Llygliw (bl. 1330–1370), bardd y credir bod ganddo gysylltiadau teuluol ag ardal Penllyn. Gan ddefnyddio'r gyfraith yn drosiadol, mewn cerdd i Myfanwy Fechan, y mae yn cyhuddo ei gariad o'i amddifadu o gwsg. Nid yw hi yn fodlon pledio i'r cyhuddiad, ac y mae yntau'n ymateb drwy apelio i Dduw am iawndal.[53] Ond er yr aml gyfeiriadaeth gyfreithiol, a'r defnydd o lys barn fel trosiad gan y beirdd hyn, dylid nodi nad yw ysgolheigion llên o'r farn bod beirdd Cymru'r cyfnod hwn yn efelychu traddodiad barddol y *Court of Love* a geid ar y cyfandir ar y pryd. Yn hytrach, y mae'r beirdd Cymreig yn tynnu ar eu profiadau o weinyddu cyfiawnder yng Nghymru, ac yn defnyddio'r profiadau hynny i gyfoethogi eu mynegiant o drallodion serch.[54]

Yn ychwanegol i'r cyfeiriadau at y gyfraith mewn canu serch, mawl a marwnad, ceir hefyd dystiolaeth o ddylanwad cynyddol arferion cyfreithiol Lloegr yn llysoedd Cymru yng ngwaith Beirdd yr Uchelwyr. Mewn cywydd gofyn a luniodd y bardd hwnnw a adnabyddir fel 'Y Nant' i'r uchelwr Rhisiart ap Siancyn Twrbil o Forgannwg, y mae'r bardd yn canu ei glodydd fel crwner ac yn ymfalchïo bod ganddo awdurdod cyfreithiol dros rannau helaeth o Gymru.[55] Yr oedd y crwner yn swyddogaeth gyfreithiol a gyflwynwyd i Gymru gan Statud Rhuddlan, a chyflawnai'r bonedd Cymreig y swydd ag arddeliad erbyn y bymthegfed ganrif.[56] Byddai dyletswyddau'r crwner yn bur eang, ac yn cynnwys cynnal ymchwiliadau i farwolaethau anesboniadwy ynghyd â gwarchod buddiannau a hawliau eiddo'r Goron, megis yng nghyd-destun trysor wedi ei ddarganfod, neu eiddo a olchwyd i'r lan wedi llongddrylliad.[57] Yr oedd gan y crwner hefyd swyddogaethau mewn cyswllt â throseddau ac fe allai erlyn troseddwyr ar ran y Goron.[58] Yn ôl tystiolaeth y gerdd, bu'r crwner hwn yn gwarchod Cymru rhag gweithredoedd lladron lledr a fu'n agor pob llidiart er mwyn cyflawni eu drygau:

> Nid camach i'r cwrner
> Gadw gwlad Gamber
> A chrogi'r lladron lleder
> A egyr bob llidiat.[59]

Y mae cywydd a luniodd Gruffudd Llwyd ap Dafydd ab Einion Llygliw (*c*.1380–1420), rhywbryd tua diwedd y bedwaredd ganrif ar ddeg, yn rhoi enghraifft arall o ddylanwad cynyddol y diwylliant cyfreithiol Seisnig ar arferion y Cymry. Mewn cywydd yn dwyn yr enw 'Cywydd y Cwest ar Forgan ap Dafydd o Rydodyn' cawn gofnod sydd yn seiliedig ar achos Morgan ap Dafydd, un a gyhuddwyd o ladd swyddog cyfraith rhwng Aberteifi a Chaerfyrddin a'i ddwyn gerbron yr ustus, Syr Dafydd Hanmer, yng Nghaerfyrddin.[60] Yr oedd Dafydd Hanmer yn un o'r mwyaf blaenllaw ym myd y gyfraith, a daeth yn ustus yn Llys Mainc y Brenin ym 1383. Priododd Margaret, neu Marred, un o ferched Dafydd

Hanmer, ag Owain Glyndŵr, a bu ei feibion yn ymladd ym myddin Glyndŵr yn ystod y gwrthryfel.[61] Yr oedd hefyd yn noddwr beirdd, a chanwyd awdlau a chywyddau yn canu ei glod.[62] Yn ogystal â chlodfori'r barnwr, y mae'r gerdd dan sylw yn cynnig enwau deuddeg o feirdd y cyfnod i wasanaethu fel aelodau o'r rheithgor yn y gwrandawiad llys. Er na cheir manylion y broses gyfreithiol ynddi, y mae'r ffaith i fardd gyfeirio at y drefn gyfreithiol Seisnig yn ei ganu yn arwydd ei bod yn cael ei derbyn fel rhan annatod a naturiol o'r gyfundrefn gyfreithiol yng Nghymru erbyn hynny.

Y mae hyn yn ein harwain at deip arall o gyfeiriadaeth gyfreithiol sydd yn fwy uniongyrchol, gwleidyddol ei natur hyd yn oed, lle mae'r bardd yn datgan barn am y gyfraith a'i gweinyddiaeth, a hynny, weithiau, yn feirniadol. Un o feirdd y bedwaredd ganrif ar ddeg y mae cyfeiriadaeth gyfreithiol yn britho ei waith yw Iolo Goch (*c*.1320–*c*.1398).[63] Yr oedd Iolo o dras uchelwrol, er ni fu ei dylwyth mor lwcus â rhai o'r uchelwyr eraill ar ôl concwest 1282, gan iddynt golli llawer o'u tiroedd yn Nyffryn Clwyd.[64] Serch hynny, bu'n ffodus i dderbyn nawdd fel bardd gan uchelwyr dros Gymru benbaladr, gan deithio o lys i lys fel prydydd yn canu mawl a marwnad, canu serch, canu am grefydd a chanu dychan. Bu'n arloeswr yn natblygiad y cywydd, ffurf a oedd yn gweddu i'w hoffter o ddefnyddio ymddiddan neu sgwrs yn ei waith.[65]

Gwelir yng ngwaith Iolo Goch y defnydd helaeth o dermau cyfraith, defnydd sy'n brawf o'i wybodaeth o'r cyfreithiau Cymreig. Y mae ei ddisgrifiad o lys Owain Glyndŵr yn adleisio'r hyn a ddywed y cyfreithiau am nodweddion llys y brenin.[66] Disgwylid fod naw o dai wedi eu codi gan y taeogion ('byleynnyeyt', sef o'r gair bilein/byleyn/*villein*) ar gyfer y brenin, a byddent ar y cyd yn ffurfio'r llys. Fel y cofnodwyd yn Llyfr Iorwerth: 'Nau tey a deleant byleynnyeyt e brenhyn e wneythur: neuad, estauell, buetty, estabel, kynorty, escubaur, oden, tŷ bychan, kerner neu hunty.'[67] Byddai'r tai wedi eu gwneud o bren, gyda phileri neu golofnau'n dal y to.[68] Gwelwn gyfeiriadau at rai o'r nodweddion hyn yng nghywydd Iolo i Sycharth, megis y cyfeiriad at dai pren, piler pren praff a naw neuadd:

Tai pren glân mewn top bryn glas;
Ar bedwar piler eres
Mae'i lys ef i nef yn nes;
Ar ben pob piler pren praff
Llofft ar dalgrofft adeilgraff,
A'r pedair llofft o hoffter
Yn gydgwplws lle cwsg clêr;
Aeth y pedair disgleirlofft,
Nyth lwyth teg iawn, yn wyth lofft;
To teils ar bob tŷ talwg,
A simnai lle magai'r mwg;
Naw neuadd gyfladd gyflun,
A naw gwardob ar bob un.[69]

Yn ogystal ag arddangos gwybodaeth o'r gyfraith yn ei gerddi, ceid ganddo feirniadaeth pan ddefnyddid cyfreithiau Lloegr yn hytrach na Chyfraith Hywel. Yr oedd y cof am atafaeliad y tiroedd teuluol yn Nyffryn Clwyd yn siŵr o fod wedi chwarae ar feddwl Iolo. Cawn enghraifft o hyn yn ei farwnad i Tudur Fychan o Benmynydd, a luniodd tua 1367.[70] Wrth restru rhinweddau'r uchelwr ymadawedig, neu 'mechdeyrn Môn'[71] fel y canodd Iolo amdano, ceir Iolo yn sôn am ei ragoriaethau wrth gyflawni ei ddyletswyddau fel uchelwr. Broliwyd cydwybodolrwydd Tudur fel llywodraethwr i'w bobl, ac yntau'n ddisgynnydd i Ednyfed Fychan, sef distain neu brif weinidog Llywelyn Fawr ac un o brif swyddogion cyfraith Gwynedd. Meddai Iolo amdano:

i chollai wan, gwinllan gwŷr,
Tref ei dad tra fu Dudur.[72]

Neges Iolo oedd nad oedd neb yn nhiriogaeth Tudur mewn perygl o gael ei ddadfeddiannu o dref ei dad, sef ei gartref teuluol, ar gam tra oedd Tudur yn llywodraethwr. Ar y llaw arall, gyda marwolaeth Tudur, yr oedd perygl y deuai niwed difrifol i dlodion Môn, a chawn ganddo gyfeiriad at un o'r tri arberygl sydd i'w cael yng nghyfreithiau Hywel Dda:

Dyrnod pen hyd ymennydd
Ar dlodion gwlad Fôn a fydd.[73]

Yr oedd y 'tri arberygl', neu'r tri chlwyf peryglus, yn cynnwys dyrnod yn y pen hyd yr ymennydd, dyrnod yng nghorff hyd yr ymysgar, a thorri un o'r pedwar post.[74] Os oedd Iolo yn hyddysg yng nghyfreithiau Hywel Dda, ceir y defnydd o dermau cyfreithiol Saesneg ganddo yn y cwpled hwn:

Ni thitid câr amharawd,
Odid od wtlëid tlawd.[75]

Daw'r gair 'thitid', fel y soniwyd eisoes, o'r Saesneg, *to indicte*, ac ystyr 'wtlëid' yw, *to outlaw*, sef i alltudio.[76] Yr oedd Iolo yn datgan nad oedd perygl y byddai Gymro ('câr amharawd'), tra yn nhiriogaeth Tudur, lle yr oedd cyfreithiau Hywel yn dal eu tir, yn wynebu camgyhuddo neu wynebu alltudiaeth ar gam (sef y gwrthwyneb i'r hyn a brofodd hynafiaid Iolo, wrth gwrs). Yr oedd y defnydd o'r termau Saesneg yn fwriadol ac yn glyfar, ac nid oes amheuaeth o gyfeiriad ei ergydion, sef gwrthgyferbynnu cyfraith Lloegr â chyfiawnder Cymreig. Ac eto, yr oedd y ddeuoliaeth y soniwyd amdani eisoes, sef y teyrngarwch i'r etifeddiaeth Gymreig ar yr un llaw a'r teyrngarwch i Goron ac awdurdod Seisnig ar y llaw arall, yn amlwg iawn yng ngwaith Iolo Goch hefyd. Lle ceir Iolo yn canmol cyfiawnder y dull Cymreig ar adegau, dro arall fe'i canfyddir yn llunio cywydd mawl i Frenin Edward III.[77]

Yr oedd Guto'r Glyn (*c*.1435–*c*.1493) yntau yn tynnu ar eirfa'r gyfraith yn ei waith. Byddai'n brolio'r uchelwyr fel cynheiliaid cyfraith a threfn, megis yn ei foliant i Siôn Hanmer, cyw o frid cyfreithiol yng ngogledd-ddwyrain Cymru. Meddai Guto'r Glyn amdano:

Sesar dadlau a sesiwn
Swydd Elsmer yw'r Hanmer hwn.[78]

Mewn cywydd a luniodd i Sieffrai Cyffin ap Morus, cywydd a oedd yn gofyn am gorn canu ar ran Siôn Eutun, ceir Guto'r Glyn yn traethu am orchestion cyfreithiol ei wrthrych, ac yn ei glodfori fel barnwr ac eiriolwr ym mhennaf llysoedd y deyrnas. Fe'i disgrifir fel 'iestus holfainc' (sef ustus ar y fainc) yn gwisgo'r 'coiff', sef y benwisg cyfreithiol ar y pryd:

> Sieffrai, a ŷf osai Ffrainc,
> Sylfaen ac iestus holfainc,
> Cyfreithiwr, holwr haelwych,
> Coetmawr i'r Dref-fawr dra fych,
> Capten i Fainc y Brenin,
> Cyfyd cyfraith fyd o'th fin,
> Yng Ngwynedd yr eisteddych
> O fewn coiff ar y Fainc wych;[79]

A oedd Guto yn dyst dibynadwy a chywir i gampau Sieffrai yn llysoedd y gyfraith? Go brin, ond dyna'r patrwm prydyddol, sef canmol a chlodfori'r gwrthrych i'r eithaf. Gyda digon o sebon, cawsai'r bardd y ffafr a ddeisyfai. Rhaid cadw hyn mewn cof wrth ddehongli gwaith y beirdd i gyd, wrth gwrs. Yr oedd y duedd at ormodiaith yn un o sgil-effeithiau'r ddibyniaeth ar nawdd. Bu Guto mor eofn â llunio cerdd wedi ei chyfeirio'n uniongyrchol at y Brenin Edward IV, a hynny i ofyn iddo adfer trefn yng Nghymru. Lluniodd y gerdd hon tua'r flwyddyn 1473, a hynny'n fuan wedi sefydlu Cyngor Cymru a'r Gororau ym 1471. Y mae'r gerdd yn cyfeirio at swyddogaeth brenin fel cynhaliwr cyfreithiau, ac yn apelio iddo ddefnyddio ei awdurdod hynafol gan gyfeirio at hen frenhinoedd y Cymry, Lles ap Coel a Dyfnwal Moelmud, sef ei ragflaenwyr brenhinol:

> Dyred dy hun, Edwart hir,
> I ffrwyno cyrff rhai enwir
> Wrth ddysg a chyfraith esgud
> Lles ap Coel, Dyfnwal Moel Mud.[80]

Y mae cyfeiriadaeth gyfreithiol hefyd i'w gael yng ngherdd Guto i William Herbart neu Herbert (m.1469), uchelwr a gymrodd ochr yr Iorciaid yn Rhyfeloedd y Rhosynnau, ac un a ystyrid ar un adeg fel y mab darogan ac arweinydd y Cymry. Gwelir ynddi Guto yn clodfori gwrthrych ei gywydd, ond hefyd yn gwneud pwynt gwleidyddol yn nhraddodiad y brudiau, ac yn apelio arno i uno'r Cymry a sicrhau iddynt gyfiawnder rhag camweddau'r Saeson anfoesol:[81]

> Na ad, f'arglwydd, swydd i Sais,
> Na'i bardwn i un bwrdais.
> Barn yn iawn, brenin ein iaith,
> Bwrw yn tân eu braint unwaith.
> Cymer wŷr Cymru'r awron,
> Cwnstabl o Farnstabl i Fôn.
> Dwg Forgannwg a Gwynedd,
> Gwna'n un o Gonwy i Nedd.
> O digia Lloegr a'i dugiaid,
> Cymry a dry yn dy raid.[82]

Mynnai Guto fod y Saeson yn y bwrdeistrefi wedi osgoi cosb am eu troseddau tuag at y Cymry, gan iddynt dderbyn pardwn gan swyddogion Seisnig. Erfynnir ar i Herbart losgi breintiau'r Saeson: 'bwrw yn tân eu braint unwaith'. Wrth ysgogi William Herbert i uno'r genedl, cawn Guto'n addo y byddai'r Cymry yn ei gefnogi petai'n cychwyn ymgyrch yn erbyn dugiaid Lloegr.

Y cyfreithiau Cymreig a ysbrydolodd yr unig gerddi a luniodd merch yn yr oesoedd canol hwyr sydd yn berthnasol i'r drafodaeth hon. Yr oedd Gwerful Mechain (bl. 1462–1500) yn ferch i fonheddwr o Bowys, a hi yw'r unig brydydd o ferch o'r oesoedd canol y mae corpws o'i barddoniaeth wedi goroesi.[83] Bardd wrth ei phleser oedd Gwerful, gan fod y grefft broffesiynol yn gyfyngedig i ddynion yn unig. Ond oherwydd cyfuniad o ffactorau, gan gynnwys ei statws cymdeithasol, bendithion aelwyd a bro ddiwylliedig a'i deallusrwydd cynhenid, cafwyd yr amgylchiadau a'i galluogodd i feistroli'r grefft farddol.[84] Er bod rhai o'i cherddi yn bur nwydus a masweddol, a hithau'n cyfnewid rhai o'r cerddi hyn â Dafydd Llwyd o Fathafarn, priododd â John ap Llywelyn Fychan. Lluniodd englyn iddo, a hynny ar ôl iddo ei churo:

> Dager drwy goler dy galon – ar osgo
> I asgwrn dy ddwyfron;
> Dy lin a dyr, dy law'n don,
> A'th gleddau i'th goluddion.[85]

Y mae'r englyn yn fynegiant o ddicter y bardd tuag at ei gŵr, a cheir ganddi'r gwahanol ddulliau y byddai'n dymuno dial arno.[86] Gyda'r darlun o ddagr wedi ei suddo i'w galon a chleddyf wedi ei blannu yn ei goluddion, y mae'n cyfleu'n ddiamwys ei theimladau. Efallai mai ymateb i achlysur penodol a wnaeth, neu fynegi ei hanfodlonrwydd â thrais o fewn priodas yn gyffredinol.[87] Mewn cywydd a luniodd 'I ateb Ieuan Dyfi am gywydd Anni Goch', y mae eto'n mynegi ei safbwynt ar drais priodasol: 'Ni allodd merch, gordderchwr,/Diras ei gwaith, dreisio gŵr'.[88] Ni all merch dreisio ei gŵr, honnai, a dim ond dynion sydd yn euog o gyflawni trais o fewn y briodas.[89] Ymddengys, felly, fod gan Gwerfyl farn bersonol bendant ar fater trais priodasol. Yr oedd, yn ddi-os, yn mynegi safbwyntiau cyfreithiol a oedd mewn rhai ffyrdd ymhell o flaen ei hamser, ond gall fod gan ei phrotest yn erbyn gwŷr treisgar ei sail gyfreithiol ar y pryd hefyd.

Ceir tystiolaeth bod Cyfraith Hywel yn atal trais rhwng parau priod oni bai fod cyfiawnhad cydnabyddedig dros hynny.[90] Pe defnyddid trais gan ŵr tuag at gymar heb gyfiawnhad, byddai hynny yn sarhad ar y wraig, ac yn un y dylid talu iawndal amdano. Y rhesymau cyfreithiol a geid yn Llyfr Iorwerth a oedd yn caniatáu i ŵr guro ei wraig â chyfiawnhad oedd am iddi roddi rhywbeth i ffwrdd heb fod ganddi'r hawl i wneud hynny, am iddi orwedd gyda dyn arall trwy dwyll, neu am iddi ddeisyfu gwarth ar farf ei gŵr.[91] Yr oedd y cyfreithiau Cymreig yn wahanol i gyfreithiau cenhedloedd eraill y cyfnod gan eu bod yn gwarchod y wraig briod rhag ei gŵr treisgar, ac yn rhoi iddi'r hawl i gael iawndal ynghyd â rhoi'r hawl i'w theulu ddial ar ei rhan os câi ei churo heb achos.[92] Y mae'n bosibl bod y pwyslais yma ar anrhydedd y wraig ac agwedd flaengar y cyfreithiau Cymreig tuag at drais priodasol yn adlewyrchu hen werthoedd cymdeithasol a gaiff eu mynegi yn chwedl Branwen. Cofiwn fel y bu i Branwen, wedi iddi gael ei sarhau a'i hanfon i wneud gwaith morwyn, gael ei churo gan y cigydd ar orchymyn Matholwch. Rhoddodd hyn gyfiawnhad i Bendigeidfran ymyrryd a rhoi iddo'r hawl gyfreithiol i chwennych dial am ei cham.[93] Gellir dadlau bod Gwerful Mechain, gan hynny, yn mynegi hen werthoedd ac egwyddorion cyfreithiol ei phobl yn gymaint â datgan barn bersonol flaengar am wŷr treisgar.

Canfyddir bod sylwebaeth gyfreithiol a beirniadaeth o'r gyfraith ar gynnydd yng nghynnyrch y beirdd erbyn y bymthegfed ganrif. Erbyn hynny, yr oedd un o bennaf feirdd yr uchelwyr, Tudur Aled (*c*.1465–*c*.1525), yn defnyddio ei grefft i gynnig cyngor a barn ar arferion cyfreithiol ei oes. Ceid yntau yn cyfeirio at y gyfraith yn ei ganu mawl, a cheir moliant i gynhaliwr cyfraith a threfn mewn 'Cywydd i Wiliam ap Sion Edwart, Cwnstabl y Waun', gŵr a oedd yn aelod o lys Brenin Harri VIII.[94] Ynddi clodforir diwydrwydd y gwrthrych wrth gosbi lladron ('cur lladron'), a drwgweithredwyr ('cyrchwyr nos'), a chanmolir cynhaliwr cyfraith a threfn:

> Caterwen, lle caut aros,
> Carcharu a wnaut cyrchwyr nos;
> Colli'r ffeils, cei wellhau'r ffis,
> Cau emylau Cwm Alis;
> Cariad iwch, cywiriad aeth, –
> Cur ladron, câr lywodraeth;[95]

Cyfyd sylwebaeth ar y gyfraith hefyd yn y cywyddau sydd yn gofyn cymod. Nid yw hyn yn syndod, gan fod mater cyfreithiol yn aml wrth wraidd yr anghydfod rhwng unigolion neu deuluoedd a barodd i'r bardd lunio cywydd er mwyn cyfryngu rhyngddynt. Yn ddiddorol, ymddangosodd swyddogaeth y bardd fel cyfryngwr yn llunio cywyddau cymod yn ail hanner y bymthegfed ganrif, cyfnod pan oedd cyfreithiau Lloegr yn prysur ddisodli cyfreithiau'r Cymry.[96] Dyna bwnc Tudur Aled yn ei 'Gywydd Cymod i Hwmffre ap Hywel ap Siencyn a'i Geraint'.[97] Ynddo galwa ar aelodau teulu i gymodi yn hytrach na chyfreitha mewn llysoedd. Rhybuddia na ddaw daioni na llwyddiant i Hwmffre a'i ewythrod oherwydd parhad y gynnen rhyngddynt:

O'ch athrod â'ch ewythredd,
Mae iau'n wag ym môn y wedd.[98]

Asgwrn y gynnen oedd ffrae ynglŷn ag ewyllys Siencyn, y penteulu. Credir bod Hywel ap Siencyn wedi darbwyllo ei dad i adael ei ystâd yn gyfan iddo ef gan ddilyn arferiad cyntafanedigaeth (*primogeniture*) a geid yng nghyfraith Lloegr. Golygai hyn nad oedd y plant eraill, y meibion yn enwedig, yn derbyn eu rhan a oedd yn ddyledus o eiddo'r tad. Hyn a ddisgwylid o ddilyn y cyfreithiau Cymreig, sef dull *cyfran*, a bwysleisiai ddull o berchnogi tir teuluol yn gyfartal rhwng meibion.[99] Yr oedd cyfreithiau'r Gwyddelod yn ymdebygu i gyfreithiau'r Cymry yn eu pwyslais hwythau ar rannu tir yn gyfartal rhwng y meibion.[100] Ceir yma, felly, gweryl yn deillio'n uniongyrchol o'r gwahaniaethau rhwng cyfraith Lloegr a Chyfraith Hywel.[101]

Fel y dangosodd Gruffydd Aled Williams yn ei ddadansoddiad manwl o'r cywydd, yr oedd Hwmffre ap Hywel, fel ei dad, yn uchelwr a gymerodd fantais hunanol o bob swydd a chyfle cyfreithiol arall a ddaeth i'w ran.[102] Bu'n barod i ymgyfreitha er mwyn diogelu swydd neu ffafr, fel nifer o'i gyfoedion, ac yr oedd y crafangu hwn am statws a swydd yn nodwedd gyffredin, fel y cyfeiriodd Tudur Aled ati yn ei gywydd:

Mae oes heddiw am swyddau
Megis hyn yn ymgasáu.[103]

Dyma ni arwyddion o'r amserau, ac o ddiwylliant oes y Tuduriaid, pan fagodd bonedd Cymru flas at fanteision a breintiau a ddaeth i'w rhan.

Ymdrechodd Tudur Aled, trwy gân, i weithredu fel cyflafareddwr ac ymbil am gymod, gan wrthgyferbynnu arferion y Cymry â threfn a diwylliant ymgyfreitha cyfraith Lloegr:[104]

> Cymru'n waeth, caem, o'r noethi,
> Lloegr yn well o'n llygru ni.
> Can bil a roed acw'n bwn –
> Croes Iesu rhag rhyw sesiwn!
> Câr yn cyhuddo arall,
> Hawdd i'r llaw gyhuddo'r llall.[105]

Pâr y gynnen gyfreithiol i noethi Cymru, sy'n gyfeiriad efallai at y gost o ymgyfreitha, a'i llygru er lles Lloegr. Yr oedd y gair 'llygru' yn golygu cywilyddio, ond gallai hefyd gynrychioli'r syniad o ddifwyno arferion a thraddodiadau Cymru gan gyfreithiau Lloegr. Cawn wybod fel y blinwyd y wlad gan filiau cyfreithiol y Saeson, sef y duedd gynyddol i ymgyfreitha: 'can bil a roed acw'n bwn'. I osgoi'r gost o ymgyfreitha, erfynia'r bardd am yr hen ddefod o dyngu llw ar groes Iesu i'w warchod rhag 'rhyw sesiwn', sef llysoedd Lloegr. Nid oes angen cymorth i ddehongli'r cwpled olaf a ddyfynnir. Y mae'r dweud mor odidog o glir, a chyffelybir y ffrwgwd teuluol i law yn cyhuddo'r llaw arall mewn gweithred ddi-werth a hunan-niweidiol. Nodwedd arall sydd yn ei hamlygu ei hun yma yw'r defnydd o dermau cyfreithiol Saesneg, megis 'bil' a 'sesiwn' (ac, yn yr enghraifft arall a ddyfynnwyd uchod, 'ffeils' a 'ffis').[106] Y mae hyn yn atgoffa'r gwrandawr mai'r drefn gyfreithiol Saesneg a oedd yn gyfrifol am drallodion y teulu hwn.

Er mai cywydd mewn ymateb i sefyllfa benodol oedd cywydd Tudur Aled, yr oedd hefyd yn adlewyrchu newidiadau cymdeithasol ehangach ei oes. Erbyn diwedd y bymthegfed ganrif, yr oedd yr hyn a oedd yn weddill o gyfreithiau Hywel ar ymyl y dibyn. Yr oedd y cyfreithiau Cymreig, gyda'u pwyslais ar dylwyth, ar gymodi ac ar iawndal, yn cael eu graddol ddisodli gan gyfreithiau ac arferion y Saeson, a hyn a ysbrydolodd rai o'r beirdd i ymateb. Gwelid elfen o brotest yn y canu, ac yr oedd camweinyddu cyfiawnder neu ddilyn cyfreithiau llwgr yn bethau a oedd yn werth canu amdanynt. Er hynny, nid oedd pob un o'r beirdd mor daer dros Gyfraith Hywel ymhob achos.

Yr oedd Hywel Swrdwal (bl. 1430–1470) yn fardd a fedrai olrhain ei ach yn ôl i'r Normaniaid cynnar, sef y teulu Surdeval, a oedd ymysg y Normaniaid a wladychodd Frycheiniog yn fuan wedi concwest Lloegr ym 1066.[107] Er mai Gwent a Morgannwg fu maes ei lafur yn bennaf, ceir cyfeiriadaeth gyfreithiol yn ei foliant i Hywel ap Siancyn o Nanhyfer, pan ganmolir medrusrwydd y noddwr ym myd y gyfraith.[108] Unwaith eto, ceir cyfeiriad at ddwy gyfraith, sydd yn awgrymu bod dwy god gyfreithiol yn weithredol yn y rhan hon o Ddyfed yn y cyfnod hwn: 'Efô a fedrai dröi/Y ddwy gyfraith i'n iaith ni'.[109] Mae'n bosibl hefyd mai cyfeirio at y gyfraith eglwysig a wna, yn ychwanegol i'r gyfraith wladol.

Galw am ddial a wna'r bardd yn ei farwnad i Watcyn Fychan o Frodorddyn, a lofruddiwyd gan Sais yn ninas Henffordd ym 1456.[110] Yr oedd cryn dyndra rhwng carfanau Cymreig a Seisnig y ddinas yn y cyfnod hwnnw, a hynny'n gysylltiedig â'r gwrthdaro a ddaeth yn adnabyddus wedyn fel Rhyfel y Rhosynnau. Lladdwyd Watcyn gan saeth yn ystod y gwrthdaro, a bu ymateb William Herbert a'i ddynion i'r llofruddiaeth, a Herbert yntau yn berthynas i Watcyn Fychan, yn uniongyrchol filain a didrugaredd. Bygythiwyd maer ac ustusiaid y ddinas a'u gorfodi i roi'r bai am y llofruddiaeth ar Sais o'r enw John Glover, ynghyd â phump o'i gyfeillion, a grogwyd yn y fan a'r lle. Anwybyddwyd prosesau cyfreithiol wrth i Herbert sicrhau'r dyfarniad a ddeisyfai, a chynhaliwyd y cwest ym Mrodorddyn yn hytrach nag yn Henffordd, sef yr hyn a ddisgwylid o dan y drefn arferol. Yno y daliwyd y crwner a'r rheithgor yn gaeth yn yr eglwys hyd nes iddynt roi'r dyfarniad a geisiai Herbert.[111]

Galar ynghyd â chasineb tuag at y llofrudd yw prif bynciau'r farwnad, gyda'r ffaith mai Sais a gyflawnodd y weithred yn ychwanegu at ddicter y bardd. Er nad yw'r gerdd yn cynnig llawer o fanylion am y prosesau cyfreithiol, mae'r llinell 'Aur am Watgyn nis myn merch' yn arwyddocaol iawn, gan ei bod yn awgrymu nad oedd gweddw'r lladdedig yn fodlon derbyn aur fel iawndal am ei ladd.[112] Nid gofyn am

Gyfraith Hywel, a'i bwyslais ar iawndal ac egwyddorion *galanas* a geir yma, ond galwad am ddulliau cosbi cyfraith Lloegr.[113]

Y gwrthwyneb yn llwyr yw'r neges yn y farwnad i Siôn Eos o eiddo Dafydd ab Edmwnd (bl. 1450–1497). O'r holl gerddi yng nghanon Beirdd yr Uchelwyr sydd â rhywbeth i'w ddweud am y gyfraith, nid oes amheuaeth mai'r farwnad hon yw'r fwyaf trawiadol o ran ei chynnwys ac o ran ei hansawdd.[114] Y mae lle blaenllaw i Dafydd ab Edmwnd yn hanes ein llên, gan mai ef a ad-drefnodd cyfundrefn farddol y mesurau caeth, sef y pedwar mesur ar hugain, yn Eisteddfod Caerfyrddin a gynhaliwyd ym 1450 neu 1451. Fel Hywel Swrdwal, yr oedd Dafydd ab Edmwnd yn ddisgynnydd o deulu Normanaidd. Un o dras uchelwyr gororau gogledd Cymru oedd Dafydd, yn hanu o deulu'r Hanmeriaid yn y Faelor Saesneg.[115] Normaniaid oeddent yn wreiddiol, ond erbyn y bymthegfed ganrif, yr oedd nifer o'r canghennau teuluol wedi Cymreigio a chymhathu â'r brodorion.[116]

Hen, hen ewythr i Dafydd ab Edmwnd oedd y barnwr Syr Dafydd Hanmer, y cyfeiriwyd ato eisoes. Y mae un cysylltiad teuluol arall sydd yn werth sôn amdano, sef hwnnw a geir yn y farwnad a gyfansoddodd Tudur Aled i Dafydd ab Edmwnd. Ceir cwpled yn y farwnad sydd yn crybwyll bod Dafydd yn athro barddol ac yn ewythr iddo (sef yn frawd i'w fam): 'F'ewythr o waed, f'athro oedd/Fynwes gwawd, fy nysg ydoedd'.[117] Yr oedd Dafydd ab Edmwnd yn berchen ar blas Yr Owredd, ar y ffin rhwng Cymru a Lloegr, ac yr oedd yn ddigon cyfoethog i farddoni er mwyn ei bleser a heb orfod dibynnu ar nawdd uchelwyr eraill. Ni cheid cymaint o gerddi mawl a marwnad o'i eiddo o'r herwydd. Yr oedd yn rhydd o hualau angen rhai o'i gyfoeswyr ac yn medru fforddio ei fodloni ei hun yn hytrach na phlesio eraill. Ac er bod tuedd i osod Dafydd ab Edmwnd yn ail ddosbarth beirdd y cyfnod, cydnabyddir hefyd fod ganddo waith sydd yn cyrraedd y copaon uchaf.[118] Ac yr oedd y farwnad i Siôn Eos, fel y cydnabu Saunders Lewis, 'ymhlith pethau mawr y bardd.'[119]

Lluniwyd y farwnad mewn ymateb i grogi'r telynor Siôn Eos ar orchymyn Cwnstabl y Waun, wedi i reithgor ei euogfarnu am ladd dyn yn ddamweiniol yn ystod ffrwgwd mewn rhyw dafarn yn arglwyddiaeth y Waun. Nid oes unrhyw gofnod o'r gweithrediadau cyfreithiol wedi goroesi, a dim ond y dystiolaeth awenyddol sydd gennym o'r digwyddiad. Cred rhai ysgolheigion i'r prawf llys a'r crogi ddigwydd bedair i bum mlynedd cyn Eisteddfod Caerfyrddin, ac, os felly, rywbryd tua diwedd pedwerydd ddegawd y bymthegfed ganrif.[120]

Oherwydd yr amhendantrwydd am ddyddiad y digwyddiad, ni ellir bod yn sicr pwy oedd y cwnstabl a ddedfrydodd yr Eos i'w grogi. Yr oedd rheolaeth dros arglwyddiaeth y Waun, fel arglwyddiaethau eraill yn y Mers, yn newid yn gyson yn y cyfnod hwn. Y cythrwfl dynastig yn Lloegr a adnabyddir fel Rhyfeloedd y Rhosynnau a oedd yn rhannol gyfrifol am ansefydlogrwydd llywodraethol y Waun. Y mae cofnod bod Thomas Strange yn Gwnstabl y Waun adeg marwolaeth Harri V ym 1422.[121] Yr oedd ef yn un o linach Lestrange, teulu a fu'n ddylanwadol ar Ororau Cymru yn yr oesoedd canol. Go brin mai ef oedd y cwnstabl dan sylw, serch hynny, gan ei fod ef wedi marw erbyn 1436, a byddai hynny rhyw ddegawd cyn crogi Siôn Eos.[122] Enw arall sydd yn ymddangos yn y cofnodion yw Syr Otewell Worsley. Sais ydoedd hwn a briododd â merch Edward ap Dafydd Trevor, un o hen deuluoedd Cymreig y Gororau, a hynny tua 1435.[123] Y mae un ffynhonnell achyddol yn awgrymu iddo gael ei benodi yn Gwnstabl y Waun ym 1445,[124] ond mae un arall yn nodi yn bendant mai dyddiad y penodiad oedd 24 Mehefin 1461.[125] Os mai'r ail sydd yn gywir, byddai ei benodiad dros ddegawd ar ôl crogi Siôn Eos. Yn sicr, yr oedd Worsley yn Gwnstabl y Waun cyn cyfnod Wiliam ap Siôn Edwart, Cwnstabl y Waun, hwnnw y canodd Tudur Aled mor ganmoliaethus iddo.[126]

Dengys y farwnad fod Siôn Eos yn gyfaill agos i Dafydd ab Edmwnd, gan mai marwnad bersonol iawn ei natur yw hi, a marwnad lle na fyddai'r awdur wedi disgwyl tâl gan neb amdani. Yn hyn o beth, y mae ynddi nodweddion tebyg i farwnad Lewys Glyn Cothi i'w fab, y cyfeiriwyd ati eisoes, ac y mae'n torri'r mowld o ran patrwm canu'r cyfnod. Egyr y farwnad trwy adrodd amgylchiadau'r lladd a arweiniodd at grogi'r Eos. Pwysleisir anghyfiawnder y crogi o gofio mai lladd anfwriadol mewn 'siawns medlai' ydoedd. Dychwelwn at arwyddocâd yr ymadrodd hwn mewn ennyd. Nid yw'n glir beth a barodd yr ymladd, er bod y llinell 'ymryson am yr oesau' yn awgrymu rhyw gynnen deuluol. Gwelir bai ar y rhai a oedd yno ar y pryd am beidio â thystio mai lladd anfwriadol ydoedd. Dywedir mai lladd 'oer' ydyw'r crogi, yn wahanol i ladd yn ddamweiniol mewn gwylltineb, a gweithred o 'ddial' ydyw (gair a ddefnyddir ddwywaith), a hynny dros achos bychan:[127]

Drwg i neb a drigo'n ôl
Dau am un cas damweiniol.
Y drwg lleiaf o'r drygwaith
Yn orau oll yn yr iaith.
O wŷr, pam na bai orau,
O lleddid un na lladd dau?
Dwyn, un gelynwaed, a wnaeth
Dial un dwy elyniaeth.
Oedd oer ladd y ddeuwr lân
Heb achos ond un bychan.
Er briwio'r gŵr, heb air gwad,
O bu farw, ni bu fwriad.
Yr oedd y diffyg ar rai
Am adladd mewn siawns medlai.
Ymryson am yr oesau,
Rhyw yng a ddaeth rhwng y ddau;
Odd yna lladd y naill ŵr,
A'i ddial, lladd y ddeuwr.[128]

Un o'r pethau mwyaf arwyddocaol yma o safbwynt hanes cyfreithiol yw'r modd y mae'r bardd yn edliw i gyfraith Lloegr gael ei dilyn yn hytrach na Chyfraith Hywel Dda. Dyna ei ddadl sylfaenol. Petai Cyfraith Hywel wedi ei dilyn, ni fyddai Siôn Eos wedi ei grogi, ond, yn hytrach, byddai iawndal, sef *galanas*, wedi ei dalu i deulu'r un a laddwyd. Y mae'r bardd yn mynnu y byddai Cyfraith Hywel nid yn unig yn fwy trugarog tuag at yr Eos, ond hefyd yn fwy o les i enaid yr un a laddwyd:

Y corff dros y corff pes caid,
Yr iawn oedd well i'r enaid.
Oedd, wedi addewidion
Ei bwys o aur er byw Siôn.
Sorrais wrth gyfraith sarrug
Swydd y Waun, Eos a ddug.
Y Swydd, pam na roit dan sêl
I'th Eos gyfraith Hywel?
Ar hwn wedi cael o'r rhain
Wrth lawnder, cyfraith Lundain . . .[129]

Y mae yma ddatganiad gwir drawiadol, sef bod digon o addewidion i dalu'r iawndal cymaint â phwysau Siôn mewn aur. Un o'r anawsterau mawr wrth weithredu proses iawndal yn y cyfreithiau Cymreig oedd cael digon o deulu, a chyfeillion, i gynnig talu'r iawndal yn llawn.[130] Yma, mae'r bardd yn hawlio y gellid bod wedi talu'r iawndal heb unrhyw drafferth, neges sydd yn ategu mai oferedd oedd y crogi. Wrth gwrs, yr oedd *galanas* yng Nghyfraith Hywel, a'r pwyslais ar osgoi cynnen trwy dalu iawndal, wedi bod ar drai ers cenedlaethau. Yr oedd Statud Rhuddlan 1284 wedi cyflwyno cyfundrefn Lloegr i dywysogaeth Gwynedd mewn materion troseddol, gan gynnwys lladradau, llosgiadau, llofruddiaethau a dynladdiad. Gwaharddwyd y cyfreithiau brodorol Cymreig, gan gynnwys y drefn lle caniateid i dylwythau'r partïon ddatrys yr anghydfod trwy iawndal, gan ei fod yn ffordd o osgoi cosb yn llysoedd y brenin.[131] Rhaid cofio hefyd fod *galanas* ar drai yng Ngwynedd yn yr hanner canrif cyn y goresgyniad, gyda'r tywysogion Cymreig yn mabwysiadu arferion brenhinol Lloegr er mwyn cryfhau eu hawdurdod yn eu tiriogaethau.[132]

Er hynny, llwyddodd elfennau o gyfreithiau Hywel Dda i oroesi yn arglwyddiaethau'r Mers hyd at o leiaf ddiwedd y bymthegfed ganrif.[133] Fel y soniwyd eisoes, yr oedd Cymru yn glytwaith o awdurdodaethau gwahanol rhwng 1284 a 1536. Yr oedd arglwyddiaethau'r Mers, nad oeddent o dan awdurdod Llywelyn ap Gruffudd pan y'i lladdwyd ym 1282, yn parhau i ddilyn cyfuniad o gyfreithiau Cymreig a Seisnig – *hybrid jurisdiction* fyddai'r term arnynt heddiw. Er mai'r gyfraith gyffredin, cyfraith y brenin, a oedd yn swyddogol yn gweithredu trwy'r deyrnas, yr oedd gan arglwyddi'r Mers gryn dipyn o ddisgresiwn i ddilyn arferion traddodiadol a lleol. Yr oedd ganddynt eu llysoedd a gweithdrefnau eu hunain, ac felly'r rhyddid i weithredu yn ôl eu blaenoriaethau eu hunain. Goroesodd *galanas*, ynghyd â'r arfer o dalu iawndal am gamweddau eraill, yno hefyd oherwydd y pwyslais ar linach ac ar bwysigrwydd y tylwyth yn y gymdeithas Gymreig, yn ogystal ag ymwybyddiaeth o bwysigrwydd ach fel sail i hawl gyfreithiol yng nghyfreithiau Hywel Dda. Nid oedd y syniad o drosedd fel rhywbeth gwahanol a mwy difrifol i gamwedd wedi datblygu yng Nghyfraith Hywel, yn wahanol i gyfraith Lloegr. Felly, yr oedd absenoldeb y ffin gysyniadol yn golygu nad oedd unrhyw rwystr i ymdrin â dynladdiad fel camwedd a fynnai iawndal.

Yn Lloegr, datblygodd y syniad o drosedd a chosb fel cangen arbennig o'r gyfraith, a hynny law yn llaw â datblygiad yn awdurdod llysoedd y brenin a chanoli a gwneud yn unffurf gyfreithiau Lloegr. Mater i'r brenin a'i farnwyr a'i swyddogion oedd delio â throseddwyr, nid perthnasau'r dioddefwr, a'r brenin yn unig a fyddai'n elwa os byddai tir ac eiddo'r troseddwr yn cael eu fforffedu. Nid oedd talu iawndal yn elfen ffurfiol o'r broses. Arf ar gyfer rheoli cymdeithas oedd y gyfraith droseddol yn Lloegr. Sefydlogi perthynas rhwng teuluoedd a cheraint pan oedd camwedd wedi ei gyflawni, a sicrhau cytgord cymdeithasol trwy osgoi cynnen a dial, oedd amcan y gyfraith frodorol yng Nghymru. Y mae'n sicr bod y meddylfryd hwn wedi parhau yn arglwyddiaethau'r Mers i amrywiol raddau yn ystod y ddwy ganrif ar ôl diwygiadau Statud Rhuddlan. Ychwaneger y ffaith fod yr arglwyddi lleol hefyd yn elwa'n bersonol o gydnabod *galanas* ynghyd â'r iawndal a geid am gamweddau eraill, gan fod rhan o'r iawndal yn ddyledus i'r arglwydd. Yn sicr, yr oedd yna ddigon o gymhellion ariannol dros gadw elfennau o'r hen gyfreithiau Cymreig yn fyw yn y Mers.

Yn y math yma o amgylchedd cymdeithasol, parhaodd gwybodaeth o'r hen gyfreithiau yn fyw iawn ar Ororau Cymru. Byddai Dafydd ab Edmwnd yn gwybod bod trefn amgenach, Gymreig, i'r hyn a welid ym mhrawf Siôn Eos. Hyn sydd yn egluro ei feirniadaeth o'r modd y profwyd Siôn Eos yn unol â chyfraith Llundain yn hytrach na chyfraith Cymru. Ond mae i'r farwnad neges arall hefyd, mi dybiaf, a hynny'n tarddu o'r defnydd o'r ymadrodd 'siawns medlai'.

Mae 'siawns medlai' yn ffurf Gymreig ar yr ymadrodd Eingl-Ffrengig, *chance-medlee*, neu *chaude mêlée,* sef term cyfreithiol Seisnig a olygai lladdiad sydyn ac annisgwyl yn ystod cweryl neu ffrwgwd, ond heb ragfwriad. Lladd yng ngwres yr eiliad, os mynnwch, heb gynllwynio o flaen llaw. Yr oedd y gwahaniaeth rhwng y math hwn o ladd byrbwyll a lladd yn unol â chynllwyn neu â bwriad maleisus yn bwysig yng nghyfraith Lloegr erbyn dechrau'r bymthegfed ganrif, gan fod modd fforffedu eiddo fel cosb, neu hyd yn oed gynnig pardwn, mewn sefyllfaoedd lle ceid lladd mewn siawns medlai. Yn allweddol, byddai bywyd y lladdwr yn cael ei arbed.[134]

Yn ddiweddarach, esblygodd ei ystyr i'r hyn a elwir yn ddynladdiad gwirfoddol (*voluntary manslaughter*), trosedd llai difrifol na llofruddiaeth. Yr oedd cysyniadau'r gyfraith droseddol yn esblygu rhwng y cyfnod hwn a'r ail ganrif ar bymtheg, a chafwyd sifft cysyniadol o roi pwyslais ar y golled a achoswyd i'r dioddefwr, i wyntyllu cyflwr meddwl a chyfrifoldeb moesol y troseddwr (*mens rea*) wrth euogfarnu'r weithred. Yr oedd *chance-medley* yn amddiffyniad cydnabyddedig yn y gyfraith yn Lloegr erbyn yr unfed ganrif ar bymtheg, a golygai, o'i brofi, na chawsai'r gweithredwr ei ganfod yn euog o lofruddiaeth ond yn hytrach o ddynladdiad. Yn ddiweddarach, ymgorfforwyd elfennau o'r siawns medlai yn yr amddiffyniad o gythruddo (*defence of provocation*).[135]

Yn arwyddocaol o safbwynt y defnydd a wna Dafydd ab Edmwnd ohono yn ei farwnad – yr oedd y gosb i'r lladdwr mewn siawns medlai yn llai difrifol, a gellid fod wedi osgoi'r crocbren. Gellid cyplysu'r iawndal a ddisgwylid yng Nghyfraith Hywel â'r pŵer i fforffedu eiddo a geid yng nghyfraith Lloegr. Ymddengys, felly, fod Dafydd ab Edmwnd nid yn unig yn awgrymu bod crogi Siôn Eos yn weithred a oedd yn groes i'r diwylliant cyfreithiol Cymreig, ond ei fod hefyd yn anghyson ag arferion cyfreithiol Seisnig mewn cysylltiad â lladd mewn siawns medlai.

Dyma fardd a oedd yn wir hyddysg yn y gyfraith, boed yng Nghymru neu yn Lloegr.

Cawn wybod hefyd fel y bu i Siôn Eos gael ei brofi gan reithgor o ddeuddeg, yn unol â chyfraith Llundain. Er mawr loes i'r bardd, ni ddangoswyd trugaredd tuag at Siôn Eos, ac nid oedd hen ddefodau eglwysig o noethi crair neu dorri croes i'w defnyddio i geisio arbed ei fywyd:

> Ni mynnent am ei einioes
> Noethi crair na thorri croes.
> Y gŵr oedd dad y gerdd dant,
> Yn oeswr nis barnasant
> Deuddeg, yn un od oeddyn',
> Duw deg, ar fywyd y dyn.[136]

Ceir awgrym yng ngolygiad Thomas Roberts o waith Dafydd ab Edmwnd mai dial yr oedd Cwnstabl y Waun am i'w was gael ei grogi gan Gwnstabl Croesoswallt rywbryd cyn y digwyddiadau hyn. Gwyddai Cwnstabl y Waun am y cyfeillgarwch rhwng Siôn Eos a Chwnstabl Croesoswallt.[137] Talu pwyth fu'r prif gymhelliad dros grogi'r Eos yn ôl yr esboniad hwn, sydd yn ychwanegu elfen fwy annifyr fyth i'r hanes. Ond rhaid oedd cael cyfiawnhad cyfreithiol dros y crogi, a chyfraith Lloegr, fel y'i camddefnyddiwyd yn yr achos hwn o bosibl, a roddodd y cyfiawnhad hwnnw i Gwnstabl y Waun.

Ar ôl mynegi ei brotest yn erbyn cyfraith sarrug y Waun, y mae'r bardd yn troi at y golled o farw Siôn, a thrwy hynny yn gwrthgyferbynnu agwedd galed y gyfraith â dawn a melyster crefft y telynor a'r datgeinydd cerdd dant. Cawn deimlo hiraeth y bardd am y telynor dawnus ac am gyfaill a oedd yn wir feistr ar ei grefft. Y mae'r ddawn a oedd ganddo bellach wedi ei fforffedu ('sied' yw'r gair am hyn yn y gerdd), ac ni all bellach, ac yntau yn ei fedd, roi o'i ddawn:

> Aeth y gerdd a'i thai gwyrddion
> A'i da'n sied wedi dwyn Siôn,

A llef o nef yn ei ôl,
A'i ddisgybl yn ddiysgol.
Llyna ddysg! I'r llan ydd aeth;
Lle ni chair lluniwch hiraeth.
Wedi Siôn nid oes synnwyr
Da'n y gerdd, na dyn a'i gŵyr.
Torres braich twr Eos brig,
Torred mesur troed musig;
Torred ysgol tŷ'r desgant,
Torred dysg fal torri tant.
Oes mwy rhwng Euas a Môn
O'r dysg abl i'r disgyblion?
Rheinallt nis gŵyr ei hunan,
Rhan gŵr er hynny a gân.
Ef aeth ei gymar yn fud,
Yn dortwll delyn Deirtud.[138]

Dyma ddweud sydd yn wirioneddol ddirdynnol. Yr oedd Siôn Eos yn un yr oedd ei ddysg abl yn ddigyffelyb, ac nid oedd neb rhwng Ewyas, ardal ar y ffin rhwng Gwent a swydd Henffordd, a Môn a allai gymharu ag ef. Sonnir am Rheinallt, a oedd yn delynor medrus o Ddolgellau ac yn gyfaill i Siôn Eos.[139] Y mae'r ailadrodd o'r ffurfiau o 'torri', 'torred'/ 'torres', yn dwysáu'r teimlad o ddinistr a difetha ac o anfadwaith Cwnstabl y Waun. Yna, disgrifir crefft a dawn Siôn Eos â'r delyn, crefft a fyddai'n peri i angel wylo:

Ti sydd yn tewi â sôn,
Telyn aur telynorion.
Bu'n dwyn dan bob ewin dant,
Bysedd llef gŵr neu basant;
Myfyrdawd rhwng bawd a bys,
Mên a threbl mwyn â thribys.
Oes dyn wedi'r Eos deg
Yn gystal a gân gosteg

A phrofiad neu ganiad gŵr,
A chwlm ger bron uchelwr?
Pwy'r awran mewn puroriaeth,
Pe na bai, a wnâi a wnaeth?
Nid oes nac angel na dyn
Nad ŵyl pan gano delyn.
Och heno rhag ei chanu,
Wedi'r farn ar awdur fu![140]

Wedi mynegi ei alar dwys o golli'r cyfaill, cawn y bardd yn cloi ei farwnad â chyfuniad o rybudd ynghyd â mynegiant o'i gred mewn cyfiawnder dwyfol. Wedi ei ysbrydoli gan yr adnodau yn Efengyl Mathew, y mae'r bardd yn datgan ei ffydd y caiff Siôn Eos gyfiawnder yn y diwedd ym mhorth y nef:

Eu barn ym mhorth nef ni bydd,
Wŷr y Waun, ar awenydd.
A farno, ef a fernir
O'r byd hwn i'r bywyd hir,
A'r un drugaredd a ro
A rydd Duw farnwr iddo.
Os iawn farn a fu arno,
Yr un farn arnyn' a fo.
Efô a gaiff ei fywyd,
Ond o'u barn newidio byd.
Oes 'y nyn y sy yn nos,
Oes yn Nuw i Siôn Eos.[141]

Fel y dywedodd Dafydd Johnston, dyma gerdd sydd yn 'ddatganiad gwleidyddol huawdl'.[142] Y mae yma alarnad mawr mewn sawl ystyr. Ceir condemniad hallt o gyfraith Lloegr ynghyd â chred ym mhwys-igrwydd y gyfraith frodorol a'i gwerthoedd i hunaniaeth y Cymry. Ceir hefyd herio'r modd y gweithredwyd cyfraith Lloegr yn yr achos hwn, a'r ffaith mai 'siawns medlai' ydoedd, ac i hynny gael ei anwybyddu gan y broses gyfreithiol. Ond cerdd am hunaniaeth ydyw mewn gwirionedd, er bod ynddi hefyd gwestiynu moesol am bwrpas a gwerth cosb, yn enwedig y gosb eithaf. Ceir ynddi syniadau oesol sydd wedi eu mynegi mewn celfyddyd aruchel, ac nid ydyw pum canrif a hanner wedi pylu dim ar rin y dweud nac ar rymuster y neges. Ac er na wyddai Dafydd ab Edmwnd hynny ar y pryd, gellir hefyd weld tynged Siôn Eos fel trosiad o dynged y cyfreithiau Cymreig eu hunain. Y mae angau'r Eos yn rhagfynegi'r dyfodol, dyfodol lle gwelid tranc cyfreithiau Hywel, yn ogystal â dirywiad y diwylliant barddol hwnnw yr oedd Dafydd ab Edmwnd wedi ymdrechu mor daer i'w gynnal.

Nodiadau

1 W. H. Waters, *The Edwardian Settlement of North Wales in its Administrative and Legal Aspects (1284–1343)* (Cardiff: University of Wales Press, 1935), tt. 150–3.

2 Gweler Llinos Beverley Smith, 'The Statute of Wales, 1284', *Welsh History Review*, 10 (2) (1980), 127–54; hefyd, Paul Brand, 'An English Legal Historian Looks at the Statute of Wales', yn Thomas Glyn Watkin (gol.), *Y Cyfraniad Cymreig: Welsh Contributions to Legal Development* (Bangor: Cymdeithas Hanes Cyfraith Cymru/Welsh Legal History Society, 2003), tt. 20–56.

3 Gweler Theodore F. T. Plucknett, *Taswell-Langmead's English Constitutional History* (London: Sweet & Maxwell, 1960), t. 235.

4 Gweler Dafydd Jenkins, 'Law and Government in Wales before the Act of Union', yn J. A. Andrews (gol.), *Welsh Studies in Public Law* (Cardiff: University of Wales Press, 1970), tt. 7–29.

5 R. R. Davies, *The Age of Conquest: Wales 1063–1415* (Oxford: Oxford University Press, 2000), t. 368.

6 R. R. Davies, 'The law of the March', *Welsh History Review*, 5 (1) (1970), 1–30.

7 Mae'r sefyllfa wedi ei chrynhoi gan Goronwy Edwards, 'The Language of the Law Courts in Wales: some Historical Queries', *Cambrian Law Review*, 6 (1975), 5–9.

8 Gweler O. Hood Phillips a Paul Jackson, *Constitutional and Administrative Law*, 8fed arg. (London: Sweet & Maxwell, 2001), t. 16.

9 J. Beverley Smith, *Llywelyn ap Gruffudd: Prince of Wales* (Cardiff: University of Wales Press, 1998), tt. 569–71.

10 Dafydd Johnston, *Llên yr Uchelwyr: Hanes Beirniadol Llenyddiaeth Gymraeg 1300–1525* (Caerdydd: Gwasg Prifysgol Cymru, 2005), t. 3.

11 Gweler R. R. Davies, *The Revolt of Owain Glyndŵr* (Oxford: Oxford University Press, 1995).

[12] Johnston, *Llên yr Uchelwyr*, tt. 451–2.
[13] Johnston, *Llên yr Uchelwyr*, t. 451.
[14] GLlGMH, tt. 1–11.
[15] GLlGMH, cerdd 8, ll.43–6, t. 45.
[16] Gweler Christine James, 'Dafydd (Llwyd): *Dosbarthwr* – the Literary Culture of some Cardiganshire Lawyers', yn Noel S. B. Cox a Thomas Glyn Watkin (goln), *Canmlwyddiant, Cyfraith a Chymreictod: A Celebration of the life and work of Dafydd Jenkins 1911–2012* (Bangor: Cymdeithas Hanes Cyfraith Cymru/ Welsh Legal History Society, 2011), tt. 154–69.
[17] GLlGMH, cerdd 4, ll.51–2, t. 26.
[18] Enillodd hon iddo ei unig gyfraniad ym mlodeugerdd Rhydychen o farddoniaeth Gymraeg: OBWV, cerdd 88, tt. 166–8.
[19] GLGC, t. xxvii.
[20] GLGC, cerdd 170, ll.13–28, t. 375.
[21] Gweler Jenkins, *Cyfraith Hywel: Rhagarweiniad i Gyfraith Gynhenid Cymru'r Oesau Canol* (Llandysul: Gwasg Gomer, 1970), tt. 50–1.
[22] Ceir ei linach gan J. E. Griffith, *Pedigrees of Anglesey and Caernarvonshire Families* (Horncastle: W. K. Morton, 1914), t. 202.
[23] GLGC, tt. 604–5.
[24] Gweler sylwadau Helen Fulton, 'Fairs, Feast-Days and Carnival in Medieval Wales: Some Poetic Evidence', yn Helen Fulton (gol.), *Urban Culture in Medieval Wales* (Cardiff: University of Wales Press, 2012), tt. 223–52, ar 238–44.
[25] CDG, cerdd 16, ll.37, t. 78; GDG, t. 28
[26] GDG, t. 56; CDG, cerdd 22, ll.13–16, t. 98.
[27] GGrGr, tt. 8–24.
[28] GDG, tt. 31–8; CDG, tt. 24–37.
[29] CDG, cerdd 5, ll.38, t. 26.
[30] CDG, cerdd 6, ll.15, t. 28.
[31] CDG, cerdd 6, ll.68, t. 32
[32] CDG, cerdd 6, ll.74, t. 32.
[33] CDG, cerdd 6, ll.38, 70, tt. 30, 32.
[34] CDG, t. 596; hefyd, Dafydd Jenkins, *The Law of Hywel Dda* (Llandysul: Gomer, 2000), t. 146.
[35] Thomas Glyn Watkin, *The Legal History of Wales*, 2il arg. (Cardiff: University of Wales Press, 2012), t. 67.
[36] Ceir trafodaeth fanwl ar yr englynion marwnad a'u harwyddocad cyfreithiol gan Sara Elin Roberts, 'Dafydd ap Gwilym, ei Ewythr a'r Gyfraith', *Llên Cymru*, 28 (2005), 100–14.
[37] GDG, t. 328; CDG, cerdd 73, tt. 302–3.
[38] CDG, cerdd 73, ll.57–60, t. 302.
[39] Gweler sylwadau ar hyn gan Fulton, 'Fairs, Feast-Days and Carnival in Medieval Wales: Some Poetic Evidence', tt. 241–2.

[40] CDG, cerdd 47, ll.20–2, t. 194.

[41] Ceir sylwadau manwl gan R. Geraint Gruffydd, 'A Glimpse of Medieval Court Procedure in a Poem by Dafydd ap Gwilym', yn C. Richmond ac I. Harvey (goln), *Recognitions: Essays Presented to Edmund Fryde* (Aberystwyth: National Library of Wales, 1996), tt. 165–76.

[42] CDG, cerdd 49, ll.6, t. 202.

[43] CDG, cerdd 49, ll.11–12, t. 202.

[44] CDG, cerdd 49, ll.30, t. 202.

[45] CDG, cerdd 49, ll.33–6, tt. 202, 204.

[46] CDG, cerdd 49, ll.47–50, t. 204.

[47] CDG, cerdd 97, ll.57–8, tt. 392–5; GDG, tt. 140–2.

[48] CDG, cerdd 97, ll.16–17, t. 392.

[49] CDG, cerdd 97, ll.57–8, t. 394.

[50] GDG, t. 225–6; CDG, tt. 500–3.

[51] CDG, cerdd 128, ll.21–4, t. 500.

[52] Gweler Dafydd Johnston (gol.), *Blodeugerdd Barddas o'r Bedwaredd Ganrif ar Ddeg* (Llandybïe: Cyhoeddiadau Barddas, 1989), tt. 23–4.

[53] Johnston (gol.), *Blodeugerdd Barddas o'r Bedwaredd Ganrif ar Ddeg*, tt. 96–8.

[54] Gweler Helen Fulton, *Dafydd ap Gwilym and the European Context* (Cardiff: University of Wales Press, 1989), tt. 103–4.

[55] GYN, cerdd 7, tt. 34–7, 90–8.

[56] Watkin, *The Legal History of Wales*, t. 107.

[57] J. H. Baker, *An Introduction to English Legal* History, 4ydd arg. (London: Butterworths, 2002), tt. 388, 529.

[58] Baker, *An Introduction to English Legal History*, t. 503.

[59] GYN, cerdd 7, ll.29–32.

[60] Gweler Thomas Roberts, 'Cywydd y Cwest ar Forgan ap Dafydd o Rydodyn gan Ruffudd Llwyd ap Dafydd ab Einion', *Bulletin of the Board of Celtic Studies*, 1 (1921–3), 237–40.

[61] Davies, *The Revolt of Owain Glyndŵr*, tt. 137–8.

[62] Gweler Bleddyn Owen Huws, 'Rhan o Awdl Foliant Ddienw i Syr Dafydd Hanmer', *Dwned*, 9 (2003), 43–64; hefyd, Bleddyn Owen Huws, 'Gramadeg Barddol Honedig Syr Dafydd Hanmer', *Llên Cymru*, 28 (2005), 178–80.

[63] Gweler Johnston, *Llên yr Uchelwyr*, tt. 177, 371.

[64] Ceir trafodaeth o'r gwladychu Seisnig yn Nyffryn Clwyd yn y cyfnod wedi'r goresgyniad gan Diane M. Korngiebel, 'English Colonial Ethnic Discrimination in the Lordship of Dyffryn Clwyd: Segregation and Integration, 1282–*c*.1340', *Welsh History Review*, 23 (2) (2007), 1–24; hefyd, A. D. M. Barrell ac M. H. Brown, 'A settler community in post-conquest rural Wales', *Welsh History Review*, 17 (3) (1995), 332–55.

[65] Ceir crynodeb o'i fywyd gan Dafydd Johnston, *Llên y Llenor: Iolo Goch* (Caernarfon: Gwasg Pantycelyn, 1989).

[66] GIG, tt. 46–50, t. 47. Gweler hefyd Henry Lewis, Thomas Roberts ac Ifor Williams, *Cywyddau Iolo Goch ac Eraill* (Caerdydd: Gwasg Prifysgol Cymru, 1937), tt. 36–8, t. 37.

[67] LLI, t. 23; LlB, t. 95.

[68] LLI, t. 91. Gweler hefyd bennod ar yr hyn a ddywed y cyfreithiau am nodweddion tai y Cymry yn Iorwerth C. Peate, *The Welsh House* (Burnham-on-Sea: Llanerch Press, 2004), tt. 109–31.

[69] GIG, cerdd 10, ll.38–50, t. 47.

[70] GIG, tt. 197–203.

[71] GIG, cerdd 4, ll.5, t. 16.

[72] GIG, cerdd 4, ll.79–80, t. 18.

[73] GIG, cerdd 4, ll.27–8, t. 16.

[74] Gweler, ymysg eraill, Jenkins, *The Law of Hywel Dda*, tt. 197, 313.

[75] GIG, cerdd 4, ll.81–2, t. 18.

[76] Johnston, *Llên yr Uchelwyr*, t. 174; GIG, t. 203.

[77] GIG, cerdd 1, tt. 2–3.

[78] GGGL, cerdd LXIII, ll.9–10, t. 168.Y mae gwaith y bardd hefyd i'w gael ar y wefan *www.gutorglyn.net* (cyrchwyd 11 Ionawr 2019).

[79] GGGL, cerdd LXXXI, ll.1–8, tt. 213–15.

[80] GGGL, cerdd LIX, ll.49–52, tt. 157–9.

[81] OBWV, tt. 129, 546.

[82] GGGL, cerdd XLVIII, ll.61–70, t. 131.

[83] GGME, t. 31.

[84] GGME, t. 18.

[85] GGME, cerdd 15, ll.1–4, t. 115.

[86] Gweler nodyn ar yr englyn yn Kathryn Curtis et al., 'Beirdd benywaidd yng Nghymru cyn 1800', *Y Traethodydd*, CXLI (1986), 12–27, ar 17.

[87] GGME, t. 169.

[88] GGME, cerdd 4, ll.65–6, t. 81.

[89] GGME, t. 141.

[90] Jenkins, *Cyfraith Hywel*, tt. 37–8; hefyd, Lizabeth Johnson, 'Attitudes Towards Spousal Violence in Medieval Wales', *Welsh History Review*, 24 (4) (2009), 81–115.

[91] LLI, t. 28; hefyd, Jenkins, *The Law of Hywel Dda*, t. 53.

[92] Caiff hawliau'r wraig yn y cyfreithiau Cymreig eu dadansoddi ymhellach gan Dorothy Dilts Swartz, 'The Legal Status of Women in Early and Medieval Ireland and Wales in Comparison with Western European and Mediterranean Societies: Environmental and Social Correlations', *Proceedings of the Harvard Celtic Colloquium*, 13 (1993), 107–18.

[93] Johnson, 'Attitudes Towards Spousal Violence in Medieval Wales', 91–3.

[94] OBWV, t. 548.

[95] GTA, cerdd LXIII, ll.17–22, tt. 253–6.

[96] Gweler Bleddyn Owen Huws, *Y Canu Gofyn a Diolch* (Caerdydd: Gwasg Prifysgol Cymru, 1998), tt. 51–2.

[97] OBWV, t. 549.

[98] GTA, cerdd LXVI, ll.11–12, tt. 265–9.

[99] Jenkins, *Cyfraith Hywel*, tt. 55–6.

[100] Fergus Kelly, *A Guide to Early Irish Law* (Dublin: Dublin Institute for Advanced Studies, 1988), tt. 102–4.

[101] Gweler Joseph P. Clancy, *Medieval Welsh Poems* (Dublin: Four Courts Press, 2003), t. 389.

[102] Gruffydd Aled Williams, 'Tudur Aled ai cant yn dda om barn i: Cywydd Cymod Wmffre ap Hywel ap Siancyn o Ynysymaengwyn a'i Geraint', *Llên Cymru*, 30 (2007), 57–99.

[103] GTA, cerdd LXVI, ll.55–6, t. 267.

[104] Johnston, *Llên yr Uchelwyr*, tt. 313–14.

[105] GTA, cerdd LXVI, ll.77–82, t. 267.

[106] Mewn cywydd i Dafydd ap Siencyn, defnyddia Tudur Penllyn eirfa gyfreithiol Saesneg wrth ei gyfarch: GTP, cerdd I, ll.47, 51, 56, tt. 3–4.

[107] GHSD, tt. 1–5.

[108] GHSD, t. 174.

[109] GHSD, cerdd 13, ll.43–4, t. 56.

[110] GHSD, cerdd 23, t. 89.

[111] GHSD, tt. 190–1.

[112] GHSD, cerdd 23, ll.61.

[113] GHSD, t. 195.

[114] Ceir cyfieithiad Saesneg ohoni yn Clancy, *Medieval Welsh Poems*, tt. 332–4.

[115] GDE, tt. vii–xvii.

[116] Ceir achau prif linach y teulu yn Griffith, *Pedigrees of Anglesey and Caernarvonshire Families*, t. 286.

[117] GTA, cerdd LXX, ll.29–30, tt. 282–3.

[118] Johnston, *Llên yr Uchelwyr*, t. 252.

[119] Gweler Saunders Lewis, *Meistri a'u Crefft* (Caerdydd: Gwasg Prifysgol Cymru, 1981), t. 124.

[120] Gweler Lewis, *Meistri a'u Crefft*, t. 126.

[121] Margaret Mahler, *A History of Chirk Castle and Chirkland* (London: G. Bell & Sons Ltd, 1912), tt. 85, 87.

[122] Gweler *http://www.historyofparliamentonline.org/volume/1386-1421/member/strange-thomas-1436* (cyrchwyd 11 Ionawr 2019).

[123] Douglas Richardson a Kimball G. Everingham, *Magna Carta Ancestry: A Study in Colonial and Medieval Families IV*, 2il arg. (Salt Lake City: Genealogical Publishing Company, 2011), t. 107.

[124] Gweler *https://www.wikitree.com/wiki/Worsley-53* (cyrchwyd 11 Ionawr 2019).

[125] Nathen Amin, *The House of Beaufort: The Bastard Line that Captured the Crown* (Stroud: Amberley Publishing Limited, 2017), pennod 24.

[126] GTA, cerdd LXIII, tt. 253–6.

[127] Atgynhyrchir yma y fersiwn yn OBWV, cerdd 75, tt. 138–41.

[128] OBWV, cerdd 75, ll.1–18.

[129] OBWV, cerdd 75, ll.19–28.

[130] Gweler R. R. Davies, 'The Survival of the Bloodfeud in Medieval Wales', *History*, 54 (1969), 338–57, ar 344.

[131] Gweler Waters, *The Edwardian Settlement of North Wales in its Administrative and Legal Aspects*, tt. 135–7.

[132] Watkin, *The Legal History of Wales*, tt. 95, 99.

[133] Davies, 'The Survival of the Bloodfeud in Medieval Wales', 338–57.

[134] Gweler Baker, *An Introduction to English Legal History*, tt. 529–30.

[135] Ceir sylwadau diddorol ar hyn gan Thomas Glyn Watkin, 'Hamlet and the Law of Homicie', *Law Quarterly Review*, 100 (1984), 282–310.

[136] OBWV, cerdd 75, ll.23–8.

[137] GDE, t. 155.

[138] OBWV, cerdd 75, ll.35–52.

[139] GDE, t. 155.

[140] OBWV, cerdd 75, ll.53–68.

[141] OBWV, cerdd 75, ll.69–80.

[142] Johnston, *Llên yr Uchelwyr*, t. 368.

4

'Yn gyfrwys yn y gyfraith': y Llysoedd yn Llên y Dyneiddwyr

Er mor arwyddocaol fu Statud Rhuddlan 1284 yn hanes cyfansoddiadol a chyfreithiol Cymru, gellir dadlau mai'r ddeddf a newidiodd gwrs hanes y genedl mewn ffordd lawer mwy sylfaenol oedd Deddf Goruchafiaeth 1534. Deddf ydoedd a gyhoeddodd mai'r brenin bellach fyddai pen yr Eglwys yn Lloegr ac a ddiddymodd awdurdod Esgob Rhufain arni. Trwyddi, a'r statudau eraill a'i rhagflaenodd ac a'i dilynodd, sefydlwyd sofraniaeth ysbrydol a chyfreithiol Coron Lloegr. Dyma'r ddeddf a gadarnhaodd yr egwyddor gyfansoddiadol a gyflwynwyd gyntaf yn Neddf Atal Apeliadau 1533, sef mai ymerodraeth ydoedd teyrnas Lloegr, a theyrnas fyddai bellach yn rhydd o ymyrraeth awdurdod allanol. Cafwyd deddfau eraill yn Diddymu'r Mynachlogydd, pwerdai'r ffydd Babyddol ers canrifoedd.[1] Yng ngwres y rhuthr hwn i ddeddfu y cyflawnwyd yr ymwahaniad â Rhufain. Yn ogystal, penderfynwyd bod angen dodi'r tŷ cyfansoddiadol Cymreig mewn trefn.[2] Er mwyn osgoi unrhyw ansicrwydd ynglŷn â'r peth, cafwyd deddfau i gadarnhau bod teyrnas Lloegr bellach yn cynnwys tiriogaeth a phobl Cymru.

Yr oedd oes y Tuduriaid, a ddechreuodd gydag esgyniad Harri VII i'r orsedd ym 1485, yn sicr yn oes o newid. Gwêl haneswyr mai cyfnod sydd yn nodi diwedd yr oesoedd canol a dechrau'r oes fodern ydoedd.[3]

Yr oedd pethau'r gorffennol yn cael eu gwrthod a'u dileu, daeth bydolwg traddodiadol y Cymry, yn gyfreithiol ac yn ddiwylliannol, o dan straen, a chyflwynwyd diwygiadau a olygai'r angen i addasu ac i ymgynefino â threfn newydd.[4] Erbyn trydedd ddegawd yr unfed ganrif ar bymtheg yr oedd y blerwch cyfansoddiadol a fodolai yng Nghymru ers Statud Rhuddlan o dan y chwyddwydr brenhinol. Gyda'i gynghorwyr a'i gynffonwyr o'i gwmpas, llawer ohonynt o blith y bonedd Cymreig a ddaeth gyda'i dad i Lundain wedi buddugoliaeth Bosworth ym 1485, yr oedd gan Harri VIII gynlluniau mawr ac uchelgeisiol ar gyfer Cymru. Yn y 1530au, cafwyd diwygiadau cyfansoddiadol pellgyrhaeddol gyda'r bwriad o ddiogelu'r deyrnas rhag ymosodiadau, cryfhau awdurdod y brenin a dileu arwahanrwydd a allai wanhau llywodraethiant y deyrnas.

Fel y gwelsom eisoes, yr oedd yr hen gyfreithiau Cymreig wedi dangos cryn ddycnwch yn y cyfnod rhwng 1284 a 1536. Er bod Statud Rhuddlan wedi cyflwyno cyfreithiau a threfniadau cyfreithiol Lloegr i rannau helaeth o Gymru, yr oedd y statud hefyd wedi bod yn gymodlon, neu o leiaf yn oddefgar, tuag at rai elfennau o gyfreithiau'r Cymry. Caniatawyd i'r cyfreithiau Cymreig ar etifeddiaeth a thir-berchnogaeth barhau ar gyfer y Cymry eu hunain, gyda'r Saeson yn y bwrdeistrefi yn cael hawlio cyfiawnder yn ôl cyfraith Lloegr. Profodd elfennau o gyfreithiau Hywel raddau helaeth o hirhoedledd, megis yn ne-orllewin Cymru, lle y goroesodd dull *cyfran*, a oedd yn dyrannu perchnogaeth tir etifeddol yn gyfartal rhwng brodyr, hyd at ddiwedd y bymthegfed ganrif.[5] Yr oedd elfennau o'r cyfreithiau Cymreig wedi parhau yn arglwyddiaethau'r Gororau a'r Mers hefyd. Goroesodd yr arfer o dalu treth *amobr* i arglwydd pan gollasai merch ei gwyryfdod, traddodiad a oedd yn fanteisiol yn ariannol i arglwyddi'r Mers. Oherwydd y dycnwch hwn, erbyn y 1530au, gellir yn hawdd ddychmygu cynghorwyr y brenin yn ensynio bod y bonedd yn rhy Gymreig eu hogwydd a bod gormod o Gymraeg yn eu cartrefi ac yn eu llysoedd barn.

Agenda'r Goron oedd diwygio a diddymu arferion y gorffennol, gan gynnwys hen gyfreithiau a hen drefniadau lled ffiwdal yr oesoedd canol. Yn nheyrnasiad Harri VII, gyrrwyd yr awydd yn bennaf gan ansicrwydd parthed dilysrwydd brenhinol y llinach a'i hawl i'r Goron.

Dwysaodd yr awydd i ddiwygio yn nheyrnasiad ei fab, ac yn enwedig wedi'r ymwahaniad â Rhufain. Yng nghyswllt Cymru, erbyn 1535 yr oedd eu hamcanion yn ennyn cefnogaeth nifer o fonedd Cymru a oedd am weld diwedd ar lysoedd y Mers ac a oedd eisoes wedi troi eu cefnau ar lawer o'r hen gyfreithiau Cymreig.[6] Erbyn diwedd y bymthegfed ganrif, yr oedd sêl Dafydd ab Edmwnd dros Gyfraith Hywel yn adlewyrchu safbwynt a oedd yn perthyn i'r gorffennol. Mewn gwirionedd, yr oedd goruchafiaeth cyfraith Lloegr bron yn gyflawn ymhell cyn dyfod y Deddfau Uno.[7] A phan ddaeth yr hoelion olaf hynny yn arch y cyfreithiau Cymreig, ni chlywyd gair o brotest na sibrydiad o wrthwynebiad.[8]

Yr oedd y Deddfau Uno (fel y cawsant eu hadnabod gan haneswyr diweddarach, er mai deddfau 'ymgorffori' fyddai'n ddisgrifiad mwy cywir arnynt), yn dileu'r olion olaf o'r cyfreithiau brodorol ac o'r drefn Gymreig o weinyddu cyfiawnder.[9] Sefydlwyd strwythurau llywodraethu a gweinyddu cyfiawnder newydd a chyfansoddiad newydd i Gymru.[10] Diddymwyd y gwahaniaethau cyfansoddiadol rhwng y tywysogaethau Cymreig ac arglwyddiaethau'r Mers, rhaniad a ddaeth i fodolaeth swyddogol yn sgil Statud Rhuddlan, a chrëwyd system sirol unffurf ar gyfer Cymru gyfan yn ôl y patrwm Seisnig. Er bod Statud Rhuddlan wedi ymgorffori tiroedd Llywelyn ap Gruffydd fel rhan o ystâd y Goron, yr oedd rhannau helaeth o Gymru o dan lywodraeth arglwyddi'r Mers. Yr oedd Deddfau Uno'r unfed ganrif ar bymtheg yn ymgais i ddileu'r amrywiaeth llywodraethol a chyfreithiol hwn, a sicrhau bod y Cymry, a'r Saeson a drigai yng Nghymru, yn ddeiliaid cydradd â'r Saeson o dan Goron a chyfraith Lloegr.[11]

Sicrhaodd y Deddfau Uno y byddai cynrychiolaeth seneddol i Gymru, a chrëwyd corff newydd o etholwyr yng Nghymru, er mai dynion o blith y dosbarthiadau cymdeithasol uchaf yn unig a fyddai'n cyfranogi o'r rhyddfraint am ganrifoedd. Agenda gwleidyddol y brenin a'i lys oedd diddymu arwahanrwydd Cymru, fel bod cyfraith, llywodraeth a gweinyddiaeth gyhoeddus Cymru yn gyson â'r hyn a geid yn siroedd Lloegr. Yr oedd y Deddfau Uno yn ymgorffori Cymru gyfan fel rhan o Loegr, gan gwblhau'r hyn a wnaed yn rhannol gan Statud

Rhuddlan 1284.[12] Sefydlogrwydd, cysondeb, rheolaeth ac ymdoddiad oedd prif amcanion y drefn newydd yng Nghymru.

O ran gweinyddu cyfiawnder yn y llysoedd, cyflwynwyd y strwythurau Seisnig trwy Gymru ac agorwyd y drws i rai o'r uchelwyr Cymreig wasanaethu'r drefn newydd. Cyflwynwyd swydd yr ynad heddwch i Gymru gan ddeddf yn Chwefror 1536, ychydig fisoedd cyn y Ddeddf Uno gyntaf, er mai rhai blynyddoedd wedyn y byddai'r swydd yn weithredol.[13] Yr oedd swydd yr ynad heddwch yn olrhain ei dras i'r oesoedd canol, pan gomisiynwyd marchogion gan y brenin i gadw'r heddwch.[14] Yn sgil Deddfau Uno 1536 a 1543, byddai'r ynadon yn cael swyddogaeth gyfreithiol a llywodraethol allweddol trwy lywyddu yn y llysoedd chwarter a sefydlwyd yn y siroedd.[15]

Yr oedd yr egwyddor o gyfiawnder lleol yn mynegi ei hun amlycaf yn swyddogaeth allweddol y llys chwarter. Byddai'r llys chwarter yn ymgynnull ymhob sir, bedair gwaith y flwyddyn, gan ymdrin ag ystod o faterion cyfreithiol, ond yn enwedig achosion troseddol. Yr oedd gan y llys chwarter swyddogaethau llywodraethol a gweinyddol yn ogystal, swyddogaethau a gadwyd hyd nes sefydlu'r cynghorau sir etholedig ym 1888.[16] Y llys chwarter oedd y fforwm a brofai'r achosion hynny a haeddai eu profi gan reithgor nad oeddent yn ddigon difrifol i'w profi yn y llysoedd uwch.[17] Yn anochel, gwelodd y bonedd eu cyfle i elwa ar y diwygiadau hyn, a daeth swydd yr ynad yn swydd bwysig a'r llys chwarter yn fforwm dylanwadol ac yn arwydd o statws ac awdurdod.

Er mai uno ac ymgorffori oedd bwriad sylfaenol y diwygiadau cyfansoddiadol, cadwyd a chrëwyd rhai sefydliadau cyfreithiol Cymreig a oedd yn wahanol i'r hyn a geid yn Lloegr. Erbyn 1534, yr oedd Cyngor Cymru a'r Gororau (neu'r Cyngor yng Ngororau Cymru) wedi ei hen sefydlu fel prif fforwm cyfreithiol a llywodraethol Cymru gyda'i bencadlys yn nhref Llwydlo. Sefydlwyd y cyngor ym 1471 fel llys rhagorfreiniol brenhinol dan oruchwyliaeth y Cyfrin Gyngor er mwyn atgyfnerthu awdurdod a threfn frenhinol yng Nghymru ac yn yr arglwyddiaethau ar Ororau Cymru a Lloegr.[18] Yr oedd ganddo rymoedd ac awdurdod cyfreithiol dros achosion a ddaethai o dan y gyfraith gyffredin. Ym 1476, rhoddwyd iddo awdurdod dros achosion troseddol, a thyfodd ei rym a'i ddylanwad yn ystod blynyddoedd cynnar ei fodolaeth. Daeth swydd Llywydd y Cyngor yn un o bwys, a'i ddeiliad yn cael ei ystyried fel rhaglaw'r brenin yng Nghymru. Yr enwocaf o'r llywyddion cynnar oedd Rowland Lee a fu'n llywydd rhwng 1534 a 1542, cyfnod pan gafwyd cyfres o ddiwygiadau pellach a atgyfnerthodd awdurdod cyfreithiol y Goron yng Nghymru.[19] Er y diffygion yn nhrefniadau'r cyngor, a ddaeth i'r amlwg erbyn diwedd yr unfed ganrif ar bymtheg, yr oedd Cyngor Cymru a'r Gororau yn arwydd o arwahanrwydd Cymru, gan ei fod yn sefydliad cyfansoddiadol a chyfreithiol wedi ei sefydlu yn benodol ar gyfer Cymru.

Nid Cyngor Cymru a'r Gororau oedd yr unig sefydliad cyfreithiol a oedd yn fynegiant o arwahanrwydd Gymru, ac yn wrthbwynt i'r tuedd i ymdoddi yn niwylliant cyfreithiol Lloegr. Creadigaeth gyfreithiol a sefydlwyd a cyfer Cymru'n unig gan y Deddfau Uno oedd y Sesiwn Fawr. Yr oedd y Sesiwn Fawr, a sefydlwyd gan ddeddf 1543, wedi ei seilio ar hen lysoedd barn y dywysogaeth a weithredai o dan lywyddiaeth ustusiaid y brenin. Penodid ustus neu farnwr i lywyddu ar gylchdaith y Sesiwn Fawr, gyda phob cylchdaith yn cynnwys tair sir. Ceid cynulliad y Sesiwn Fawr ddwywaith y flwyddyn ymhob sir, a phob cynulliad yn para am oddeutu chwe diwrnod. Parhaodd y Sesiwn Fawr yn nodwedd o'r gyfundrefn neilltuol a fodolai yng Nghymru hyd nes ei diddymu ym 1830, gan ymgorffori Cymru yn gyfan gwbl o fewn y drefn Seisnig. Bwriadwyd i'r llysoedd brenhinol hyn osgoi'r dryswch ac amlder y gwahanol lysoedd arbenigol a geid yn Llundain. Er mai cyfraith Lloegr oedd yn teyrnasu bellach, yr oedd y Sesiwn Fawr yn sefydliad unigryw Cymreig a chanddo awdurdodaeth eang dros achosion troseddol, sifil, siawnsri, ynghyd â gwysion yn ymwneud ag eiddo.[20]

Os oedd yr unfed ganrif ar bymtheg yn gyfnod pan oedd rhai pethau yn graddol ddarfod, yr oedd hefyd yn oes o adnewyddiad ac o arloesi. Dyma gyfnod pan agorodd drysau newydd ym myd y gyfraith i feibion y bonedd Cymreig.[21] Datblygodd astudiaethau cyfreithiol yn y prifysgolion, a daeth y proffesiwn cyfreithiol yn llwybr gyrfa ddeniadol i wŷr ifanc uchelgeisiol yr oes.[22] Ym maes dysg a diwylliant, daeth yr oes Brotestannaidd a'i goblygiadau pellgyrhaeddol yn hanes Cymru.

Dyma oedd oes y Dadeni Cymreig, canrif gyfoethog ei gwaddol pan gododd cenhedlaeth o Ddyneiddwyr ac ysgolheigion yng Nghymru a oedd wedi eu hysbrydoli gan fudiadau'r cyfandir a'u harfogi gan ddyfodiad y wasg brintiedig. Sefydlwyd isadeiledd addysg trwy'r ysgolion gramadeg a gododd ar hyd a lled y wlad, a chafwyd coleg Cymreig (yn answyddogol o leiaf) yn Rhydychen ym 1571 o dan nawdd Dr Hugh Price o Aberhonddu, sef Coleg Iesu.[23] Dyma'r cyfnod yr ymddangosodd Dyneiddwyr, ysgolheigion clasurol a gramadegwyr o fri, megis William Salesbury, Gruffydd Robert a John Davies, Mallwyd. Y gwŷr hyn a sicrhaodd le i'r Gymraeg fel iaith crefydd a dysg.

Credir i William Salesbury dreulio cyfnod yn Thavie's Inn, un o'r ysbytai siawnsri a oedd yn gysylltiedig â Lincoln's Inn, cyn cymhwyso fel cyfreithiwr.[24] Efallai iddo hefyd wasanaethu fel dirprwy i Syr Richard Rich, y Twrnai Cyffredinol bondigrybwyll a roddodd dystiolaeth gelwyddog yn erbyn Syr Thomas More yn ystod ei brawf am deyrnfradwriaeth (digwyddiad a anfarwolwyd yn ddiweddarach mewn drama a ffilm).[25] Yr oedd Salesbury yn ymgorfforiad o'r ddelfryd ddyneiddiol o ŵr amlochrog a dysgedig. Rhoddodd ei glasuron rhyddiaith ef a'i gyfoedion egni newydd i'r Gymraeg. Ond uchafbwynt yr oes, heb os, o safbwynt dadeni dysg yng Nghymru oedd campwaith yr Esgob William Morgan, sef y Beibl Cymraeg.[26] Os encilio a wnaeth y Gymraeg fel iaith cywydd ac awdl mewn llys a phlasty, ysbrydolodd y cyfieithiadau Cymraeg o'r Beibl a'r Llyfr Gweddi Gyffredin genedlaethau o awduron rhyddiaith, gan sicrhau 'y byddai'r iaith o hynny ymlaen yn teyrnasu mewn maes hanfodol ym mywyd Cymru'.[27]

Parhaodd yr hen draddodiad barddol hefyd am y rhan helaethaf o'r unfed ganrif ar bymtheg. Ond, yn gyffredinol, glynu wrth yr hen fformiwlâu treuliedig o ganu mawl neu farwnadu mewn gormodiaith a wnaeth y beirdd. Bu hyn yn achos rhwyg rhyngddynt a'r genhedlaeth newydd o Ddyneiddwyr a ddeisyfai foderneiddio'r gyfundrefn farddol, ac a anogai'r beirdd i ganu ar bynciau cyfoes a fyddai'n hyfforddi'r bonedd ar bethau'r oes newydd.[28] Rhwng hynny, a'r Seisnigo ar fonedd a'u graddol droi cefn ar y traddodiad o noddi'r beirdd, yr oedd argyfwng yn wynebu'r traddodiad barddol Cymreig.

Ceir enghraifft o barhad yr hen ystrydebau barddol yng nghanu Huw ap Dafydd ap Llywelyn ap Madog (bl. *c*.1526–1580) i Syr Robert ap Siôn, person Llanfwrog. Molodd wybodaeth ei wrthrych o gyfraith yr eglwys yn yr un arddull a chyda'r un hen drawiadau a ddefnyddid ganrif neu ddwy ynghynt:

> Pwy o wreiddion *pur addysg*?
> Purion dawn, pwy a ran *dysg*?
> Syr Robart, rhywart i'n rhaid,
> Synnwyr yr holl bersoniaid;
> Llaw, Ifor Hael yw llyfr hwn,
> Llanfwrog, llew hen farwn.
> Sefyll ar gyfraith sifil,
> Mawr yw dy ddysg ymysg mil.[29]

Os ymdrechu i ddal eu tir a wnaeth llawer o'r beirdd, beth am y bonedd? Yr oedd y bonedd wedi hen ymgynefino â threfniadau cyfreithiol a llywodraethol brenhinoedd Lloegr. Onid oedd llwyddiant y diwygiadau cyfansoddiadol a ddaeth ar ôl statud 1284 yn dibynnu ar barodrwydd y bonedd i gynnal y drefn newydd? Yr oedd y ffaith iddynt fod mor barod i gefnogi newid cyfansoddiadol yn ei agweddau cyfreithiol a llywodraethol yn brawf o ba mor amserol oedd y Deddfau Uno. Gellir hyd yn oed ddadlau mai ymateb brenhinol oedd y Deddfau Uno i uchelgais a deisyfiadau'r bonedd Cymreig. Dyma baradocs y Deddfau Uno. Er eu bod yn cadarnhau difodiant Cyfraith Hywel a'r traddodiad cyfreithiol Cymreig, yr oeddent yn sefydlu cyfundrefn newydd a fyddai yn nwylo'r bonedd cynhenid i raddau helaeth. Allwedd eu llwyddiant oedd y modd y sicrhawyd parhad yn awdurdod y bonedd fel cynheiliaid trefn gymdeithasol yn eu broydd.[30] Wrth gwrs, yr oedd mwyafrif y bonedd Cymreig yn ddisgynyddion tywysogion ac uchelwyr yr oesoedd canol, ac ni chafodd y dosbarth bonheddig Cymreig ei ddileu neu ei gyfnewid am fonedd Seisnig fel a ddigwyddodd yng nghyd-destun gwleidyddol Lloegr yn yr unfed ganrif ar ddeg, pan ddisodlwyd yr uchelwyr Eingl-Sacsonaidd gan farwniaid Normanaidd. Yr elfen hon o barhad yn hytrach nag o ddileu sydd yn allweddol i lwyddiant y Deddfau Uno ac i strategaeth brenhinoedd Lloegr yn ystod y cyfnod hwn.

Gyda chryn frwdfrydedd, felly, y derbyniwyd y diwygiadau cyfansoddiadol pellgyrhaeddol hyn ymysg y bonedd Cymreig. Yr oedd hyn yn rhannol oherwydd y brwdfrydedd mawr yng Nghymru a welwyd yn sgil buddugoliaeth Harri Tudur ar Faes Bosworth ym 1485. Datblygwyd naratif bropaganda fod arwyddocâd gwleidyddol yn hynny i Gymru, a meithrinwyd y gred ei fod yn adfer gogoniant coll y Brythoniaid. A chan mai'r bonedd a noddai'r beirdd, yr oeddent hwythau yn barod i gymeradwyo'r newidiadau a ddaeth. I'r bardd Siôn Tudur (*c*.1530–1602), yr oedd y ffaith fod Harri Tudur o dras Tuduriaid Penmynydd, a thrwyddynt yn ddisgynnydd Ednyfed Fychan a'r uchelwyr Cymreig, yn esbonio pam iddynt ryddhau'r Cymry o'u cadwynau:

> Harri lan, hir lawenydd,
> Yn un a'n rhoes ninnau'n rhydd,
> I Gymru da fu hyd fedd,
> Goroni gŵr o Wynedd.[31]

Tyfodd y myth fod y Tuduriaid wedi eu tynghedu, trwy ddwyfol ordinhad, i amddiffyn anrhydedd y Cymry, a thrwy gydol y ganrif byddai'r beirdd yn cynnal y myth am fendithion teyrnasiad Harri Tudur a'i epil. Meddai Huw Machno (*c*.1585–1637), bardd teulu Wynniaid Gwydir, wrth glodfori'r llewyrch a ddaeth wedi buddugoliaeth Bosworth:

> O bu i Gymru i gyd,
> Drwy anap, flinder ennyd,
> A'i rhoi yn gaeth, waethwaeth oedd,
> A'i thai araul a'i thiroedd,
> Yn rhwydd o hyn i'n rhyddhau,
> Yn frenin iownfawr rannau,
> Iesu erom rhoes Harri,
> Seithfed yn nodded inni.[32]

O'r holl feirdd a ganodd glodydd y Tuduriaid, Lewys Morgannwg (bl. 1520–1565) a'i gyfres o folawdau i Harri VIII sydd yn fwyaf trawiadol. Yr oedd Llywelyn ap Rhisiart, neu Lewys Morgannwg fel y caiff ei adnabod yn y llawysgrifau, yn frodor o Lanilltud Fawr, ac yn fardd cynhyrchiol tu hwnt ym Morgannwg yng nghanol yr unfed ganrif ar bymtheg.[33] O linach beirdd, fe'i hyfforddwyd gan Tudur Aled, a chan hynny fe lwyddodd i feistroli'r grefft farddol. Yn ei gyfnod cynnar, canodd gerddi crefyddol yn y traddodiad Pabyddol ar bynciau megis y Forwyn Fair a seintiau'r Eglwys, ac i wŷr amlwg yr Eglwys, megis yn ei awdl i Leision, sef Leyshon Thomas, abad Nedd, un o fynachlogydd mwyaf rhagorol Cymru'r cyfnod.[34] Ond wedi'r ymwahaniad â Rhufain ar orchymyn Harri VIII, newidiodd Lewys ei gân, gan ddod yn un o brif gefnogwyr y gyfundrefn newydd. Gan fod ei noddwyr, megis Syr Edward Stradling, San Dunwyd, bellach yn elwa'n bersonol ar y drefn newydd, a llawer o'r uchelwyr eraill yn manteisio'n ariannol wedi Diddymu'r Mynachlogydd, hawdd oedd i Lewys droi ei gôt gan ryfeddu at ogoniannau'r oes Duduraidd.[35]

Y mae cynnyrch barddol Lewys Morgannwg yn adlewyrchu rhai o brif gymeriadau a digwyddiadau'r cyfnod. Y mae'n adlewyrchu agweddau'r cyfnod hefyd, mae'n siŵr, ac yn cadarnhau mor ufudd y bu'r bonedd Cymreig i ddymuniadau'r Goron. Derbyniwyd ganddynt yn ddiwrthwynebiad y diwygiadau crefyddol, cyfreithiol a chymdeithasol a gyflwynwyd gan y brenin.[36] Lluniodd Lewys awdl, cywydd a marwnad i Harri VIII, a hwythau i gyd yn clodfori'r brenin a chymeradwyo'i weithredoedd.[37] Dro ar ôl tro, pwysleisiodd Gymreictod y brenin, ac yn ei gywydd o foliant iddo y mae'n ei gyfarch fel 'y tarw o'r Mwnt, eryr Môn',[38] 'llew Cymru oll'[39] a 'Cymro coronog, crynen'.[40] Yn ei awdl o foliant i'r brenin, y mae Lewys Morgannwg yn gorfoleddu yn y gyfundrefn Brotestannaidd a waredodd y bobl o dwyll yr hen ffydd a dileu awdurdod a chyfraith Esgob Rhufain yn y deyrnas:

> Amheuwyr Duw ffydd, mawr, y diffoddaist.
> Ei gnawd a'i allor (gwn) y diwellaist.

Anghredwyr Iesu, tân a gynuaist,
Eu mêr a'u holl esgyrn, meirw y'u llosgaist.

Ddoe Esgob Rhufain o ddysg y profaist.
Y sy i'th deyrnas o'i waith a dernaist.
Yn dallu ei elyn ei dwyll a welaist.
Am air dy ynys yma ordeiniaist.

Ei sêl a'i gyfraith, hyn a ddiffeithiaist.
Yn iach mwy hynny! Yn wych 'mwahenaist.
Ffalswyr crefyddwyr a'u côr a faeddaist.
Am dwyll a phechod i'r llawr y'u dodaist.[41]

Mewn cywydd arall, y mae'n canmol Syr Edward Carne: 'cof wrth ddysg mewn cyfraith yw'.[42] Cyfreithiwr a diplomat disglair a chraff o Forgannwg ydoedd, a daeth i amlygrwydd pan gynghorodd Harri VIII yn ei ymdrechion i ysgaru ei wraig gyntaf, Catherine o Aragon.[43] Bu Carne ar ymweliad â Rhufain fel cennad ar ran y brenin er mwyn dwyn perswâd ar y Pab y dylid dyfarnu ar fater yr ysgariad yn llysoedd Lloegr yn hytrach nag yn Rhufain (yr oedd hefyd yn ceisio oedi'r broses yno mor hir â phosibl).[44] Yr oedd Catherine o Aragon a'i chyfeillion yn awyddus i'r mater gael ei benderfynu yn Rhufain, gan y credent mai yno y byddai buddiannau Catherine yn fwy tebygol o ffynnu. Er i Carne weithredu fel cynghorwr i'r brenin yn ystod yr anghydfod a arweiniodd at yr ymwahaniad â Rhufain, nid oedd Carne yn barod i arddel y Brotestaniaeth newydd. Gwasanaethodd olynwyr Harri VIII yn ffyddlon, ond yn ofalus hefyd, gan gelu ei argyhoeddiadau Pabyddol, yn enwedig wedi esgyniad Elisabeth. Bu iddo, i ryw raddau, elwa'n bersonol o'r diwygiadau Tuduraidd, ac yn enwedig o ganlyniad i Ddiddymu'r Mynachlogydd. Prynodd Briordy Ewenni ac adeiladu cartref iddo'i hun yno.[45]

Lluniodd Lewys gywydd trawiadol arall yn condemnio'r Frenhines Ann Boleyn fel hudoles anfoesol o isel dras, a hynny, mae bron yn sicr, wedi iddi golli ffafr y brenin a'i dienyddio ym 1536.[46] Yn yr un cywydd, y mae'n annog y brenin i benodi Cymry i swyddi'r deyrnas yn hytrach na Saeson annheilwng, anogaeth a ysbrydolwyd, o bosibl, gan y deddfau ym 1536 a sefydlodd swydd yr ynad heddwch yng Nghymru ac a ddiwygiodd y llysoedd barn:[47]

Na chyfod ar ddyrchafiaeth
O flaen gwaed filain neu gaeth.
Na wna i'th rin annoeth yrhawg
Neu waed isel yn dwysawg
Ni chai dwyll, frenin, wych dâl,
Natur yw, gan waed rhial.
Canmol Loegr canmil ogylch;
Cymer i'th gwrt Cymry i'th gylch.[48]

Dyma enghraifft brin o ymateb barddol i'r Deddfau Uno. Parhaodd ysbryd brenhingar Lewys Morgannwg yn hir yn y tir. Hyd yn oed wedi'r diwedd ar oes y Tuduriaid, a marwolaeth Elisabeth ym 1603, yr oedd y chwedl am y modd y rhyddhawyd y Cymry o hualau'r Normaniaid yn parhau i ysbrydoli'r beirdd. Canodd Edward Morris (1607–1689), er enghraifft, glod i'r brenin o waed Brythonaidd a gymrodd yr iau oddi ar gefnau ei gymrodyr:

Nes cael brenin, gwreiddin gras,
Arch deyrn ar ucha'i deyrnas,
O Frutanwaed, fryd doniau,
Dan ei rwysg i dynnu'r iau.[49]

Yr oedd George Owen o Henllys (1552–1613) yntau yn gefnogol i ddiwygiadau'r oes, ac yn fawr ei glod o deyrnasiad y Tuduriaid.[50] Mynegodd ei farn ar y cyfansoddiad mewn deialog ddychmygol, *The Dialogue of the Government of Wales*, sydd yn ymson rhwng Cymro a theithiwr o'r Almaen.[51] Ond barn wahanol oedd eiddo'r bardd Edwart ap Raff (*c*.1557–1606), aelod o deulu bonheddig Bachymbyd yn sir Ddinbych. Yn un o'i gywyddau, y mae'n cynnig safbwynt beirniadol o'r dynfa i Lwydlo a Llundain a ysgogwyd gan waith cyfreithiol Cyngor Cymru a'r Gororau, a'r cyfleoedd cyfreithiol newydd a ddaeth i'r Cymry yn llysoedd Llundain ar ôl y Deddfau Uno.[52] Mewn cywydd pur anarferol o feirniadol, y mae'n rhannu ei ofid am y tlodi a ddaeth o golli'r gwŷr ifanc talentog o'u broydd:

Llawer sy'n mynd yn lluoedd
Y gwir sy'n wir, gresyn oedd.
Yn grecrus – gwmbrus eu gwaith –
Yn gyfrwys yn y gyfraith
Term Eilian taer ymeilir
Term y Pasc yn rhoi trwmp hir,
Term y Drindod wrth rodiaw
A Michel, dirgel y daw.
Ledled oedd i Lwydlo deg
Ac i Lundain gu landeg.
A hyn a fag, hen wyf i,
Adwy lydan o dlodi.[53]

Yn ogystal â'r newidiadau cyfansoddiadol a strwythurol, a'r newidiadau o safbwynt sylwedd a threfniadaeth y gyfraith, cafwyd newid hefyd yn iaith y gyfraith. Yr oedd deddf 1536 yn datgan mai Saesneg fyddai iaith swyddogol cyfraith a llywodraeth Cymru bellach.[54] Gosodwyd y nod yn ddiamwys yn y rhagarweiniad i ddeddf 1536, sef i ddiddymu'r arferion dieithr a fodolai yng Nghymru.[55] Gosododd y ddeddf y sefyllfa newydd yn berffaith glir: ni fyddai'r Gymraeg yn dderbyniol wrth weinyddu cyfiawnder bellach, ac ni allai Cymro ennill na swydd na statws o fewn y gyfundrefn heb iddo feistroli'r Saesneg.[56] Nid gwaharddeb yn erbyn y Cymry fel pobl oedd hyn, neu ymgais i weithredu polisi o eithrio ethnig yn y llysoedd, ond atal yr iaith ei hun rhag bod yn iaith swyddogol y llysoedd, a hynny er mwyn sicrhau cymhathiad llwyr. Gorchmynnwyd i swyddogion, ynadon a'r barnwyr beidio â defnyddio'r Gymraeg, ac yr oedd cofnodion y llysoedd i fod yn Lladin ac, yn ddiweddarach, yn Saesneg.[57] Yr oedd hyn yn angenrheidiol er mwyn creu cyfundrefn gyfreithiol led-unedig ar gyfer Cymru a Lloegr, o dan un corff o gyfreithiau, a thrwy gyfrwng un iaith. Nid oedd yn rhan o unrhyw gynllwyn i ddileu'r Gymraeg fel iaith lafar, neu wahardd y Cymry fel pobl rhag bod yn rhan fywyd cyhoeddus[58] – ddim yn uniongyrchol, beth bynnag. Gan hynny, gallai'r bonheddwr o Gymro a ddefnyddiai Saesneg wrth ei waith fwynhau breiniau swyddi'r llysoedd.

Yn sgil polisi iaith y llysoedd, byddai'r iaith yn alltud, o leiaf yn swyddogol, o gyfundrefn gweinyddu cyfiawnder yng Nghymru am ganrifoedd. Ac eto, nid oedd pethau mor syml â hynny wrth gwrs. Oherwydd mai unieithog Gymraeg oedd, ac y byddai, y mwyafrif llethol o bobl Cymru am ganrifoedd i ddod, cafwyd ymdrechion achlysurol i liniaru ar effaith y cymal iaith. Er enghraifft, ym 1576, bu Syr William Gerard, is-lywydd Cyngor Cymru a'r Gororau, yn ceisio dwyn perswâd ar Syr Francis Walsingham i benodi o leiaf un barnwr a fedrai'r Gymraeg ymhob un o gylchdeithiau'r Sesiwn Fawr.[59] Aflwyddiannus, serch hynny, fu ymdrechion Gerard.

Efallai mai'r peth mwyaf trawiadol yw mai tawedog iawn fu'r beirdd mewn ymateb i'r sarhad hwn ar y Gymraeg. Ni chlywid gair o brotest ganddynt ar y pryd, ac nid oes yr un gerdd sydd yn cwestiynu'r polisi ieithyddol yn y llysoedd barn wedi goroesi. A weithredwyd llythyren y ddeddf newydd parthed gwahardd y Gymraeg, tybed? Ychydig iawn o dystiolaeth o'r defnydd o'r Gymraeg a geir yng nghofnodion swyddogol llysoedd y Sesiwn Fawr. Er bod llawer o'r tystion yn defnyddio'r Gymraeg, byddai clerc neu gyfieithydd yn cofnodi'r dystiolaeth yn Lladin neu Saesneg (a Saesneg yn unig ar ôl pasio Deddf Gweithrediadau Llysoedd Cyfiawnder 1731, deddf a estynnwyd i Gymru ym 1733), gydag ambell air Cymraeg er mwyn sicrwydd a chywirdeb yr hyn a ddywedwyd. Ceid eithriadau mewn achosion o athrod neu dyngu geiriau bradwrus ac anudonus, lle cofnodwyd geiriau Cymraeg yn union fel y'i hynganwyd. Ond ar ôl yr ail ganrif ar bymtheg, y mae'r dystiolaeth o'r defnydd o'r Gymraeg yn y cofnodion yn prinhau.[60]

Elfen anhepgor yn llwyddiant y polisi o eithrio'r Gymraeg o'r Sesiwn Fawr oedd y penodiadau barnwrol. Rhwng 1542 a 1830, penodwyd

217 o farnwyr i weithredu yn y Sesiwn Fawr. Yn y cyfnod hwn o bron i dair canrif, dim ond deg ar hugain a oedd yn enedigol o Gymru. Ni welwyd barnwr a oedd yn enedigol o Gymru hyd nes 1617. Yn ystod holl fodolaeth y Sesiwn Fawr, efallai mai cyn lleied â deg barnwr a fedrai'r Gymraeg.[61] O'i fynegi yn fwy ystadegol, yr oedd 95 y cant o'r barnwyr yn ddi-Gymraeg mewn cyfnod pan oedd 95 y cant o'r boblogaeth yn uniaith Gymraeg. Dyna'r modd yr hybwyd cyfiawnder Seisnig ar y Cymry. Er mwyn cyfathrebu rhwng tystion a barnwyr, dibynnid yn aml ar y cyfieithydd, dibyniaeth a fu'n destun beirniadaeth a gwawd, fel y cawn weld maes o law.

Yr hyn a oedd yn lliniaru ychydig ar Seisnigrwydd y farnwriaeth a'r llysoedd oedd Cymreictod y rheithgorau a'r ynadon. Wedi eu gwyso o luoedd yr iwmyn a'r rhydd-ddeiliaid lleol, yr oedd y rheithgorau yn adlewyrchu proffil ieithyddol eu broydd yn llawer gwell na'r barnwyr, a hwy a barodd i'r Sesiwn Fawr gadw cefnogaeth gwerin cymdeithas cyhyd.[62] Gwahanol iawn oedd y sefyllfa yn y llysoedd chwarter, gan mai'r ynadon, sef y bonedd lleol, a weithredai ynddynt, ac yr oedd cyfieithu a dibyniaeth ar gyfieithu yn llai amlwg. Byddai llawer os nad mwyafrif ynadon Cymru yn medru'r iaith am rai canrifoedd wedi'r Deddfau Uno. Os oedd y cofnodion swyddogol yn Saesneg, nid oedd amheuaeth bod cyfran sylweddol o'r ynadon yn deall y Gymraeg ac yn caniatáu iddi gael ei defnyddio gan bartïon neu dystion. O'r herwydd, yr oedd y perygl o anghyfiawnder yn y llys chwarter gryn dipyn yn llai nag yn y Sesiwn Fawr.[63]

Ceir tystiolaeth bod ynadon Cymru yn bur hyblyg eu hagwedd tuag at y gwaharddiad ar y defnydd o'r Gymraeg, gan nad oedd y fath waharddiad yn ymarferol mewn cyd-destun cymdeithasol lle'r oedd y Gymraeg yn unig iaith y mwyafrif o dystion a phartïon. Yng nghofnodion llys chwarter sir Ddinbych, er enghraifft, ceir tystiolaeth o ynad yn holi tyst yn Gymraeg yn y flwyddyn 1683.[64] Yr oedd yna, felly, ddeuoliaeth o fewn y gyfundrefn gyfreithiol newydd hon. Yr oedd un haen wedi ei gwreiddio yn lleol ac yn eithaf Cymreig, a'r haen uwch yn fwy estron ac yn fwy Seisnig. Y mae'n bosibl mai hyn sydd yn rhannol i gyfrif am oroesiad y llysoedd chwarter hyd at 1971, a hynny yn llawer yn hwy na'r Sesiwn Fawr a ddiddymwyd ym 1830. Efallai hefyd mai'r realiti ieithyddol yn y llysoedd, lle defnyddid y Gymraeg yn answyddogol, ynghyd â'u hawydd i blesio'u meistri, a barodd i feirdd yr unfed ganrif ar bymtheg fod mor dawedog eu hymateb tuag at waharddeb ieithyddol swyddogol y ddeddf.[65]

Drwy'r cyfuniad o'r cyfleoedd cymdeithasol a ddaeth yn sgil ad-drefnu'r llysoedd, a'r cyfleoedd i ymgyfoethogi yn dilyn Diddymu'r Mynachlogydd, yr oedd yr unfed ganrif ar bymtheg yn gyfnod pur lewyrchus i fonedd Cymru. Yn ddiymdrech y llwyddasant i addasu i ofynion y drefn newydd. Ond yr oedd pris diwylliannol a chymdeithasol i'w dalu. Bellach defnyddiasant brosesau'r gyfraith a llywodraeth yn bennaf i hyrwyddo eu buddiannau personol eu hunain, a gwelwyd adfywiad mewn ymgyfreitha, a hynny er gwaeth nid er gwell ym marn llawer.[66] Aeth cecru dros dir, statws a chyfoeth yn rhan annatod o ddiwylliant bonedd Cymru'r unfed ganrif ar bymtheg, ac yr oedd rhai bonheddwyr yn enwog am eu hymgyfreitha. Ac os cynyddu a wnaeth eu blas am y gyfraith, dirywio wnaeth eu chwaeth draddodiadol am gywydd neu awdl. Yr oedd yr hen gyfundrefn farddol mewn argyfwng, ac er yr ebychiadau achlysurol hynny i geisio bywiocáu'r gyfundrefn, megis yn eisteddfodau Caerwys 1523 a 1567, yr oedd gwyntoedd oer yn chwythu yn erbyn y beirdd a'u crefft.[67] Ysgogodd y newid hwn mewn ymddygiad uchelwrol ymateb gan rai o'r beirdd, er mai cynnil oedd yr ymateb barddol hwnnw at ei gilydd.

Gofyn i'r uchelwr doeth roi arweiniad ac i hyfforddi ei gyfoedion yn y grefft o weithredu fel ynad a wnaeth Gruffudd Hiraethog (m.1564), bardd mwyaf ei gyfnod ac un o ddisgyblion barddol Lewys Morgannwg. Mewn 'Cywydd i ofyn march gan Siôn Wyn ap Maredudd o Wedir dros Mastr Tomas Iâl', a luniodd rywbryd tua 1550, erfyn a wnaeth i'r uchelwr gofio ei ddyletswydd draddodiadol o gynnal cyfiawnder, ac i ymddwyn mewn modd anhunanol a graslon wrth fynd at ei waith.[68] Cais ar i feistr ystâd Gwydir roi esiampl o ymddygiad cyfrifol ac anrhydeddus i'r to newydd o ynadon a benodwyd yn sgil y Deddfau Uno, ac i gynnal yr hen safonau uchelwrol, a geid ganddo yma:

Sy i'w weled dros y wlad draw
Sadrwydd ustus dewr ddistaw
Os dewiso ustusiaid,
Y nifer hyn a fu raid.
Os dyn ni ŵyr eiste'n iawn,
Dysg ef, dydi sy gyfiawn.[69]

Canodd Siôn Tudur (*c*.1522–1602), ac yntau yn ddisgybl i Gruffudd Hiraethog, farwnad i Morys Wyn o Wydir, un a ddaliai lu o swyddi cyfreithiol a oedd yn cynnwys ustus, siryf a Chwstos Rotwlorwm (*Custos Rotulorum*), sef prif ynad a cheidwad rholiau'r llys chwarter. 'Piler y cyfiawnder fu',[70] meddai Siôn Tudur amdano, ac os cywir ei ddisgrifiad, yr oedd Morys Wyn yn esiampl pur dda o'r uchelwr a gymerai ei swyddogaethau cyfreithiol o ddifrif:

Cŵyn sydd ar ôl cenau Siôn,
Cynhyrfu'r fainc yn Arfon.
Bu'n ustus cariadus cryf,
Bu'n y sir yn ben siryf.
Cwstos hardd, câi osod swm,
Ŵr tal i rotwlorwm.[71]

Un a berthynai i'r dosbarth bonheddig Cymreig, ac a elwodd o newidiadau cyfansoddiadol yr unfed ganrif ar bymtheg, oedd Thomas Prys, Plas Iolyn (*c*.1564–1634).[72] Hanai o linach Marchweithian, un o benaethiaid pymtheg llwyth Gwynedd ac arglwydd Is-Aled yn ystod y drydedd ganrif ar ddeg. Rhys ap Meredydd, neu Rhys Fawr, hen daid Thomas Prys, a ystyrid fel lluniwr llwyddiant y teulu i'r cenedlaethau dilynol.[73] Yr oedd llwyddiant bydol Rhys ap Meredydd yn tarddu'n bennaf o'r ffaith iddo gefnogi'r ochr iawn ym Mrwydr Bosworth ym 1485, ac, yn ôl traddodiad, ef oedd cludwr baner bersonol Harri Tudur ar faes y gad. Diolch i'w deyrngarwch i'r Goron, yn ogystal â'r ffaith iddo briodi merch oludog (os nad golygus: ni allwn ddweud, gan nad oes darlun o Lowri ei wraig, merch ac aeres Hywel ap Gruffydd Goch, wedi goroesi), llwyddodd i estyn ei ddylanwad a'i gyfoeth, a gosododd y sylfeini ar gyfer llewyrch a llwyddiant rhai o'i ddisgynyddion. Daeth yn dad i sawl llinach o fonheddwyr gan gynnwys teuluoedd y Foelas, Giler, Cernioge, Plas Iolyn, Rhiwlas a Phant Glas, teuluoedd y bu eu dylanwad yn gryf yn siroedd Dinbych, Meirionnydd a Chaernarfon am genedlaethau.

Yr oedd llwyth Rhys ap Meredydd yn esiampl o fonedd a oedd â'u bryd ar ddod ymlaen yn y byd ac wedi ymgyfoethogi'n gyflym. Elfen anochel o'r broses oedd gwrthdaro rhyngddynt â rhai o fonedd eraill gogledd-ddwyrain Cymru a oedd â'u llygaid ar yr un tiroedd a'r un ceiniogau. Un o feibion Rhys Fawr oedd Syr Robert ap Rhys ap Meredydd, clerigwr blaenllaw a fu'n gaplan i'r Cardinal Wolsey ac a fu farw tua 1534. Ceir cofnod am ymgyfreitha rhwng Robert ap Rhys a'r Salsbriaid, teulu arall yr oedd y clefyd uchelgais a chwant am dir a chyfoeth wedi eu taro.[74] Ceir hefyd sôn yn y cofnodion cyfreithiol am gyhuddiadau o gribddeilio, llwgrwobrwyo, camddefnyddio swyddi eglwysig a phob math o gamwri er mwyn ymgyfoethogi. Un o feibion Robert ap Rhys, ac efallai'r enwocaf ohonynt, oedd Elis Prys, y 'Doctor Coch'. Dyma un o bencampwyr y byd Protestannaidd newydd, yn ŵr cyfraith a gafodd yrfa ddisglair yng Nghaergrawnt, gan ennill gradd doethur yn y gyfraith a thrwy hynny ei lysenw.[75] Yr oedd gwybodaeth o'r gyfraith sifil, sef y gyfraith eglwysig, yn rhan naturiol o hyfforddiant Eglwyswyr y cyfnod. Wedi'r Diwygiad Protestannaidd, rhannwyd y cyswllt clòs rhwng yr Eglwys a gweinyddu'r gyfraith, ac yr oedd Elis Prys yn arloeswr ymhlith cyfreithwyr seciwlar ei oes. Gan ei fod yn Brotestant selog, câi ffafr a llawer braint gan y sefydliad. Cadwodd hefyd y traddodiad teuluol o fynd i gyfraith neu o gael ei dynnu i gyfraith gan eraill oherwydd rhyw ffrwgwd, er nad oedd mor fynych yn ei ymgyfreitha â'i dad. Mab iddo ef oedd Thomas Prys, sef ein prif ddiddordeb ni yma.

Os oedd cefndir Thomas Prys yn fonheddig, ni ellir cyhuddo ei hynafiaid o ddiniweidrwydd. Yr oeddent yn nodweddiadol o'r teip newydd o uchelwr a ddaeth i'r amlwg yn yr unfed ganrif ar bymtheg, teip y gofidiai rhai o'r beirdd amdanynt. Yr oedd tipyn o'r cythraul yng ngwaed Thomas Prys hefyd. Bu'n flaenllaw fel milwr a bu'n ymladd brwydrau'r Frenhines Elisabeth ar y cyfandir. Fel hyn y canodd am ei brofiadau yn yr Iseldiroedd: 'Bûm yn Fflandras, atgas oedd,/Yn rhyfela ar filoedd'.[76] Yr oedd Thomas Prys yn un o herwyr y môr, y *buccaneers* enwog a fu'n herio lluoedd Sbaen ar dir ac ar fôr, ac yng nghwmni enwogion megis Walter Raleigh a Francis Drake. Yn ogystal â'i flas am antur, daeth Prys yn adnabyddus fel bardd. Wedi iddo roi heibio'r bywyd anturus, a dechrau ymbarchuso ychydig, cymerodd ofal am ei ystâd yn Ysbyty Ifan ac ucheldiroedd Nant Conwy ac Uwch Aled. Priododd ddwywaith, a daeth yn dad i dri ar ddeg o blant. Yn y cyfnod hwn y datblygodd ei grefft fel prydydd. Yn wir, daeth Prys yn dipyn o fardd uchelwr yn yr hen draddodiad. Yr oedd yn byw mewn cyfnod pan nad oedd trwch uchelwyr Cymru eto wedi troi eu cefnau ar yr hen draddodiad barddol, wrth gwrs.[77] Parhaodd traddodiadau Beirdd yr Uchelwyr yn y tir am ganrif go lew ar ôl y Deddfau Uno, ac yn enwedig yn sir Ddinbych, bro Thomas Prys, lle ceid pymtheg o ysweiniaid yn barddoni, a llwyth Rhys Fawr yn eu mysg ac ymysg y noddwyr beirdd mwyaf nodedig.[78]

Yr oedd blas at farddoniaeth yn ei amgylchedd ac yng ngwaed Thomas Prys, a'i dad, y Doctor Coch, yn un o noddwyr Eisteddfod Caerwys 1567. Canai Prys ar bynciau megis serch a natur, a chyfrifir ei farwnadau ymysg ei weithiau gorau. Nid oedd yn fardd proffesiynol, ond yn ŵr bonheddig a oedd yn ymwneud â gweithgaredd a ystyrid yn fonheddig. Byddai'n ymrysona â'i gyd-feirdd uchelwyr, gan gynnwys ei gyfyrder, Rhys Wyn ap Cadwaladr o'r Foelas (yr oeddent ill dau yn ddisgynyddion i Rhys ap Meredydd). Fel hyn y cyfarchodd Rhys Wyn ei gyfyrder mewn cywydd:

> Thomas Prys, ddurgrys ddewrgry',
> Hoywaidd garw hardd, hawddgar, hy.
> Gwrda enwog, gair dawnus
> Ac aer hael a gorwyr Rhys.[79]

Yn ogystal â chynnal y traddodiad barddol, bu Thomas Prys yn cadw'r traddodiad teuluol o ymgyfreitha hefyd, gan losgi ei fysedd yn aml o'r herwydd. Ymysg ei wrthwynebwyr yn y maes hwn, yr enwocaf efallai oedd Syr John Wynn o Wydir, gŵr cecrus a dreuliodd ei fywyd mewn ymrafael cyfreithiol parhaus.[80] Bu'r ddau yn dadlau dros hawliau tir am tua degawd gyfan, gan ddiweddu'n drallodus mewn achos yn Siambr y Seren pan garcharwyd Thomas Prys oherwydd ei ddyledion.[81] Nid dyna'r tro cyntaf i Thomas Prys brofi anffawd gyfreithiol. Pan oedd yn ŵr ifanc, bu'n byw bywyd bras ac afradlon yn Llundain, ac oherwydd gorwario aeth i helynt â'r gyfraith ar sawl achlysur. Diolch i'w ddawn fel prydydd, y mae gennym dystiolaeth farddonol gan Thomas Prys ei hun o'i brofiadau yn Llundain, ynghyd â'i helyntion cyfreithiol yno. Adroddodd am ei brofiadau mewn cywyddau, gan sôn am ei hiraeth am ei gartref, megis yn y 'Cywydd i yrru'r eos yn gennad i Gymru o Lundain':[82]

> Aros gwrs yr eos gu!
> Ei di'n gennad dan ganu,
> O Lundain ar dy lawndaith?
> A gymri di i Gymru daith
> Drosof fi, diras fywyd,
> Dyn byw heb lwc da'n y byd?[83]

Rhydd inni ddarlun pur aflednais o Lundain mewn 'Cywydd i ddangos mai uffern yw Llundain'.[84] Ynddo cawn restr o garchardai Llundain a'u deiliaid, a gyflawnodd lu o droseddau ac a oedd bellach dan glo, a disgrifia'r sefyllfa fel 'lle ffyrnig, llu uffernawl'.[85] Ac yntau wedi treulio cyfnodau yn y carchardai yno, odid mai tystiolaeth llygad dyst o'r olygfa ffyrnig a geir ganddo. Cawn ganddo hefyd gondemniad o fasnachwyr a chyfreithwyr y ddinas, y rhai a fu'n gyfrifol am ei helbulon tra bu yn Llundain. Wrth gyfeirio at 'gwŷr o gyfraith',[86] y mae'n edifar ganddo ei ymwneud â hwy, ac meddai, 'gwae frithwaith ymgyfreithio'.[87]

Efallai mai'r 'Cywydd Duchan i'r Cyfreithwyr Drygionus'[88] yw'r gerdd o'i eiddo sydd yn datgelu arferion ymgyfreitha ei oes mewn manylder. Credir mai ei brofiad ef ei hun o'r llys yn Llwydlo a'i hysbrydolodd i lunio'r cywydd.[89] Egyr y cywydd â'r bardd yn myfyrio ar duedd y natur ddynol i gweryla am rywbeth o hyd. Honna Thomas Prys fod osgoi cweryl yn amhosibl, oherwydd caiff dyn ei ddal mewn ffrae yn aml heb chwennych cweryl yn y lle cyntaf. Doeth yw ceisio osgoi cweryl, meddai, a chyngor i droi oddi wrth y ffrae sydd yn agor y cywydd.

Anifir wrth iawn ofyn
Nos a dydd yw einioes dyn.
Anafus yna hefyd
Ac anhawdd yw byw'n y byd.
Os byw'n hael oes bai yn hyn,
Pob gafael pawb a'i gofyn.
Os byw'n grin mewn Opiniwn,
Chwerw yw'r hap ni cherir hwn

Os ymladd a lladd mewn llid,
O Duw gyfiawn daw gofid.
Os goddef lladd hoyw radd hy,
Blaen hanes blin yw hynny.
Os pryn ŵr dir myn Urien,
E dyn y byd yn ei ben.

Os gwerthu tir haerir hyn,
E nodir yna'n adyn.
Os yn llonydd fydd efo,
Oernych hwdiwch bawb arno.
Os dyn blin gerwin gariad,
Ofer lw fe 'nafa'r wlad.
Pawb ar ei ffens pybyr ffydd,
Pawb a'i goel pe bai gelwydd.[90]

Neges Thomas Prys oedd hyn: pan fo cweryl yn troi yn ymgyfreitha, dyna pryd yr â pethau yn bur ddrwg. Rhybuddia ynghylch y peryglon a'r gost o fynd i gyfraith. Ceir yr awgrym clir iddo ef ei hun gael ei gamarwain gan ei gyfreithiwr yn yr achos dan sylw. Bu'n edifar ganddo gredu ei gyngor celwyddog, ac meddai: 'C'wilidd i'm coelio'i ddameg'. Cawn wybod sut y cafodd ei hudo gan huodled y cyfreithiwr, ac y mae'n traethu am beryglon troi at dwrneiod am ganllaw ynghyd â chydnabyddiaeth o'i ffolineb ef ei hun. Cawn hefyd wybod fel y bu i'r twrnai, wedi iddo elwa arno, loddesta'n llon a 'llanw ei fol gwrol':

Os mynd i'r gyfraith faith fan,
Garw yw'r awr gwario'r arian.
I'r twrneiod hynod hwyr
Am synio yma'i synnwyr.
Cael twrnei d'wedei yn deg,
C'wilidd i'm coelio'i ddameg.
Llanw dwrn fy Attwrnai,
Llenwi ei bwrs llyna'r bai.

A waettio arno yn wir
Drigeinwaith, lle d'rogenir.
Ymado â'r gwaith, mynd i'r gwin
Yn wych wrtho dan chwerthin.
Llanw ei fol gwrol ar gais,
Llyna fol llawn o falais.
D'wedei wrthyf yn hyf hyn,
Gwiliwch mae'n ffel eich gelyn.

Gwnewch eich Cyngor o'r gorau
Yn frwd i siarad yn frau.
Hwylwiw a'i gwnêl yn helaeth
Yn ffrangc i siarad yn ffraeth.
An-ras i'r hen gyw gwenci
A gwên ffals yn erbyn ffi.
Rhoes i'm gyfrif difrifawl
Yn ei radd ef ni rôi ddiawl.

Mynd i'w frecwast yn hasti
I dylleu Cwg fel dull Ci.
Gwadu gwn gwedi ei giniaw
Ond browes neu botes baw.
Ac yn ôl gwnn a welan
E dalei rod diwael ran.
A chwedi siot a'i botes
Faril oer ni wnâi fawr les.

Ac yno dwndrio yn dynn
A dwrdio pawb yn dordyn.
Gyrrei fi garwaf fu ŵr
Go frith at ryw gyfreithwr.
Gwneuthur moes i'r mab Coeswych
A gwyro gar i'r gŵr gwych.
Cwyno tro i'r Ceneu trwm
Cammu'r leg Cymmar ligwm.[91]

Caiff y cyfreithiwr ei gymharu â 'floden', sef Syr Edmund Plowden, un o gyfreithwyr amlycaf Lloegr yn oes y Tuduriaid a fu am gyfnod yn aelod o Gyngor Cymru a'r Gororau.[92] Cawn ddisgrifiad penigamp o berfformiad y cyfreithiwr yn y llys yn ei 'ŵn du wenwyn dig', yn ddyfal ymrysona'n wenwynig. Y mae'r cwpled 'Gelyn yw pawb i'w gilydd / Ar y bar ar eirieu bydd' yn dal yr olygfa gyfarwydd o elyniaeth ymddangosiadol gwŷr y Bar mewn achos llys. Gelyniaeth ymddangosiadol, wrth gwrs, yw hwn, gan eu bod i gyd yn elwa'n ariannol o'u cleientiaid.

Ni wyddei hwn Iddew hen
Na phlediei'n waeth na floden.
Talu ffỳs Cwnsel teilwng
Ynteu'n flaidd a'i aelieu'n flwng.
Na châi yn well dan gellwair
Heb bris werth dwyffis neu dair.

Gorfod yn wir garw fyd noeth
Fodloni fwdwl annoeth.

Ac wedi'r âi yn gadarn
I dynnu'i fil dan ei farn,
Ac i rodio'n garedig
Yn ei ŵn du wenwyn dig.
Abl yw hwn heb law heinar
Yn ddewr boeth e ddaw i'r bar.
Ac a sieryd gyw siriol
Dan chwysu a sychu'i siôl.

Dioed a hardd dwedei hwn,
Ni fissia mi wna fosiwn.
Os drwg y dydd fe mddyddan,
Os da fe rua ei ran.
Er gwaeled a fo'r gelach,
E gyfarth beth Gyfreith bach.
Gelyn yw pawb i'w gilydd
Ar y bar ar eirieu bydd.[93]

Yr oedd arddull Thomas Prys yn wallus ac amrwd, ac yr oedd y defnydd o Saesneg bratiog yn nodweddiadol ohoni. Defnyddiodd yr arddull yma yn fwriadol gan fod y gymysgiaith yn ddyfais lenyddol effeithiol dros ben wrth ychwanegu hiwmor a dychan at y gwaith. Gwelir hyn yn effeithiol iawn yn y rhannau yma o'r cywydd:

A dir yw fyth wedi'r farn,
A difir yn y Dafarn.
Galwei arnaf glew oerner
Cam a wnaed Com you ne'r.
Whêr is the bwc hier is the bai,
Retturn for your Atturnai.

Gweini rhyngddynt ddeugeinwaith,
Gwae'r Cymro a goelio'u gwaith

Doth the bens gaf sentens sôr
Bi wâr I dâr ffeind error.
Gwd mei Lord as God mi leic
I'll demur ffor old Meireic.
Dyma i gyd yma gwedi,
Gwae fi sôn a gefeis i
Am f'arian llydan lliwdeg,
Ym mur eu tai a'm haur teg.
Yn y Gyfraith go afraid
Yn gwrando pledio i'm plaid.
Happus y Cair heb bwys Ced
A gilio rhag eu gweled.
Nac er Cam nac er Cymmysc
A wado mwy fynd iw mysc.
Nac er gwledd nac er gloddest
I wario ei ran ar y rest.[94]

Y mae yma ddychanu ieithwedd y llys a'r defnydd o ymadroddi technegol a Seisnig, sydd yn cyfleu'r modd y cafodd y bardd ei ddrysu gan yr holl brofiad. Y mae yma neges ddyfnach hefyd. Wedi'r cwbl, y mae'r bardd sydd yn amlwg mor rhugl yn iaith ei hynafiaid yn cael ei ddal mewn gweithrediadau estron eu hiaith a'u hystyr. Cael ei ddal yn ffau'r cyfreithwyr a wnaeth Thomas Prys ei hunan, ond y mae hefyd yn cyfleu profiad mwy cyffredin a phrofiad y byddai eraill yn ei rannu. Y mae'r llinell 'Gwae'r Cymro a goelio'u gwaith' yn cyfleu'r syniad bod y Cymro o dan anfantais yn y llysoedd estron hyn. Chwerw fu'r profiad iddo, ac y mae'r bardd yn cloi gan dynghedu na wnaiff dywyllu offis cyfreithiwr eto mwy nag uffern:

Nid wyf mae Can yn difai
Er hyn yn meddwl ond rhai.

Ambell un ohonyn hwy
Sy'n fudredd sein ei fodrwy.
O caf fy nhroed Cof yn rhydd
I'm unwaith yn y mynydd,
Nid af i gwrt difai gwern,
Nac Offis mwy, nac uffern.[95]

Gŵr tebyg i Thomas Prys, yn fonheddwr, yn brydydd ac yn hoff o'r bywyd anturus, oedd Huw Llwyd o Gynfal (*c.*1568–1630). Bu'r ddau yn gyfoeswyr ac yn gyfeillion, a chanodd Huw Llwyd gywydd gofyn i Thomas Prys. Bu Huw Llwyd yntau'n hoff o antur, ac yn ymladd yn Ffrainc ac yn yr Iseldiroedd. Lluniodd englyn am ei deithiau a'i brofiadau, gan wrthgyferbynnu danteithion y gwledydd pell â llymder bywyd ei wlad ei hun:

Yn Ffrainc yr yfais yn ffraeth – win lliwgar,
Yn Lloegr, cawl odiaeth;
Yn Holand, menyn helaeth,
Yng Nghymru, llymru a llaeth.[96]

Ei gerdd fwyaf adnabyddus yw 'Cyngor y Llwynog', cerdd sydd yn adrodd am ymddiddan a fu rhyngddo a'r creadur hwnnw.[97] Yn ystod yr ymddiddan, caiff y bardd gynghorion Machiafelaidd gan y llwynog ar sut i lwyddo yn y byd trwy ystryw a chyfrwystra. Ceir blas o gynghorion y cyfryw greadur yn y detholiad hwn:

O mynni fyw yma'n faith,
Dos ag enw, dysg weniaith,
Ac ar weniaith pob gronyn,
Dysg fedru bradychu dyn.[98]

Un o gynghorion arall y llwynog iddo fu: 'cofia wrth fael, cyfraith fyd'.[99] 'Cofia ei bod yn fanteisiol gwybod cyfreithiau'r byd' oedd y cyngor hwn. Wrth gyplysu gwybodaeth o'r gyfraith â chynghorion y llwynog, cysylltwyd cyfrwystra'r cyfreithiwr ag eiddo'r llwynog. Ond nid pob bardd a fedrai droi at sinigiaeth wrth ddychanu dyn a'i ystrywiau. Yr oedd anghyfiawnderau a chamgyfreithio yn pwyso ar gydwybod rhai, ac yn eu hysbrydoli i fynegi protest yn ddiffuant.

Ystyriwn esiampl Edmwnd Prys (1543/4–1623), awdur y salmau cân, ac un y caiff 'ei ystyried ymhlith beirdd Cymraeg gorau ei gyfnod'.[100] Nid yn unig yr oedd yn feistr ar gerdd dafod, yr oedd hefyd yn ysgolhaig dyneiddiol, yn raddedig o Brifysgol Caergrawnt, ac yn ieithydd medrus. Bu'n ymryson â beirdd ei gyfnod, megis Siôn Phylip, Wiliam Cynwal a Thomas Prys, Plasiolyn.[101] Lluniodd gywydd nodedig ar y testun 'Anllywodraeth y Cedyrn', a oedd yn brotest yn erbyn gormes bonedd a fu'n sathru ar hawliau'r bobl ac yn eu hamddifadu o'u breintiau traddodiadol.[102] Defnyddiodd ddelweddau o fyd natur, gan gyffelybu gorthrymderau'r uchelwyr ag eira ar fynydd yn toddi'n afonydd. Dywed mai 'swyddogion yw'r afonydd',[103] y gwŷr sydd yn trethu'r bobl. Ymhlith cwynion y bardd enwa arferiad y bonedd o atafaelu tiroedd comin a fu gynt yn rhydd o berchnogaeth unigolion ac a ddefnyddid gan y werin i'w cynnal eu hunain. Ymddengys hefyd fod y defnydd o'r cwest fel dyfais er mwyn cael bendith y gyfraith ar eu trachwant yn blino'r bardd, fel y dengys y detholiad hwn:

Myn yn rhydd fynydd a'i fin,
A ffrydoedd i'r cyffredin.
Yr awron ar Eryri
Mae cwest a fforest a ffi.
Fe aeth yn gaeth faeth o fyd,
A thiroedd aeth wrth wryd.[104]

Yr oedd Edmwnd Prys yn dyst i ddiwylliant cyfreithiol ei oes. Mewn cyfres o benillion yn dwyn y teitl 'Ymddiddan Rhwng Pechadur a Chydwybod', cawn gynghorion ar y llefydd a'r bobl y dylid eu hosgoi os am gadw cydwybod dda. Yn eu plith y mae llys y marchog, plas yr ysgwier a thŷ'r marsiandwr, ynghyd â llys yr ustus a thŷ'r gŵr o gyfraith. Parthed yr ustus a'r cyfreithiwr, dyma'r ymsonau:

Pechadur –
Dos i lys yr ustus fry,
I geisio llety heno,

Cydwybod –
Nac af ddim ni fynnai fod,
Mo gydwybod yno.

Pechadur –
Dos at y gŵr o gyfraith fry,
Cei le yn tŷ, ac amlder.

Cydwybod –
Cymryd dwy ffis gan ddwy blaid,
Nid yno caid cyfiownder.[105]

Erbyn diwedd yr unfed ganrif ar bymtheg, yr oedd y cyfreithiwr a'r ustus yn gymeriadau a enynnai ddrwgdybiaeth. Datblygodd y gred bod arferion llwgr ac ariangarwch ymysg eu nodweddion aflednais, ac mai cyfiawnder oedd bellaf o'u meddyliau. Mynegwyd y gred yn gelfydd gan feirdd a llenorion y cyfnod. Amrywiai'r arddull a'r cywair yng ngwaith yr awduron hyn, wrth gwrs. Yr oedd Thomas Prys, Plasiolyn, a Huw Llwyd o Gynfal yn tynnu ar ddychan yn eu beirniadaeth o fyd y gyfraith, a gosodasant gynsail y byddai beirdd a llenorion y dyfodol yn ei ddilyn.[106] Er y byddai ufudd-dod i'r drefn gyfreithiol newydd yn nodwedd o fywyd cyhoeddus a swyddogol Cymru o ganol yr unfed ganrif ar bymtheg ymlaen, nid dyna'r darlun cyflawn o bell ffordd. Yr oedd cynnyrch rhai o'r beirdd yn awgrymu bod cynheiliaid y drefn newydd yn destunau priodol ar gyfer beirniadaeth a dychan, ac nad ufudd-dod dall oedd ufudd-dod ymddangosiadol y Cymry i'w meistri. Ond yr oedd y drefn newydd hefyd yn rhoi cyfle i'r bonedd fanteisio ar y werin, rhywbeth sydd yn esbonio pam na fu llawer o feirniadaeth o gyfansoddiad y Tuduriaid gan feirdd yr oes. Serch hynny, byddai beirniadaeth trwy ddychan bellach yn nodwedd amlwg yng nghanu'r beirdd ar byncian a phethau'r gyfraith.

Nodiadau

1 Sef Deddfau Diddymu Tai Crefyddol 1535 a 1539.

2 Glanmor Williams, *Wales and the Reformation* (Cardiff: University of Wales Press, 1999), tt. 59–60, 105–7.

3 O safbwynt Cymreig, gweler Glanmor Williams, *Recovery, Reorientation and Reformation: Wales c.1415–1642* (Oxford: Clarendon Press, 1987).

4 Ceir golwg ar rai o'r tensiynau yn Jerry Hunter, *Soffestri'r Saeson: Hanesyddiaeth a Hunaniaeth yn Oes y Tuduriaid* (Caerdydd: Gwasg Prifysgol Cymru, 2000).

5 Gweler T. Jones Pierce, *Medieval Welsh Society* (Cardiff: University of Wales Press, 1972), tt. 381–2.

6 Gweler Thomas Glyn Watkin, *The Legal History of Wales*, 2il arg. (Cardiff: University of Wales Press, 2012), pennod 6.

7 Pierce, *Medieval Welsh Society*, t. 386.

8 Fel y dywedodd Geraint Jenkins: 'Although, with the wisdom of hindsight, we can see that the Acts of Union marked a significant transition in the history of Wales, there is not a sliver of evidence to suggest that it was viewed at the time as a decisive, let alone traumatic, event'. Gweler Geraint H. Jenkins, '"Taphy-land historians" and the Union of England and Wales 1536–2007', *Journal of Irish Scottish Studies*, 1 (2) (2008), 1–27, ar 5.

9 O roi iddynt eu henwau'n llawn: *The Act for Law and Justice to be Ministered in Wales in Like Form as it is in this Realm 1535–36* a *The Act for Certain Ordinances in the King's Dominion and Principality of Wales 1542–43.*

10 Ceir trosolwg o ddiwygiadau'r Tuduriaid a'u hoblygiadau cyfreithiol yn Watkin, *The Legal History of Wales*, penodau 7 ac 8.

11 Gweler O. Hood Phillips a Paul Jackson, *Constitutional and Administrative Law*, 8fed arg. (London: Sweet & Maxwell, 2001), t. 16.

12 Gweler Theodore F. T. Plucknett, *Taswell-Langmead's English Constitutional History* (London: Sweet & Maxwell, 1960), t. 236.

13 Sefydlwyd y swydd yn Lloegr gan *Justice of the Peace Act 1361*. Ni sefydlwyd y swydd yng Nghymru hyd nes cyfnod y Deddfau Uno, ac efallai mai tua 1541 y dechreuodd yr ynadon weithredu mewn gwirionedd. Gweler J. R. S. Phillips, *The Justices of the Peace in Wales and Monmouthshire 1541–1689* (Cardiff: University of Wales Press, 1975), tt. ix–xii.

14 Gweler Syr Thomas Skyrme, *History of the Justices of the Peace* (Chichester: Barry Rose, 1991).

15 Gweler hanes sefydlu'r llysoedd chwarter yn W. Ogwen Williams, *Calendar of the Caernarvonshire Quarter Sessions Records: Volume I, 1541–1558* (Caernarvon:

Caernarvonshire Historical Society, 1956), a Keith Williams Jones, *A Calendar of the Merioneth Quarter Sessions Rolls, Vol. I: 1733–65* (Dolgellau: Merioneth County Council, 1965).

[16] Gweler Deddf Llywodraeth Lleol 1888. Cyn hyn, byddai'r llys chwarter yn gyfrifol am drwsio'r ffyrdd a'r pontydd a gofalu am holl anghenion llywodraeth lleol.

[17] Diddymwyd y llys chwarter ym 1971, a'i ymgorffori gyda'r frawdlys o fewn llys unedig sef llys y Goron a grëwyd yn dilyn argymhellion yr Arglwydd Beeching yn ei adroddiad, *Report of the Royal Commission on Assize and Quarter Sessions, Cmnd 4153 of* 1969 (London: Her Majesty's Stationery Office, 1969).

[18] Gweler Caroline A. J. Skeel, *The Council in the Marches of Wales: a study in local government in the sixteenth and seventeenth centuries* (London: Hugh Rees Ltd, 1904).

[19] Ar ôl y Deddfau Uno, parhaodd y cyngor i weithredu awdurod cyfreithiol, megis fel uwch-dribiwnlys ar gyfer dynion o statws na ellid eu profi yn y llysoedd eraill ac fel llys apêl o benderfyniadau llysoedd is. Dirywiodd statws y cyngor yn yr ail ganrif ar bymtheg, ac fe'i diddymwyd ym 1689. Gweler Mark A. Thomson, A *Constitutional History of England 1642 to 1801* (London: Methuen, 1938), t. 141, a Watkin, *The Legal History of Wales*, t. 153.

[20] Gweler Watkin, *The Legal History of Wales*, t. 146.

[21] Gweler Watkin, *The Legal History of Wales*, tt. 134–41.

[22] Gweler Thomas Glyn Watkin, 'Cyfreithwyr Cymru Oes y Dadeni', yn Thomas Glyn Watkin (gol.), *Y Cyfraniad Cymreig: Welsh Contributions to Legal Development* (Bangor: Cymdeithas Hanes Cyfraith Cymru/Welsh Legal History Society, 2003), tt. 57–72.

[23] Ceir hanes cynhwysfawr y coleg gan J. N. L. Baker, *Jesus College Oxford 1571–1971* (Oxford: Jesus College, 1971). Gweler hefyd R. Brinley Jones, *Prifysgol Rhydychen a'i Chysylltiadau Cymreig (hyd at ddiwedd yr unfed ganrif ar bymtheg)* (Llanwrda: Gwasg y Porthmyn, 1983), tt. 14–15; R. Brinley Jones, *Rhamant Rhydychen: Cyfleoedd Cymry'r Canrifoedd* (Caerfyrddin: Canolfan Peniarth, 2015), tt. 43–5.

[24] James Pierce, *The Life and Work of William Salesbury: A Rare Scholar* (Talybont: Y Lolfa, 2016), tt. 42–3, 47–8.

[25] Gweler Robert Bolt, *A Man for All Seasons* (London: Heinemann, 1960); hefyd, Pierce, *The Life and Work of William Salesbury*, tt. 55–6.

[26] Gweler Ceri Davies, *Welsh Literature and the Classical Tradition* (Cardiff: University of Wales Press, 1995), tt. 53–84.

[27] Gweler R. Geraint Gruffydd, 'Yr Iaith Gymraeg mewn Ysgolheictod a Diwylliant 1536–1660', yn Geraint H. Jenkins (gol.), *Y Gymraeg yn ei Disgleirdeb: Yr Iaith Gymraeg cyn y Chwyldro Diwydiannol* (Caerdydd: Gwasg Prifysgol Cymru, 1997), tt. 339–64, t. 364.

[28] Gweler Goronwy Wyn Owen, 'Argyfwng y Beirdd a'r Dyneiddwyr yn yr Unfed a'r Ail Ganrif ar Bymtheg', *Llên Cymru*, 33 (2010), 107–23.

[29] GHD, cerdd 9: ll.1–8, t. 32.

[30] Mae ymateb y bonedd i'r newidiadau cyfansoddiadol wedi ei ddadansoddi yn fanwl gan John Gwynfor Jones, *The Welsh Gentry 1536–1640* (Cardiff: University of Wales Press, 1998).

[31] Dyfynwyd yn Glanmor Williams, *Renewal and Reformation: Wales c.1415–1642* (Oxford: Oxford University Press, 1987), t. 244.

[32] Dyfynnir gan John Gwynfor Jones, 'The Welsh poets and their patrons, c.1550–1640', *Welsh History Review*, 9 (3) (1979), 245–77, ar 249.

[33] GLMorg I, tt. 1–26.

[34] GLMorg I, tt. 98–100; hefyd, Williams, *Wales and the Reformation*, t. 78.

[35] Gweler A. Cynfael Lake, 'Lewys, "Gwalch Morgannwg Wen"', *Llên Cymru*, 28 (2005), 115–37, ar 120.

[36] Williams, *Wales and the Reformation*, t. 114.

[37] Williams, *Wales and the Reformation*, tt. 112–13.

[38] GLMorg II, cerdd 98, ll.1, tt. 485–6.

[39] GLMorg II, cerdd 98, ll.11.

[40] GLMorg II, cerdd 98, ll. 39.

[41] GLMorg II, cerdd 97, ll.19–30, t. 481.

[42] GLMorg I, cerdd 15, ll.18, t. 75.

[43] GLMorg I, tt. 246–8.

[44] Williams, *Wales and the Reformation*, tt. 54–5.

[45] Williams, *Wales and the Reformation*, tt. 98, 104.

[46] GLMorg II, cerdd 96, tt. 478–80; hefyd, Williams, *Wales and the Reformation*, t. 70.

[47] Gweler Peter R. Roberts, 'Deddfwriaeth y Tuduriaid a Statws Gwleidyddol "Yr Iaith Frytanaidd"', yn Geraint H. Jenkins (gol.), *Y Gymraeg yn ei Disgleirdeb: Yr Iaith Gymraeg cyn y Chwyldro Diwydiannol* (Caerdydd: Gwasg Prifysgol Cymru, 1997), tt. 121–50, t. 128.

[48] GLMorg II, cerdd 96, ll.32–8, tt. 478–9.

[49] Williams, *Renewal and* Reformation, tt. 244–5.

[50] Ceir hanes ei fywyd gan B. G. Charles, *George Owen of Henllys: A Welsh Elizabethan* (Aberystwyth: National Library of Wales, 1973).

[51] Gweler John Gwynfor Jones, *The Dialogue of the Government of Wales (1594): Updated Text and Commentary* (Cardiff: University of Wales Press, 2010).

[52] Ceir sylwadau arno gan E. D. Jones, 'The Brogyntyn Welsh Manuscripts', CLLGC, VI (3) (1950), 223–48, ar 225–6.

[53] Fe'i ceir yn Jones, 'The Brogyntyn Welsh Manuscripts', 242.

[54] Gweler Dewi Watkin Powell, 'Y llysoedd, yr awdurdodau a'r Gymraeg: Y Ddeddf Uno a Deddf yr Iaith Gymraeg', yn T. M. Charles-Edwards, M. E. Owen a D. B. Walters (goln), *Lawyers and Laymen* (Cardiff: University of Wales Press, 1986), tt. 287–315.

[55] Gweler y rhagarweiniad i'r ddeddf: *The Act for Law and Justice to be Ministered in Wales in Like Form as it is in this Realm 1535–36.*

[56] Deddf 1535–6, Adran 20: 'Also be it enacted of the Authority aforesaid, that all Justices, Commissioners, Sherrifs, Coroners, Escheators, Stewards and their Lieutenants, and all other Officers and Ministers of the Law, shall proclaim and keep the sessions Courts, Hundreds, Leets, Sherrifs Courts, and all other Courts in the English Tongue; and all Oaths of Officers, Juries and Inquests, and all other Affidavits, Verdicts and Wagers of Law, to be given and done in the English Tongue: and also that from henceforth no Person or Persons that use the Welsh Speech or Language shall have or enjoy any manner, office or Fees within this Realm of England, Wales or other the King's Dominion, upon Pain of forfeiting the same offices or Fees, unless he or they use and exercise the English Speech or Language.'

[57] Powell, 'Y llysoedd, yr Awdurdodau a'r Gymraeg: Y Ddeddf Uno a Deddf yr Iaith Gymraeg', t. 290.

[58] Goronwy Edwards, 'The Language of the Law Courts in Wales: some Historical Queries', *Cambrian Law Review*, 6 (1975), 5–9.

[59] Roberts, 'Deddfwriaeth y Tuduriaid a Statws Gwleidyddol "Yr Iaith Frytanaidd"', tt. 131–2.

[60] Gweler Richard Suggett, 'Yr Iaith Gymraeg a Llys y Sesiwn Fawr', yn Geraint H. Jenkins (gol.), *Y Gymraeg yn ei Disgleirdeb: Yr Iaith Gymraeg cyn y Chwyldro Diwydiannol* (Caerdydd: Gwasg Prifysgol Cymru, 1997), tt. 151–79.

[61] Gweler W. R. Williams, *The History of the Great Sessions, 1542–1830* (Brecon: cyhoeddiad preifat, 1899), t. 19; ceir sylwadau ar hyn gan Powell, 'Y llysoedd, yr awdurdodau a'r Gymraeg: Y Ddeddf Uno a Deddf yr Iaith Gymraeg', tt. 291–2; hefyd, Mark Ellis Jones, '"Dryswch Babel"?: Yr Iaith Gymraeg, Llysoedd Barn a Deddfwriaeth yn y Bedwaredd Ganrif ar Bymtheg', yn Geraint H. Jenkins (gol.), *Gwnewch Bopeth yn Gymraeg: Yr Iaith Gymraeg a'i Pheuoedd 1801–1911* (Caerdydd: Gwasg Prifysgol Cymru, 1999), tt. 553–80, t. 555.

[62] Gweler Sharon Howard, *Law and Disorder in Early Modern Wales: Crime and Authority in the Denbighshire Courts, c.1660–1730* (Cardiff: University of Wales Press, 2008), tt. 32–4.

[63] Gweler John Gwynfor Jones, 'Yr Iaith Gymraeg a Llywodraeth Leol: Ustusiaid Heddwch a'r Llysoedd Chwarter *c.*1536–1800', yn Geraint H. Jenkins (gol.), *Y Gymraeg yn ei Disgleirdeb: Yr Iaith Gymraeg cyn y Chwyldro Diwydiannol* (Caerdydd: Gwasg Prifysgol Cymru, 1997), tt. 181–205.

[64] Howard, *Law and Disorder in Early Modern* Wales, t. 32.

[65] Gweler Geraint H. Jenkins, Richard Suggett ac Eryn M. White, 'Yr Iaith Gymraeg yn y Gymru Fodern Gynnar', yn Geraint H. Jenkins (gol.), *Y Gymraeg yn ei Disgleirdeb: Yr Iaith Gymraeg cyn y Chwyldro Diwydiannol* (Caerdydd: Gwasg Prifysgol Cymru, 1997), tt. 45–119, 69–72.

[66] Gweler John Gwynfor Jones, *Concepts of Order and Gentility in Wales 1540–1640* (Llandysul: Gomer, 1992), tt. 253–6.

[67] Jones, *Concepts of Order and Gentility in Wales 1540–1640*, t. 249.

[68] Jones, *Concepts of Order and Gentility in Wales 1540–1640*, t. 163.
[69] GGH, cerdd 91, ll.29–33, tt. 291–2.
[70] GST, cerdd 30, ll.50, , tt. 125–8.
[71] GST, cerdd 30, ll.29–34.
[72] Gweler William Rowland, *Tomos Prys o Blas Iolyn* (Caerdydd: Gwasg Prifysgol Cymru, 1964).
[73] Ceir achau'r teulu yn J. E. Griffith, *Pedigrees of Anglesey and Carnarvonshire Families* (Horncastle: W. K. Morton, 1914), t. 204.
[74] Enid Pierce Roberts, 'Teulu Plas Iolyn', TCHSD, 13 (1964), 38–110, ar 58.
[75] Gweler, er enghraifft, E. D. Rowlands, *Dyffryn Conwy a'r Creuddyn* (Lerpwl: Gwasg y Brython, Hugh Evans a'i Feibion, 1947), tt. 88–9.
[76] 'Cywydd ateb i gerdd Rhys Wyn': Gweler Nesta Lloyd (gol.), *Blodeugerdd Barddas o'r Ail Ganrif ar Bymtheg*, 1 (Llandybïe: Cyhoeddiadau Barddas, 1993), cerdd 66, ll.13–14, t. 144.
[77] Gweler Enid Roberts, 'Everyday Life in the Homes of the Gentry', yn J. Gwynfor Jones (gol.), *Class, Community and Culture in Tudor Wales* (Cardiff: University of Wales Press, 1989), tt. 39–78, t. 69.
[78] Gweler Geraint Dyfnallt Owen, 'Sir Ddinbych yn Oes Elisabeth I', TCHSD, 14 (1965), 97–119, ar 104.
[79] 'Cywydd ateb Thomas Prys': Lloyd (gol.), *Blodeugerdd Barddas o'r Ail Ganrif ar Bymtheg*, 1, cerdd 7, ll.1–4, t. 15.
[80] Gweler J. Gwynfor Jones, 'Concepts of Order and Gentility', yn J. Gwynfor Jones, *Class, Community and Culture in Tudor Wales* (Cardiff: University of Wales Press, 1989), tt. 121–57, t. 123.
[81] Gweler *http://www.historyofparliamentonline.org/volume/1558-1603/member/wynn-john-1554-1627* (cyrchwyd 11 Ionawr 2019).
[82] 'Cywydd i yrru'r eos yn gennad i Gymru o Lundain': Lloyd (gol.), *Blodeugerdd Barddas o'r Ail Ganrif ar Bymtheg*, 1, cerdd 67, t. 148.
[83] Lloyd (gol.), *Blodeugerdd Barddas o'r Ail Ganrif ar Bymtheg*, 1, cerdd 67, ll.29–34, t. 148.
[84] Gweler Tomos Prys, 'Cywydd i ddangos mai uffern yw Llundain', *Ysgrifau Beirniadol*, XIV (1988), 134–51.
[85] Prys, 'Cywydd i ddangos mai uffern yw Llundain', ll.84.
[86] Prys, 'Cywydd i ddangos mai uffern yw Llundain', ll.98.
[87] Prys, 'Cywydd i ddangos mai uffern yw Llundain', ll.106.
[88] Neu 'A satirical Cywydd on the unprincipled lawyers' fel y caiff ei henwi yn Saesneg: fe'i cyhoeddwyd yn *Y Cymmrodor*, 10 (Llundain: Y Cymmrodorion, 1889), 231–5.
[89] Roberts, 'Teulu Plas Iolyn', 87.
[90] 'Cywydd Duchan i'r Cyfreithwyr Drygionus', ll.21–2.
[91] 'Cywydd Duchan i'r Cyfreithwyr Drygionus', ll.23–61.
[92] Ceir ysgrif arno ef yn yr ODNB.
[93] 'Cywydd Duchan i'r Cyfreithwyr Drygionus', ll.62–85 .

[94] 'Cywydd Duchan i'r Cyfreithwyr Drygionus', ll.86–109.
[95] 'Cywydd Duchan i'r Cyfreithwyr Drygionus', ll.110–17.
[96] Lloyd (gol.), *Blodeugerdd Barddas o'r Ail Ganrif ar Bymtheg*, 1, cerdd 57, t. 127.
[97] OBWV, cerdd 119, tt. 240–4.
[98] OBWV, cerdd 119, ll.87–90.
[99] OBWV, cerdd 119, ll.78.
[100] Gweler Gruffydd Aled Williams, *Ymryson Edmwnd Prys a Wiliam Cynwal* (Caerdydd: Gwasg Prifysgol Cymru, 1986), t. cxiii.
[101] Gweler T. R. Roberts, *Edmwnd Prys, Archddiacon Meirionnydd* (Caernarfon: cyhoeddwyd gan yr awdur, 1899), tt. 45–6.
[102] OBWV, cerdd 120, tt. 244–8, a nodiadau t. 551.
[103] OBWV, cerdd 120, ll.23.
[104] OBWV, cerdd 120, ll.85–90.
[105] Gweler Roberts, *Edmwnd Prys, Archddiacon Meirionnydd*, t. 242.
[106] Fel y dywedodd Gwyn Thomas: 'Y mae lle i gredu mai Tomos Prys a wnaeth yr elfen ddychanol a geir mor aml mewn cerddi gofyn trwy gydol yr ail ganrif ar bymtheg yn rhan gyson o gerddi o'r fath'. Gweler Gwyn Thomas, 'Golwg ar Gyfundrefn y Beirdd yn yr Ail Ganrif ar Bymtheg', yn R. Geraint Gruffydd (gol.), *Bardos: Penodau ar y Traddodiad Barddol Cymreig a Cheltaidd* (Caerdydd: Gwasg Prifysgol Cymru, 1982), tt. 76–94, t. 94.

5

'Rhostiwch y cyfreithwyr': Gweledigaethau o'r Farn

Gyda chyfieithu'r Beibl i'r Gymraeg, daeth y Cymry i brofi delweddau cyfreithiol yr Ysgrythur yn eu hiaith eu hunain. Trwy gyfrwng rhydd-iaith odidog William Morgan, canfyddasant ddelweddau o Dduw fel barnwr ac o ddyn fel troseddwr a fydd yn ymddangos o'i flaen ar ddydd y farn. Y syniad o Grist yn cymryd y gosb dros bechodau neu droseddau'r ddynoliaeth i fodloni cyfiawnder dwyfol yw craidd y ffydd Gristnogol. Neu, o'i fynegi yn nhermau cyfraith sifil, y mae Crist yn talu'r iawndal sydd yn ddyledus am gamweddau dyn.[1] Ac o'r safbwynt Iddewig, onid cadw'r gorchmynion a chadw'r gyfraith oedd swyddogaeth bennaf yr Iddew?[2] Dyna'r ddêl neu'r fargen ddwyfol: byddai'r Hollalluog yn gwaredu'r rhai a gadwant y cyfamod, a chadw ei orchmynion. O ganlyniad, y mae cyfeiriadaeth gyfreithiol yn treiddio holl ieithwedd y traddodiad Gristnogol-Iddewig.[3] Fel y dywed llyfr Eseia:

> Yr Arglwydd yw ein barnwr,
> yr Arglwydd yw ein deddfwr;
> yr Arglwydd yw ein brenin,
> ac ef fydd yn ein gwaredu.[4]

Meddai'r salmydd: 'Bydd y nefoedd yn cyhoeddi ei gyfiawnder, oherwydd Duw ei hun sydd farnwr'.[5] Yn y Testament Newydd, yn llyfr y Datguddiad, cawn olygfa drawiadol o'r meirwon yn cael eu cymryd o flaen Duw farnwr sydd yn llywyddu ar orsedd fawr wen. Gyda'r llyfrau o'i flaen, gan gynnwys llyfr y bywyd, caiff dderbyn tystiolaeth am weithredoedd y meirwon yn ystod eu bywydau.[6] Nid rhyfedd i ddelweddau ysgrythurol am gyfiawnder a barn ddwyfol ysbrydoli llawer o lenorion a beirdd Cymru yn eu hymwneud â'r gyfraith.

Yn yr ail ganrif ar bymtheg, efallai mai'r amlycaf ohonynt oedd Morgan Llwyd o Wynedd (1619–1659), y piwritan, y pregethwr a'r llenor. Fe'i ganwyd yng Nghynfal Fawr, Maentwrog, a chredir fod ganddo berthynas agos â Huw Llwyd o Gynfal. Er bod natur a chymeriadau y ddau Lwyd yn bur wahanol, yr oedd eu safbwyntiau ar y gyfraith yn dangos nodweddion tebyg, gan fod Morgan Llwyd yn amau'r cyfreithwyr a'u dulliau lawn gymaint â'i berthynas. Ond o fewn fframwaith athrawiaeth Gristnogol yr oedd Morgan Llwyd yn llefaru ac nid oes gwadu mai 'athrylith grefyddol yw Morgan Llwyd'.[7] Ac yntau prin yn un ar bymtheg oed, cafodd dröedigaeth wrth wrando ar Walter Cradock yn pregethu yn Wrecsam. Megis hen broffwyd Cymreig, hyderai y deuai diwygiad ysbrydol a diwygiad cymdeithasol law yn law, ac, fel un a rannai argyhoeddiadau Gwŷr y Bumed Frenhiniaeth, galwai ar y bobl i ymbaratoi ar gyfer ail ddyfodiad Crist.[8] Yn ei glasur mawr, *Llyfr y Tri Aderyn*, cawn glywed ei safbwyntiau ar gyflwr y gyfraith wrth iddo alw ar ei gyd-Gymry i baratoi ar gyfer yr ail ddyfodiad.[9]

Cyhoeddwyd *Llyfr y Tri Aderyn* ym 1653.[10] Yr oedd Morgan Llwyd erbyn hyn yn ŵr o bwys yng nghymanwlad Cromwell, ac, fel profwr, yr oedd yn gyfrifol am oruchwylio penodi gweinidogion addas i'r eglwysi. Disgwylid iddynt arddel agweddau Piwritanaidd, yn unol â gofynion Deddf Taenu'r Efengyl yng Nghymru 1650.[11] Y mae'r gyfrol yn un o dair a gyhoeddwyd ganddo yn y flwyddyn honno, ac yn perthyn i'r cyfnod pan oedd yn anterth ei ddylanwad. Yr hyn a geir yn *Llyfr y Tri Aderyn* yw ymson rhwng tri aderyn, sef yr Eryr, y Gigfran a'r Golomen. Y mae'r tri aderyn yn greaduriaid symbolaidd, gyda'r Eryr yn symbol o'r wladwriaeth, y Gigfran yn symbol o'r eglwys wladol neu'r brenhinwyr, a'r

Golomen yn cynrychioli gwir Gristnogaeth y Piwritaniaid. Trwy enau'r creaduriaid hyn, y mae'r awdur yn rhannu ei farn am bynciau ac yn mynegi ei gredo.

Yn ystod ymddiddan rhwng yr Eryr a'r Golomen, canfyddir yr Eryr yn chwennych cyngor ar ddedwyddwch. Gofynna'r Eryr i'r Golomen am yr hyn a ddywedai am wŷr o gyfraith. Caiff yr ateb a ganlyn:

> Ac am y Cyfreithwyr, cofia mai fel ac y mae pysygwr ffôl yn llenwi'r fonwent yn llawn o gyrph meirwon, a'r pregethwr anneallus yn llenwi'r Eglwys ac opiniwnau gweigion, felly y mae'r cyfreithwyr annuwiol yn llenwi'r gymanfa ac ymrysonau trawsion. Ac fel mai gorau cyfraith cytundeb, felly gorau ffordd yw dioddef cam, a bod yn isel ac yn addfwyn. Fe ddioddefodd Duw fwy o gam ar dy law di nag yr wyti iw ddwyn oddiar law dy gymydog.[12]

'Gwylia rhag gwŷr cyfraith y byd hwn a'u hymrysonau trawsion' yw'r neges ddigamsyniol sydd yma. Ond y mae'r neges yn ymgysylltu â'r fuchedd wir Gristnogol, sydd yn gofyn am aberth a dioddefaint ac ymwrthod â phechod. Rhaid i'r Cristion ei ddarostwng ei hun i ewyllys Duw gan mai ffurf ar bechod yw ewyllys dyn.[13] Gan hynny, y mae'r Golomen yn cynghori'r credadun i ymwrthod ag ymgyfreitha, ac i aros yn amyneddgar am ddyfodiad y gwir farnwr a rydd i bawb yn ôl ei haeddiant:

> Disgwil am gyfiawnder nid oddiwrth ddynion ond oddiwrth Dduw, ac di ai cei yn ddiamau. Mae'r amser yn agos iawn yn yr hon y caiff pawb ei eiddo. Nid yw'r cam y mae eraill yn i wneuthur a'th di ond fel pigiad chwannen wrth y cam ar gorthrymder yr wyti yn i osod ar wddf dy enaid dy hun. Cofia hynny cyn mynd i'r gyfraith er dim. O mor chweinllyd anioddefgar yw llawer? Mor barod i'r gyfraith? Mor amharod i'r efengyl?[14]

Gyda'i ffydd yn nychweliad buan y Gwaredwr, y mae'r awdur, trwy enau'r Golomen, yn annog amynedd ac yn mynegi ei ffydd y daw cyfiawnder dwyfol yn y man. Dyma'r sicrwydd a'r argyhoeddiad sy'n peri iddo rybuddio: 'gwae chwi'r cyfreithwyr, mae cyfraith a'ch ysa'.[15] Y mae'r rhybudd hefyd yn adlewyrchu'r amserau, a pharodrwydd y Cymry i fynd i gyfraith i ddatrys anghydfod yn y ganrif wedi'r Deddfau Uno.

Cafodd delweddau cyfreithiol le amlwg yn emynyddiaeth y Cymry hefyd. Yn nifer o'r emynau, yr oedd y pêr ganiedydd, William Williams Pantycelyn (1717–1791), yn ei bortreadu ei hun fel troseddwr sydd yn wynebu barn y Duw cyfiawn. Ynddynt, byddai'n cyfeirio'n gyson at haeddiant yr Eiriolwr sydd, trwy aberth y groes, yn talu'r ddirwy am bechodau'r ddynoliaeth. Cawn ganddo hefyd y defnydd o eirfa gyfreithiol, megis yn ei farwnad i Howell Harris, lle y mae'n adrodd yr hanes fel y bu iddo dderbyn gwŷs oddi uchod wrth wrando ar Harris yn pregethu yn Nhrefeca:

Dyma'r bore, byth mi gofiaf,
Clywais innau lais y nef;
Daliwyd fi wrth wŷs oddi uchod,
Gan ei sŵn dychrynllyd ef.[16]

Yn un o'i emynau, Duw fel barnwr a gaiff ei gyfarch gan Bantycelyn: 'Ti farnwr byw a meirw, sydd ag allweddau'r bedd'.[17] Yn nes ymlaen yn yr emyn, y mae'n datblygu'r trosiad cyfreithiol nes ein bod yn llythrennol yn y llys barn:

O flaen y fainc rhaid sefyll,
Ie, sefyll cyn bo hir;
Nid oes a'm nertha yno
Ond dy gyfiawnder pur.[18]

Nid oedd Pantycelyn yn unigryw yn ei ddelweddu cyfreithiol. Ceir llu o emynwyr eraill yn tynnu ar y syniad o gyfiawnder dwyfol ac o drugaredd Duw at ddyn pechadurus. Yr oedd Morgan Rhys o Gilycwm (1716–1779), un o gyfoeswyr Pantycelyn, yntau yn medru datgan: 'mae

Duw yn rhoddi eto'n hael, drugaredd i droseddwyr gwael'.[19] Ond efallai mai'r emyn hwn o waith Edward Jones o Faes-y-Plwm (1761–1836) sydd fwyaf trymlwythog yn ei ddelweddau cyfreithiol:

Yn Seion mae cyfraith ragorol,
Gan Dduw yno'n rheol fe'i rhoed;
Un weddus, ddaionus i ddynion;
Ni bu deddf mor union erioed:
Dim mwy na dim llai na chyfiawnder
Ni ofyn, ni chymmer ychwaith:
Heb fod gyda'r Iesu mewn undeb,
Ni dderbyn ein gwyneb na'n gwaith.

Pe byddai fy ngolwg yn berffaith,
Mi welwn y gyfraith bob gair,
Mor eglur y gallwn bob mynyd
Ei darllen ym mywyd Mab Mair;
Ac hefyd wrth ddarllen y gyfraith
Mi welwn Dduw perffaith heb ball;
Os Iesu, neu'r gyfraith, a welwn,
Y naill a ddarllenwn drwy'r llall.

Gwel'd cleddyf cyfiawnder yn deffro
Oedd ryfedd i daro Mab Duw!
Gwneud T'wysog y nef yn anafus,
Er mwyn i rai beius gael byw:
Dysgleirdeb gogoniant, ac union
Lun Person gogoniant y Tad,
Yn ngafael deddf, fanwl ofynion,
I ni ddod yn rhyddion yn rhad.[20]

Ffydd yng nghyfiawnder Duw er gwaethaf pryderon cyfreithiol y byd hwn a ysbrydolodd Angharad James, Penamnen, Dolwyddelan (1677–1749), yn un o'i cherddi. Dyma wraig fferm hynod ddysgedig yn ôl safonau ei hoes, ac un a chanddi'r ddawn i brydyddu.[21] Yr oedd un o'i cherddi wedi ei lunio pan oedd 'bygythion y gyfraith ar Wiliam Prichard', ei gŵr oedrannus, a hynny, o bosibl, oherwydd anghydfod ariannol. Credir ei bod yn ddigon hyddysg yn y gyfraith i'r graddau ei bod yn gymwys i weithredu fel 'prif ynad y cwmwd'.[22] Mewn cerdd fer o ddau bennill, a luniwyd tua 1717, y mae'n mynegi ei ffydd a'i gobaith y bydd Duw yn ei gwarchod er gwaetha'r bygythion cyfreithiol, ac meddai:

> Er maint sy' o fygythion, ni thorrai mo'm calon,
> Rho' mhwys ar Dduw cyfion, erfynion hyd fedd.[23]

Dyma thema a gyfyd yn gyson yng ngweithiau llenyddol y cyfnod. Gwrthgyferbynnir anghyfiawnderau'r byd, ac ystrywiau cyfreithiol pechadurus dynion, gyda chyfiawnder dwyfol a'r farn sydd i ddyfod, lle gwneir popeth yn uniawn. Yn ei emyn enwocaf, 'Myfi yw'r Adgyfodiad mawr', y mae Ellis Wynne o'r Lasynys, y 'llenor modern Cymraeg cyntaf',[24] yn datgan bod ffyddlondeb i Grist yn golygu na ddaw barn Duw ar ddynion:

> Yr hwn sy'n ffyddlawn ufuddhau,
> Trwy ffydd, i'm geiriau hyfryd,
> Ni ddaw i farn, ond trwodd f'aeth,
> O angau caeth i fywyd.[25]

Yr oedd angau a'r farn yn themâu cyson yng ngwaith y gŵr o'r Lasynys, a mynegai ei ffydd yng ngrym achubol yr atgyfodiad. Yn ei gerdd 'Gadel Tir', sydd yn fyfyrdod ar angau, gofynna'n lled watwarus wrth ysgolheigion hollwybodus a chyfreithwyr (gwŷr llys), a allent roi cyngor ar sut i osgoi marwolaeth:

> Chwi sgolheigion a gwŷr llys,
> Sy'n deall megis duwiau,
> A rowch-chi 'mysg eich dysg a'ch dawn
> Ryw gyngor iawn rhag Angau?[26]

Ymddengys y gerdd ar derfyn ail ran ei waith llenyddol enwocaf, sef *Gweledigaethau y Bardd Cwsg*. Dyma waith sydd yn gyfoethog ac yn ddychrynllyd yn ei ddelweddau o gyfraith a barn y byd a ddaw, ond hefyd yn finiog ei feirniadaeth o fyd cyfreithiol yr oes. O ran cefndir, yr oedd Ellis Wynne (*c*.1670–1734) yn agos o ran ei dras a'i ddosbarth cymdeithasol i Thomas Prys.[27] Yr oedd hyder y bonedd yn ei waith, a chyda sicrwydd safle a chyfoeth, medrai fforddio ymosod yn gyhoeddus ar bileri cymdeithas heb ofni'r adwaith. Cwmwd Ardudwy ydoedd cynefin Ellis Wynne. Tra oedd ei dad, Edward Wynne, yn arddel perthynas â bonedd Glyn Cywarch, yr oedd ei fam yn etifeddes y Lasynys, plasty go sylweddol yn ôl safonau'r oes. Yr oedd gwreiddiau'r rhieni ill dau, gan hynny, ymysg y bonedd a drigai o fewn ychydig filltiroedd i gaer hynafol Harlech. Cafodd Ellis Wynne fanteision addysg gŵr o'i dras a'i gefndir, a digon o addysg glasurol iddo ennill lle yng Ngholeg Iesu Rhydychen. Yna, wedi ei ordeinio, dychwelodd i'r Lasynys, lle'r ymgartrefodd a mwynhau bywyd cymharol lonydd offeiriad plwyf yn Ardudwy ar ddechrau'r ddeunawfed ganrif. Yno y bu hyd ei farw ar 13 Gorffennaf 1734, a'i gladdu o dan yr allor yn Eglwys Llanfair.

Bu tybiaeth am gyfnod fod Ellis Wynne, pan oedd yn ŵr ifanc, wedi rhoi ei fryd ar fynd yn gyfreithiwr. Am ryw reswm, yn ôl y gred, bu iddo newid ei feddwl a throi ei olygon tua'r offeiriadaeth. Gwraidd y chwedl oedd y cyfeiriad ato mewn un ffynhonnell o'r ddeunawfed ganrif fel 'Ellis Wynne, LL.B'.[28] Yn ogystal â'r manylyn hwn, yr oedd traddodiad lleol, yn ôl yr ysgrif amdano yn y *Bywgraffiadur Cymreig*, yn atgyfnerthu'r stori ei fod a'i fryd ar ganlyn y gyfraith cyn iddo gael ei ddarbwyllo gan Humphrey Humphreys, Esgob Bangor, i gymryd urddau eglwysig.[29] Erbyn hyn, credir mai camddealltwriaeth o sustem raddau Prifysgol Rhydychen y cyfnod sydd wrth wraidd y ddamcaniaeth, gan fod offeiriadon yn aml yn hyddysg yng nghyfraith ganonaidd ac yn derbyn graddau yn y gyfraith yn sgil hynny. Y mae'r esboniad hwn yn fwy tebygol o fod yn iawn. Wedi'r cwbl, fel y dywedwyd yn briodol: 'o ystyried mor hallt yw Ellis Wynne ar gyfreithwyr . . . prin y gellir credu iddo fod yn gyfreithiwr'.[30]

Nid oedd rhaid wrth gymwysterau cyfreithiol iddo ddeall gweinyddu cyfiawnder yn llysoedd ei gyfnod. Gan ei fod yn arddel perthynas agos â'r mân fonedd, yr oedd, ac yntau'n offeiriad hefyd, yn agos atynt yn gymdeithasol. Y bonedd yng nghyfundrefn gyfreithiol Lloegr a Chymru yn y cyfnod hwn oedd cynheiliaid y drefn gyfreithiol ar lefel sirol. Hwy oedd yr ynadon a arglwyddiaethai yn y llysoedd chwarter. Nid rhyfedd fod cyswllt clòs rhwng y bonedd, y clerigwyr a'r cyfreithwyr ar hyd y canrifoedd. Y cyswllt hwn sydd yn egluro dealltwriaeth a phrofiad Wynne o'r byd cyfreithiol, ac sydd yn esbonio'r colbio a gaiff cyfreithwyr yn ei waith enwocaf. Ac yntau â'r cyfle a'r hamdden fel offeiriad gwledig, daeth Wynne yn awdur a bardd o fri. Argraffwyd ei glasur, y *Gweledigaethau*, am y tro cyntaf ym 1704 yn Llundain. Dyma gampwaith lle cawn farn ddi-flewyn-ar-dafod Wynne ar y byd a'i bethau, gan gynnwys ei dwrneiod.

Sylwebaeth ar y cyflwr dynol yw'r *Gweledigaethau*, a phechaduriaid o bob lliw a llun yw'r cymeriadau blaenllaw ynddynt. Trwy gyfrwng dychymyg byw yr awdur, ceir sylwebaeth ar gyflwr cymdeithas a buchedd dynion. Lluniodd yr awdur ei naratif yn y person cyntaf, gan adrodd hanes tair gweledigaeth a ddaeth iddo mewn tair breuddwyd, sef y byd, angau ac uffern. Disgrifia siwrnai pechaduriaid sydd yn teithio drwy'r byd i dir angau cyn cyrraedd eu diwedd yn uffern. Caiff y Bardd Cwsg ei dywys gan Angel drwy'r Byd ac Uffern a chan Feistr Cwsg drwy Dir Angau, a thrwy hynny dystio i dynged pechaduriaid. Yn eu plith, ceir gwŷr y gyfraith.

Yn ei weledigaeth o'r byd, cawn ddarlun byw o'r Ddinas Ddihenydd â'i thair heol lydan o dan awdurdod tywysogesau Balchder, Pleser ac Elw. Yn y ddinas hon y mae tywysoges Rhagrith hithau yn cynnal llys, a Belial, eu tad, yw llywodraethwr y ddinas. Pechaduriaid sydd yn trigo ar yr heolydd hyn sydd yn arwain i Frenhinllys Isaf y Brenin Angau. Y mae yn y ddinas hon stryd fechan, gul sydd yn arwain at Dduw, stryd nad yw'r mwyafrif yn ei throedio. Ar Stryd Elw, fodd bynnag ceir 'dynion llechwrus iselgraff', sy'n cynnwys 'ustusiaid a'i breibwyr, a'u holl Sîl, o'r cyfarthwyr hyd at y ceisbwl'.[31]

Y cyfarthwyr oedd y cyfreithwyr a'r bargyfreithwyr, ac y mae Wynne yn celfydd chwarae ar eiriau wrth gyffelybu eu crefft i gyfarth cŵn.[32] Y ceisbwl oedd y beili, y swyddog a fyddai'n gyfrifol am hebrwng troseddwyr i'r ddalfa. Dywedir mai 'Siôn-lygad-y-geiniog' ydyw'r cyfreithiwr a'i debyg sydd â'u golygon ar elw a chyfoeth. Nid y cyfreithwyr yw'r unig wŷr proffesiynol a welir ar Stryd Elw. Yno hefyd y mae'r meddygon a'r ffisigwyr, ynghyd â siopwyr 'a elwant ar angen neu anwybodaeth y prynwr'.[33] Cânt i gyd eu galw'n 'garn-lladron', a chawn ddisgrifiad o'r cyfreithwyr yn cystadlu am swyddi proffidiol y gymdeithas, megis swydd trysorydd i'r dywysoges Elw, gan obeithio cael eu crafangau ar ei thrysor. Dyma barodi cofiadwy o ymddygiad twrneiod oes Wynne.[34] Yn y weledigaeth hon, clywn yr Angel yn llefaru gan ddweud: 'Cyfoethocach yw'r cyfreithwyr na'r marsiandwyr, a chyfoethocach yw'r llogwyr na'r cyfreithwyr, a'r stiwardiaid na'r llogwyr, a Belial na'r cwbl, canys ef a'u piau hwy oll a'u pethau hefyd'.[35] Belial piau'r cyfreithwyr gan eu bod wedi gwerthu eu heneidiau i Famon. Pan ofynna'r Bardd Cwsg i'r Angel, 'pa fodd y gelwch y pendefigion urddasol yna yn fwy lladron na sbeilwyr-ffyrdd?', caiff yr ateb fod y gwŷr hyn yn cyflawni camwri ar raddfa lawer uwch na mân droseddwyr sydd yn lladrata cynhinion (mân ddarnau):

> Beth yw teiliwr, a ddwg ddarn o frethyn, wrth ŵr mawr a ddwg allan o'r mynydd ddarn o blwy'? Oni haeddai hwn ei alw'n garnlleidr wrth y llall? Ni ddug hwnnw ond cynhinion oddi arno ef, eithr efe a ddug oddi ar y tlawd fywoliaeth ei anifail, ac wrth hynny ei fywoliaeth yntau a'i weiniaid.[36]

Er mai gan ddefnyddio'r cleddyf y bydd y lleidr tlawd yn dwyn dillad, y mae'r cyfreithiwr yn dwyn llawer mwy, a hynny gan ddefnyddio chwil gŵydd, sef y cwilsyn y defnyddia'r cyfreithiwr i ysgrifennu:

> Beth yw sawdwr lledlwm a ddyco dy ddilad wrth ei gleddyf, wrth y cyfreithwyr a ddwg dy holl stad oddi arnat â chwil gŵydd, heb nac iawn na rhwymedi i gael arno?[37]

Beirniadaeth gignoeth sydd yma o gyfreithwyr trachwantus yr oes sydd, a'u cwils a'u huotledd, yn amddifadu'r bobl o'u tir a'u heiddo.

Pan gyrhaeddir Porth Cyfyng y Bywyd, gwelir y Deg Gorchymyn ac adnodau eraill wedi eu hysgrifennu o gwmpas y fynedfa. Gwelir hefyd ddinasyddion y Ddinas Ddihenydd yn cyrraedd y porth ond yn troi yn ôl oherwydd nad oedd y gofynion, sef cadw'r gorchmynion, at eu dant. Ceir cyfeiriadaeth gyfreithiol yma hefyd: 'Yr oedd yno gwestiwr ac athrodwr a chwirdroeasant wrth ddarllen "Na ddwg gam dystiolaeth".'[38] Y cwestiwr oedd yr un a fyddai'n gweithredu fel erlynydd neu achwynydd mewn treial, gan gyflwyno gwybodaeth neu dystiolaeth am droseddau honedig. Drwy gyplysu'r cwestiwr, sef yr erlynydd cyfreithiol, â'r athrodwr, sef celwyddgi sydd yn enllibio, ceir darlun deifiol o gymeriad atgas y cwestiwr.

Tywysir y Bardd Cwsg gan yr Angel tua'r hyn a ddisgrifir fel 'Eglwys Gatholig'. Nid yr Eglwys Babyddol yr oedd Wynne yn elyniaethus iawn tuag ati yw hon, ond y gwir eglwys bur yn ei olwg ef, sef Eglwys Lloegr. Nid yn unig y mae Wynne y Protestant selog yn amlygu ei safbwyntiau, ond cawn hefyd glywed llais y brenhinwr. Yn eglwys y weledigaeth gwelir y Frenhines Ann â Chleddyf Cyfiawnder yn ei llaw dde, a Chleddyf yr Ysbryd yn ei llaw aswy. Gwelir lyfr statud Lloegr o dan gleddyf cyfiawnder, a'r Beibl o dan gleddyf yr ysbryd. Wrth ochr y frenhines, gwelir gwŷr yr eglwys yn ei chynorthwyo i gynnal y baich, ac ychwanegir mai 'ond ychydig o'r cyfreithwyr oedd yn cyd-gynnal yn y cleddyf arall'.[39] Dyma bwynt gwleidyddol pwysig. Er nad oedd y cyfreithwyr hyn yn cynnal cyfiawnder, yr oedd y Frenhines Ann ei hun yn gynhaliwr cyfiawnder. Gan hynny, nid ar ffynhonnell y gyfraith oedd y bai, ond ar y rhai a'i camddefnyddiant.

A welodd Wynne y frenhines erioed, tybed? Rhyw hen globen fer, dew, farus oedd Ann, yn dioddef o gowt. Dichon fod yr Ann ym mreuddwydion a gweledigaethau Wynne yn bur wahanol i'r Ann o gig a gwaed.[40] Propaganda Wynne o blaid Protestaniaeth ac nid disgrifiad llythrennol gywir sydd yma, wrth gwrs. Yn y weledigaeth o angau, caiff y Bardd Cwsg ei dywys gan Feistr Cwsg trwy Dir Angau. Yno, ceir ymson rhwng y Bardd Cwsg a Thaliesin Ben Beirdd, Myrddin a chymeriadau eraill o orffennol Cymru, gwir ai gau (yr oedd Wynne yn bur ddilornus o draddodiadau'r Cymry a'u hobsesiynau barddol ac achyddol).[41] Yn yr ymson, honna Taliesin ei fod yn gyfreithiwr yn ogystal â phrydydd, a gofynna: a oes y fath bobl ar ôl ymysg y byw? Caiff ymateb parod:

> mae'r fath bla yn gyfarthwyr, yn fân dwrneiod a chlarcod, nad oedd locustiaid yr Aifft ddim pwys ar y wlad wrth y rhain. Nid oedd yn eich amser chwi, Syr, ond bargeinion bol clawdd, a lled llaw o sgrifen am dyddyn canpunt . . .[42]

Yn oes ddiniwed a chyntefig Taliesin, ymddengys nad oedd angen ymddiried mewn cyfreithwyr gan fod trefniadau anffurfiol yn ddigonol. Yn waeth na dim, yr oedd pla o gyfreithwyr mewn cymdeithas yn arwydd fod cymdeithas yn dirywio. Rhoddir perl o ddihareb yng ngenau Taliesin pan ddywed: 'Ni cheir byth wir lle bo llawer o feirdd, na thegwch lle bo llawer o gyfreithwyr'.[43]

Portreadir pechaduriaid ar eu prawf yn Llys Brenin Angau cyn iddynt gael eu condemnio a'u hanfon i'w tragwyddoldeb yn uffern. Ceir disgrifiad manwl o erchylltra'r llys, ac y mae llys y Brenin Angau fel parodi cyfreithiol ynddo'i hun. Disgrifir y Brenin Angau 'yn ei frenhinwisg o sgarlad gloywgoch . . . ac am ei ben gap dugoch trichonglog'.[44] Dyma wisg a oedd yn efelychiad o wisg barnwr y cyfnod. Parheir â'r gyffelybiaeth gyfreithiol pan ddisgrifir carcharorion yn agosáu at 'y bar' cyn iddynt glywed eu tynged. Ymysg y llu condemniedig a ddaw o flaen y barnwr, y mae saith 'recordor'.[45] Swyddogion cyfreithiol ydoedd y rhain a chanddynt awdurdodaeth yn y llysoedd chwarter, a gwelir adnabyddiaeth Wynne o'r broses gyfreithiol yn dod i'w amlwg unwaith eto. Maent yn nesáu at y bar yn Llys Brenin Angau, a'u 'cledrau'n ireidlyd', sef wedi eu hiro gan lwgrwobrwyo. Meddai un ohonynt, gan edliw annhegwch ei gyflwr: 'ni ddylasem gael dyfyn teg i baratoi'n hateb, yn lle'n rhuthro yn lledradaidd'.[46] Ystyr 'dyfyn' yw gwŷs. Yr oedd y recordor hwn yn defnyddio tactegau oedi'r cyfreithiwr trwy honni bod angen mwy o amser arno i baratoi ei amddiffyniad neu'i ateb, gan ei fod wedi ei dywys i'r llys heb dderbyn rhybudd yn y ffurf briodol. Ond nid oes gan Frenin Angau unrhyw gydymdeimlad â'r protestiadau hyn:

> 'Ertolwg', ebr un recordor coch, 'be' sy gennych i'n herbyn?'
> 'Beth?' ebr Angau. 'Yfed chwys a gwaed y tlodion, a chodi dwbl eich cyflog.'
> 'Dyma ŵr gonest,' eb ef, gan ddangos cecryn oedd o'u hôl, 'a ŵyr na wneuthum i rioed ond tegwch; ac nid teg i chwi'n dal ni yma, heb gennych un bai penodol i'w brofi i'n herbyn.'
> 'Hai, hai' ebr Angau, 'cewch brofi'n eich erbyn eich hunain. Gosodwch,' ebr ef, 'y rhain ar fin y dibyn gerbron Gorsedd Cyfiawnder; hwy a gânt yno uniondeb, er nas gwnaethant.'[47]

Yn ogystal â gwŷr sy'n ennill bywoliaeth ar gorn y gyfraith, y mae'r rhai hynny sydd yn gyfreithgar hefyd ymhlith y rhai a gaiff eu taflu dros Ddibyn Diobaith i Uffern: 'Lluniwr Achwynion', 'Cecryn Cyfreithgar' a 'Cwmbrys y Cyrtiau' yw'r llysenwau a ddefnyddir amdanynt.[48] Y mae Cecryn Cyfreithgar yn edliw ei dynged, fel y disgwylid gan rywun â'r llysenw hwnnw, ac yn dadlau: 'nid oes gennych ddim awdurdod i'm llysenwi. Mi rof gydcwyn am hynny ac am gamgarchariad arnoch chwi a'ch câr Lucifer yng Nghwrt Cyfiawnder.'[49] Cawn wybod fel y bwriadai'r Cecryn ddwyn achos am enllib a chamgarchariad yn erbyn Brenin Angau a Lucifer, Brenin Uffern, hyd yn oed! Datblygir y parodi ymhellach, gyda Brenin Angau yn dyfarnu: 'gedwch ef yn rhydd uwchben y geulan tan Gwrt Cyfiawnder, i brofi gwneud ei gŵyn yn dda i'm herbyn i, os geill.'[50] Er gwaethaf yr holl brotestio, y mae tynged y cymeriadau hyn wedi ei selio: 'gwelwn y carcharorion yn mynd rhagddynt i'w dihenydd tragwyddol'.[51] Ni allodd y Cecryn euog wynebu Cwrt Cyfiawnder, a rhuthrodd dros y dibyn gyda'r gweddill.[52] Tystia'r Bardd Cwsg i erchyllter yr olygfa, ac meddai: 'mi a welais fwy o erchylltod arswydus nag a fedra'i rŵan ei draethu, nag a fedrais i'r pryd hynny ei oddef'.[53]

Byddai'r golygfeydd hyn yn siŵr o godi ofn ar y darllenydd. Nid dychryn ond rhybuddio oedd pennaf fwriad yr awdur, ac yr oedd ei weledigaethau o dynged pechaduriaid 'er rhybudd i eraill hefyd'.[54] Yn y weledigaeth o uffern, eir drwy gelloedd a chilfachau lle y mae gwahanol fridiau o bechaduriaid yn derbyn eu haeddiant. Disgrifir yr arteithio sydd yn digwydd yno mewn manylder a chan ddefnyddio delweddau dychrynllyd. Y mae gwrthryfel ac anhrefn hefyd yn nodweddion yn uffern, fel y maent yn nodweddion o uffern ar y ddaear. Dyma neges wleidyddol Wynne y ceidwadwr, fod gwrthryfela a gwrthod ufuddhau i awdurdod yn ymddygiad sydd wrth fodd Brenin Uffern. Os lle trefnus, heddychlon yw'r nefoedd, anhrefn yw hanfod uffern.

Personolir gwahanol bechodau fel cythreuliaid, ac yn arglwyddiaethu ar y cyfan y mae Lucifer. Mewn ogof anferth y treulia'r cyfreithwyr dragwyddoldeb yn ochain a gweiddi, 'a'r hen Suddas yn eu mysg'.[55] Gwelir y dywysoges Elw yn arwain y cyfreithwyr tuag at Lucifer.[56] Yma hefyd ceir cyfeiriad at lu o ddihirod, megis Cain, y cymeriad yn llyfr Genesis, a'r Ymerawdwr Nero, ynghyd â John Bradshaw, y barnwr a brofodd y Brenin Siarl I ac a'i dedfrydodd i'w ddienyddio. Meddai Lucifer: 'agorwch i mi Ffollt y Mwrdwr, lle mae Cain, Nero, Bradshaw, Boner ac Ignatius ac aneirif eraill o'r cyffelyb'.[57] Ignatius Loyola, sylfaenydd Urdd yr Iesuwyr a phencampwr y gwrthddiwygiad a olygir yma. Unwaith eto, cawn neges boliticaidd wedi ei wau yn y naratif, gan mai brenhinwr a Phrotestant rhonc oedd Ellis Wynne. Daw tynged gwŷr y gyfraith yn amlwg wrth iddynt gael eu hebrwng o flaen Lucifer:

> Ni ches i fawr ymorol na chlywn i ganu cyrn pres a gweiddi, 'Lle! lle! lle!' Erbyn aros ychydig, beth oedd ond gyrr o wŷr y Sesiwn, a diawliaid yn cario cynffonau chwech o ustusiaid, a myrdd o'u sil, yn gyfarthwyr, twrneiod, clarcod, recordwyr, beilïaid, ceisbyliaid, a Checryn y Cyrtiau. Bu rhyfedd geni na holwyd un ohonynt; ond deallodd y rhain fynd o'r mater yn eu herbyn yn rhy bell, ac felly ni agorodd un o'r dadleuwyr dysgedig mo'i safn; ond Cecryn y Cyrtiau a ddywaid y rhôi gŵyn camgarchariad yn erbyn Lucifer.[58]

Hyd yn oed yn uffern, y mae gan Gecryn y Cyrtiau awydd di-ben-draw i gwyno ac i ymgyfreitha. Ar ôl codi cwynion di-sail a bod yn gecrus heb achos mewn bywyd, bellach nid oes ganddo lys i fynd a'i gŵyn. Deuwn at uchafbwynt yr olygfa gyda dedfryd Lucifer, y barnwr:

> Yna, gwisgodd Lucifer ei gap coch ynte, ac â golwg drahaus-falch anoddef, 'Ewch,' ebr ef, 'â'r ustusiaid i stafell Pontius Pilate at Meistr Bradshaw a fwriodd y Brenin Siarls. Sechwch y cyfarthwyr gyda mwrdrwyr Syr Edmwnt Buwri-Godffri a'u cymheiriaid daueiriog eraill a gymerant arnynt ymrafaelio a'i gilydd, dim ond i gael lladd y sawl a ddêl rhyngddynt. Ewch ac anerchwch y cyfreithiwr darbodus hwnnw a gynigiodd, wrth farw, fil o bunnau am gydwybod dda – gofynnwch a rôi e'r awron ddim ychwaneg. Rhostiwch y cyfreithwyr wrth eu parsmant a'u papurau eu hunain oni ddêl eu perfedd dysgedig allan; ac i dderbyn y mygdarth hwnnw crogwch y cyrtwyr cecrus uwch ei ben, â'u ffroenau'n isa' yn y simneau rhost, i edrych a gaffont fyth lond eu bol o gyfraith. Y recordwyr, teflwch hwy 'rŵan i fysg y maelwyr, a fydd yn atal neu'n rhagbrynu'r ŷd ac yn ei gymysgu, yna gwerthu'r amhur yn nwbl bris y puryd; felly hwythau, mynnant am gam ddwbl y ffîs a roid gynt am uniondeb. Am y ceisbyliaid, gedwch hwy'n rhyddion i bryfeta, ac i'w gyrru i'r byd i geunentydd a pherthi, i ddal dyledwyr y goron uffernol; oblegid pa'r ddiawl sy ohonoch a wna'r gwaith well na hwy?'[59]

Yn gelfydd y plethir y cymeriadau cig a gwaed â chymeriadau dychmygus, gan atgyfnerthu hygrededd y weledigaeth a rhoi iddi elfen o realaeth. Yr oedd Syr Edmund Berry Godfrey yn ynad a fu'n ymchwilio ar ran y Brenin Siarl II i gynllwyn Pabyddol. Credir iddo gael ei lofruddio yn Hydref 1678 gan Babyddion a oedd yn ceisio ei rwystro rhag gwneud ei ddyletswydd.[60] Gyda Wynne yn daer ei wrthwynebiad i Babyddiaeth, y mae'n gosod y rhai a'i llofruddiodd ymysg y llu condemniedig. Gwelir y recordwyr, y swyddogion cyfreithiol, ymysg y maelwyr, sef masnachwyr twyllodrus a oedd yn codi gormod am rywbeth salach nag a ddisgwylid. Terfysgu ac anhrefn sydd yn uffern wrth i'r lluoedd yno godi yn erbyn ei gilydd. Gwelir benthycwyr arian yn ymladd â'r cyfreithwyr am oruchafiaeth yn y fasnach ysbail, neu'r 'trâd' (benthyciad o'r gair Saesneg *trade*): 'mae myrdd o logwyr benben â'r cyfreithwyr am fynnu rhan o'r trâd sbeilio.'[61] Yn y sefyllfa wrthryfelgar, gyda'r Cecryn

Cyfreithgar yn torri ei hualau ac yn creu stŵr, cawn Lucifer ei hunan yn doethinebu am gymeriad afledneais ei ddeiliaid cyfreithiol: '"Nid oes ryfedd,' ebr Lucifer, 'eu bod mor atgas gan bawb ar y ddaear, a hwythe'n gallu gwneud cymaint o flinder i ni yma."'[62]

Yr oedd gweledigaethau Ellis Wynne, megis y gweledigaethau yn llyfr y Datguddiad, yn rhybudd ac yn alwad i edifarhau. Ei gyfrwng oedd ei weledigaethau o'r byd arall ac o uffern, *genre* llenyddol poblogaidd yn yr ail ganrif ar bymtheg. Ysbrydolwyd Wynne gan destunau cyffelyb, megis *Paradise Lost* gan Milton, ac, efallai yn fwy penodol, y *Visions of Don Francisco de Quevedo Villegas*, gan Syr Roger L'Estrange, sef cyfieithiad o *Los Suenos*, gan y Sbaenwr Don Francisco de Quevedo. Yr oedd gwaith Quevedo yn cynnwys breuddwydion a gweledigaethau o angau, y farn ac uffern, a defnyddiodd ei weledigaethau fel cyfrwng i ddychanu a beirniadu drygioni cymdeithas.[63] Yr oedd arddull y Bardd Cwsg yntau yn gyfuniad bywiog o feirniadu, dychryn, dychan a diddanu. Heb amheuaeth, pobl bechadurus yw'r cyfreithwyr yn ei weledigaethau, a thwyllwyr sydd yn creu cynnwrf a chynnen. Yr oeddent yn nodweddu cymdeithas yr oes, gyda hunan-les a thrachwant yn oruchaf a bywyd gonest a syml o dan draed. Heb os, y mae'r gweledigaethau yn gampwaith llenyddol, ond y maent hefyd yn cynnig sylwebaeth gymdeithasol. Cawn ynddynt argraffiadau o'r diwylliant cyfreithiol ar droad y ddeunawfed ganrif, a chanrif a hanner ers y diwygiadau Tuduraidd a ymgorfforodd Gymru yn nhrefn gyfreithiol Lloegr.

Ceidwadwr, Eglwyswr a brenhinwr rhonc oedd Wynne, wrth gwrs, ac nid ydyw am eiliad yn awgrymu bod yr hen gyfreithiau Cymreig yn rhagori ar y drefn gyfreithiol a fodolai yn ei oes ef.[64] Nid oedd yn or-hoff o feirdd a'u tebyg, a chredai eu bod yn glynu wrth hen arferion llygredig. Ni chawn ganddo unrhyw arlliw o radicaliaeth neu anian wrthryfelgar – pechod dyn yw byrdwn canolog ei neges. Nid ymosodiad ar awdurdod a geir ganddo ychwaith, ond beirniadaeth o awdurdod ffaeledig. Fel y dywedodd Gwyn Thomas: 'Yr hyn a wnaeth Wynne yn y Gweledigaethau oedd dyrnu ar bobl bechadurus am beidio â bod yn eglwyswyr da, yn hytrach na beio'r Eglwys am fethu eu diwygio'.[65]

Felly hefyd â'r gyfraith. Nid ar y gyfraith oedd y bai, ond y cyfreithwyr a oedd yn camddefnyddio'r gyfraith i'w mantais eu hunain. Yr oedd ymddygiad y cyfreithiwr yn y gweledigaethau yn tystio i'r twf mewn ymgyfreitha ymysg Cymry'r cyfnod, gyda gwaith y llysoedd yng Nghymru ar gynnydd ers yr unfed ganrif ar bymtheg. Beirniadu'r cyfreithwyr am fanteisio ar natur gecrus y Cymry, a bwydo eu hoffter o ymgyfreitha, a wnaeth y Bardd Cwsg. Rhagfynegi tynged y cyfreithiwr yn nhragwyddoldeb a wnaeth hefyd. Iddo ef, cyfiawnder dwyfol sydd yn aros y rhai a fu'n cynnal anghyfiawnderau daearol. Ond y mae cynnwys cyfreithiol ei weledigaethau a natur ei feirniadaeth yn tystio mai Tori oedd Ellis Wynne. Galw ar bechaduriaid i ufuddhau i awdurdod cyfreithlon a wnaeth yn ddi-feth.[66]

Un a oedd yn edmygydd mawr o Ellis Wynne oedd Lewis Morris (1701–1765), yr hynaf o'r brodyr dawnus o Fôn.[67] Rhannai dueddiadau gwleidyddol y Bardd Cwsg, a chredai mai bendith fawr i'r Cymry fu'r Deddfau Uno â Lloegr. Fel y Bardd Cwsg, yr oedd Morris yn deyrngar iawn i'r Goron Hanoferaidd. Gwladgarwch diwylliannol oedd ei wladgarwch ef, ac yr oedd yn erbyn unrhyw ffurf ar wrthryfela yn erbyn y drefn sefydledig. Yr oedd hefyd yn ddrwgdybus iawn o'r Methodistiaid, a ddaeth i amlygrwydd yn ail hanner y ddeunawfed ganrif.[68] Polymath o'r iawn ryw oedd Lewis Morris, yn rhagori fel hynafiaethydd, lluniwr mapiau a bardd (a chanddo'r enw barddol Llewelyn Ddu o Fôn).[69] Ac yntau o dras yr iwmyn da eu byd, sef dosbarth canol eu hoes, cafodd ddigon o addysg (yn Ysgol Ramadeg Biwmares, o bosibl) i fod yn gymwys ar gyfer swyddi cyfrifol. Bu yn ei dro yn syrfëwr ystâd Meyrick o Fodorgan, yn swyddog tollau a bu'n ymhél â mwyngloddio yn sir Aberteifi. Profodd lwyddiant ym maes hydrograffeg hefyd, gan lunio mapiau manwl o arfordiroedd Cymru a Lloegr, gwaith pwysig na chafodd gydnabyddiaeth deilwng amdano yn ystod ei oes.

Er amlder ei ddoniau a'i weithgareddau, daeth Lewis Morris i enwogrwydd oherwydd ei gyfraniad i fudiad o ysgolheigion a llenorion a geisiai warchod etifeddiaeth lenyddol a chynnal safonau'r Gymraeg fel iaith lenyddol.[70] Yr oedd yn feistr ar y cynganeddion, a lluniodd gorff helaeth o farddoniaeth, yn enwedig yn ystod ei ddyddiau cynnar.

Ef oedd athro barddol Goronwy Owen ac Ieuan Brydydd Hir, a chyda'i frawd, Richard, yr oedd yn bennaf gyfrifol am sefydlu Anrhydeddus Gymdeithas y Cymmrodorion ym 1751 i godi safon llên ac ysgolheictod Cymreig. Yr oedd ei waddol llenyddol hefyd yn cynnwys y cannoedd o lythyrau a fu rhyngddo a'i frodyr a'u cydnabod, sydd yn ffynhonnell amhrisiadwy o arferion yr oes. Yr oedd Lewis Morris a'i frodyr yn ddirmygus o faledwyr a'r anterliwtwyr gwerinol eu hoes, ac yn eu hystyried fel prydyddion 'dihyfforddiant, annisgybledig'.[71] Cenhadwr ydoedd dros safon a chwaeth lenyddol, ac ymosododd yn hallt ar lacrwydd mewn ysgolheictod a diwylliant. Yr oedd hefyd yn ddyn mawr o ran corffolaeth, ac yn aml byddai'n dioddef o sgileffeithiau gordewdra.

Llai adnabyddus, efallai, fu ei brofiadau cyfreithiol. Yn ystod cyfnod olaf ei fywyd, sef ei gyfnod yn sir Aberteifi, y daethant i'w ran. Erbyn canol 1742, yr oedd wedi symud i fyw i ogledd sir Aberteifi gyda'r bwriad o fentro i faes mwyngloddio, plwm a chopr yn enwedig, a thrwy hynny wneud ei ffortiwn. Ac yntau'n ŵr gweddw erbyn hynny, priododd ag Anne Lloyd, aeres ystâd fechan Pen-bryn, Goginan, a chawsant naw o blant. Dechreuodd gymryd prydlesi ar amrywiol byllau, gan ddioddef colledion ariannol yn ei ymdrech i ymgyfoethogi. Ar yr un pryd, parhaodd i ddal amrywiol swyddi, gan gynnwys swyddi cyhoeddus o dan y Goron, a roddai incwm sefydlog iddo ef i gynnal ei deulu. Ym 1744, wrth geisio paratoi arolwg o dir comin ym maenor Cwmwd Perfedd a oedd ym meddiant y Goron, a hynny er mwyn canfod a oedd tir comin wedi ei feddiannu yn anghyfreithlon gan y trigolion, profodd wrthwynebiad taer rhai o'r tirfeddianwyr lleol.

Dyma ddechrau trafferthion cyfreithiol Lewis Morris. Fe'i penodwyd yn ddirprwy i stiward maenorau'r Goron yn sir Aberteifi ym 1746, swydd a olygai y byddai'n hyrwyddo hawliau'r Goron ar y tir comin yn y maenorau hynny, swydd a wnaeth Morris yn amhoblogaidd ac yn gocyn hitio i frodorion y sir. Ar wahân i'w amhoblogrwydd fel gwas y Goron, yr oedd mentrau personol Lewis Morris mewn mwyngloddiau yn y sir wedi codi amheuaeth ei fod yn elwa mewn modd amhriodol ar gownt ei swyddi, ac yn defnyddio ei ddylanwad er mwyn cael prydlesi ar byllau. Arweiniodd anghydfod ym 1753 rhyngddo a thirfeddianwyr lleol ynglŷn â statws pwll Esgair-mwyn ger Ysbyty Ystwyth, anghydfod parthed y cwestiwn a oedd y pwll ar dir comin brenhinol neu beidio, at wrthdaro cas. Ymosodwyd ar y pwll a chymerwyd Morris yn garcharor a'i gludo i garchar Aberteifi gan griw o ddynion o dan arweiniad ynadon a thirfeddianwyr lleol. Cafodd ei ryddhau yn y diwedd, ond bu'n ymgyfreitha ynglŷn â'r mater yn llysoedd Llundain am rai misoedd. Yn y diwedd, dyfarnwyd mai eiddo'r Goron oedd y pwll gan ei fod ar dir comin ac ar faenor frenhinol, ac, yn hynny o beth, fe gafodd Morris fuddugoliaeth am y tro.

Erbyn hynny, yr oedd Lewis Morris wedi meithrin gelynion, a chododd anghydfod arall yn fuan, a hynny yn deillio o'i gyfrifon fel swyddog a goruchwyliwr mwyngloddiau'r Goron. Treuliodd gyfnodau hir yn llysoedd cyfraith Llundain, ond ei dynged fu colli ei swydd fel stiward y Goron yn ogystal â swydd arall a ddaliai fel casglwr tollau yn Aberdyfi, a hynny tua 1756. Tua'r diwedd, â'r ymgyfreitha wedi gostegu, profodd ychydig o heddwch a chyfle i ymwneud â'r gyfraith mewn dull cadarnhaol. Ac yntau ers 1757 yn byw gyda'i deulu ym Mhen-bryn, penodwyd Lewis Morris yn ynad heddwch ar gyfer sir Aberteifi ym 1761. Tyfodd ei ddiddordeb yn y gyfraith, ac, o'r herwydd, dechreuodd gasglu llyfrau'r gyfraith. Yr oedd ei lyfrgell helaeth yn cynnwys *The Solicitor* gan Thomas Manley a'r *Law Dictionary* gan Giles Jacobs.[72]

Y mae un gerdd o'i eiddo yn fyfyrdod ar brofiad cyfreithiol penodol. Cerdd yn ymbil am gyfiawnder y gyfraith yw 'Lladron Grigyll'.[73] Y mae'n debyg iddi gael ei llunio gan Lewis Morris rhywbryd tua 1741/2, sef ychydig cyn iddo adael Môn am sir Aberteifi. Yr oedd traeth Crigyll ger Rhosneigr yn enwog yn y cyfnod hwn oherwydd ystrywiau lladron lleol a fyddai'n ysbeilio llongau a ddrylliwyd ar y creigiau. Byddai'r lladron yn defnyddio tanau a goleuadau i dwyllo morwyr a'u hudo at y creigiau, lle y byddai'u llongau yn malu, a hynny yn rhoi cyfle i'r lladron ddwyn y cargo ac eiddo'r teithwyr ar y llong. Credid fod y 'lladron' hyn yn cynnwys ffermwyr a chrefftwyr ac aelodau parchus y gymdeithas, a bod ysbeilio yn elfen amlwg o ddiwylliant gwerin y fro.

Ym 1740, cafwyd un digwyddiad nodedig pan ysbeiliwyd llong y *Loveday & Betty* wedi iddi fwrw'r creigiau yno. Y tro hwn, cafodd rhai o'r ysbeilwyr eu dal gan yr awdurdodau yn y fan a'r lle ac yng nghanol eu hysbail. Fe'u cymerwyd i'w profi yn y llys ym Miwmares, a hynny tua 1741. Fodd bynnag, er bod tystiolaeth go gadarn yn erbyn y lladron, fe'u dyfarnwyd yn ddieuog. Ymddengys fod y barnwr yn yr achos yn feddw, a methodd yn lân â chadw trefn ar y gwrandawiad.[74] Yr oedd y rheithgor hefyd wedi derbyn bygythiadau gan deuluoedd y cyhuddedig. Gwelwyd enghraifft drawiadol o fethiant proses gyfreithiol, ac o wyrdroi cwrs cyfiawnder, ar ei waethaf.

Bu i hyn oll gythruddo Lewis Morris, a'i ddymuniad yn ei gerdd 'Lladron Grigyll' oedd i'r lladron gael eu crogi.[75] Egyr y gerdd drwy wrthgyferbynnu buchedd pobl 'onest lân' â bywyd y gwylliaid a ysbeiliodd y llong, y rhai sydd yn trigo yn y cysgodion ac yn cuddio o dan fentyll rhag iddynt gael eu dal. Cawn wybod fel y bu i'r lladron ymddwyn yn ddidostur tuag at y dioddefwyr a olchwyd i'r lan wedi'r llongddrylliad:

Gwych gan bobl onest lân
Oleuni tân a channwyll,
Gwych gan wylliaid fod y nos
Mewn teios yn y tywyll;
Gwych gan innau glywed sôn
Am grogi lladron Grigyll.

Pentref yw di-dduw, didda,
Lle'r eillia llawer ellyll,
Môr-ysbeilwyr, trinwyr trais,
A'u mantais dan eu mentyll;
Cadwed Duw bob calon frau
Rhag mynd i greigiau Grigyll.

Os llong a ddaw o draw i drai,
I draethau'r bobl drythyll,
Tosturi'r rhain sydd fel y tân
Neu'r Gwyndraeth a'u gwna'n gandryll;
Gorau gwaith a wnâi wŷr Môn
Oedd grogi lladron Grigyll.[76]

Wedi disgrifio bywyd y lladron, y mae'r bardd yn troi at yr olygfa yn y llys barn lle caiff y lladron eu profi. Portreadir diffyg parch y lladron at awdurdod y llys, cymaint nes eu bod yno yn 'cellwair gyda'u cyllyll'. Ond cânt gymorth cyfreithiwr i'w hamddiffyn, 'dyn du', sydd yn barod iawn ei wasanaeth, ac yn troi 'yn sidyll', sef fel olwyn, 'am aur melyn', sef y tâl sylweddol am ei waith. Wedi hynny, y mae'r twrnai yn 'brathu fel y brithyll' ac yn dadlau eu hachos yn huawdl:

Pan ddoed â'r gwylliaid at y bar
A beio ar eu bwyyll,
Ni wnaethant hwy â'r Cyrt, myn Mair,
Ond cellwair gyda'u cyllyll;
Câi'r byd weled yno ar fyr
Mor lân goreugwyr Grigyll.

Hwy roent ar law'r Atwrnai groes,
Yn sydyn troes yn sidyll;
Am aur melyn mae'r dyn du
Yn brathu fel y brithyll;
Mae'n ôl i hwnnw a wnelo hyn
Ei grogi yn nhywyn Grigyll.[77]

Rhoddir wedyn ddisgrifiad manwl o'r croesholi yn ystod y treial. Pwysleisir chwant y cyfreithwyr am arian, thema y byddai'r Bardd Cwsg wedi ei bwysleisio genhedlaeth ynghynt. Gwelir bargyfreithiwr y lladron, un o'r enw Morus, yn llawn sŵn fel y môr ac yn ceisio arbed y lladron, sef y cŵn sydd yn sefyll yn y doc. Fe'i gwelir yn croesholi capten y llong ddrylliedig, gan roi aml sen iddo, elfen nodweddiadol o'r broses yn y llys, wrth gwrs. Wrth holi, y mae'r bargyfreithiwr yn 'ysgwyd pen ac esgyll', sef ysgwyd ei law a'i fraich, ac yn llawn ystumiau yn nrama'r achos llys. Wrth groesholi'r capten, y mae'r bargyfreithiwr yn ensynio mai ar y capten yr oedd y bai am yr hyn a ddigwyddodd, a'i fod wedi llywio ei long ar ryw berwyl drygionus, 'â meddwl drwg', i 'greigiau diddrwg Grigyll'. A thafod yn ei foch y disgrifia'r bardd y creigiau diddrwg, gan mai'r gwrthwyneb oedd yn wir:

Rhai cyfreithwyr mawr eu chwant
Yn chwarae plant mewn pistyll,
A rhai gonest ar y cwest
Am guddio'r ornest erchyll;
Och am Siapel yn Sir Fôn
I grogi lladron Grigyll.

Morus oedd, fel môr ei sŵn,
Am safio'r cŵn yn sefyll;
Fe roi i'r Capten aml sen
Ac ysgwyd pen ac esgyll,
Am fynd â'i long â meddwl drwg
I greigiau diddrwg Grigyll.

Fe yrr Duw inni farnwr doeth
I safio'n cyfoeth serfyll,
I ddistrywio gwylliaid Môn
A'u cywion yn eu cewyll;
A ddygodd gortyn, doed i'w ran
I'w grogi ar orllan' Grigyll.[78]

Pwy oedd y 'Siapel' y sonnir amdano yma a allai sicrhau mai'r grocbren fyddai tynged y lladron? Awgrym Millward oedd mai 'Siapel oedd Syr William Chapel, barnwr o Gymro'.[79] Nid yn hollol. Brodor o ardal Upwey ger Dorchester oedd William Chapple (1676–1745).[80] Fe'i galwyd i'r Bar yn y Deml Ganol ym 1709, ac fe'i penodwyd yn *Serjeant-at-law* ym 1724. Ym 1729, fe'i penodwyd yn brif ustus cylchdaith y Sesiwn Fawr ar gyfer Caernarfon, Meirionnydd a Môn, a chafodd ei godi yn farchog tua'r un pryd.[81] Bu'n cynrychioli etholaeth Dorchester yn y senedd rhwng 1723 a 1737 yn enw'r Chwigiaid, pan fu'n gefnogol iawn i Syr Robert Walpole. Gorfu iddo ildio ei aelodaeth o Dŷ'r Cyffredin ar achlysur ei benodi yn un o farnwyr Mainc y Brenin ym 1737. Cyfrifid ef yn ŵr union a chywir, a phan gafodd ei ethol i'r Senedd dywedodd un o'i gyd-aelodau yn San Steffan amdano, wrth ei gyflwyno yn aelod newydd o'r tŷ: 'one of the honestest men in England has come to sit among us'.[82]

O wybod y cefndir, cawn amgyffred fel yr erfyniodd Lewis Morris ar i'r Sais hwn o farnwr roi trefn ar y lladron anwar o Gymry. Wedi eu crogi, meddai, byddai eu gwragedd yn weddwon a'u hepil yn amddifad ac yn dioddef o angen bwyd. Byddai barn ddwyfol hefyd yn aros i'r 'ysbrêd' (sothach neu wehilion):

> Fe dâl yr Arglwydd i'r ysbrêd
> A wnaeth y weithred dywyll –
> Ysbeilio'r llong a gwylltio'r gwŷr
> Yn dostur yn y distyll;
> Gweddwon oll ac oer eu tôn
> Fo gwragedd lladron Grigyll.
>
> Gweddi ffyddlon dynion dŵr –
> Y powdwr dan eu pedyll;
> Na weler gwrach heb grach, heb gri,
> Yn pobi yn eu pebyll;
> Bo eisiau bwyd o'r bais i'r bedd
> Ar epil gwragedd Grigyll.
>
> Ac oni chrogwch cyn yr ha'
> Ddihira' dyrfa derfyll,
> Rhowch hwy i Fernon fawr ei fri,
> A'u castiau i dorri cestyll;

Ac yno down, o fesul dau,
Yn rhydd i greigiau Grigyll.

Os dônt i Arfon rhag y grog
Ag ergyd rog i irgyll,
Ni fynnwn wdyn yn eu hoed
I'w difa ar goed efyll,
Neu gwest o longwyr o Sir Fôn
I grogi lladron Grigyll.[83]

Yr 'wdyn' y cyfeirir ato yma oedd y cortyn i'w crogi.[84] Petai'r lladron yn ei mentro hi i Arfon, gallent ddisgwyl y grog. Y cwest o longwyr y cyfeirir ato oedd corff o ddynion i ddwyn i brawf, sef y rheithwyr. A phwy oedd y Fernon fawr ei fri? Yr oedd y Llynghesydd Edward Vernon (1684–1757) yn forwr enwog a fu'n arwain y Llynges mewn cyrchoedd yn Porto Bello, Panama, yn Nhachwedd 1740 yn ystod y rhyfel â Sbaen. Yr oedd Vernon yn ddisgyblwr llym hefyd, ac yn cadw trefn ar ei forwyr a'u harferion yfed trwy roi dŵr yn eu dogn dyddiol o rym i osgoi meddwdod. Yn ôl E. G. Millward: 'arferai wisgo clogyn o "grogram" (blew gafr Angora) ac adweinid ef fel "Old Grog". O'r herwydd, enwyd y cymysgedd o ddŵr a rým yn "grog".'[85] Y mae'r bardd yn defnyddio'r gair 'grog' yn fwriadol amwys yn y pennill olaf i gynrychioli Fernon y disgyblwr, a'r grog yn ei ystyr Cymraeg, sef y crocbren.

Lluniwyd y gerdd ar fesur penillion, sef mesur ar gyfer ei chanu,[86] ac ymddengys mai'r alaw briodol i'w chanu oedd 'Gadael Tir'.[87] Ceir iddi saernïaeth grefftus, â'r defnydd o'r brif odl *-yll* yn cyfleu halltrwydd y bardd tuag at wrthrychau'r gerdd. Dyma gerdd sydd yn ymateb i ddigwyddiad penodol, ond sydd hefyd yn fynegiant o ymrwymiad y bardd i gyfraith a threfn, ac o'i ddymuniad i'r gyfundrefn gyfreithiol ddangos ei hawdurdod wrth ymdrin â'r giwed a fu'n gormesu arfordiroedd Môn. Y mae'r cyfeiriadau at Siapel a Fernon yn arwyddocaol, a'r awgrym yw bod angen y Saeson egwyddorol a chadarn i roi trefn ar yr anwariaid o Gymry. Yn ddi-os, cerdd yn nhraddodiad ceidwadol a theyrngar y Bardd Cwsg yw 'Lladron Grigyll'.

Un a oedd yng nghylch cyfeillion a chydnabod Lewis Morris, ac a brofodd drallod wrth ymhél â gwŷr y gyfraith, oedd Siôn Rhydderch (*c*.1673–1735). Yr oedd y gŵr amryddawn hwn o Gemaes ym Maldwyn yn almanaciwr, gramadegwr, cyhoeddwr, bardd ac yn eisteddfodwr, a hynny ymysg llu o bethau eraill. Credir iddo gyhoeddi pamffled ar rifyddeg oddeutu 1716, er nad yw'r ddogfen wedi goroesi: efallai mai hon fyddai'r ymdriniaeth gyntaf â rhifyddeg yn Gymraeg. Bu'n llythyru â Lewis Morris, a'r ddau yn rhannu'r un diddordebau diwylliannol. Nid pawb a enynnai edmygedd a pharch Lewis Morris, ond yr oedd Siôn Rhydderch yn un o'r bodau prin hynny y cydnabu Morris iddo gael rhywfaint o ddylanwad arno (er mai braidd yn oriog oedd Lewis Morris, yn canmol heddiw ond yn dilorni yfory).[88]

Bywyd digon caled a gafodd Siôn, yn enwedig tua diwedd ei oes, ac yntau'n crwydro ar hyd y wlad a chyn belled â Llundain i geisio ennill ei damaid. Yr oedd hynny, yn ôl llythyr a anfonodd at Lewis Morris yn Rhagfyr 1729, yn rhannol oherwydd iddo brofi 'anfodlonrwydd cartrefol'.[89] Beth oedd yr 'anfodlonrwydd'? Ni ellir dweud i sicrwydd, ond ceir cyfres o englynion o'i waith yn ei almanaciau olaf sydd yn taflu ergydion digon caled i gyfeiriad gwŷr y gyfraith. Yn yr englynion hyn, mae Siôn yn portreadu'r cyfreithwyr fel cigfrain sydd yn bwydo ar y bobl, ac fel locustiaid ac ysbeilwyr sydd yn y llysoedd yn prysur lanw eu boliau:

> Gochelwch gwiliwch galyn – y Gyfraith
> Gwae afrwydd ei dilyn;
> Gwarthruddo cwyno cannyn,
> Glwy oer dig i lawer dyn.
>
> Cigfrain a'u hadain i hudo – gwledydd
> Gwael adwyth eu coelio;
> Gormesiaid heb raid i'w Bro,
> Diau ollawl i Dwyllo.

Tro'r Gyfraith anrhaith i unrhyw ddynion,
Trwy ddeunydd hyll ystryw
Trwy adwyth ond trist ydyw
Tystiwn fil mae tost i'n fyw.

Tan haid Locustiaid y castiau ffyrnig
Uffernol gyneddfau;
Ysbeilwyr ias i'w boliau
Ym mhob Llys mewn blys i blâu.[90]

Byddai Thomas Prys yn sicr wedi cymeradwyo'n frwd argraffiadau Siôn o'r gyfraith. Beirniadaeth o ddiffygion y cyfreithwyr a'r llysoedd sydd yng ngherddi Siôn Rhydderch a Lewis Morris, oherwydd profiadau personol yn achos y naill, ac oherwydd y methiant i grogi lladron Crigyll yn unol â'r hyn yr oedd y gyfraith yn ei ddisgwyl yn achos y llall. Ond yr oedd gan Lewis Morris hyder y gallai cyfiawnder ddod petai barnwr cadarn wrth law. Fel Ellis Wynne, yr oedd Lewis Morris yn gredwr mawr yn awdurdod y gyfraith, dim ond iddi gael ei gweithredu'n gyfiawn. Lleisiau beirniadol ond ceidwadol ydynt, yn beirniadu'r cyfreithwyr llwgr sydd yn gwneuthur cam â chyfraith gyfiawn. Iddynt hwy, pechaduriaid yw'r cyfreithwyr sydd yn wynebu cyfiawnder dwyfol ar ddydd y farn. Yn arwyddocaol, ni wnaethant unrhyw sylw o'r ffaith fod iaith estron yn cael ei defnyddio yn llysoedd Cymru, ac y gallai Cymry uniaith ddioddef cam ynghyd ac anghyfiawnderau eraill o dan y fath amgylchiadau.[91] Nid oedd ganddynt fawr o ddiddordeb mewn safbwyntiau gwleidyddol neu ymhél â beirniadaeth gymdeithasol o'r math yna. Ond, fel y gwelwn yn y bennod nesaf, nid oedd pawb yn ei gweld hi'r un fath.

Nodiadau

1 I Timotheus 2:5; Hebreaid 9:15.

2 Lefiticus 22:31.

3 Salm 75:7; Salm 98:9; Pregethwyr 3:17; Eseia 2:4; Eseia 33:22; Eseia 61:8–9; Rhufeiniaid 12:19; Hebreaid 10:30.

[4] Eseia 33:22.49
[5] Salm 50:6.
[6] Datguddiad 20:11–15.
[7] Goronwy Wyn Owen, *Rhwng Calfin a Böhme: Golwg ar Syniadaeth Morgan Llwyd* (Caerdydd: Gwasg Prifysgol Cymru, 2001), t. 207.
[8] M. Wynn Thomas, *Morgan Llwyd: Ei Gyfeillion a'i Gyfnod* (Caerdydd: Gwasg Prifysgol Cymru, 1991), tt. 29–30.
[9] Gweler Goronwy Wyn Owen, *Morgan Llwyd* (Caernarfon: Gwasg Pantycelyn, 1992), t. 7.
[10] GMLL, tt. 153–266: y teitl llawn yw *Dirgelwch i rai i'w ddeall ac i eraill i'w watwar, sef tri aderyn yn ymddiddan, yr Eryr, a'r Golomen a'r Gigfran. Neu Arwydd i annerch y Cymru yn y flwyddyn mil a chwe-chant a their ar ddec a deugain cyn dyfod 666.*
[11] Cyfeirir at hyn yn Thomas, *Morgan Llwyd: Ei Gyfeillion a'i Gyfnod*, t. 71.
[12] GMLL, t. 236.
[13] Owen, *Morgan Llwyd*, tt. 38–9.
[14] GMLL, t. 237.
[15] GMLL, t. 237.
[16] Gweler Owen M. Edwards, *Cartrefi Cymru ac Ysgrifau Eraill*, arg. diwygiedig (Wrecsam: Hughes a'i Fab, 1962), t. 51.
[17] Fe'i cyhoeddwyd yn *Llyfr Emynau a Thonau y Methodistiaid Calfinaidd a Wesleaidd* (Caernarfon a Bangor: Llyfrfa'r Methodistiaid Calfinaidd a Llyfrfa'r Methodistiaid Wesleaidd, 1929), emyn 665.
[18] Mae'r pennill hwn hefyd i'w gael mewn detholiad o benillion y cenir ar y dôn *Bryniau Casia*. Gweler *Caneuon Ffydd* (Pwyllgor y Llyfr Emynau Cydenwadol, 2001), emyn 329.
[19] *Caneuon Ffydd*, emyn 179.
[20] Joseph Harris, *Casgliad o Hymnau* (Caerfyrddin: A. Williams, 1845), emyn 70, t. 50.
[21] Ceir ei hachau gan T. Ceiri Griffith, *Achau rhai o Deuluoedd Hen Siroedd Caernarfon, Meirionnydd, a Threfaldwyn* (Talybont: Y Lolfa, 2012), t. 210. Dengys ymchwil Griffith fod y Parchedig John Jones Talsarn a'i frawd, y Parchedig David Jones, Treborth, ynghyd â'r Athro T. Gwynn Jones, ymysg ei disgynyddion.
[22] Gweler Nia Mai Jenkins, '"A'i Gyrfa Megis Gwerful": Bywyd a Gwaith Angharad James', *Llên Cymru*, 24 (2001), 79–112, ar 89–90 a 104.
[23] Jenkins, '"A'i Gyrfa Megis Gwerful": Bywyd a Gwaith Angharad James', 104.
[24] Gweler Saunders Lewis, *Meistri'r Canrifoedd: Ysgrifau ar Hanes Llenyddiaeth Gymraeg* (Caerdydd: Gwasg Prifysgol Cymru, 1973), t. 217.
[25] Morris Davies, *Casgliad o Salmau a Hymnau* (Bala: Robert Saunderson, 1835), t. 52.
[26] OBWV, t. 278; GBC, t. 87.

[27] Ceir amlinelliad o'i gefndir yn Meic Stephens (gol.), *Cydymaith i Lenyddiaeth Cymru*, arg. newydd (Caerdydd: Gwasg Prifysgol Cymru, 1997), t. 798. Ceir erthygl arno hefyd gan Gwyn Thomas yn yr ODNB.

[28] GBC, t. viii.

[29] Gweler yr ysgrif amdano yn *Y Bywgraffiadur Cymreig*: *http://yba.llgc.org.uk/cy/c-WYNN-ELL-1670.html* (cyrchwyd 13 Ionawr 2019).

[30] GBC, t. xxviii.

[31] GBC, t. 19.

[32] GBC, t. 18.

[33] GBC, t. 19.

[34] GBC, tt. 20–1.

[35] GBC, t. 21.

[36] GBC, t. 21.

[37] GBC, t. 21.

[38] GBC, tt. 42–3.

[39] GBC, t. 47.

[40] Gweler Gila Curtis, *The Life and Times of Queen Anne* (London: Weidenfeld & Nicolson, 1972), tt. 90–2.

[41] GBC, t. 64.

[42] GBC, t. 67.

[43] GBC, t. 67

[44] GBC, t. 71.

[45] GBC, t. 75.

[46] GBC, t. 75.

[47] GBC, tt. 75–7.

[48] GBC, t. 81.

[49] GBC, t. 81.

[50] GBC, t. 83.

[51] GBC, t. 83.

[52] GBC, t. 83.

[53] GBC, t. 83.

[54] GBC, t. 91.

[55] GBC, t. 109.

[56] GBC, t. 113.

[57] GBC, t. 119.

[58] GBC, t. 129.

[59] GBC, tt. 129–31.

[60] Gweler Ronald Hutton, *Charles the Second, King of England, Scotland and Ireland* (Oxford: Clarendon Press, 1989), t. 360.

[61] GBC, t. 133.

[62] GBC, t. 135.

[63] GBC, t. xiii; hefyd, Lewis, *Meistri'r Canrifoedd*, tt. 217–24.

[64] GBC, tt. xiv–xv.

[65] Gwyn Thomas, *Y Bardd Cwsg a'i Gefndir* (Caerdydd: Gwasg Prifysgol Cymru, 1971), t. 31.

[66] Gweler E. D. Evans, 'Golygiadau Politicaidd Ellis Wynne fel yr amlygir hwy yn *Gweledigaetheu y Bardd Cwsc*', *Llên Cymru*, 31 (2008), 165–76.

[67] Alun R. Jones, *Lewis Morris* (Caerdydd: Gwasg Prifysgol Cymru, 2004), tt. 47, 52.

[68] Jones, *Lewis Morris*, t. 37.

[69] Gweler ysgrif arno gan Dafydd Wyn Wiliam yn yr ODNB. Gweler *http://www.oxforddnb.com/view/10.1093/ref:odnb/9780198614128.001.0001/odnb-9780198614128-e-19313?rskey=6tL0tW&result=3* (cyrchwyd 19 Ionawr 2019).

[70] Gweler Geraint H. Jenkins, 'Adfywiad yr Iaith a'r Diwylliant Cymraeg 1660–1800', yn Geraint H. Jenkins (gol.), *Y Gymraeg yn ei Disgleirdeb: Yr Iaith Gymraeg cyn y Chwyldro Diwydiannol* (Caerdydd: Gwasg Prifysgol Cymru, 1997), tt. 365–400.

[71] Jones, *Lewis Morris*, t. 217.

[72] Jones, *Lewis Morris*, t. 202.

[73] OBWV, cerdd 169, tt. 284–6; hefyd, E. G. Millward (gol.), *Blodeugerdd Barddas o Gerddi Rhydd y Ddeunawfed Ganrif* (Llandybïe: Cyhoediadau Barddas, 1991), tt. 70–2.

[74] Gŵr o'r enw Thomas Martyn oedd y barnwr yn ôl rhai ffynonellau. Gweler A. Boyer, *The Political State of Great Britain Vol. XXXI* (London: cyhoeddiad preifat, 1726), t. 547.

[75] Y mae Millward yn nodi fel y rhoddwyd y teitl 'The Trial of the Mob' ar y gân yn y *Diddanwch Teuluaidd*, gyda'r esboniad: 'On robbing of a Liverpool Brigantine, stranded at Grigyll in Anglesey; and of the Proceedings thereupon at Beaumares [*sic*] Assizes, 1741'. Gweler Millward (gol.), *Blodeugerdd Barddas o Gerddi Rhydd y Ddeunawfed Ganrif*, t. 327.

[76] OBWV, cerdd 169, ll.1–18, t. 284.

[77] OBWV, cerdd 169, ll.19–30, tt. 284–5.

[78] OBWV, cerdd 169, ll.31–48, t. 285.

[79] Millward (gol.), *Blodeugerdd Barddas o Gerddi Rhydd y Ddeunawfed Ganrif*, t. 327.

[80] Ceir bywgraffiad byr o Chapple yn R. Sedgwick (gol.), *The History of Parliament: the House of Commons 1715–1754* (Martlesham: Boydell & Brewer, 1970). Gweler hefyd *http://www.historyofparliamentonline.org/volume/1715-1754/member/chapple-william-1676-1745* (cyrchwyd 13 Ionawr 2019).

[81] Gweler William A Shaw, *The Knights of England* (London: Sherratt & Hughes, 1906), t. 284: 'William Chapell (chapple), knighted May 14 1729, serjeant at law, a justice of the King's Bench'.

[82] Gweler erthygl A. A. Hanham arno yn yr ODNB. Gweler *http://www.oxforddnb.com/view/10.1093/ref:odnb/9780198614128.001.0001/odnb-9780198614128-e-5134?rskey=fTbNMN&result=6* (cyrchwyd13 Ionawr 2019).

[83] OBWV, cerdd 169, ll.49–72, tt. 285–6.

[84] Millward (gol.), *Blodeugerdd Barddas o Gerddi Rhydd y Ddeunawfed Ganrif*, tt. 70–2.

[85] Millward (gol.), *Blodeugerdd Barddas o Gerddi Rhydd y Ddeunawfed Ganrif*, t. 327.

[86] OBWV, t. 554.

[87] Millward (gol.), *Blodeugerdd Barddas o Gerddi Rhydd y Ddeunawfed Ganrif*, t. 70.

[88] Ceir ysgrif ddiddorol arno gan A. Cynfael Lake, 'Siôn Rhydderch', *Llên Cymru*, 34 (2011), 88–108; hefyd, A. Cynfael Lake, 'Siôn Rhydderch y Bardd Caeth', yn Jason Walford Davies (gol.), *Gweledigaethau: Cyfrol Deyrnged yr Athro Gwyn Thomas* (Bangor: Cyhoeddiadau Barddas, 2007), tt. 134–58, t. 143.

[89] Gweler *Celt Llundain*, 23 Mehefin 1900, 3.

[90] Cyhoeddwyd yr englynion yn *Celt Llundain*, 23 Mehefin 1900, 3. Ceid yr englynion yn wreiddiol yn almanaciau Siôn Rhydderch ym 1735 a 1736.

[91] Er bod Lewis Morris a'i frodyr hefyd yn beirniadu'r bonedd am droi eu cefnau ar yr iaith. Gweler Geraint H. Jenkins, *The Foundations of Modern Wales 1642–1780* (Oxford: Oxford University Press, 2002), tt. 399–400.

6

'Rhag Gwŷr y Gyfraith gas': y Gyfraith mewn Baled ac Anterliwt

Nid mewn amrantiad y bu gwrthgiliad bonedd Cymru o'r Gymraeg a'u hetifeddiaeth ddiwylliannol yn y blynyddoedd wedi'r Deddfau Uno. Graddol fu'r Seisnigo arnynt. Dros gyfnod go faith yr aethant o fod yn gynheiliaid crefftus y traddodiad barddol i fod, ar y gorau, yn nodd-wyr hyd braich. Cymerodd hadau Seisnigrwydd a blannwyd yn oes y Tuduriaid genedlaethau i flaguro a dwyn ffrwyth, yn enwedig ymysg bonedd yr ardaloedd hynny lle'r oedd y Gymraeg ar ei chryfaf.[1] Credir bod mwyafrif bonedd gogledd-orllewin a de-orllewin Cymru yn medru'r Gymraeg mor ddiweddar â hanner cyntaf y bedwaredd ganrif ar bymtheg.[2] Yn ogystal, yr oedd llawer ohonynt yn parhau yn gefnogol i'r diwylliant Cymraeg mewn ysbryd o *noblesse oblige*. Bu rhai hyd yn oed yn noddi awduron llyfrau Cymraeg y cyfnod. Ceid enghraifft o hyn yn achos *Pwyll yn Pader* gan Theophilus Evans, cyfrol a noddwyd gan yswain Glanbrân, sir Gaerfyrddin.[3]

Ond *dilettante* fyddai'n disgrifio orau ymwneud mympwyol y bonedd â hanes a llên Cymru o'r ail ganrif ar bymtheg ymlaen. Erbyn dechrau'r ddeunawfed ganrif, yr oedd y bardd-fonheddwr wedi hen ddiflannu, a'r diddordeb bonheddig mewn cywydd a marwnad yn prysur edwino.[4] Ychydig o nawdd a dderbyniai'r beirdd ers dechrau'r ail ganrif ar bymtheg, ac aeth y bardd wrth ei broffesiwn yn ddiymgeledd. Dirywiodd y traddodiad barddol clasurol oherwydd Seisnigo'r bonedd Cymreig a fu gynt yn gefn ac yn gynheiliad y traddodiad hwnnw. Yn ogystal, methodd y beirdd ag addasu i'r byd newydd, er mawr siom i ysgolheigion a Dyneiddwyr yr unfed ganrif ar bymtheg a geisiodd bontio'r hen draddodiad barddol â'r ysbryd dyneiddiol (er mai digon byr fu hoedl y Dyneiddwyr hwythau mewn gwirionedd).[5] Nid oedd gan Gymru'r sefydliadau dysg a allai fod wedi darparu canolbwynt neu ymgeledd amgen ar gyfer bywyd deallusol a diwylliannol. Cenedl nad oedd ganddi ei phrifysgol ei hun na'i sefydliadau cenedlaethol ei hun oedd Cymru. Nid oedd yr hinsawdd wleidyddol wedi caniatáu iddi sefydlu'r math o ganolfannau dysg a gafwyd yn Lloegr a'r Alban o'r oesoedd canol ymlaen. Yng nghyd-destun gwareiddiad Ewropeaidd, yr oedd y diffyg hwn yn ddiffyg enbyd ym mywyd cenedl.[6]

Serch hynny, yr oedd dwy elfen ar waith yn ystod y ddeunawfed ganrif a fu'n fodd i arbed y traddodiad barddol clasurol rhag difancoll. Yn gyntaf, cafwyd ymgais i warchod yr etifeddiaeth lenyddol Gymraeg gan y cylch hwnnw o hynafiaethwyr, beirdd a deallusion a fu'n ymgasglu yn Llundain ac a gymerodd arnynt fantell adferwyr diwylliannol. Y mwyaf blaenllaw o'r rhain oedd criw y Cymmrodorion, ac yn enwedig Morrisiaid Môn. Yr oedd yr ail elfen yn fwy eglwysig ei natur. Lliniarwyd ar wrthgiliad y bonedd o'r diwylliant Cymraeg gan ymlyniad diwylliedig rhai offeiriadon a gymerodd ddiddordeb yn nhraddodiadau diwylliannol y genedl ac a ymdrechodd i gynnal y traddodiad barddol. Yn sir Ddinbych, yn enwedig, parhaodd hen draddodiad o offeiriadon a brydyddai, gwŷr a chanddynt gysylltiadau teuluol agos â'r bonedd ac a oedd yn dra ymwybodol o'r gogoniant a fu. Bu'r clerigwyr hyn yn ddiwyd yn cynnal fflam awen a chrefft y gynghanedd mewn cyfnod pur llwm.[7] Wrth gwrs, yr oedd ganddynt y rhyddid, yr addysg a'r cysylltiadau i fedru porthi eu diddordebau. Yr oedd yn sir Ddinbych linach ddi-dor o feirdd-glerigwyr ers y bymthegfed ganrif, ac erbyn ail hanner y ddeunawfed ganrif yr oedd gan lawer ohonynt hefyd gysylltiadau agos â chylch y Morrisiaid a'r Cymmrodorion. Yn eu plith, yr oedd gwroniaid megis Ieuan Fardd neu Ieuan Brydydd

Hir, curad Llanfair Talhaearn, a William Wynn, rheithor Llangynhafal. Llwyddasant i ffurfio pont ddiwylliannol rhwng y traddodiad bonheddig-glerigol a'r adferwyr o fewn lluoedd y Cymmrodorion. Yr offeiriadon hyn oedd y tadau yn y ffydd i'r Hen Bersoniaid Llengar a fu'n aml eu cymwynasau i'r Gymraeg ac i dreftadaeth ddiwylliannol Cymru yn ystod y bedwaredd ganrif ar bymtheg.[8]

Ond er eu diwydrwydd llenyddol, ni lanwodd nac offeiriadon na lleygwyr eglwysig y bwlch diwylliannol a adawyd ar ôl darfod Beirdd yr Uchelwyr. Daeth ffurfiau newydd i'r golwg, a diwallwyd hen chwant y bobl am gerdd neu rigwm gan feirdd gwerin, prydyddion distadl a baledwyr.[9] Trodd creu cynghanedd o fod yn weithgaredd aruchel i fod yn weithgaredd parodïol, gwerinol. O'r herwydd, fe gollwyd y safon a daeth llacio ar chwaeth a chrefft. Daeth y baledwr i lanw'r bwlch diwylliannol, a thyfodd ei gynnyrch yn boblogaidd gan ei fod yn ymdrin â phethau bob dydd a oedd yn blinio'r bobl, a hynny gan ddefnyddio cyfrwng ysgafn a oedd yn diddanu yn ogystal â chyfleu neges. Y baledi oedd newyddiaduraeth yr oes ar ffurf cân, yn cymysgu ysgafnder a maswedd yn ogystal ag ambell ergyd neu wers foesol. Yr oedd y baledwr fel rhyw fand-un-dyn diwylliannol, yn gyfuniad o ddiddanwr, sylwebydd a bardd, a'i waith yn hygyrch ac, o ganlyniad, yn ennyn diddordeb y bobl gyffredin.[10]

Yr oedd cysylltiad clòs rhwng y baledwr, a ganai ei faled ar fydr ac odl i gyfeiliant alaw, a'r anterliwtiwr, a gyflwynai ddrama a fyddai'n cynnwys aml i faled. Nid rhyfedd, felly, i Thomas Parry ymdrin â baledi ac anterliwtiau fel petaent yn golygu yr un pethau, i bob pwrpas.[11] Yr oedd crefft y baledwr yn cyfrannu at gynnyrch yr anterliwtiwr. Canolfan y diwylliant gwerin hwn yn y ddeunawfed ganrif oedd gogledd-ddwyrain Cymru – dyffrynnoedd Conwy, Clwyd a rhan uchaf dyffryn y Ddyfrdwy yn enwedig. Yn yr ardaloedd hyn yr oedd gan y faled a'r anterliwt eu nodweddion arbennig, ac yn enwedig y canu rhydd cynganeddol. Yn y de, fodd bynnag, canu rhydd a nodweddai'r gwaith. Yr oedd y blas cynganeddol i'w ganfod yn niwylliant gwerin sir Ddinbych yn rhannol oherwydd hirhoedledd y traddodiad barddol yn y rhan hon o Gymru. Onid oedd dylanwad ei meibion disgleiriaf, megis Tudur

Aled a Gruffudd Hiraethog, yn hirymaros, a'u cynhysgaeth yn ysbrydoli ansawdd diwylliannol eu bro?[12]

Er i'r faled Gymraeg ddatblygu ei phersonoliaeth ei hun, nid cyfrwng cynhenid mo'r faled o bell ffordd. Yr oedd poblogrwydd neilltuol y faled yn y rhan yma o Gymru, sef ardal a oedd yn ffinio â Lloegr, yn cadarnhau mai ffurf lenyddol wedi ei mewnforio o Loegr ydoedd. Dylanwadodd y porthmyn ar ffurf y faled, gyda llawer ohonynt yn mynd a dod o drefydd dros y ffin, fel Caer ac Amwythig, wrth iddynt brynu a gwerthu yn y ffeiriau yno. Yr oedd y tonau a genid yn aml yn rhai a glywyd gan borthmyn ar eu teithiau a'u mewnforio i Gymru pan ddychwelent. Y mynd a'r dod hwn rhwng Lloegr a Chymru, ac yn enwedig ar y Gororau, a fu'n gyfrwng i fwydo syniadau yn ogystal â hyrwyddo'r elfennau mwy protestiol a geid yn y faled.[13]

Yr oedd dylanwad Ellis Wynne a'i weledigaethau yn drwm ar gynnwys y baledi a'r anterliwtiau hefyd. Y traddodiad o foli a marwnadu uchelwyr oedd y traddodiad Cymreig ar hyd y canrifoedd.[14] Ond yr oedd y Bardd Cwsg, trwy amlygu pechodau'r uchelwyr, yr ustusiaid a'r gwŷr proffesiynol, a'u dychanu, wedi torri tir newydd yn y traddodiad llenyddol. Wrth gwrs, pechod dyn oedd prif thema Ellis Wynne, a gwelai ef y traddodiad barddol fel cyfrwng i gynnal bucheddau pechadurus y bobl.[15] Eironig, felly, yw i'r offeiriad ceidwadol hwn ddylanwadu'n drwm ar faledwyr gwerinol y ddeunawfed ganrif. Ond ei esiampl ef a roddodd y cynsail i'r baledwyr a'r anterliwtwyr i'w efelychu, wrth iddynt hwythau feirniadu a dychanu. Diolch i Ellis Wynne, os nad Tomos Prys, Plasiolyn, ei ragflaenydd, yr oedd llenyddiaeth Gymraeg yn colli ei pharchusrwydd.

Er mor ysgafn oedd y cyfrwng a'i ansawdd, ac er mai difyrru a diddanu oedd un o'r prif amcanion, yr oedd y pregethu a'r moesoli yn dylanwadu ar wrandawyr.[16] Gallai'r faled fod yn offeryn propaganda effeithiol tu hwnt, gan ddylanwadu ar agweddau cymdeithasol a safbwyntiau'r werin ar faterion y dydd.[17] Nid bod y baledwyr a'r anterliwtwyr yn fwriadol wleidyddol mewn unrhyw ffordd gysyniadol. Cwyno am anghyfiawnderau'r byd yn ôl eu profiad oeddent. Yn aml, nid oedd yr anterliwt yn ddim mwy na chasgliad o gwynion aflêr yn erbyn yr hwn a'r llall yn hytrach na dadl ideolegol a oedd yn herio sylfeini'r drefn gymdeithasol.[18] Ni cheir dim byd haniaethol ynddynt. Profiadau beunyddiol, ac anghyfiawnderau a fyddai'n gyfarwydd i'r gynulleidfa, oedd y deunydd craidd.[19] A chenhadaeth gymdeithasol y baledwyr, os oedd cenhadaeth o gwbl, oedd rhybuddio pobl am bechod a ffyrdd drygionus. Dyna pam y cawn hwy'n defnyddio eu cynnyrch i ddweud storïau am gybyddion, twyllwyr a dynion llwgr o bob rhyw.[20]

Os llenwi bwlch diwylliannol â thipyn o adloniant a wnaeth y faled, yr oedd ei datblygiad a'i phoblogrwydd yn ddyledus i'r diwydiant argraffu. Gan fod baled ac anterliwt yn cael eu cyhoeddi mewn print, golygodd hyn fod mwy o bosibiliadau i'r ffurf nag a fu yn y traddodiad llafar o ran hyd, gwead, arddull ac effaith. Fel y tyfodd y diwydiant argraffu, tyfodd gwahaniaeth rhwng prydyddion a gyfansoddai'r baledi, a'r baledwyr oedd yn eu gwerthu ac yn eu perfformio i'r cyhoedd.[21] Yr oedd gan y diwydiant baledi, gan hynny, ei harbenigwyr a oedd yn cynnwys awduron, perfformwyr a chyhoeddwyr.

Er mor boblogaidd oedd y baledwr a'r anterliwtiwr yn ystod y ddeunawfed ganrif, yr oedd ganddynt eu beirniaid. Yr oedd Lewis Morris a'i frodyr yn ddirmygus o'r baledwyr a'r anterliwtwyr gwerinol, y prydyddion 'dihyfforddiant, annisgybledig', fel y galwodd ef hwy.[22] Wrth gwrs, yr oedd y Morrisiaid ymysg yr etholedig rai, a chyda'u cydnabod a'u cyfeillion yn ffurfio pendefigaeth lenyddol y cyfnod.[23] Hwy oedd curaduron y traddodiad barddol, y pedwar mesur ar hugain ac etifeddiaeth y penceirddiaid.[24] Troi eu trwynau a wnaent ar ganu rhydd y baledi a'r anterliwtiau, gan eu dibrisio fel diddanwch isel a di-chwaeth y werin wirion.[25] Iddynt hwy, diwylliant wedi ei halogi oedd diwylliant y ffeiriau, lle rhoddid llwyfan i faledwyr ac anterliwtwyr i ddynwared y prydydd ond heb gyrraedd y gwir safon. Yr oedd y Methodistiaid hwythau yn elyniaethus tuag at ddiwylliant amrwd y werin. Beirniadent yr elfennau masweddol, a'r bywyd o ddilyn ffeiriau a diota a oedd yn gymaint rhan o'r diwylliant hwnnw.[26] Yr oedd Lewis Morris, yr Eglwyswr pybyr, yn feirniadol o'r Methodistiaid a'r baledwyr fel ei gilydd, wrth gwrs.

Chwarae teg i'r baledwyr a'r anterliwtwyr, yr oedd eu cynnyrch yn ffrwyth ymdrech gwerin gyffredin, yn gryddion, teilwriaid, gwehyddion a chowperiaid, i gynnal gweddillion o hen draddodiad aruchel y gorffennol, a hynny mewn amgylchiadau anodd.[27] Wrth sôn am y baledwyr, dywedodd Thomas Parry yr hyn sydd yn crynhoi'r farn ysgolheigaidd feirniadol amdanynt: 'yr unig rinwedd a berthyn i'w gwaith ydyw ei fod yn ddrych rhagorol i arferion y cyfnod, ac mai o ddarllen y cerddi y ceir y syniad cliriaf am fywyd cefn gwlad yn y ddeunawfed ganrif. Am y cerddi fel llenyddiaeth, naw wfft iddynt!'[28] Purion. Nid ydym yma am ymboeni'n ormodol am ansawdd lenyddol y cynnyrch. Ein diddordeb yw'r faled a'r anterliwt fel drych o gymdeithas, ac, yn benodol, o ymatebion pobl i'r gyfraith ac i'r gyfundrefn gyfreithiol yn eu cymdeithas.[29]

Beth sydd gan faledwyr ar anterliwtwyr y ddeunawfed ganrif i'w ddweud am y gyfraith? Wrth drafod y faled yn y ddeunawfed ganrif, dywed Cynfael Lake: 'er bod sawl awdur adnabyddus, safai tri ben ac ysgwydd uwchlaw'r gweddill. Elis y Cowper, Twm o'r Nant a Huw Jones o Langwm oedd y tri hynny'.[30] Dyna'r tri fydd yn destun ein hastudiaeth yma. Ac, fel y cawn weld, y mae gan y tri hyn rywbeth i'w ddweud am dwrneiod eu hoes.

Yr oedd Elis Roberts (m.1789) y cowper, baledwr a'r anterliwtiwr o Landdoged yn Nyffryn Conwy ymysg y mwyaf cynhyrchiol o'i genhedlaeth.[31] Yr oedd yn fwy toreithiog ei gynnyrch na hyd yn oed ei gyfoeswyr enwog, Huw Jones o Langwm a Thwm o'r Nant.[32] Dyn na chafodd nemor ddim addysg ffurfiol ydoedd Elis y Cowper, ac yr oedd yr amddifadrwydd hwnnw yn ei amlygu ei hun o dro i dro yn ansawdd ei gynhyrchion.[33] Eglwyswr pybyr ydoedd hefyd, na fynnai ddim ag Anghydffurfwyr, a thueddai i foesoli a phregethu am ffaeleddau ei gyd-ddyn yn ei gynnyrch llenyddol. Yn wir, yr oedd yn dipyn o flagard ac yn bur gecrus ei natur. Bu unwaith mewn ymryson barddol mewn tafarn yn Llanrwst yng nghwmni'r Goronwy Owen ifanc, ac ymddengys fod y bardd o Fôn wedi cael y gorau ar yr hen Gowper. Dechreuodd pethau fynd yn flêr, a throes yr ymryson o fod yn farddol i fod yn gorfforol nes iddi bron â mynd yn gwffio rhyngddynt. Cymaint oedd gwyllltineb y Cowper fel y gorfu i Goronwy ei heglu oddi yno rhag derbyn cweir ganddo.[34] Gwelir elfen gyfreithiol yn un o'i anterliwtiau o leiaf, sef honno ar ffurf llawysgrif yn y Llyfrgell Genedlaethol, o dan y pennawd, 'Interlude o waith Elis y Cŵper o Landdoged, a gopïwyd o lyfr Robin Delynwr gennyf fi Gwilym Cowlyd yn 1889'.[35] Cyn troi at gynnwys yr anterliwt, y mae'n werth nodi rai pethau ynglŷn â saernïaeth yr anterliwtiau.

Canfu ysgolheigion y *genre* hwn ddwy haen neu blot yn anterliwtiau'r cyfnod, a hwythau yn aml yn annibynnol ar ei gilydd ond bod iddynt hefyd elfen o orgyffwrdd.[36] Y brif haen yw'r deunydd cyfnewidiol, sydd yn cynnwys prif stori'r anterliwt ac sydd yn aml yn rhoi iddi ei theitl. Y mae'r haen hon yn seiliedig ar stori gyfoes, chwedl, moeswers neu ddameg. Yr ail haen yw'r deunydd traddodiadol, sef y fformiwla gyfarwydd mewn anterliwtiau. Rhyw is-thema neu stori gyfochrog yn cynnwys y cymeriadau stoc mewn anterliwtiau a geir yn yr ail haen, megis y ffŵl a'r cybydd. Hen gymeriad annymunol yw'r cybydd sydd fel arfer yn marw yn y diwedd. Y mae'r ffŵl yn gymeriad allweddol yn yr anterliwtiau, wedi ei ysbrydoli gan ddramâu clasurol, ac fe'i gwelir yn pryfocio a thwyllo'r cybydd ac yn amlygu ei wendidau i'r gynulleidfa. Ymddengys y ffŵl fel un masweddus ei iaith a'i ymddygiad, a cheir elfennau amrwd yn yr haen draddodiadol hon. Er bod y ddwy haen yn annibynol o'i gilydd yng ngwaith y mwyafrif o'r anterliwtwyr, llwyddodd Twm o'r Nant i asio'r ddwy haen a'u plethu i greu stori gyflawn ac integreiddiedig. Camp Twm oedd datblygu a mireinio'r cyfrwng, ac oherwydd hynny caiff ei ystyried fel pencampwr y grefft.[37]

Dychwelwn at anterliwt Elis y Cowper. Y mae haen gyfnewidiol yr anterliwt wedi ei lleoli yn Rhufain a Chymru. Stori gariad sydd yma rhwng mab a merch, gwrthwynebiad mam y ferch i'r berthynas, a'r cariad yn ffoi am gyfnod cyn y daw cymod ar y diwedd. Y mae hon yn ddrama ac ynddi lu o gymeriadau sydd yn adlewyrchiadau o deipiau cymdeithasol y cyfnod, ond sydd hefyd yn rhoi cyfle i'r awdur gyflwyno ei neges foesol i'w gynulleidfa. Un arall o nodweddion yr anterliwt hon yw'r cyfeiriadau cyson a geir at lefydd ym Meirionnydd, megis y Bala,

Dolgellau a'r Arennig. Y mae'r nodwedd hon yn dangos adnabyddiaeth Elis y Cowper â'r fro honno, ac efallai yn cadarnhau'r ddamcaniaeth ei fod yntau yn enedigol o Feirionnydd. O'r dechrau, cawn y math o foesoli a oedd y nodweddiadol o waith y Cowper wrth i'r Arglwyddes Tameinia gynnig cyngor i'w merch, Teresia:

Cadw gwmni da bob amser,
Iach iawn fendith a chyfiawnder,
Dyna y ffordd i ti yn ddi-wad,
I gyrraedd gwlad uchelder.[38]

Cyflwynir Argulus, y bachgen amddifad sydd yn cael ymgeledd yn llys Tameinia.[39] Er bod Tameinia yn fodlon cynnig lloches i'r bachgen, talu am ei addysg,[40] a hyd yn oed gynnig swydd pen stiwart iddo, nid yw hi'n fodlon iddo gael carwriaeth â'i merch. Y ffaith amdani yw nad yw Argulus yn ddigon da i Teresia ac nid yw ei statws cymdeithasol yn ei wneud yn fab-yng-nghyfraith cymwys. Y mae gan Teresia, fodd bynnag, ei barn ei hun ar y mater, fel y datgelir yma:

Dyma'r bachgen bach hawddgara,
A ddaeth erioed o wlad Italia,
Ni welais i yn siŵr ar sail,
Ar dwyn mo'i ail mi dynga.[41]

Y mae Tameinia yn chwilio am ŵr cyfoethog i'w merch, a dyna sydd yn cyflwyno cymeriad Asgonus, Iarll Italia, i'r stori. Fe ymddengys hwn fel y cymar perffaith yng ngolwg y fam, ond diolch i'r Ffŵl, caiff y gynulleidfa wybod mai twyllwr a merchetwr ydyw, un sydd â'i fryd ar aeres gyfoethog, ac nid yw ei dras mor fonheddig ag y cred Tameinia. Meddai'r Ffŵl amdano: 'mae'i dad o y burgyn brynta'r rioed'.[42] Y Ffŵl sydd yn crynhoi'r sefyllfa i'r gynulleidfa:

Er bod ei mam oludog,
Yn coethi am ŵr cyfoethog,

Gwell gan'r aeres yn ddi-wad,
Rhyw ddyn â llygad serchog.[43]

Y mae'r Ffŵl yn gymeriad pwysig yng ngwead yr anterliwt wrth iddo gwestiynu cymeriadau a'u cymhellion a gweithredu fel canllaw i'r gynulleidfa er mwyn iddynt ddeall rhediad y stori. Gweithreda fel dyfais i egluro a phontio'r ddwy haen, a thrwy hynny sicrhau undod a chyswllt o fewn yr anterliwt. Ef yw llais cydwybod sydd yn poenydio a phryfocio'r cymeriadau, ac yn aml yn datgan y caswir wrthynt, a hynny gan ddefnyddio iaith fasweddol ac amrwd.

Datblyga'r stori ymhellach pan gyfaddefa Argulus a Teresia eu cariad at ei gilydd. Gwyddant mai dymuniad y fam yw gweld ei merch yn priodi'r iarll cyfoethog. Pan ddaw Tameinia i glywed am y garwriaeth ddirgel, y mae Argulus yn penderfynu ffoi ar long i Loegr.[44] Ar ôl blynyddoedd yn alltud, diwedd y stori yw bod Teresia ac Argulus yn cael aduniad yn Llundain ac yn penderfynu priodi. Y maent wedyn yn dychwelyd i Rufain a cheir yno gymodi rhyngddynt a'r Arglwyddes. Y mae'r Ffŵl yn cloi'r anterliwt drwy annerch y gynulleidfa yn uniongyrchol gyda moeswers yr anterliwt, sef bod cariad perffaith yn trechu pob rhwystr.

Un arall o gymeriadau'r *genre* sydd yn ymddangos yn yr anterliwt hon yw'r cybydd. Yma cawn ein cyflwyno i Grintach y Cybydd, dyn hunangyfiawn a di-raen ei wisg a'i wedd, sy'n beirniadu balchder eraill sy'n rhodio mewn gwisg ffansi a drud. Stori'r Cybydd yw'r haen draddodiadol yn yr anterliwt hon. Daw'r Ffŵl at y Cybydd gan ddweud bod ganddo warrant 'i bressio pob cybydd tawel'.[45] 'Pressio' i'r fyddin a olygir yma, a sonia'r Ffŵl am 'siwt o ddillad cochion a chledde gloyw ddigon'.[46] Llwydda'r Ffŵl i gael pymtheg punt gan y Cybydd fel tâl er mwyn iddo osgoi cael ei orfodi i fynd i'r fyddin. Ond twyll oedd y cyfan, ac nid oedd gan y Ffŵl warant wedi'r cwbl: 'Nid oedd un warrant yn wir gen i,/O ddweyd i chwi gyfrinach'.[47] Pan ddealla'r Cybydd ei fod wedi ei dwyllo gan y Ffŵl, y mae'n penderfynu mynd i gyfraith i adfer ei bymtheg punt, gan ddatgan: 'Mi af fine i ffwrdd ar drafel,/At feili mawr Llandderfel'.[48]

Cymeriad arall yn y stori yw Howel Feddal, brawd y Cybydd. Dyn tlawd a chanddo wraig a phlant i'w cynnal ydyw, ond y mae yn byw yn ofer ar yfed a chwarae cardiau. Serch hynny, ni chaiff unrhyw gyd-ymdeimlad gan ei frawd, sydd am ei weld yn crogi, a dangosir natur anhrugarog y Cybydd yn ei ddiffyg brawdgarwch.[49] Amlygir ariangarwch a thwptra'r Cybydd wrth iddo chwilio yn ofer am arian wedi ei guddio yn y ddaear ar ôl iddo dderbyn cyngor celwyddog. Yna, daw Mr Cnafri, y dyn treth, i boenydio'r Cybydd gan ddweud wrtho i ddod i'r Bala i dalu'r 'dreth fawr':

Mae treth drwy'r deyrnas wedi'i hordeinio,
A'r Parliament wedi'i hapwyntio,
At gadw'r Brenin a'i holl lu,
I'n cadw ni'n ddidaro.[50]

Y mae'r Cybydd yn gwrthod talu, gan edliw nad oes ganddo fodd i dalu'r dreth. Gan ddangos ei agwedd sarrug, y mae'n dadlau mai talu 'i gadw rhai'n segur' y mae'r dreth.[51] Ond y mae Cnafri yn ei rybuddio:

Yn rhodd gochelwch gael y'ch cosbi,
Am basio'r brenin a'i fawrhydi,[52]
Os clyw y swyddogion yn ddi ffael,
Chwi ellwch gael eich crogi.[53]

Hawlia Cnafri bymtheg swllt a deugain mewn treth gan y Cybydd. Ar ôl rhagor o ddadlau rhyngddynt, y mae Cnafri yn bygwth ei roi mewn cyffion:

Galwch yma Jack y Jeler,
Am llaw fy hun mae gen i bower,
I'ch committio yngwydd y plwy,
I wisgo dwy lyffether.[54]

Ymateb y Cybydd i hyn yw ei herio a'i fygwth yntau, gan ddefnyddio ymadrodd a geir o hyd ar lafar yn Nyffryn Conwy am roddi cweir neu grasfa, sef 'leinio'. Defnyddir termau cyfreithiol Saesneg, sef 'power' a 'committio' (sef *to committ*), sydd yn ychwanegu at hygrededd y stori:

> Gen ti mae power i'm committio?
> Oni byddi di lonydd ni bydda i dro yn dy leinio,
> Ni wiw iti er dy fod yn globyn tal,
> Geisio dal mo'm dwylo.[55]

Heb os, dyma olygfa hynod o ddoniol, a byddai geiriau a gweithredoedd y cymeriadau yn fodd i fyw i'r gynulleidfa. Ond y mae yma olygfa a chanddi neges wleidyddol a chymdeithasol yn sail iddi hefyd. Yr oedd y dreth eglwysig yn fwrn ar werin dlawd y cyfnod, a ymlafnai i dalu'r ddyled rhag iddynt gael eu cymryd o flaen y llysoedd a'u carcharu. Ymddengys y Ffŵl yng nghanol yr ysgarmes rhwng y Cybydd a'r trethwr. Y mae'r Cybydd, o weld y Ffŵl, yn gofyn am ei bymtheg punt yn ôl. Gwadu iddo dderbyn yr arian a wna hwnnw, gan herio'r Cybydd i ganfod tyst i gefnogi ei honiad:

> Ho, Ho, nid oes neb o'r cwmni gole
> Yn dweyd un gair o'u pene
> Mi dyngaf fine i'r cyrs ac i'r coed
> Na chefais i'r rioed run ddime.[56]

Cyn y gall y Cybydd wneud dim, mae'r Jeler yn ymddangos ac yn llusgo'r Cybydd i'r carchar. Wedi ysbaid, ac ymhen amser wedyn, deuwn at brif ddeunydd cyfreithiol yr anterliwt, sef anerchiad Crintach y Cybydd. Ynddi, y mae'r Cybydd yn adrodd ei brofiadau ar ôl iddo gael ei gymryd o flaen yr ustusiaid am wrthod talu'r dreth. Tra bu yng ngharchar Dolgellau, cymerodd Mari y forwyn fantais arno, ac y mae'n dweud amdani cyn troi at yr helynt a gafodd gan wŷr y gyfraith. Ceir ganddo hefyd ddisgrifiad o'r olygfa yn y llys, ac o'r cymeriadau sydd yno, y cyfan yn adlais o'r delweddau a gafwyd yng ngwaith Tomos Prys, Plasiolyn:

Hi wnaeth acw fawr o ddryge
Tra bum i yn Jail Dolgelle,
Mi godaf gythreuliaid yr holl fro
Oni ddaw'r fanog odro adre

Na ddelo y trethwr byth dros y trothie
Na'r sarff oedd yn ei galyn nid oes undyn foelie
Faint a wnaethon i mi o ddrwg,
Mi gan dân a mwg yn rhywle

Mi fûm yn Jêl dri chwarter blwyddyn
Ar achos go fychan, am daro ar ddau fochyn;
Nage medden nhw – yn boeth y bo'u lol –
Am rwygo Rhôl y brenin

Fe gostiodd i mi hynny heb angen,
Dros bymtheg punt a deugien;
O! Na welwn i'r ddau ddiawl ei hun
Yn gwingo wrth yr un gangen

Nid â'i ddim dros fy nghrogi,
Myn tan, i'r Jêl ond hynny;
Be gwelsech chi'r cwmni i gyd a'r goedd
Mor sarrug oedd y Siri.

A nhwy, llu yr Ustusiaid
Oedd yn fy stwrdio'n galed;
Roedd yno glamp o dwrne tew,
Yn mron tynnu blew fy llyged

Roedd y gwŷr a'r gwne duon,
Wedi mynd i gyd yn Saeson,
Yn cyfarth i gilydd yn waeth na'r cŵn,
O! Roedd yno sŵn anraslon.[57]

Yng nghanol y doniolwch hwn, ceir darlun beirniadol o'r gyfundrefn gyfreithiol yng Nghymru'r ddeunawfed ganrif. Y mae'r ddelwedd o'r gyfraith fel offeryn gormes yn gyson â llenyddiaeth radicalaidd yr oes ac yn thema gyffredin yn anterliwtiau'r cyfnod.[58] Ond y mae yma hefyd ddelweddau penodol Gymreig. Yr oedd y gwŷr yn eu gynau duon wedi mynd yn Saeson, meddai'r cybydd, sef eu bod yn siarad iaith y Saeson. Yn llysoedd barn Cymru'r cyfnod, y Sesiwn Fawr yn enwedig, yr oedd Cymry uniaith yn wynebu proses gyfreithiol lle defnyddid iaith estron yn bennaf. Dim ond dryswch a allai godi mewn sefyllfa o'r fath, ac mae yma neges amserol am anghyfiawnderau'r llysoedd barn.

Tua diwedd yr anterliwt, cawn wybod am dynged y Cybydd. Hen ŵr ar drothwy ei bedwar ugain oed yw'r Cybydd, a phan ddaw'r gweinidog ato i'w gynghori, ac i'w berswadio i newid ei ffyrdd gan gofio fod awr yr ymadawiad mawr gerllaw, y mae'r Cybydd yn eithaf swrth tuag ato. Yn nhraddodiad y Bardd Cwsg, y mae'r Cybydd yn dwrdio pob math o bwysigion cymdeithas, gan gynnwys offeiriadon sydd yn byw yn fras ar ddiota a gloddesta, diolch i'r degwm gorthrymus, fel y gwelir yn y detholiad o'r ddeialog rhyngddo a'r Gweinidog:

Gweinidog: Mae yn rhaid i'r corff gael lluniaeth,
A'r enaid physygwriaeth;
Ymorolwch bawb ger bron,
Am dirion iechawdwriaeth

Cybydd: Os ceir iechawdwriaeth dirion,
Wrth yfed liquors ddigon;
A bwyta bwyd da ar gost y wlad,
Fe gaiff yn rhad y person.[59]

Ar ddiwedd yr anterliwt, y mae'r Cybydd yn edifarhau ac yna'n marw.[60] Yn yr olygfa hon y mae'r Ffŵl yn ymddangos, a chanddo ef cawn ddisgrifiad anghynnes o gorff marw'r Cybydd yn cael ei ysbeilio gan frain a phryfetach, ac yn waeth, hyd yn oed, gan y Ffŵl ei hun wrth iddo dyllu ym mhocedi'r corff marw. Diwedd y gân i'r Cybydd, fel y dywed y Ffŵl, yw bod yr holl gyfoeth a gasglodd yn ystod ei fywyd wedi ei farw yn mynd i'w frawd:

> Edrychwch chi rŵan, er maint oedd eich gwawd,
> Fe aiff eich brawd â'r cwbl.[61]

Ceir neges foesol mai yn ofer y bu'r Cybydd yn cynilo'i arian ac, ar yr un pryd, yn sarhaus tuag at y brawd sydd bellach wedi cael ei holl eiddo. Y mae elfen abswrd neu grotésg yn y cymeriadau a geir yn yr anterliwt, a hynny eto'n sicr yn nhraddodiad *Gweledigaethau'r Bardd Cwsg*. Dyma arddull y byddai'r awdur Caradoc Evans yn ei hefelychu yn ei storïau yntau, ac y mae'r ddelwedd o'r Cybydd marw ar ddiwedd yr anterliwt yn debyg i'r hyn a ddaeth i ran y cymeriad Nanni yn y stori 'Be this her Memorial' yn y gyfrol *My People*. Pan gaiff honno ei chanfod yn farw ar lawr ei bwthyn gan ei heilun, y 'Respected Josiah Bryn-Bevan', gwelir llygoden fawr wedi ei rostio yn ei dwylo a llygod mawr yn rheibio ei hwyneb.[62] Tybed nad oedd Evans, yn ei ffordd ei hun, yn dilyn traddodiad y Cowper a'r anterliwtwyr Cymraeg? Y mae'r cyfeiriadau at ddiota yn yr anterliwt yn ein hatgoffa bod yr anterliwtiau hyn yn cael eu perfformio mewn ffeiriau lle ceid llawer o ddiota. Fel yr awgryma'r Ffŵl, wrth iddo annerch y gynulleidfa:[63]

> Ar ôl i mi oddiyma ymadel,
> Fe fydd pawb yn chwdu i chwedel.[64]

Ceir yr elfen amrwd yn treiddio trwy'r gwaith, ac yn enwedig trwy enau'r Ffŵl. Yma, wrth ddisgrifio ei drafferthion gyda'r llau, y mae'n blaen ei dafod unwaith yn rhagor: 'ysbiwch o ddeutu twll y nhin,/a welwch chi'r un yn unlle'.[65] Nid rhyfedd i'r Morrisiaid a'u cyfeillion droi eu trwynau ar y Cowper a'i debyg! Ceir yn yr anterliwt y moesoli a'r pregethu nodweddiadol, a rhwng y fratiaith a'r rhegfeydd ceir nifer o gyffyrddiadau crefyddol ac ambell emyn syml yn gyfrwng i'r moesoli. Cymerwch eiriau'r Tameinia edifeiriol tua diwedd yr anterliwt fel enghraifft:

Rwy'n dymuno ar bob Cristion
Beidio rhwystro cariad ffyddlon
Na phlesio Satan gyfan fâs
Wrth wrando ar lais athrodion.[66]

Yr oedd amlder y fratiaith, a'r benthyg o eiriau Saesneg, yn ychwanegu at yr hiwmor ac yn tanlinellu doniolwch a hurtrwydd y sefyllfaoedd, ynghyd ag odrwydd y cymeriadau. Yr oedd y defnydd o fydr ac odl a chyffyrddiadau cynganeddol yn siŵr o ysgafnhau'r dweud. Ac er y sawr pregethwrol ar brydiau, yr oedd yma neges bwysig yn cael ei dilladu mewn ysgafnder.[67]

Un o gyfoeswyr y Cowper oedd Huw Jones o Langwm (*c.*1720–1782). Ni ellir bod yn sicr o ddyddiad na lleoliad ei eni, ond daeth ei enw yn annatod gysylltiedig â Llangwm yn Uwch Aled. Treuliodd gyfnod fel siopwr yno, cyfnod pur gythryblus yn ei hanes fe ymddengys, gan iddo fynd i ddyled a chael ei hun yng ngharchar Rhuthun o'r herwydd.[68] Efallai iddo dreulio cyfnod mewn carchar yn Llundain yn ddiweddarach hefyd oherwydd ei ddyledion.[69] Dichon na fu ei brofiadau personol o'r gyfraith yn ddylanwad ar yr elfen gyfreithiol yn ei waith. Nid oedd gan Huw Jones lawer o ddawn fel dyn busnes. Ond fel hyrwyddwr diwylliant, yr oedd ganddo lawer i'w gynnig.

Ymysg ei weithgareddau diwylliannol, casglodd a chyhoeddodd gyfrolau o farddoniaeth, sef *Dewisol Ganiadau yr Oes Hon* ym 1759 a *Diddanwch Teuluaidd* ym 1763. Yng nghyswllt ei waith wrth baratoi'r *Diddanwch Teuluaidd*, bu mewn cyswllt â Morrisiaid Môn, a chynhwysid gwaith Goronwy Owen, Lewis Morris ac eraill o feirdd Môn ynddi. Serch hynny, ymddengys nad oedd gan y Morrisiaid fawr o feddwl ohono, fwy nag yr oedd ganddynt o gyfoeswyr eraill iddo ym myd y faled a'r anterliwt. Ond yr oedd rheswm penodol yn egluro oerni Lewis Morris tuag ato. Methodd Huw Jones â thalu'r argraffydd, William Roberts, am ei waith ar y gyfrol, methiant a fu'n rhannol gyfrifol am Roberts yn gorffen ei ddyddiau yn y tloty.[70] Parodd hyn gywilydd mawr i'r Morrisiaid, ac ofnent y caent hwy a'u cymdeithas barchus eu beio am ystrywiau Huw.[71]

Er bod Huw Jones yn fardd pur gymen, daeth i enwogrwydd yn bennaf oherwydd ei faledi a'i anterliwtiau. Y cyfryngau gwerinol hyn oedd prif gyfrwng ei fyfyrdodau ar y byd, ac yr oedd ei faledi yn nodweddiadol o'r teip, wedi eu saernïo gan ddefnyddio nodweddion cynganeddol a'u llunio ar gyfer eu canu. Ymysg ei gyfansoddiadau pwysicaf y mae'r anterliwt *Histori'r Geiniogwerth Synnwyr*, a gyhoeddwyd tua 1772 (er y tybir iddi gael eu llunio tua 1765).[72] Prif gymeriadau'r haen gyfnewidiol ynddi yw'r marsiant a'i wraig. Ar ddechrau'r stori, maent newydd briodi ac i'w weld yn hapus. Ond y mae'r marsiant yn cyfarfod â Bronwen, y butain, a chaiff ei hudo ganddi. Cyn iddo hwylio am wlad dramor, caiff geiniog gan ei wraig er mwyn iddo brynu ei gwerth o synnwyr. Y mae'n derbyn ei chyngor, ac yn chwennych synnwyr gan hen ŵr, sydd yn dweud wrtho ddychwelyd at y ddwy wraig, sef ei wraig a'r butain, ond mewn gwisg dlodaidd ac mewn cyflwr go lwm. Wrth ei weld mewn cyflwr mor sathredig, y mae'r butain yn ei wrthod fel tlotyn, ond mae ei wraig yn ei dderbyn, a hyn sydd yn ei gymell i ddychwelyd ati yn ŵr afradlon ond edifeiriol.

Yn haen draddodiadol yr anterliwt, ceir hanes y Cybydd a ddaw i drallod yn sgil ymddygiad ei fab. Y mae'r mab yn faich arno, ac yn mynd i ddyled ac yn mercheta, gan feichiogi merch y dafarn. Ceir gwrthdaro rhwng y Cybydd a'i fab, nes bod y mab yn ymosod ar ei dad gan ddwyn gweithredoedd y tir. Ymddengys y Ffŵl yn y stori fel mesurydd tiroedd y Cybydd. Y mae hwnnw yn hawlio mil o bunnoedd mewn rhenti gan denantiaid y Cybydd yn hytrach na'r pum cant a gâi'r Cybydd yn wreiddiol. Twyllir y Cybydd pan gyflwyna'r Ffŵl iddo gyfrifon y rhent ynghyd â'r hyn y mae'r Ffŵl yn honni sydd yn '*bank notie*' yn dâl rhent. Gan fod y papurau i gyd yn Saesneg, a chan nad yw'r Cybydd yn medru'r iaith honno, y mae yn chwennych cyngor yr Atwrne.[73] Y mae'r ddeialog rhwng yr Atwrne a'r Cybydd yn barodi o'r math o ymgom y byddai Cymry unieithog y cyfnod wedi ei gynnal â swyddogion y gyfraith, a chawn flas o'u profiadau wrth ymgodymu ag ymadroddion Seisnig:[74]

Atwrne: *What ye want, old fellow?*

Cybydd: Gyda'ch cennad, Syr, Huw a'ch catwo,
Mi gefes rywbeth nad wy' yn ei ddallt,
Torri imi 'ngwallt i 'ngwylltio.

Look here, Sir, *God bless-io*,
Ai *bank note* ydy hwn ai peidio?

Atwrne: *No, no, no, give me my fees,*
There is a foolish fellow.

Cybydd: Yr ydych chwi am ffis yn brysur
Cyn dweud imi beth yw'r papur;
On'd ydyw twrneiod yn arw i gyd?
Mae hwn o'r un frid â'i frodyr.

Atwrne: *I cannot tell, old body;*
Something Welsh or poetry.

Cybydd: Mi ddaliaf ag y chwi hyn a hyn
Mai Welsh baled a ges i gyn y bwli.

Atwrne: *Give me my half a gini.*

Ymddengys mai copi wedi ei ddifetha o hen faled a gafodd yn lle'r 'bank notie', a chododd y twrnai hanner gini arno am dorri'r newydd drwg iddo. Yn y diwedd, nid yw'r Cybydd yn cael dim ceiniog gan fod yn Ffŵl yn cadw gweddill yr arian fel ffioedd am ei wasanaeth. Tua'r diwedd, trwy hunanladdiad y daw'r Cybydd â'i fywyd i ben.

Fel y dengys y detholiad hwn, ymddygiad pobl a'u ffolineb fu pwnc Huw Jones, a phethau pob dydd oedd ei ddiddordeb. Yr oedd ei gynnyrch yn apelio i'r werin, a'i arddull yn hygyrch ac yn ddealladwy i'w gynulleidfa.[75] Ceid beirniadaeth a dychan ganddo, ond nid oedd ganddo unrhyw athroniaeth wleidyddol ddyrys i'w rhannu. Anghyfiawnderau bywyd bod dydd oedd ei bwnc, a'r rhai a achosai anghyfiawnderau oedd ei gocynnau hitio. Gwrthrychau ei ergydion yn *Histori'r Geiniogwerth Synnwyr* oedd y stiwardiaid a oedd yn gormesu'r tenantiaid tlawd.[76] Ceir ganddo'r stori gyfarwydd am gybydd ariangar sy'n cael ei dwyllo ac yn colli ei arian, ynghyd â beirniadaeth ar drachwant a ffolineb tirfeddianwyr yr oes. Y mae yn yr anterliwt neges foesol, ac y mae ynddi feirniadu cynnil o rai dosbarthiadau, megis y cyfreithwyr neu feddygon. Ond nid beirniad cymdeithasol oedd Huw Jones.[77]

Trown yn awr at ein trydydd awdur. Yr oedd gan Elis Roberts a Huw Jones gyfoeswr go arbennig ym mherson Twm o'r Nant (1739–1810). Trwy ei gynnyrch toreithiog a dynnai ar arfogaeth dychymyg, dychan a beirniadaeth finiog, cawn gan Twm ddelweddau cofiadwy o fyd cyfreithiol ei oes. Ef oedd brenin yr anterliwt, ac ef a ddaeth agosaf at bontio'r bwlch diwylliannol rhwng Elis y Cowper a Lewis Morris.[78] Yr oedd Saunders Lewis yn credu bod ei waith 'ymhlith clasuron mawr Cymraeg y ddeunawfed ganrif',[79] ac aeth Thomas Parry mor bell â'i arddel fel 'yr olaf o feirdd yr uchelwyr'.[80] Efallai'n wir, oherwydd gellir hawlio mai galarnadu o weld diwedd yr hen draddodiad barddol a difodiant y bonedd diwylliedig Cymreig, a'u cyfnewid am fyd Seisnig aflednais, a wnaeth Twm yn ei holl waith.[81]

Dyffryn Clwyd, ei fro enedigol, oedd prif faes llafur Twm. Cafodd ei drwytho yn nhraddodiad diwylliannol y Dyffryn a'i ucheldiroedd cyfagos, ac fel disgybl i Siôn Dafydd Berson, y clocsiwr, y bardd a'r Eglwyswr o Bentrefoelas, etifeddodd gyfran go lew o awen yr hen draddodiad barddol.[82] Yr oedd Siôn Dafydd Berson yn ddarllenydd lleyg ym mhlwyf Ysbyty Ifan, a gellid ei gynnwys yn y traddodiad o feirdd-glerigwyr.[83] Yr oedd Twm, gan hynny, yn llinach ddi-dor traddodiad barddol yr hen sir Ddinbych. Ond nid bywyd braf ac esmwyth y clerigwr oedd eiddo Twm. Bu Twm yn crwydro'r wlad yn cyflwyno ei gynnyrch llenyddol i'r werin, a hynny er mwyn ychwanegu ychydig at yr incwm a gawsai o gario coed. Bu'n perfformio ei waith llenyddol yn ogystal â chyhoeddi ei gynnyrch, fel arfer ar ffurf pamffled, er mwyn ceisio cadw dau ben llinyn ynghyd. Gwyddai'n iawn am gwynion a gofidiau'r bobl gyffredin, a thrwy gyfrwng baled ac anterliwt, rhoddodd fynegiant i'r cwynion, yr anghyfiawnderau a'r rhagfarnau a glywodd ac a brofodd.

Nid syniadaeth aruchel a ysbrydolodd Twm ond profiadau dynion, er bod ei werthoedd a'i ddaliadau yn tynnu ar syniadaeth foesol gwledydd cred ar hyd y canrifoedd.[84] Yr oedd yn ddyn diwylliedig, yn sicr, a threuliodd oes yn caffael gwybodaeth a dysg heb fanteision unrhyw goleg ffurfiol. Er na cheir ganddo lawer o athronyddu ar gyflwr cymdeithas, yr oedd ganddo'r dychymyg a'r ddawn dweud, os nad y grefft aruchel, i gyflwyno'i neges mewn ffordd ddifyr a chofiadwy. Ac, ar adegau, byddai'r difyrrwch yn troi yn feirniadaeth a phropaganda. Fel arfer, mewn anterliwt, defnyddiai ymgom rhwng dau gymeriad fel modd o leisio ei farn ei hun ar faterion llosg. Byddai'r ymgom ar fydr ac odl, a cheid ambell gyffyrddiad cynganeddol i ysgafnhau a bywiogi'r dweud, a'i arbed rhag suddo i syrffedrwydd pregethwrol. Er y byddai cynnwys y testun neu'r ddrama yn lleol, ac yn gyfarwydd i'w gynulleidfa, yr oedd ynddi wirioneddau oesol hefyd. Fel ei gyfoeswyr, mabwysiadai yntau'r arddull amrwd, aflednais yn ei anterliwtiau, a chan hynny ennyn ymateb cymysg. Os oedd yn dipyn o arwr i'r werin, yr oedd yn dipyn o ddihiryn i'r bonedd a'r gwŷr dysgedig.

Ymysg ei weithiau mwyaf difyr a dadlennol, un o'r mwyaf yw'r hunangofiant a ysgrifennodd pan oedd yn tynnu tuag at oed yr addewid.[85] Ynddo y mae'n honni cysylltiad teuluol ar ochr ei fam â Phrysiaid Plas Iolyn.[86] Y mae'r ffaith ei fod, o bosibl, o dras Thomas Prys, gan gofio fel yr oedd hwnnw mor ddilornus o'r gyfundrefn gyfreithiol, yn un hynod arwyddocaol. Tybed a oedd y cysylltiad teuluol hwn wedi ysbrydoli Twm wrth iddo yntau fynd ati i ddychanu a beirniadu? Rhaid cymryd yr hyn a ddywed Twm yn yr hunangofiant gyda phinsiad go lew o halen, cofier. Yn ei hunangofiant, honnodd iddo gychwyn ar ysgrifennu anterliwtiau cyn iddo gyrraedd ei nawfed pen-blwydd, a hynny ar wahoddiad mwynwyr sir y Fflint: 'mi a drewais wrth *finars* o Sir Fflint, a hwy a'm denasant i wneud *Interlude;* minnau a wneuthum ar *Weledigaeth Cwrs y Byd,* yn nechrau y Bardd Cwsg.'[87] A dyma brawf eto o ddylanwad y Bardd Cwsg arno ef fel ei gyfoeswyr.[88]

Yr oedd Twm, fel yr offeiriad o'r Lasynys, yn tueddu i bregethu a moesoli gormod ar brydiau, cymaint fel y gellir ei feirniadu o fod yn ailadroddus. Y mae yna'r elfen ystrydebol yn ei waith, heb os, sef y bai hwnnw a welir yng ngwaith ei gyfoedion hefyd. Serch hynny, y mae ei feirniadaeth o gyfreithwyr a gwŷr proffesiynol eraill ei oes yn tarddu o'r traddodiad o ddychanu, o ddrwgdybiaeth gwerin gwlad o awdurdod ac o brofiadau personol Twm ei hun.[89] Cwyno a wnaeth Twm o'r Nant am anghyfiawnderau beunyddiol a wynebai ei gymdogion yn hytrach na phregethu gwrthryfel. Beirniadu llygredd unigolion, yn dwrneiod neu stiwardiaid, yn llafurwyr a hwsmyn, yn hytrach na chamwri cyfundrefnol a wnaeth.[90] Pechod a ffolineb dyn oedd byrdwn ei neges, a galwad am edifeirwch oedd ei gri yn hytrach na phrotest neu wrthryfel.[91] Nid oedd ganddo ddim i'w ddweud wrth y Chwyldro Ffrengig, er enghraifft. Yr oedd rhai o'i gyfoeswyr yn fwy parod eu barn ar faterion mawr y dydd, a gwyddys i Elis Roberts y Cowper, er enghraifft, wrthwynebu'r rhyfel yn erbyn America.[92] Ond, yn y bôn, creadur digon parchus oedd Twm, nodwedd a ddaeth yn fwyfwy amlwg erbyn diwedd ei oes.[93]

Beth sydd gan Twm i'w ddweud am y gyfraith yn ei waith? Ystyriwn ddwy anterliwt a baled lle mae Twm yn portreadu'r gyfraith a'i swyddogion. Y mae'r anterliwt *Pedair Colofn Gwladwriaeth,* sydd yn dyddio o 1786, yn cyflwyno pedair colofn, sef Brenin i ryfela, Ustus i gyfreithio, Esgob i efengylu a Hwsmon i drefnu lluniaeth.[94] Y mae plot yr anterliwt yn ddigon syml, ac yn dilyn y fformiwla gyffredin a chyfarwydd. Y mae gan bob un o'r colofnau ei bregeth neu anerchiad ac y mae pob un yn hunanbwysig ac yn dangos balchder (pechod mawr yng ngolwg Twm).

Yr Hwsmon, Arthur Drafferthus, yw cybydd a phrif gymeriad y stori, ac yn ei falchder mae'n honni mai ef yw'r pwysicaf o'r colofnau i gyd ac mai ei waith ef sydd yn fwyaf hanfodol i gymdeithas. Ond daw salwch i'w flino fel melltith am ei falchder, ac yn y diwedd, gan nad yw'n edifarhau, y mae'n marw. Yn ogystal â'r pwysigion hyn, ceir hefyd gymeriadau anhepgor sydd yn herio, profocio a dychanu'r pedair colofn yn eu tro, gan ddangos eu ffaeleddau i'r gynulleidfa. Y mae teitl yr anterliwt yn ddychanol ac eironig, oherwydd nid colofnau ydynt i Twm mewn gwirionedd. Fel yn nifer o'r anterliwtiau, y ffŵl yw llais cydwybod a chyfrwng beirniadaeth, ynghyd â dyfais sydd yn clymu'r gwaith at ei gilydd. Syr Rhys y Geiriau Duon ydyw yn yr anterliwt hon. Trwy enau'r cymeriad hwn, gallai Twm leisio ei farn a'i ragfarnau.

Gwyddai Twm y byddai ei feirniadaeth o golofnau parchus cymdeithas yn siŵr o greu gelynion iddo. Yn y blaenymadrodd, dywed Twm: 'fe fydd y farn arnaf fi, yn enwedig yn mhlith dynion ffroenuchel phariseaidd'.[95] Eglura Twm mai swyddogaeth yr hwsmon yn ei ymson gyda'r Ustus yw dangos 'dull y cam gyfreithiau a'r creulondeb y sydd yn y wladwriaeth'.[96] Yn sicr, yr oedd Twm yn glir ei fwriad wrth lunio'r anterliwt hon. Ymddengys yr Ustus yn yr anterliwt fel cymeriad balch, a thrwyddo ceir dychanu meddylfryd gwŷr y gyfraith. Yn anerchiad yr Ustus i'r gynulleidfa, ceir parodi o farnwr yn annerch llys barn. Honna'r Ustus ei fod ef yn angenrheidiol mewn cymdeithas oherwydd gelyniaeth dynion at ei gilydd a'u parodrwydd i fynd i gyfraith. Ac oherwydd y ffolineb hwn, 'ni sy'n ennill', meddai:

Mi ddo'is o'ch blaenau'r cwmp'ni gweddus.
Yn awr ar osteg dan enw'r Ustus;
Gen'i mae'r pen awdurdod ffraeth,
I wneud llywodraeth fedrus.

Mae'r byd mor llawned o elynion,
Sef dynion gwresog o natur groesion,
Yn fawr eu brys mewn tref a bro,
Am ymgyfreithio yn frithion.

Ar ôl eu holl gynddaredd erchyll,
A'u naws wenwynig, ni sy'n ennill;
O herwydd hynny mi alla' yn hy,
Hap hynod, ganu pennill.[97]

Cawn yr Ustus hunanfodlon yn ymffrostio yn ei lwyddiant ar draul ffyliaid. Y mae yn cyfaddef mai cymryd mantais a wna'r cyfreithiwr ar anwybodaeth dynion, gan ystumio'r gyfraith er ei fantais ei hun. 'Rhith cyfiawnder', meddai, yw'r hyn sydd yn aros y rhai a aiff â'u cweryl ger ei fron ef, fel y dengys y detholiad hwn o'i anerchiad:

CHWYCHWI gyfreithwyr, barnwyr byd,
Dewch ynghyd, braf yw'n bryd,
Yma ar hyd, mewn mawr anrhydedd!

I ni mae'r mawredd yn mhob man,
I ni yma'n awr, mae'n fawr y fael,
Gwych a gwael, a rhaid ein cael,
O mor ddi-ffael yw mawrdra ffyliaid!

* * *

Tan rith cyfiawnder llawnder llwydd,
Yr y'm ni'n rhwydd yn trin ein swydd,
Rhaid i ni o'n gŵydd trwy guddio'n dyfais,
Os mynnwn fantais yma i fyw,
Wrth ddweud yn deg a thido'n dost,
O ddelio'n rhy-dost mae'r mawrhydi,
I gadarn godi a llonni ein lliw.

Er teced cyfraith, ffraethwaith ffri,
Ac arian hardd ni a'i gwyrwn hi
I brynu bri, nen dori'r dyrus,
Y gwobr trefnus a wna'r tro.

I ni mae'r braint, i ni mae'r bryd,
I ni mae'r parch, i ni mae'r byd,
I ni o hyd mae hyder cywaeth,
Tra dalio cyfraith yn ein co'.[98]

Dyma'r ustus fel gwawdlun nodweddiadol o ŵr y gyfraith yn y ddeunawfed ganrif. Byddai'r delweddau ohono fel person twyllodrus, ystrywgar, mawreddog ac ariangar wedi ennyn ymateb ffafriol y gynulleidfa. Chwarae i'r galeri a wnaeth Twm, heb os. Ond cofier bod y cyfeiriad at y ffyliaid yn troi at y gyfraith yn golygu bod ymddygiad y gynulleidfa hwythau o dan y lach hefyd. Dyna gamp Twm, sef anesmwytho'i gynulleidfa a'u gorfodi i ymholi eu cydwybod a chanfod y trawstiau yn eu llygaid eu hunain.

Yna daw Arthur Drafferthus, y cybydd, i'r llwyfan, a chynnal ymgom â'r Ustus. Dyma ymgom lle ceir beirniadaeth a dychan, a cholofnau'r gymdeithas oll o dan y lach, fel y dengys y detholiad hwn:

Arthur: A glywch, on'd ydych chwi yn llafn lusti,
Ac yn genau pur lodog i ganu baledi?
Byddai c'wilydd gan lawer ddangos ei lun,
Y ffasiwn ddyn di-dd'ioni.

Ustus: Ond y fi yw'r pen cyfreithiwr eglur,
'Nôl rhwym a rheol presennol synnwyr,
Sydd yn trefnu i fynnu yn faith
Hynotaf gyfraith natur.

* * *

Arthur: O cais fyn'd mewn cyffro,
At y gyfraith 'rwyt ti'n gwefrio,
Am ysbïo mantais, a chael gwall
Ar ryw ddyn dall i'w dwyllo.

Chwi glywsoch yma ar gyfer,
Yr Esgob a'r Ustus yn ffrostio'u gwychder,
Maen' hw' sy'n trefnu ac yn plannu i'n plith,
Y fendith a'r cyfiawnder.

'Roedd un yn bostio'i weddi a'i bregeth,
A'r llall mor gyfrwys yn bostio ei gyfraith;
Ond y fi rhaid gweithio a ffwndro'n ffest,
Gael talu am eu gorchest helaeth.[99]

Fel yn *Gweledigaethau'r Bardd Cwsg*, ceir ymosodiad dyheig, trwy enau Arthur Drafferthus, ar golofnau'r gymdeithas. Thema gyfarwydd ydyw hon, wrth gwrs, gyda cholofnau'r eglwys, y proffesiwn cyfreithiol a meddygol, ynghyd â'r masnachwyr yn destun gwawd. Er hynny, nid dadl dros eu gwared, neu dros chwyldro, sydd yma. Yn nes ymlaen yn yr anterliwt, ceir ymgom rhwng yr Hwsmon a Syr Rhys y Geiriau Duon, lle ceir Rhys yn achub cam y pedair colofn y mae'r Hwsmon yn eu prysur ddychanu. Yng nghyswllt yr Ustus, meddai:

A'r Ustus ŵr trefnus bob tro,
Sydd berffaith a'i gyfraith i'w go',
Yn taeru, ac yn rhannu 'mhob rhith,
Gyfiawnder, mewn plainder i'n plith;
Neu byddai melldith yn mhob man,
Lledrata a lladd trwy dref a llan,
Oni bae fod cyfraith araith wir,
Hi ai'n anrhaith hwyl ar fôr a thir.[100]

Er y dychanu a'r gwawdlun o wŷr y gyfraith, mae yna hefyd gydnabyddiaeth na ellir cael cymdeithas drefnus heb y gyfraith. Anrhaith a melltith fyddai'r byd heb gyfraith o gwbl yw'r neges yma, ac yn hyn o beth mae Twm yn dangos ei dueddiadau ceidwadol.

Anterliwt arall o'i eiddo ac ynddi feirniadaeth ar gyfreithwyr trwy ddychan yw *Tri Chryfion Byd*, a gyhoeddwyd tua 1789, sef blwyddyn y

Chwyldro Ffrengig. Dyma anterliwt sydd eto'n defnyddio repertwâr traddodiadol yr anterliwt, a chawn ynddi hanes y cybydd a'i ymgiprys â'r ffŵl, a thraethodydd yn cyflwyno'r stori i'r gynulleidfa. Y tri chryfion yn yr anterliwt yw Tlodi, Cariad ac Angau, ac y maent yn ymddangos fel cymeriadau cig a gwaed. Cawn hwynt yn traethu a moesoli, er bod ysgafnder y dweud yn lliniaru ar hyn. Y cymeriadau dynol yn yr anterliwt yw Rhinallt Ariannog y cybydd, ei fam, Lowri Lew, a'i frawd, Ifan Offeiriad.

Ar ddechrau'r anterliwt, datgelir fod y tad wedi marw, a bod Rhinallt Ariannog yn byw gyda'i fam. Perthynas ddigon anodd sydd rhwng fam a'i mab, fel y dengys aml i ddeialog rhyngddynt. Y mae tipyn o gweryla a checru rhyngddynt, a Rhinallt yn edliw'r arian a wariwyd ar addysg y brawd er mwyn iddo gymhwyso fel offeiriad, a hwythau yn byw yn gynnil mewn caledi. Cawn ychydig o fanylion am hanes y teulu gan Lowri Lew, y fam, wrth iddi rannu ei phrofiadau:

> Ond 'roedd byd mwy diofal wrth fagu'th frawd Ifan,
> Mi es i gadw morwyn, fe gostiodd im' arian.
> Ac o ddweud iti'r hanes, fe aeth dy dad ar honno,
> Fe fu'r hen glapio'r mater, rhag drwg mwy eto.[101]

Ymddengys, felly, fod morwyn wedi ei chyflogi yn ystod plentyndod Ifan, a bod y diweddar dad wedi cael ei ffordd gyda'r forwyn. Dwyseir yr anghydfod teuluol pan geir ffrae rhwng Lowri a Rhinallt ynglŷn â'i hewyllys. Oherwydd hyn, y mae hithau'n mynd i fyw yn fras at y mab arall sy'n offeiriad. Y mae hwnnw bellach yn siarad Saesneg, wrth gwrs (a chawn wybod mai Saesnes yw ei wraig), gan ei fod wedi ymddyrchafu yn gymdeithasol. Er mawr gywilydd iddo, nid yw Lowri Lew, ei fam, yn deall Saesneg, ac felly rhaid iddo barhau, er yn gyndyn, i siarad iaith ei fam â hi.[102] Trwy enau'r ffŵl, Syr Tom Tell Truth, sydd yn gwawdio a phryfocio'r cymeriadau, y mae Twm yn mynegi ei farn am y cymeriadau a'u hymddygiad. Dyma'i farn am Seisnigrwydd pobl megis Ifan yr offeiriad:

Mae balchder Cymry ffolion
I ymestyn ar ôl y Saeson,
Gan ferwi am fynd o fawr i fach
I ddiogi'n grach fon'ddigion.

Os cân' hwy ryw esgus i fod yn 'r ysgol,
Ni wiw am air o Gymraeg ymorol;
They cannot talk Welsh, nor understand,
Oni fyddir yn *grand* ryfeddol!

Y mae'n gywilyddus clywed carpie
Yn lladd ac yn mwmian ar iaith eu mame,
Heb fedru na Chymraeg na Saesneg chwaith –
Onid ydyw'n waith annethe?

Mae hyn yn helynt aflan
Fynd o'r hen Gymraeg mor egwan;
Ni cheiff hi mo'i pherchi mewn bryn na phant
Heno, gan ei phlant ei hunan.[103]

Dyma neges odidog o oesol gan Twm o'r Nant am agwedd y Cymry tuag at eu hiaith eu hunain. Yna, ceir Syr Tom Tell Truth yn herio Ifan Offeiriad ac yn dadlau nad yw'n driw i'w alwedigaeth fel gweinidog yr efengyl. Y mae degymau'r plwyf yn bwnc llosg amlwg rhyngddynt.[104] Ac yng nghanol y cecru rhwng y cymeriadau, llwydda Twm i'n hatgoffa mai gweld pechodau ein gilydd yr ydym, ac y mae ffaeleddau eraill yn amlycach i ni na'n ffaeleddau ein hunain. Y mae geiriau Rhinallt yn awgrymu bod rhagrith yn gyffredin mewn cymdeithas, neges y byddai Twm am i'w gynulleidfa ei chlywed:

Bydd person meddw yn pregethu am sobri,
A pherson tlawd yn swnio am 'luseni,
A pherson cwaethog yn estyn ei big
Ac yn barnu'n ddig ar ddiogi.[105]

Clywir maes o law fod y fam, Lowri Lew, wedi marw. Yr oedd y wraig, a oedd gynt yn byw yn syml ac iach ar uwd, llymru a bara llaeth, wedi marw oherwydd gormodedd: 'Bwydydd breision sy'n gryfion eu *gravy*/Wnaeth i'r hen wreigan druan ollwng drwyddi'.[106] Daw ergyd pellach i Rhinallt pan gaiff ganfod bod y fam wedi gadael ei harian i Ifan Offeiriad a'i ferch, Fanny (£200 i Ifan a £300 i Fanny). Hyn sydd yn ysgogi Rhinallt i fynd i gyfraith.[107] Y mae'n ymddangos fel petai'n deall natur ymgyfreitha pan ddywed: 'Mi dwyllaf ac a gogiaf, ac a floeddia'n flin,/Ag a frathaf i drin cyfreithie.'[108] Yn gynharach yn yr anterliwt, y mae pwnc ymgyfreitha yn codi mewn deialog rhwng Syr Tom Tell Truth a Thlodi, sydd yn rhagfynegi'r hyn a ddigwydda i Rhinallt:

Gwiddanes Dlodi: Gad lonydd i'r stiwardied a'r cyfreithwyr hefyd,
Y nhw sy'n rhoi 'neilied yn fy nwylo i bob ennyd;
Oni bai rhai'n pinsio ac yn robio'n rheibus,
Ni fydde'r wlad fyth mor anghenus.

Tom Tell Truth: Mae balchder serth echrysnerth a chroesni,
Sy'n tynnu dial, ni waeth inni dewi;
Ni bydde'r cyfreithwyr ddim ym mhob ffrae
A'u gwinedd, onibai drygioni.[109]

Y mae'r ffaith fod Tlodi yn ystyried y cyfreithwyr fel cyfeillion sydd yn ei gynnal mewn cymdeithas eto'n pwysleisio safbwynt Twm ar effaith twrneiod ar y werin dlawd. Y mae ei deiliaid, sef y tlodion, yn dlawd, diolch i'r cyfreithwyr trachwantus sydd yn 'robio'n rheibus'. Dyma rybudd cynnar o'r hyn sydd i ddod. Yn nes ymlaen, cawn wybod na chafodd Rhinallt lwyddiant yn ei ymdrechion cyfreithiol, a'i fod wedi colli'r achos.[110] Pa ryfedd, ac yntau'n ymhél â chyfreithwyr a chanddynt enwau Seisnig aflednais megis John Trimwell a Hugh Torment. Mewn ymgom rhyngddo a Chariad, mae'n mynegi ei siom a'i ddicter wedi ei brofiadau cyfreithiol:

Rhinallt: Mi fedrwn fynd ar fy nglinie'n lanweth
I lwyr felltithio gwŷr y gyfreth;
Hwy aethant gyda'u cyfreth gam,
Yn filen am fywolieth.

Cariad: O! Rhyfedd y cariad sydd i'n cyrredd
Hwyrfrydig lid a mawr drugaredd;
Fe all maddeuant fod ar gyfer
Y gwŷr o gyfreth mwya'u trawster.

Rhinallt: Wel, os maddeuir i wŷr y gyfreth,
Fe wneir ag y nhw lawer o ffafreth,
'Ran ni faddeuan' nhw i undyn mewn un man,
Oni fydd yn rhy wan i 'medleth.[111]

Ceir Rhinallt yn adrodd am ei brofiadau cyfreithiol ar ffurf baled, a fyddai wedi ei chanu yn ystod perfformiad o'r anterliwt. Y mae blas hunangofiannol yng ngeiriau Rhinallt, a'r cyfeiriadau at Lanelwy a llefydd yn Nyffryn Clwyd yn adleisio profiadau Twm ei hun, fel y cawn weld yn y man. Cawn ddarlun clir o'r achos yn llusgo ymlaen ac yn cael ei ohirio a'i ohirio er mawr rwystredigaeth i'r cleient, ac er mawr gost iddo hefyd. Rhybudd rhag ffolineb 'trin cyfreithie' sydd ganddo:

Mi eis at gyfreithiwr o flaen y sesiwn,
Wel, fe wnâi hwnnw'n fanwl imi'r peth fyd a fynnwn,
A rhwygo, a dondio, a thyngu'i fyn diawl
Yn ollawl yr enillwn.

Minne, yn fy ffoledd, a werthes fy ngheffyle,
A 'ngwartheg a f'ychen, gael arian i'w fache,
A ffïo *consellors* ar draws ac ar hyd,
'Doedd dim yn y byd a safe.

Ceisio dau ŵr o gyfreth i goleth ac i ga'lyn,
Un o Ddinbych a'r llall o Ruthyn;
Ond yn y diwedd y fi a fu'r ffŵl,
Nhw aethon â'r cwbl rhyngthyn'.

Canlyn sesiwne, a gwrando Saesonied
Yn gwneud dannedd ar ei gilydd a thyngu'n galed;
Ni chefais fater yn y byd i ben,
Ond bilie'r hen benbylied.[112]

Y mae Rhinallt wedi gwario ei arian a gwerthu ei eiddo er mwyn talu ffioedd y cyfreithwyr, a hynny heb fudd o gwbl yn y diwedd. Neges Twm i'w wrandawyr yw bod ymgyfreitha yn weithgaredd y dylid ei osgoi ar bob cyfrif. Y mae'n cyfleu ei neges trwy'r cymeriad Cariad, sydd yn ymateb i araith Rhinallt trwy awgrymu mai arno ef ei hun y mae'r bai am yr hyn a ddigwyddodd:

Dyma chwi'n rhoi bai ar gyfreithwyr trawsion,
Heb ystyr na gweled beie'ch hen galon;
Cariad a'i archwaethiad rhwng eich brawd a chwithe
Allse, heb ddim dychryn, gytuno cyn dechre.[113]

Y mae Rhinallt yntau'n ymateb drwy godi'r cwestiwn ieithyddol, ac yn hawlio nad oedd yn deall y cyfreithwyr gyda'u Saesneg a'u termau cyfreithiol Lladin:

A glywch chwi, onid wyt yn pregethu ar redeg
Mor chwyrn â'r cyfreithwyr, ond eu bod nhw'n Saesneg,
Am ddim wy'n ei ddeall o'th siarad di,
Mae Lladin i mi mor llwyrdeg.[114]

Beth yw ymateb y gynulleidfa i hyn oll? Chwerthin ar ben Rhinallt y cymeriad ffôl, a chredu ei fod wedi derbyn ei haeddiant am fynd i gyfraith. Pam na wnest ti geisio cymodi gyda dy frawd, meddai Cariad wrtho. Y mae ymgyfreitha yn broses gostus, anwadal, a dyna brif neges Twm i'w wrandäwr. Ond cawn hefyd y neges bod cyfreithwyr a'u harferion, ac arferion y llysoedd, yn rhwystr i gyfiawnder prydlon a rhesymol, yn hytrach na bod yn beiriant effeithiol i sicrhau cyfiawnder i'r unigolyn. O ganlyniad i'w drallodion cyfreithiol, y mae Rhinallt yn mynd i dlodi, ac ar y diwedd, trwy ymbil Cariad, yn edifarhau am ei bechodau ac yn cofleidio ffydd. Y mae'r math hwn o ddiweddglo yn dangos bod gan Twm genadwri Gristnogol a'i fod yn galw am edifeirwch o bechod, er gwaetha'r arddull sydd ar brydiau yn bur anweddus. Ac y mae hiwmor yn treiddio trwy'i waith i gyd, hyd yn oed yng nghyd-destun dyn sydd yn edifeiriol cyn marwolaeth, fel y dengys y geiriau hyn o eiddo Rhinallt ar ddiwedd yr anterliwt:

'Rwy'n coelio bydd uffern yn bur ddiffeth
Rhwng Personied a gwŷr y gyfreth,
Nid â'i neb yno ar gost yn y byd,
Os gellir diengyd ymeth.[115]

Yr un yw delweddau cyfreithiol Twm o'r Nant yn *Pedair Colofn Gwladwriaeth* a *Tri Chryfion Byd*. Ac oes, mae yna feirniadaeth ar arferion y cyfreithwyr, ond ffolineb pobl sydd yn chwennych eu gwasanaeth yw prif darged dychan Twm. Yn ei faledi, y mae Twm yn pregethu'r un bregeth am gyfreithwyr barus ac yn defnyddio'r un delweddau i'w portreadu. Yn ei faled 'Y Tair Swydd', er enghraifft, y mae Twm yn difrïo'r offeiriad, y cyfreithiwr a'r doctor am eu camweddau. Am y cyfreithiwr, 'sy'n cau fritho', dywed:

Ac yntau frith Gyfreithiwr,
Anrheithiwr dynol ryw,
Ei sŵn am allo sy'n ymhyllu,
Am faeddu pawb yn fyw.
Lle caffo drawo'n drwyadl,
Mewn dadl rhwng dyn a dyn,

Fe gwyd eu heiddo i gadw heddwch
A harddwch iddo'i hun.[116]

Y mae'r cyfreithiwr, yr offeiriad a'r doctor yn ysbeilio dynion, mae hynny'n sicr ym meddwl Twm. Ond daw achubiaeth os bydd pobl yn gwrthod ymddiried ynddynt. Am y cyfreithwyr dywed:

Ac hefyd ceir troi ymaith
Rhag Gwŷr y Gyfraith gas;
Fe fydd Ustusia'd, amlwg deimlad,
I syniad pob rhyw siâs.
Hwy wnânt gyfarfod misol,
Sydd lesol iawn i'r wlad,
Er mwyn heddwch am anhuddo
Cyfreithio'r ciaidd frad.[117]

Y cyfarfod misol llesol y cyfeirir ato yma yw'r llysoedd barn o dan awdurdod yr ynadon heddwch, neu'r ustusiaid, chwedl Twm. Y mae'r gwaith a wneir yno yn angenrheidiol i gadw heddwch yn y wlad, hawlia Twm, a hynny er gwaetha'r cyfreithwyr sy'n manteisio ar y gyfraith at eu dibenion eu hunain. Gwelwn grefft ddigamsyniol Twm, sydd yn ei osod ar wahân i lawer o'r baledwyr ac anterliwtwyr eraill, yn yr englyn sy'n cloi'r faled ac yn crynhoi'r neges:

Tri chythrel gafel gyfa – tra ymwrdd,
Tri am ysglyfaetha,
Tri anrheithiwr trwy'r eitha,
Tri dyn heb odid tro da.[118]

Yr oedd baledi ac anterliwtiau Twm a'i gyfoedion yn diddanu cynulleidfa yn y ffeiriau, ond yr oeddent hefyd yn ymdrin â materion cymdeithasol a phynciau llosg. Yr oedd y cymeriadau aflednais a'r dychanu cyson yn siŵr o gorddi teimladau rhai o'r gwrandawyr. Nid rhyfedd, felly, fod elfennau parchus y gymdeithas yn gwgu ar Twm a'i debyg, ac yn eu hystyried fel lledaenwyr anniddigrwydd.[119] Nid oedd Twm wedi ei ysbrydoli'n awenyddol ar bob achlysur, serch hynny, fel yr awgryma'r englyn hwn i'r gyfraith a gyhoeddwyd mewn cyfrol o'r farddoniaeth. Y mae'n awgrymu bod ufuddhau i gyfraith gwlad yn golygu torri cyfreithiau'r goruchaf, er na ellir ond dyfalu beth yn union oedd ym meddwl Twm:

> Y Gyfraith hŷ-faith, hi ofyn-yn daer,
> Am dorri'r Gorchymyn;
> Pardwn rhad i gredadyn,
> Ag onitê, gwae enaid dyn![120]

Nid athronyddu a wnaeth Twm yn ei waith, wrth gwrs, ond mynegi ffrwyth ei brofiadau. Y mae ei waith yn cyfrannu at ein dealltwriaeth o anghyfiawnderau'r oes a gynhelid gan y sefydliad cyfreithiol ac o ymateb pobl i'r sefydliad hwnnw. Cawn ganfod ffynhonnell ei chwerwder personol tuag at dwrneiod yn ei hunangofiant. Ymddengys i Twm brofi'r gyfundrefn gyfreithiol drosto'i hun yn ŵr ifanc, wedi iddo fynd i ddyled ar ôl cael ei lusgo i mewn i drafferthion busnes rhyw ewythr iddo. Yr oedd cyfreithiwr o Ddinbych yn achos poendod i Twm yn y cyfnod hwn, a hynny a barodd iddo ffoi am gyfnod tua'r de, a hynny tua 1779.[121] Ar ôl rhai blynyddoedd o wneuthur amrywiol oruchwylion, gan gynnwys cario coed yn Abermarlais, cadw tyrpeg, a chadw tafarn yn Llandeilo, dychwelodd i'r gogledd tua 1786. Ond mae'n amlwg nad oedd cyfnod yn y de wedi dileu'r ddyled na lliniaru dim ar yr atgof o'r anghydfod, ac ailgododd y mater flynyddoedd yn ddiweddarach. Yn ei hunangofiant, y mae Twm yn disgrifio'n gampus fel y daeth diwedd trawiadol ar yr ymgyfreitha yn ei hanes:

> Ac yr oedd gan fy nhad dŷ a thipyn o dir, rhwng Nantglyn a Llansannan; ond pan fu nhad farw fe aeth cyfreithiwr Dinbych, am yr hen felldith, ac a droes fy mam i'r mynydd, ac a feddiannodd y tir, a chyda chwaer i mi, wrth Llanelwy, y bu fy mam farw. Ac ar fyr gwedi hynny, fe ddaeth clefyd ar y cyfreithiwr; minnau a

> ysgrifennais ato yn lled erchyll, ac a ddechreuais osod rhai o ddychrynfeydd uffern ger ei fron: yn niffyg na byddai imi gael fy nhir, y byddai fy melldith yn ei gnoi dros dragwyddoldeb; yntau oedd mewn cyflwr truenus yn yr ystafell lle yr oedd ei wely, yn gweiddi, ac yn drewi gan ryw ffieidd-dra oedd yn dyfod allan o'i gorff; yr oedd yn gorfod i'r dyn ag oedd yn tendio arno daflu finegr hyd y llofft, cyn y gallai fyned yn agos ato. Nid oedd un forwyn na doctor yn myned ar ei gyfyl yn y diwedd; ac felly yr oedd ef yn ysgrechian yn ofnadwy, ac yn gweiddi ar y mab i'w glyw, ac yn dywedyd, Ow! y tir i Dwm o'r Nant; ac felly fu.[122]

Tua diwedd y ddeunawfed ganrif, fe drodd brwdfrydedd y baledwyr dros y Chwyldro Ffrengig yn adwaith yn erbyn y creulondeb a'r gwaedlif a'i dilynodd. Tyfodd y bygythiad Napoleonaidd yn ofid ymhlith y werin y byddai'r wlad yn cael ei goresgyn, ac y gwelid gwaedlif tebyg i'r hyn a brofwyd yn Ffrainc. Bu gwrthryfel yn Iwerddon ym 1798, digwyddiad a barodd bryder i rai o'r Cymry fod dyddiau o derfysg ar ddod iddynt hwythau hefyd. A hwythau'n trigo ymysg y bobl, parodd hyn i'r baledwyr a'r anterliwtwyr ffrwyno ychydig ar eu hyfdra a'u parodrwydd i siarad plaen am ddiffygion y byd a'i bethau.[123] A pharchuso a wnaeth Twm, hyd yn oed, tua'r diwedd. Efallai nad radicaliaid neu chwyldroadwyr oedd Twm a'r baledwyr a'r anterliwtwyr eraill, wedi'r cwbl, er iddynt ysbrydoli'r radicaliaid â'u protest a'u dychan.[124] Rhaid troi at y radicaliaid yn y bennod nesaf am lenyddiaeth sy'n trafod y gyfraith gyda blas mwy gwleidyddol.

Nodiadau

1 Gweler Leslie Baker-Jones, *Princelings, Privilege and Power: The Tivyside Gentry in their Community* (Llandysul: Gomer, 1999), tt. 306–17.

2 Gweler Herbert M. Vaughan, *The South Wales Squires* (London: Methuen, 1926), t. 200.

3 Gweler David W. Howell, *Patriarchs and Parasites: The Gentry of South-West Wales in the Eighteenth Century* (Cardiff: University of Wales Press, 1986), tt. 199–203.

[4] Cathryn A. Charnell-White, *Welsh Poetry of the French Revolution 1789–1805* (Cardiff: University of Wales Press, 2012), t. 3.

[5] Gweler Ceri Davies, *Welsh Literature and the Classical Tradition* (Cardiff: University of Wales Press, 1995), tt. 79–84.

[6] Glanmor Williams, *Wales and the Reformation* (Cardiff: University of Wales Press, 1999), tt. 33–4.

[7] Gweler Cledwyn Fychan, 'Y Canu i Wŷr Eglwysig Gorllewin Sir Ddinbych', TCHSD, 28 (1979), 115–82.

[8] Gweler Bedwyr Lewis Jones, 'Yr Hen Bersoniaid Llengar', yn Gerwyn Williams (gol.), *Gorau Cyfarwydd: Detholiad o Ddarlithoedd ac Ysgrifau Beirniadol Bedwyr Lewis Jones* (Cyhoeddiadau Barddas, 2002), tt. 126–66.

[9] BDdG, tt. 21–2.

[10] Siwan M. Rosser, *Y Ferch ym Myd y Faled: Delweddau o'r Ferch ym Maledi'r Ddeunawfed Ganrif* (Caerdydd: Gwasg Prifysgol Cymru, 2005), tt. 1–17.

[11] BDdG, t. 23.

[12] BDdG, t. 24.

[13] Rosser, *Y Ferch ym Myd y Faled*, t. 3.

[14] BDdG, t. 139.

[15] BDdG, t. 106.

[16] Rosser, *Y Ferch ym Myd y* Faled, t. 9.

[17] Ffion Mair Jones, *Welsh Ballads of the French Revolution 1793–1815* (Cardiff: University of Wales Press, 2012), t. 1.

[18] Siwan M. Rosser, 'Lladron a Beirniaid Llên: Astudio Baledi'r Ddeunawfed Ganrif', *Studia Celtica*, XLI (2007), 185–98.

[19] BDdG, t. 140.

[20] BDdG, t. 144.

[21] Jones, *Welsh Ballads of the French Revolution 1793–1815*, t. 5.

[22] Alun R. Jones, *Lewis Morris* (Caerdydd: Gwasg Prifysgol Cymru, 2004), t. 217.

[23] BDdG, t. 8.

[24] Charnell-White, *Welsh Poetry of the French Revolution 1789–1805*, tt. 4–5.

[25] Jones, *Welsh Ballads of the French Revolution 1793–1815*, t. 3.

[26] BDdG, tt. 15–16.

[27] Rosser, 'Lladron a Beirniaid Llên: Astudio Baledi'r Ddeunawfed Ganrif', 185–98.

[28] BDdG, t. 22.

[29] Fel y dywed Siwan Rosser: 'Heb os, cynnyrch y ddeunawfed ganrif ydyw ei baledi. Y maent yn annatod glwm wrth gefndir cymdeithasol a diwylliannol eu cyfnod a rhaid felly eu gwerthfawrogi o fewn y cyd-destun hwnnw'. Gweler Rosser, *Y Ferch ym Myd y Faled*, t. 16.

[30] A. Cynfael Lake, *Anterliwtiau Huw Jones o Langwm* (Caernarfon: Cyhoeddiadau Barddas, 2000), t. 21.

[31] Meic Stephens (gol.) *Cydymaith i Lenyddiaeth Cymru*, arg. newydd (Caerdydd: Gwasg Prifysgol Cymru, 1997), t. 627.

[32] G. G. Evans, *Elis y Cowper* (Caernarfon: Gwasg Pantycelyn, 1995), t. 37.
[33] Evans, *Elis y Cowper*, t. 26.
[34] Ceir yr hanes gan A. Cynfael Lake, 'William Jones a'r "Ddau Leidir Baledae"', *Llên Cymru*, 33 (2010), 124–42.
[35] LLGC, MS 132C: 'Anterliwt 1889'.
[36] Lake, *Anterliwtiau Huw Jones o Langwm*, tt. 28–9.
[37] Lake, *Anterliwtiau Huw Jones o Langwm*, t. 29.
[38] LLGC, MS 132C: 'Anterliwt 1889', t. 20.
[39] LLGC, MS 132C: 'Anterliwt 1889', t. 21.
[40] LLGC, MS 132C: 'Anterliwt 1889', tt. 36–8.
[41] LLGC, MS 132C: 'Anterliwt 1889', t. 21.
[42] LLGC, MS 132C: 'Anterliwt 1889', t. 40.
[43] LLGC, MS 132C: 'Anterliwt 1889', t. 49.
[44] LLGC, MS 132C: 'Anterliwt 1889', t. 107.
[45] LLGC, MS 132C: 'Anterliwt 1889', t. 31
[46] LLGC, MS 132C: 'Anterliwt 1889', t. 32
[47] LLGC, MS 132C: 'Anterliwt 1889', tt. 34–5.
[48] LLGC, MS 132C: 'Anterliwt 1889', t. 36
[49] LLGC, MS 132C: 'Anterliwt 1889', t. 59.
[50] LLGC, MS 132C: 'Anterliwt 1889', t. 93.
[51] LLGC, MS 132C: 'Anterliwt 1889', t. 96.
[52] Cawn wybod mai Sior II oedd y brenin ar y pryd mewn nodyn ar ddiwedd yr anterliwt. LLGC, MS 132C: 'Anterliwt 1889', t. 173.
[53] LLGC, MS 132C: 'Anterliwt 1889', t. 94.
[54] LLGC, MS 132C: 'Anterliwt 1889', t. 97.
[55] LLGC, MS 132C: 'Anterliwt 1889', t. 97.
[56] LLGC, MS 132C: 'Anterliwt 1889', t. 99.
[57] LLGC, MS 132C: 'Anterliwt 1889', tt. 133–5.
[58] Gweler Ffion Mair Jones, '"Brave Republicans": representing the Revolution in a Welsh interlude', yn Mary-Ann Constantine a Dafydd Johnston (goln), *'Footsteps of Liberty and Revolt': Essays on Wales and the French Revolution* (Cardiff: University of Wales Press, 2013), tt. 191–211, t. 203.
[59] LLGC, MS 132C: 'Anterliwt 1889', tt. 139–42.
[60] LLGC, MS 132C: 'Anterliwt 1889', tt. 143–5.
[61] LLGC, MS 132C: 'Anterliwt 1889', t. 147.
[62] Gweler Caradoc Evans, *My People* (London: Dennis Dobson Ltd, 1953), t. 101.
[63] LLGC, MS 132C: 'Anterliwt 1889', t. 170.
[64] LLGC, MS 132C: 'Anterliwt 1889', t. 169.
[65] LLGC, MS 132C: 'Anterliwt 1889', t. 126.
[66] LLGC, MS 132C: 'Anterliwt 1889', t. 122.
[67] BDdG, tt. 36–7.
[68] Lake, *Anterliwtiau Huw Jones o Langwm*, tt. 9–10.

[69] A. Cynfael Lake, *Huw Jones o Lang*wm (Caernarfon: Gwasg Pantycelyn, 2009), tt. 15–16.
[70] Lake, *Anterliwtiau Huw Jones o Langwm*, tt. 12, 15.
[71] Lake, *Anterliwtiau Huw Jones o Langwm*, t. 15.
[72] Lake, *Anterliwtiau Huw Jones o Langwm*, t. 23.
[73] Lake, *Anterliwtiau Huw Jones o Langwm*, tt. 186–7.
[74] Lake, *Anterliwtiau Huw Jones o Langwm*, tt. 187–8.
[75] Lake, *Huw Jones o Lang*wm, t. 110.
[76] Lake, *Anterliwtiau Huw Jones o Langwm*, t. 41.
[77] Lake, *Anterliwtiau Huw Jones o Langwm*, t. 41.
[78] BDdG, t. 126.
[79] Gweler Saunders Lewis, *Meistri'r Canrifoedd: Ysgrifau ar Hanes Llenyddiaeth Gymraeg* (Caerdydd: Gwasg Prifysgol Cymru, 1973), t. 286.
[80] BDdG, t. 138.
[81] BDdG, t. 134.
[82] Gweler Emyr Wyn Jones, 'Twm o'r Nant and Sion Dafydd Berson', TCHSD, 30 (1981), 45–72.
[83] Gweler Fychan, 'Y Canu i Wŷr Eglwysig Gorllewin Sir Ddinbych', 174.
[84] Lewis, *Meistri'r Canrifoedd*, tt. 287–98.
[85] G. M. Ashton (gol.), *Hunangofiant a Llythyrau Twm o'r Nant* (Caerdydd: Gwasg Prifysgol Cymru, 1948).
[86] Ashton (gol.), *Hunangofiant a Llythyrau Twm o'r Nant*, t. 27.
[87] Ashton (gol.), *Hunangofiant a Llythyrau Twm o'r Nant*, t. 37.
[88] Gweler G. M. Ashton (gol.), *Anterliwtiau Twm o'r Nant* (Caerdydd: Gwasg Prifysgol Cymru, 1964), rhagymadrodd, t. ix.
[89] Gweler Dafydd Glyn Jones (gol.), *Canu Twm o'r Nant* (Bangor: Dalen Newydd, 2010), t. 10.
[90] John James Evans, *Dylanwad y Chwyldro Ffrengig ar Lenyddiaeth Cymru* (Lerpwl: Hugh Evans a'i Feibion, 1928), tt. 46–7.
[91] Jones (gol.), *Canu Twm o'r Nant*, t. 11.
[92] Evans, *Dylanwad y Chwyldro Ffrengig ar Lenyddiaeth Cymru*, t. 21.
[93] Charnell-White, *Welsh Poetry of the French Revolution 1789–1805*, tt. 7–8.
[94] Thomas Edwards (Twm o'r Nant), *Pedair Colofn Gwladwriaeth* (Caerfyrddin: W. Jones, 1840).
[95] Edwards, *Pedair Colofn Gwladwriaeth*, t. v.
[96] Edwards, *Pedair Colofn Gwladwriaeth*, t. vi.
[97] Edwards, *Pedair Colofn Gwladwriaeth*, tt. 28–9.
[98] Edwards, *Pedair Colofn Gwladwriaeth*, tt. 28–9.
[99] Edwards, *Pedair Colofn Gwladwriaeth*, tt. 29–31.
[100] Edwards, *Pedair Colofn Gwladwriaeth*, t. 35.
[101] Edwards, *Tri Chryfion Byd – sef Cariad, Tylodi ac Angau*, gol. Norah Isaac (Llandysul: Gwasg Gomer, 1975), t. 38.

[102] Edwards, *Tri Chryfion Byd*, tt. 39–40.
[103] Edwards, *Tri Chryfion Byd*, tt. 12–13.
[104] Edwards, *Tri Chryfion Byd*, tt. 42–4.
[105] Edwards, *Tri Chryfion Byd*, t. 47.
[106] Edwards, *Tri Chryfion Byd*, t. 49.
[107] Edwards, *Tri Chryfion Byd*, t. 53.
[108] Edwards, *Tri Chryfion Byd*, t. 60.
[109] Edwards, *Tri Chryfion Byd*, t. 29.
[110] Edwards, *Tri Chryfion Byd*, t. 69.
[111] Edwards, *Tri Chryfion Byd*, tt. 69–70.
[112] Edwards, *Tri Chryfion Byd*, tt. 70–3.
[113] Edwards, *Tri Chryfion Byd*, t 72.
[114] Edwards, *Tri Chryfion Byd*, tt. 72–3.
[115] Edwards, *Tri Chryfion Byd*, tt. 75–6.
[116] Jones (gol.), *Canu Twm o'r Nant*, tt. 196–8.
[117] Jones (gol.), *Canu Twm o'r Nant*, tt. 196–8.
[118] Jones (gol.), *Canu Twm o'r Nant*, t. 198.
[119] Jones, *Welsh Ballads of the French Revolution 1793–1815*, t. 7.
[120] Thomas Edwards (Twm o'r Nant), *Gardd o Gerddi* (Merthyr Tudful: T. Price, 1826), t. 47.
[121] Ashton (gol.), *Hunangofiant a Llythyrau Twm o'r Nant*, tt. 38–40.
[122] Ashton (gol.), *Hunangofiant a Llythyrau Twm o'r Nant*, tt. 48–9.
[123] Jones, *Welsh Ballads of the French Revolution 1793–1815*, tt. 8–9.
[124] Gweler A. Cynfael Lake, 'Cipdrem ar Anterliwtiau Twm o'r Nant', *Llên Cymru*, 21 (1998), 50–73, ar 66.

7

'Hen gyfraith bengam': y Gyfraith yng Ngweithiau'r Radicaliaid

Os Chwyldro Diwydiannol Prydain a ddylanwadodd fwyaf ar economi'r byd yn y bedwaredd ganrif ar bymtheg, yr oedd gwleidyddiaeth ac ideoleg y cyfnod wedi ei ffurfio gan y Chwyldro Ffrengig.[1] Siapiwyd holl drafodaeth gyhoeddus chwarter olaf y ddeunawfed ganrif gan y chwyldro yn Ffrainc ynghyd â'i chwaer chwyldro, Rhyfel Annibyniaeth America. Yr oedd gwreiddiau deallusol y ddau yn gyffredin i raddau helaeth, er bod amgylchiadau cymdeithasol a gwaddol hirdymor y ddau yn wahanol. Y mae'n ddigon hysbys fel y bu gan Gymru ei rhan allweddol yn natblygiad y Chwyldro Diwydiannol. Gyda'r chwyldro hwnnw y cafwyd newidiadau cymdeithasol sylfaenol yng Nghymru, pan newidiodd seilwaith yr economi o fod yn bennaf amaethyddol i fod yn bennaf ddiwydiannol. Tyfodd trefi a chanolfannau poblog, newidiodd demograffeg y wlad ac ymddangosodd dosbarth gweithiol, trefol a oedd yn gynyddol wleidyddol ei ysbryd.[2] Beth fu effaith y chwyldro yn Ffrainc a'r gwrthryfel yn nhrefedigaethau America, a'r syniadau a fu'n sail iddynt, ar lenorion Cymru?[3] A fu ymateb llenyddol yng Nghymru i'r radicaliaeth ryngwladol hon, ac a geir cyfeiriadau cyfreithiol yn yr ymateb hwnnw?

Allweddair ideolegol y ddeunawfed ganrif oedd rhesymoliaeth, a roddai bwys ar ffaith a rheswm uwchlaw myth, chwedl neu ofergoeliaeth.

Fel mynegiant gwleidyddol i resymoliaeth, hyrwyddyd yr egwyddor o sofraniaeth y bobl. Hawlid bod holl sefydliadau'r wladwriaeth yn ddarostyngedig i'r egwyddor hon, gan gynnwys sefydliadau gweinyddu cyfiawnder. Dadleuwyd bod dilysrwydd y gyfraith yn tarddu o ganiatâd ac ewyllys y bobl. Yr un a gafodd y dylanwad mwyaf ar radicaliaid Cymru, heb os, oedd Tom Paine (1737–1809). Yr oedd Paine yn feirniad llym ar hen gyfundrefnau llywodraethol Ewrop, yn chwyldroadwr tanbaid, a chafodd ei erlid am gyhoeddi syniadau a ystyrid yn deyrnfradwrus. Yn ei gyfrol *Rights of Man*, a gyhoeddwyd mewn dwy ran ym 1791 a 1792, dadleuodd Paine mai llywodraeth sydd yn tarddu o ryddid ac ewyllys y bobl yn unig sydd yn ddilys, ac nid llywodraeth sydd yn seiliedig ar rym ac ar ormes. Lle ceir llywodraeth sydd yn gwadu hawliau naturiol y bobl, hawliai Paine y gellir cyfiawnhau gwrthryfela yn erbyn y llywodraeth honno. Byddai Paine hefyd yn amddiffyn y Chwyldro Ffrengig rhag ei feirniaid, Edmund Burke yn enwedig, a gyhoeddodd ei feirniadaeth ar y chwyldro yn ei bamffled, *Reflections on the Revolution in France*, a gyhoeddwyd ym 1790.[4] Dadleuai Paine fod cyfamod cymdeithasol ymysg y bobl, ac mai o'r cyfamod hwnnw y caiff llywodraeth a barnwriaeth eu dilysrwydd. Cyfamod ydyw sydd, o'i weithredu'n gyfiawn, yn sicrhau rhyddid a chyfiawnder i'r unigolyn. Dadleuai hefyd nad oedd sefydliadau awdurdodol megis y Goron neu'r aristocratiaeth yn angenrheidiol i warantu hawliau'r bobl, ac y gellid eu hepgor.[5]

Yr oedd syniadau Paine, ac yn enwedig ei ddefnydd o'r cysyniad o gyfamod cymdeithasol, yn ddatblygiad ar syniadau athronwyr oes yr Oleuedigaeth, megis John Locke a Thomas Hobbes yn Lloegr, a Jean-Jacques Rousseau a François-Marie Arouet (Voltaire) yn Ffrainc. Yn ei *Second Treatise of Government*, yr oedd Locke wedi cynnig ei ddiffiniad ei hun o syniadaeth Hobbes ar y cyflwr naturiol a'r contract cymdeithasol. Tra oedd Hobbes yn ei gyfrol *Leviathan* yn dadlau dros lywodraeth gref awtocratig i gadw dyn rhag anhrefn cymdeithasol, yr oedd Locke yn dadlau dros yr hawl i chwyldro os yw llywodraeth yn tanseilio hawliau'r bobl, syniadau a fabwysiadwyd gan athronwyr Ffrainc yn ystod ail hanner y ddeunawfed ganrif.

Dadleuodd Locke fod dynion yn eu cyflwr gwreiddiol a naturiol yn gydradd ac yn rhydd, ac nad oedd neb yn ddarostyngedig i unrhyw deyrn. Mynnodd fod gan ddynion hawliau sylfaenol, megis yr hawl i fyw, i ryddid ac i fod yn berchen ar eiddo, ac nad creadigaethau unrhyw deyrn neu gyfraith wladol yw'r rhain, ond hawliau naturiol. Yr hawliau yma, honnai, yw sylfaen unrhyw gysyniad o lywodraeth ddilys. Ar sail y rhagdybiaeth hon, yr oedd Locke yn dadlau bod llywodraethau yn bodoli drwy gysyniad neu ganiatâd y bobl, a chyflwynodd y syniad o gontract cymdeithasol rhwng y bobl a'r llywodraeth, contract lle y mae'r bobl yn ildio peth o'u rhyddid i'r llywodraeth er mwyn sicrhau sefydlogrwydd cymdeithasol. Oherwydd y contract hwn, sydd yn bodoli trwy ganiatâd y bobl, y mae'r llywodraeth neu'r teyrn yn rhwym o gynnal a gwarchod hawliau'r bobl. Os nad yw'n gwneud hyn, trwy ymddwyn yn ormesol, y mae yn methu yn ei ddyletswydd ac yn torri'r contract. Felly, o dan y fath amgylchiadau, byddai gan y bobl yr hawl i ddiorseddu llywodraeth.[6] Fel disgybl deallusol i Locke, yr oedd Voltaire yn un o feirniaid mwyaf huawdl yr *Ancien Régime* ac yn lladmerydd egnïol dros hawliau'r bobl. Yn 1764, cyhoeddodd ei *Dictionnaire philosophique* fel cyfeirlyfr ar syniadaeth yr Oleuedigaeth, testun a oedd yn hyrwyddo rhesymoliaeth ar draul ofergoel a thraddodiadau'r Eglwys Babyddol.[7]

Er gwaethaf y berw syniadol hwn, ni chafodd yr Oleuedigaeth argraff fawr ar y Gymru a oedd yn wlad unieithog Gymraeg yn y ddeunawfed ganrif.[8] Yr oedd hyn er gwaetha'r ffaith iddi godi rhai o brif ffigurau'r Oleuedigaeth o'i safbwynt gwleidyddol, megis Richard Price o Langeinor ac, i raddau llai, David Williams o Waenwaelod, a Syr Watkin Lewes (y tri yn deillio o sir Forgannwg, y sir Gymreig fwyaf diwydiannol erbyn diwedd y ddeunawfed ganrif). Heb os, yr oedd Richard Price yn un o'r meddylwyr radical mwyaf nodedig ei oes. Cafodd ddylanwad ar arweinwyr Rhyfel Annibyniaeth America (yr oedd yn gyfaill agos i neb llai na Benjamin Franklin) ac ar werthoedd y wladwriaeth newydd, gwerthoedd a ymgorfforwyd yn ei chyfansoddiad. Yr oedd yn un o bencampwyr rhyddid a hunanreolaeth, a'r syniad o lywodraeth yn tarddu o ewyllys y bobl. Gwelai gyfreithiau fel rheolau sydd yn bod trwy gydsyniad y bobl, a hawliai mai ymddiriedolwyr yw llywodraethau a barnwyr i weithredu'r cyfreithiau ar ran y bobl. Ei syniad mawr arall oedd creu senedd ryngwladol i atal rhyfeloedd rhwng y gwledydd. Yr oedd yn ddyn o flaen ei oes, er i bobl America gydnabod ei ddylanwad arnynt yno yn ystod ei oes. Ac os cafodd Price ei ddylanwadu gan syniadaeth John Locke, bu ef ei hun yn ddylanwad ar Tom Paine, ac yn enwedig yn y modd yr amddiffynnodd Paine y Chwyldro Ffrengig.[9]

Serch hynny, ni fynegodd Price ddim o'i syniadau yn Gymraeg, ac ni chawsant eu cyfieithu i'r Gymraeg (er iddynt gael eu cyfieithu i nifer o ieithoedd Ewropeaidd eraill). Nid wrth ei bobl ei hun yn benodol yr oedd Price yn llefaru. Cyfrannodd y Cymro hwn at yr Oleuedigaeth ar lefel ryngwladol, ond ni fu'n gyfrwng i arwain mudiad o fewn ei genedl ei hun. Wrth gwrs, nid oedd ganddo'r llwyfan i fynegi ei weledigaeth. Nid oedd gan Gymru'r isadeiledd, y sefydliadau na'r strwythurau i gynnal unrhyw Oleuedigaeth seciwlar. Nid mewn ffair neu festri eglwys y byddai'r math yna o ddisgwrs athronyddol yn digwydd, ond mewn prifysgolion, academïau a chymdeithasau deallusol. Yn ogystal, nid oedd ei syniadau yn dderbyniol gan drwch y boblogaeth, a oedd yn frenhingar ac yn wrthwynebus i wrthryfel trigolion trefedigaethau America. Lleiafrif oedd Anghydffurfwyr radical Cymru'r ddeunawfed ganrif.[10] Er i rai gofleidio syniadaeth yr Oleuedigaeth, ac i hynny eu harwain at Ariaeth ac Undodiaeth, ymylol fu eu dylanwad ar drwch poblogaeth a lanwyd gan frwdfrydedd ysbrydol y deffroad mawr Methodistaidd.

Er eu prinned, efallai mai'r enwocaf o'r radicaliaid Cymraeg eu hiaith oedd y polymath hynod hwnnw, Edward Williams, neu Iolo Morganwg (1747–1826). Y mae'n sicr i Iolo fynegi safbwyntiau radicalaidd a datgan cefnogaeth i chwyldroadau ac i ymgyrchoedd gwleidyddol mawr ei ddydd yn ei amrywiol weithgareddau diwylliannol. Bu'n llafar ei safbwyntiau ar ryfel America ynghyd â'r ymgyrch i ddileu caethwasiaeth. Ond ni ellid fod wedi ei ddisgrifio fel athronydd gwleidyddol. Amsugnodd weithiau Rousseau a Voltaire, a daeth yn adnabyddus fel 'Bardd Rhyddid', ond ysgafn fu ei ambell efelychiad ar ffurf cerdd o'u beirniadaeth ar ormes teyrn ac offeiriad. O ran yr anghyfiawnderau a wynebai'r Cymry yn benodol, ei feirniadaeth o ormes yr Eglwys Wladol sydd amlycaf, ac yntau, wrth gwrs, yn Undodwr pybyr.[11] Ond nid oedd ganddo lawer i'w ddweud am gyfraith a threfn yng Nghymru ei oes, er iddo lunio cân yn Saesneg yn clodfori rheithgor ar ôl iddynt ddyfarnu o blaid diffynyddion radicalaidd mewn treial yn yr Old Bailey ym 1795.[12] Er iddo droi yng nghylchoedd y Gwyneddigion, dadeni hynafiaethol y Morrisiaid a'r Cymmrodorion a aeth â'i fryd yn bennaf. Rhamantydd oedd Iolo, un dawnus a huawdl ryfeddol, ond nid oedd yn feddyliwr radical gwleidyddol.[13]

Hanes deffroad ysbrydol, nid deffroad athronyddol neu wleidyddol, oedd hanes y ddeunawfed ganrif yng Nghymru. Y Diwygiad Methodistaidd, a ymledodd trwy Gymru yn ystod y ganrif, a gafodd yr argraff fwyaf ar feddylfryd Cymry'r cyfnod. Gan mai mudiad a oedd, yn swyddogol o leiaf, yn gweithredu o fewn yr Eglwys Wladol oedd y Methodistiaid trwy gydol y ddeunawfed ganrif, yr oedd ganddi'r llwyfan parod ar gyfer ei chenadwri ysbrydol. Nid oedd radicaliaeth rhai o'r Sentars yn apelio dim at ei harweinwyr. Fel y dywedodd R. T. Jenkins yn ei gyfrol ar hanes Cymru yn y ddeunawfed ganrif: 'Ni bu fudiad erioed culach ei ddiddordeb ym mhethau'r meddwl, a mwy dibris o addysg yn gyffredinol'.[14]

Odid nad oedd na goleuedigaeth na rhesymoldeb seciwlar yn golygu dim i'r Methodistiaid. Y Goruchaf a'i ragluniaeth ac nid gweithredoedd brenhinoedd daear a aeth a'u bryd. Pethau Cesar i Gesar, meddent. Wedi eu gwreiddio yn ddiogel yn niwinyddiaeth uniongred Credo Nicea, pechod dynion oedd eu gelyn, nid cyfundrefnau'r wladwriaeth. Iddynt hwy, rhaid oedd cadw pethau'r byd hwn a phethau'r byd nesaf ar wahân. Dyletswydd y credadun oedd byw 'bywyd tawel, heddychlon a chyfreithlon o dan awdurdod y wladwriaeth'.[15] Fel y tyfodd rhengoedd y Methodistiaid yn ystod y ganrif, ciliodd blas y werin bobl am faterion politicaidd a throesant eu golygon tuag at dragwyddoldeb ac ymboeni am eu heneidiau eu hunain. Do, fe newidiodd pethau rywfaint yn ystod y bedwaredd ganrif ar bymtheg, a'r Methodistiaid bellach yn enwad Anghydffurfiol. Daeth gormes yr

Eglwys Wladol a'i degwm yn bynciau llosg ymysg y Methodistiaid yn gymaint â'r enwadau Anghydffurfiol eraill, a bu'r ymgyrch i ddatgysylltu'r eglwys yn gymaint o gonsérn i'r Methodistiaid Calfinaidd ag i unrhyw enwad Anghydffurfiol arall.[16] Ond meddylfryd y dinesydd ufudd, disgybledig a syber oedd eiddo'r Methodist Calfinaidd Cymreig.

Er mai lleiafrif oedd Sentars radicalaidd Cymru yn y ddeunawfed ganrif, ym mlynyddoedd olaf y ganrif llwyddasant i roi rhywfaint o fynegiant i anniddigrwydd rhai o'u cyd-Gymry. Yr oedd llu o ddylanwadau'r oes ar feddwl a llên y Cymry radicalaidd hyn, a'r dylanwadau hynny yn cael eu sianelu o'r aml gysylltiadau â'r alltudion yn Llundain ac yn cael eu llwyfannu trwy'r mudiad eisteddfodol a hybid gan y Gwyneddigion yn negawd olaf y ddeunawfed ganrif.[17] Os bu yna erioed Jacobiniaid Cymreig, yng nghwmpeini'r Gwyneddigion y'i ceid. Yn swyddogol, yr oedd y Gwyneddigion yn gymdeithas o Gymry Llundeinig a roddai'r pwyslais pennaf ar hyrwyddo llên a barddoniaeth Gymraeg; ond yr oedd ganddi hefyd ddiddordeb ym materion llosg y dydd, cymaint fel y daeth yn ffocws ar gyfer syniadaeth radical, yn enwedig ar ôl y Chwyldro Ffrengig.[18] Ymysg ei haelodau, ceid Jac Glan-y-Gors, Thomas Roberts, Llwynrhudol, a Twm o'r Nant.[19] Gallai unrhyw fynegiant o radicaliaeth Gymreig y Gwyneddigion fod wedi diflannu gyda'r cwrw yn nhafarndai Llundain oni bai fod amgylchiadau wedi caniatáu i'w syniadau gael eu cofnodi.

Yr oedd Cymru yn wlad eithaf llythrennog erbyn y ddeunawfed ganrif, diolch yn enwedig i ymdrechion addysgol Griffith Jones, Llanddowror, ac, yn ddiweddarach, Thomas Charles o'r Bala.[20] Addysgu'r bobl fel y medrent ddarllen eu Beibl, ac nid rhyw bamffledi gwleidyddol neu faledi anweddus, oedd nod y gwroniaid hyn, wrth gwrs. Ond, yn ogystal, yr oedd datblygiad y wasg brintiedig yn galluogi'r bobl i gael gafael ar ystod o ddeunydd darllen rhad, ac yr oedd gan gyhoeddwyr faledi, almanaciau ac anterliwtiau ar eu cyfer.[21] Fel y tyfodd o leiaf garfan o'r boblogaeth yn wleidyddol lythrennog, datblygodd marchnad ar gyfer awduron pamffledi gwleidyddol hefyd. Yr oedd protestiadau yn erbyn anghyfiawnderau yn themâu cyson yng ngwaith y baledwyr a'r anterliwtwyr, wrth gwrs. Ond erbyn diwedd y ddeunawfed ganrif, ymddangosai pamffledi a oedd yn fwy gwleidyddol eu naws.

Beth bynnag a ddywedir am ansawdd y dadleuon a geid yn y pamffledi, yr ysgrifau a'r baledi gwleidyddol, y mae un rhinwedd iddynt, sef eu bod yn ymgais i drafod pethau gwleidyddol yn yr iaith Gymraeg. Er mai o Loegr yn bennaf, a thrwy'r Saesneg, y câi'r Cymry radicalaidd eu syniadau, llwyddasant i roi mynegiant iddynt yn eu hiaith eu hunain.[22] Dyna rywbeth a oedd ynddo'i hun yn gyfraniad yn ysbryd yr Oleuedigaeth, sef hyrwyddo dealltwriaeth o bynciau gwleidyddol yn iaith y bobl.[23] Trwyddynt, mynegwyd syniadaeth radicalaidd gyffredinol mewn idiom a chyda phwyslais unigryw Cymreig, a hynny yn yr iaith Gymraeg. Ac wrth gyflwyno gweledigaeth o'r gymdeithas amgen, daeth rôl y gyfraith mewn cymdeithas o dan eu chwyddwydr hefyd. Cawn ganddynt, felly, ddelweddau o'r gyfraith yng nghanol eu myfyrdodau gwleidyddol. Pobl o flaen eu hoes oedd llawer ohonynt, ac er mai prin fu eu dylanwad ar y pryd, yr oeddent yn perthyn i draddodiad hen o feirniadu, cwestiynu a herio'r drefn.

Un o'r cynharaf o'r radicaliaid Cymreig oedd William Jones (1726–1795), Gwilym Cadfan, y ffermwr, yr hynafiaethydd a'r bardd o Ddôl Hywel, Llangadfan. Dyma ŵr diwylliedig, amryddawn a hunanaddysgedig, a daeth yn aelod blaenllaw o gylch o lenorion, gan ohebu â'r Gwyneddigion. Daeth o dan ddylanwad meddylwyr radical ei oes, gan gynnwys Voltaire a Paine, a mabwysiadodd eu syniadau radicalaidd yn ei waith ei hun. Yr oedd o blaid y chwyldro yn Ffrainc, ac ar un adeg bu ganddo gynllun aflwyddiannus i sefydlu gwladfa Gymreig yn Kentucky.[24] Yn ei 'Awdl ar y pedwar mesur ar hugain i ryddid a thrais', mynegodd William Jones syniadaeth Voltaire ar ryddid mewn cynghanedd.[25] Yn Eglwyswr, yr oedd William Jones yn gosod ei radicaliaeth mewn cyd-destun Cristnogol, er nad oedd hynny wrth fodd awdurdodau'r eglwys.[26] Ond yn ei awdl y mae William Jones yn datgan mai Duw a roddodd ryddid i ddyn: 'Rhyddid, addefid, rhoddai Duw Ddofydd'.[27] Gelyn rhyddid ym marn William Jones oedd 'mawrdrais ymerodron'[28] a thywysogion â'u bryd ar gaethiwo'r bobl:

Rhysgwydd o dda ddeunydd i ddynion,
Rhag llafur disegur dwysogion,
Rhai a fydd beunydd a'u dibenion,
Rhifo a thwyso'n gaethweision.
Rhinwedd Duw a hedd da i hon, – unwedd,
Rhyfedd gelanedd fo'i gelynion.[29]

I William Jones, yr oedd barnwyr a benodid gan y tywysogion hyn yn elynion rhyddid wrth iddynt arfer eu swyddogaethau yn y llysoedd. Cawsant eu beirniadu ganddo am fod yn rhy barod i arfer eu hawdurdod yn greulon, a cheir ganddo ymbil ar Dduw i achub cam ei bobl:

Rhy niweidiog rhi' eu hynadon,
Rhy groch helynt rhai o'u gorchwylion,
Rhai a'u gwroliaeth yn rhy greulon:
Rhodded Iesu rhyddid i'w weision.[30]

Galwodd William Jones ar ynadon i drin y gorthrymedig â bwriadau pur ac anrhydeddus:

Aed mawledig, etholedig,
Yn enwedig ein ynadau,
I weledig orthrymedig;
Yn buredig eu bwriadau.[31]

Un arall o gylch y Gwyneddigion a fu'n ymddiddori yn y gyfraith oedd Edward Jones, neu Ned Môn (m.1840), a gyhoeddodd lyfryn ymarferol, *Cyfreithiau Plwyf; sef Holl Ddyledswydd y Swyddogion*, ym 1794. Canllaw ar swyddogaethau'r warden, goruchwyliwr deddfau'r tlodion, swyddog y priffyrdd a chwnstabl y plwyf yw'r llyfr hwn yn bennaf. Ond y mae iddo ragarweiniad diddorol sydd yn olrhain esblygiad y cyfansoddiad Prydeinig o Fagna Carta ymlaen, ac sydd yn hawlio mai rhyddid yw pennaf egwyddor y cyfansoddiad hwnnw. Hyd yn oed fel llyfr Cymraeg at ddefnydd swyddogion yr eglwys a'r plwyf yn unig, y mae'r ffaith ei fod yn annog y defnydd o'r iaith Gymraeg wrth weinyddu mewn swydd gyhoeddus yn ei wneud yn gyhoeddiad radical iawn.[32]

Ond efallai mai'r enwocaf o'r Cymry a drodd ymysg radicaliaid Cymreig Llundain oedd John Jones, neu Jac Glan-y-Gors (1766–1821).[33] Fe'i ganwyd yn fferm Glan-y-Gors yng Ngherrigydrudion, ychydig filltiroedd i'r gogledd o gynefin Huw Jones o Langwm. Er i griw'r Gwyneddigion a thrafodaethau tafarndai a thai coffi Llundain ddylanwadu arno, yr oedd hen radicaliaeth ei gynefin yn llawn cymaint o ddylanwad ar ei gymeriad a'i wleidyddiaeth. Os na chafodd nemor ddim addysg ffurfiol pan oedd yn blentyn, cafodd ei drwytho yn niwylliant ei fro, a bu'n ymhél â barddoni er pan oedd yn ifanc. O fod wedi aros yn ei gynefin, gallai fod wedi dyfod yn un arall o faledwyr neu anterliwtwyr amlwg sir Ddinbych. Nid felly y bu. Tua 1789, ac yntau ychydig dros ei ugain oed, gadawodd Jac ei gartref yn Uwch Aled a'i throi hi tua Llundain. Ni wyddys i sicrwydd pam y bu iddo adael am Lundain, er y credai rhai iddo fynd i helynt â'r rheithor lleol, a bod hynny, o bosibl, wedi ei orfodi i ffoi o afael y gyfraith a'i heglu dros y ffin.[34] Ar y llaw arall, y mae'n bosibl mai gadael i chwilio am fywyd gwell ar ôl clywed am atyniadau'r ddinas fawr a'r casgliad o Gymry yno a wnaeth Jac, fel llawer o'i gyfoedion.[35] Efallai mai'r penderfyniad i adael cynefin ac i dreulio'i ddyddiau yn y ddinas fawr a roddodd iddo'i bersbectif treiddgar ar wendidau ei genedl.

Ac yntau bellach yn Llundain, bu'n cyflawni amrywiol swyddi a chadw sawl tafarn, gan ddod yn ffigwr blaenllaw ymysg Cymry diwylliedig y ddinas. Yno, bu'n ysgrifennydd, is-lywydd a bardd swyddogol y Gwyneddigion, a chyfrannodd tuag at sefydlu'r Cymreigyddion gyda Thomas Roberts Llwynrhudol ac eraill ym 1795. Cymdeithion Jac yn Llundain oedd yr *intelligentsia* alltud Cymreig, a daeth o dan ddylanwad eu hymddiddan ar y byd a'i bethau. Bu'r dylanwad hwnnw yn dwyn ffrwyth ac yn ysbrydoliaeth iddo yn ei brydyddu a'i faledi. Yn ei weithgaredd llenyddol, bu'n feirniadol o rai o'i gydwladwyr, yn enwedig y rheini a fynnai anghofio eu hiaith a'u hetifeddiaeth er mwyn ymddyrchafu a Seisnigo. Ei greadigaeth enwocaf yn y cyswllt hwn oedd Dic

Siôn Dafydd, enw sydd bellach yn gyfystyr â Chymro ffals sydd eisiau bod yn Sais.

Ym merw'r bywyd deallusol a dinesig hwn y daeth Jac hefyd o dan ddylanwad syniadau Tom Paine. Daeth rhyddid dyn a chyfiawnder cymdeithasol, ynghyd â gormes brenhinoedd a'u lluoedd, yn faterion o bwys iddo. Rhoddodd radicaliaeth Paine ac eraill sbardun i Jac fynegi ei rwystredigaethau. Cyhoeddodd aml i faled a oedd yn dychanu ac yn beirniadu'r sefydliadau a'r pwysigion a oedd yn gorthrymu'r werin. Mewn baled o'r enw 'A New Welsh Litany', a gyhoeddwyd yn y *Chester Chronicle* ar 5 Awst 1796, y mae Jac yn parodïo arddull litani i gystwyo rhagrithwyr a gormeswyr sydd yn gyfrifol am anghyfiawnderau'r byd, gan gynnwys y cyfreithwyr:

> Gwrandawed y nef; ar ychydig o Gymry,
> Sy'n chwennych danfon ochenaid i fynnu;
> Cyn i ni fyned, i gyflwr truenus
> *Gwared ni, gwared ni, Arglwydd daionus.*
>
> Rhag diodde caledi o achos cam gyfreth
> Rhag Twyllwyr a lladron i drin y llywodreth
> Rhag pobl ddideimlad, a meddwl gorthrymus
> *Gwared ni, gwared ni, Arglwydd daionus.*[36]

Fe gofir Jac yn bennaf am iddo gofnodi ffrwyth ei fyfyrdodau mewn dau bamffledyn, *Seren tan Gwmmwl*, a gyhoeddwyd ym 1795, a *Toriad y Dydd* a gyhoeddwyd ym 1797. Ymgais oedd y pamffledi hyn i gyflwyno radicaliaeth yr oes i'r Cymry yn eu hiaith eu hunain. Yr oedd dylanwad Thomas Paine ar Jac yn gymaint fel y gellir honni mai aralleiriad yw *Seren tan Gwmmwl* o'r *Rights of Man*.[37] Er nad yw dadleuon Jac yn cynnig llawer o ddim byd gwreiddiol neu ganfyddiadau ychwanegol i brif ddadleuon Paine, y mae'r gwaith wedi ei deilwra ar gyfer y Cymry Cymraeg a'u profiadau. Brenhinoedd, uchelwyr, esgobion ac offeiriadon oedd prif dargedau Jac. Hwy a gâi'r bai ganddo am ryfeloedd, trethi a llu o anghyfiawnderau eraill. Ac wrth iddo ymosod ar frenhinoedd, yr oedd Jac hefyd yn cynnwys cyfeiriadau at hanes y Cymry eu hunain. Cawn ef yn sôn am y modd y bu iddynt gael eu camarwain gan y Brenin Gwrtheyrn, a fu mor ffôl â rhoi'r cyfle i'r Saeson gael y llaw uchaf ar y Cymry trwy eu gwahodd i'w lys.[38]

Yr oedd Jac yn ymhyfrydu yn y gwrthryfel yn America, a'r modd y llwyddodd ei phobl i wrthsefyll ymosodiad Brenin Lloegr a'i fyddinoedd, gan ennill eu hannibyniaeth. Gorfoleddodd yn ei chyfundrefn seneddol ddemocrataidd, gan ei gwrthgyferbynnu â'r gyfundrefn fonarchaidd, aristocrataidd ym Mhrydain, lle nad oedd ond lleiafrif o dirfeddianwyr yn cael pleidleisio. Byddai'n edliw'r ffaith fod bwrdeistrefi bach llygredig gyda phoblogaeth fechan, y 'rotten boroughs' bondigrybwyll hynny, yn anfon mwy na'u siâr o aelodau i'r Senedd, tra nad oedd gan drefi mawr fel Manceinion neu Birmingham yr un cynrychiolydd (sefyllfa a newidiodd â Deddf Diwygio 1832).[39] Yr oedd hefyd yn lladmerydd dros y bleidlais gudd, ac argymhellodd y sustem a ddefnyddid gan y Gwyneddigion i ethol aelodau newydd, sef bod yr aelodau yn defnyddio tocynnau du (yn erbyn) a gwyn (o blaid) a'u rhoi'n ddirgel mewn blwch gan sicrhau nas gwyddid sut y pleidleisiodd neb.[40]

Ffrwyth arall yr annibyniaeth yn America ym marn Jac oedd cyfreithiau cyfiawn a oedd yn sicrhau rhyddid i addoli ac yn ymwrthod â gormes y gyfundrefn eglwysig a geid yn yr hen fyd:

> Ni ddarfu'r gyn'lleidfa a wnaeth reolau a chyfreithiau llywodraeth America, ddim gwneuthur cyfraith i godi degymau i gadw offeiriadau i ddarllen, ac i bregethu crefydd wedi ei gwneud gan y Rhufeiniaid, neu'r tyrciaid, neu ryw wag ladron eraill, a oedd, ac y sydd yn ysbeilio y gwerin, a hynny yn enw rhyw ragrith o grefydd.[41]

Gosododd America esiampl o lywodraeth gyfiawn i bobl Ffrainc, ac yr oedd Jac yn canmol y Ffrancwyr am godi a 'chwalu'r cymylau a'r caddug a oedd yn ceisio gorchuddio goleu rhyddid'. A oedd Jac yn annog ei gydwladwyr i godi mewn gwrthryfel yn erbyn y drefn? Ar ddiwedd *Seren tan Gwmmwl* y mae amwyster yn neges Jac sy'n awgrymu mai tipyn o bryfocio a dychan a oedd wrth wraidd ei neges. Er ei ganmoliaeth hael i'r Americanwyr a'r Ffrancwyr, nid anogodd y Cymry i wrthsefyll yn erbyn cynheiliaid y drefn:

> er cymaint ydyw'r caethder a'r caledi ymhob congl i'r wlad, gwell ydyw dioddef a chwyno am ryddid, na chodi yn fyddin yn erbyn y llywodraeth, er bod yn gyfreithlon i ryw nifer o bobl ddanfon eu cwyn i'r senedd, neu fyned at swyddogion y brenin, a chwyno eu hunain yn erbyn rhyw beth a fo'n eu blino; ac er i ryw nifer o bobl gychwyn i ryw dref ar fedr rhoddi eu cwyn yn bwyllog, ac yn amyneddgar ger bron swyddogion y brenin, ond cyn yr elont i ben eu taith, mi ddaw rhyw bobl anwybodus, a direolaeth i'w plith, ac a ddechreuant amharchu'r ustusiaid, ac a ymddygant yn anweddaidd, fel ag y bu'n ddiweddar yn rhai mannau yng Nghymru; felly gwell yw dioddef cam nag amharchu swyddogion i geisio uniondeb, pa rai nad oes yn gallu wneuthur ond ychydig heb gennad y senedd.[42]

Diwygiwr cyfansoddiadol oedd Jac wedi'r cyfan. Cwyno yn bwyllog i awdurdod ac nid dilyn y dorf afreolus oedd ei neges. O ran y gyfraith, ychydig oedd ganddo i'w ddweud yn benodol am y gyfundrefn gyf-reithiol yn *Seren tan Gwmmwl*:

> a pha ddyn a chalon uniawn yn ei fynwes, a fedr fod yn ddistaw mewn gwlad yn y byd; mewn un oes a fu erioed, os bydd ef yn gweled cam gyfraith, ac yn dyst o gam lywodraeth.[43]

Er nad oedd bod yn ddistaw yn wyneb y camgyfraith wrth fodd Jac, nid oedd gwneud llawer mwy na chwyno a dioddef yn dderbyniol ganddo chwaith. Yr oedd pen draw i resymoliaeth a radicaliaeth Jac, ac efallai nad oedd rhai o'i ddadleuon yn llawer mwy na chasgliad o ragfarnau. Y mae diweddglo *Seren tan Gwmmwl* yn nodweddiadol amwys a choeglyd. Dymuniad Jac ar ddiwedd ei draethawd oedd 'blinder cydwybod, ac aflonyddwch i orthrymwyr trawsion; llwyddiant a dedwyddwch i ewyllyswyr da eu cydgreaduriaid; undeb a heddwch i ddynolryw; cyfiawnder a rhyddid i'r byd.'[44]

Dilynwyd *Seren tan Gwmmwl* gan y pamffled arall o'i eiddo, sef *Toriad y Dydd*, a gyhoeddwyd ym 1797. Ymateb oedd hwn i'r feirniadaeth o'r cyhoeddiad cyntaf, a chyfle i Jac i ychwanegu ac ymhelaethu ar ei ddadleuon. Yr oedd ganddo fwy i'w ddweud am y gyfraith yn *Toriad y Dydd* hefyd. Ei ddadl yma oedd y dylid cael gwared ar hen arferion a chyfreithiau sydd yn ormesol, anghyfiawn ac yn groes i reswm, ac yn tarfu ar hawliau naturiol y bobl:

> Er y gall fod rhyw reswm mewn dechreuad rhyw hen arfer neu ryw hen gyfraith, yn yr oes dywell y gwnaed hwy, ond nid ydyw hynny ddim yn peri i ni eu parchu yn yr oes yma ddim pellach nac y maent yn unol â rheswm.[45]

Credai Jac mai hunan-les brenhinoedd a boneddigion oedd tarddiad rhai o'r cyfreithiau gormesol hyn:

> Pan fo ryw hen arfer, neu hen gyfraith bengam, yn cael eu cynnal er mwyn elw a budd, mae'n ddyledus ar bob dyn chwilio ac edrych yn y ffynnon lle tarddodd y fath gyfraith, neu'r fath arfer, allan; a pha un a'i er eu mael eu hunain, a'i er lles y cyffredin, y darfu i'r gwneuthurwyr hyrddu y fath gyfraith i'r byd.[46]

Un o'r hen gyfreithiau a oedd yn wrthun ganddo oedd egwyddor cyntafanedigaeth, sef yr egwyddor a gyflwynwyd gan y brenhinoedd Normanaidd a olygai fod y mab hynaf yn etifeddu'r holl dir. I Jac, yr oedd y fath arferiad yn afresymol yn wyneb y ffaith fod 'pob plentyn yn sefyll yn yr un radd o berthynas i'w rieni'.[47] Ar y brenhinoedd oedd y bai am hyrwyddo'r fath anghyfiawnder, gan mai cynnal eu rheolaeth hwy ar y deyrnas oedd eu pwrpas, a hynny trwy sicrhau mai yn nwylo'r lleiafrif teyrngar yr oedd tiroedd y deyrnas. Yr oedd Jac yntau yn defnyddio'r syniad o'r gymdeithas gyntefig neu'r cyflwr naturiol, sef syniadau Hobbes a Locke, i egluro beth fyddai hawliau naturiol a beth fyddai swyddogaeth llywodraeth mewn cymdeithas gyfiawn. Yr oedd y syniadau hyn parthed anghyfiawnder cyntafanedigaeth, a'r angen i ddileu hen gyfreithiau llwgr yn amlwg yn tarddu o syniadaeth Ffrengig y cyfnod, a byddent yn gweld golau dydd yno mewn cyfres o ddiwygiadau cyfreithiol ar ddechrau'r ganrif ddilynol a elwid y *Code Napoléon*.[48]

Yr oedd dylanwad Paine a phrofiad America hefyd yn amlwg ar fyfyrdodau Jac. Byddai'n dadlau y dylid ethol barnwyr am dymor penodedig, rhag iddynt fagu balchder ac ymbellhau oddi wrth y bobl, ac y dylid sicrhau annibyniaeth y barnwr oddi wrth y llywodraethwyr.[49] Hawliodd mai pobl y wlad sydd â'r hawl i ethol llywodraeth a llunwyr cyfraith, fel rhan o'u breintiau anianol, a dylid cael modd i newid llywodraeth neu gyfraith os dyna ddymuniad y bobl:

> Nid oedd, ac nid oes, gan un dyn, neu ryw nifer o ddynion, ddim gallu, na braint, na hawl, nac awdurdod, i wneuthur un math o lywodraeth na chyfraith i fod mewn grym neu effaith, heb yn gyntaf gael llais pobl y wlad, lle bo'r llywodraeth neu'r gyfraith yn cael eu gwneud, i wybod a ydyw'r rhan fwyaf o honynt yn foddlon i fyw tan y fath lywodraeth.[50]

Yr oedd dadleuon Jac yn rhy eithafol ac yn ymylu ar fod yn deyrnfradwrus yng ngolwg yr awdurdodau, a bu'n rhaid iddo ffoi o Lundain i Gymru ym 1798.[51] Cafodd ei feirniadu yng Nghymru hefyd, yn enwedig gan y Methodistiaid, a gredai ei fod yn anghredadun annheyrngar. Pa ryfedd, efallai, ac yntau yn gofyn yn goeglyd mewn llythyr yn *Y Geirgrawn* ym mis Medi 1796: 'A pha un ai credo St. Athanasius ai credo Voltaire sydd fwya rhesymol, a thebyca o fod yn wir?'[52] Yn wir, ysbrydolodd *Seren tan Gwmmwl* drafodaeth gyhoeddus pur danllyd yng nghylchgrawn *Y Geirgrawn*. Cyhuddid Jac o annuwioldeb a diffyg moesoldeb gan ei feirniaid, tra cyhuddid ef gan eraill o gyflawni llênladrad trwy iddo gyfieithu Thomas Paine heb gynnig unrhyw syniad neu ddadl wreiddiol o'i eiddo ei hun. Ond yr oedd Jac yn ddigon parod ei atebion.[53] Beth bynnag fo'r gwir am ei orddibyniaeth ar Tom Paine fel ysbrydoliaeth, yr oedd yn amau awdurdod o unrhyw fath, ac yn ddrwgdybus o ddogma, ac i'r graddau hynny yr oedd yng nghwmni meddylwyr yr Oleuedigaeth.[54]

Un o gyfoedion a chyfeillion Jac, ac un arall a gymerodd y lôn o Gymru i Lundain yn ail hanner y ddeunawfed ganrif, gan ddod yn flaenllaw ymysg y Cymry diwylliedig yno, oedd Thomas Roberts, Llwynrhudol (*c.*1765–1841). Gadawodd ei gartref ym mhlwyf Abererch yn Llŷn pan oedd yn bedair ar ddeg oed, gan ddilyn crefft fel gofaint aur yn Llundain. Ym 1793 daeth yn aelod o'r Gwyneddigion, gan ddyrchafu i fod yn llywydd ym 1800 ac ym 1808, a bu yn un o sylfaenwyr Cymdeithas y Cymreigyddion ym 1796. Cyhoeddodd amrywiol lyfrau a phamffledi, eithr ei gyfraniad llenyddol mwyaf adnabyddus oedd ei bamffled *Cwyn yn erbyn Gorthrymder* (1798). Dyma oedd ei brotest yn erbyn anghyfiawnderau'r oes, ac yn enwedig llygredigaeth yr eglwys a gormes y degwm. Daeth elfennau eraill o gymdeithas o dan ei lach yn ogystal. Beirniadodd y Methodistiaid am bregethu rhagetholedigaeth yn nhrefn rhagluniaeth, athrawiaeth a oedd, yng ngolwg Thomas Roberts, yn anghydnaws â'r syniad o gydraddoldeb y ddynoliaeth yng ngolwg Duw ac o ryddid ewyllys dyn a'i allu i lywio ei dynged yn y byd hwn. Beirniadodd hefyd y meddygon a'r twrneiod am ormesu'r bobl gyda'u twyll a'u hystrywiau. Y mae sail i gredu bod aelodau ei deulu yn gyfreithwyr, ac efallai fod ysgrifau Thomas Roberts yn tynnu ar brofiad personol o ddulliau gwŷr y gyfraith.[55]

Yr hyn sydd yn gwneud *Cwyn yn erbyn Gorthrymder* yn bwysig o safbwynt delweddu'r gyfraith mewn rhyddiaith Gymraeg yw mai Cymru yw'r pwnc. Nid cyfundrefnau cyfreithiol gwledydd pell neu egwyddorion mawr cyffredinol oedd diddordeb Thomas Roberts, ond y gyfraith yng Nghymru. Yn blwmp ac yn blaen, rhannodd Thomas Roberts ei farn am gyfreithwyr a'u tebyg.[56] Cawn ganddo'r delweddu cyfarwydd o'r cyfreithiwr fel creadur sydd yn gorthrymu cymdeithas, yn yr un modd ag y gwna'r meddyg a'r offeiriad. Dyma ddyfyniad sydd yn amlwg yn adlewyrchu dylanwad rhai o'i gyfoedion, ac yn enwedig y baledwyr a'r anterliwtwyr, arno:

> Mae tri math o ddynion yn y wlad hon nad oes angenrhaid mawr amdanynt; (oddieithr fod dynion yn mawr chwennych byw dan orthrymder, a than balfau y rhai'n ag sydd ar bob achlysur yn eu twyllo o'r hyn a feddant), a'r rhai'n yw'r *Personiaid*, y *Doctoriaid* a'r *Cyfreithwyr*.[57]

Ar ôl egluro ffaeleddau'r ddau broffesiwn arall, y mae'n troi ar y cyfreithiwr. Trachwant y cyfreithiwr yw byrdwn ei neges yn y dyfyniad hwn:

> Y cyfreithiwr yntau, a sydd yn rodresgar iawn, ac a gymer y drydedd gadair ar y daflod, am ei ofal neillduol am eiddo, yr hwn a ddywed mae e a'i gwared; ac yn ddiau y mae, megis llew yn y chwedl, trwy ryw esgus neu'i gilydd, mae'n crafangio y cwbl iddo ei hun.[58]

O ymddygiad crafanglyd y cyfreithiwr, try Thomas Roberts at bwnc mwy penodol Gymreig, sef yr iaith a ddefnyddir yn y llysoedd. Wrth gwrs, yr oedd y defnydd o'r Saesneg fel iaith swyddogol y gyfraith yng Nghymru wedi ei hen sefydlu bellach. Serch hynny, Cymry uniaith oedd llawer o'r tystion a'r partïon a ddaethai gerbron y barnwyr. Ceid felly'r cynhwysion delfrydol ar gyfer anghyfiawnder a chamarwain. Rhydd Thomas Roberts enghreifftiau o'r jargon cyfreithiol a glywid yn y llysoedd:

> Mae gan y gwŷr yma enwau ar amryw o bethau, yn y peth maent yn ei alw yn Gyfraith, na ŵyr pobl gyffredin ddim amdanynt, er mai enwau Saesneg ydynt weithiau. Maent fel y physygwyr yn gwneud defnydd o enwau lled erchyll, sef enwau Lladin am amryw o bethau; a throiau eraill, yng ngalwedigaeth Mr. Cyfreithiwr fe ddaw ymlaen efo enwau go ddychrynllyd, gan ein gwasanaethu, (yng Nghymru yn anad un lle yn y byd, yn lle rhoddi i ni Gymraeg glân gloyw am ein harian), efo *nevertheless, notwithstanding, howbeit, said and aforesaid, those and that, demised, set and let, Plaintiff and Appellant, Defendant and Respondent;* y fath ffugiaith anystwyth, i

> ddechrau. Nesaf daw yn lle ciniaw, *a Writ of Error, Judgement by default, a non process, a Latitat, a Habeas, a Bail Bond, a Subpoena, a Cognovit,* (a chog neu dwyll ydyw'r rhan fwyaf). Dysglau blasus iawn i hen gybydd yw y rhain. Ac i ddiweddu y diwrnod, maent i swper yn arlwyo *Verdicts, Nonsuits, Bills of Costs, the hallowed touch of a Bum-Bailiff;* ac yn y diwedd os na thelir yn lled helaeth ceir clamp o garchar!![59]

Dulliau o gamarwain a drysu'r bobl yw'r eirfa gyfreithiol Seisnig a ddefnyddia'r llysoedd a'u gweision. I'r Cymry uniaith, yr oedd y fath eirfa yn gwbl ddiystyr. Ar y llaw arall, pan fyddai'r tyst o Gymro'n rhoi ei dystiolaeth yn ei iaith ei hun, disgwylid cyfieithu'r dystiolaeth er lles y barnwr a'r llu Seisnig. Edrydd Thomas Roberts ei brofiad o weld y broses o gyfieithu ar waith, gan egluro'r diffygion â'r drefn honno. Yn ystod treial yng Nghaernarfon, profodd y math o anghyfiawnder a dryswch a ddaethai o ddibynnu ar gyfieithydd cloff:

> Y peth fydd berarogl mewn un iaith a ddrewa wrth ei gyfieithu yn ôl y llythyren i iaith arall. Hyn a allwn weled yn eglur yn yr hyn a ddigwyddodd yng Nghaernarfon pan oedd yr hen William Evans yn cyfieithu geiriau un ag oedd yn tystiolaethu; sef i, 'hwn a hwn ei alw e (y tyst) yn garn lleidr'. Fe ddigwyddodd y pryd hynny i'r Barnwr (pan welodd bawb yn chwerthin) ofyn, pa beth oedd yn ei ddywedyd. Ebr y cyfieithydd dysgedig, 'He says, he called him the hilt of a thief' . . .
>
> Er mai Sais oedd y Barnwr, nis gwyddai yn y byd pa beth oedd yn ei feddwl wrth hynny, mwy nag yn Gymraeg, nes i ryw well cyfieithydd ddywedyd ystyr y geiriau wrtho. Felly gallwn weled yn hawdd, na ddichon i gyfiawnder gymeryd lle, ond ambell waith yn y wlad hon, a hynny fel ag y digwyddo; gan fod y cyfreithiau a'r iaith y maent ynddi tyhwnt i ddealltwriaeth y dynion a fydd i roddi barn!
>
> Ni fedraf mor ddeall paham na chawn ni y cyfreithiau yn ein hiaith ein hunain: a phaham na bai y cyfreithwyr yn dadlau ein

> hachosion fel y gall pawb eu deall; ond mae mor wiried a'i fod yn gywilyddus, fod y cyfreithiau, ac arferion y dynion ag sydd yn eu trin, yn ateb eu dibenion yn llawer gwell yn y modd tywyll y maent ynddo yn bresennol.[60]

Heb os, dyma safbwyntiau blaengar am weinyddu cyfiawnder yn Gymraeg y mae iddynt berthnasedd o hyd yn y Gymru gyfoes. Credai Thomas Roberts mai oferedd yw mynd i gyfraith gan mai'r cyfreithwyr ac nid eu cleientiaid sydd yn elwa. Cawn ganddo enghreifftiau o bobl ffôl yn gwario'u harian ar gostau cyfreithiol, cymaint fel 'na fedr y cyfreithiwr, ar ôl y cwbl, lai na chwerthin yn eu llewys am ben trych-eiddrwydd a ffolineb y trueiniaid ag sydd yn gwario eu harian heb raid nag achos yn y byd'.[61] Gosoda'r cyfreithwyr yn yr un rhych â'r offeiriadon, a'u harddel fel twyllwyr a gorthrymwyr. Ond y mae Thomas Roberts hefyd yn gweld bai ar ei gydwladwyr am ganiatáu iddynt gael rhwydd hynt i arfer eu crefftau gorthrymus, ac yn beio taeogrwydd y bobl am y sefyllfa:

> Y mae hefyd yn resyn gennyf weled pobl (call synhwyrol mewn rhai pethau) yn crynu braidd pan fyddont yn cyfarfod a dir-prwywyr, *(Attorney)*, a Chyllidydd, *(Exciseman)*, a'r Meddyg, a llawer o ryw grach-foneddigion eraill . . . nid all, na chyfreithwyr na gorthrymwyr yn y Byd, (heblaw y rhai pennaf), wneud math o niwed i ni y Cymry, os edrychwn atom ein hunain.[62]

Beth a olygai wrth yr ymadrodd 'edrychwn atom ein hunain', tybed? Ai annog gwrthryfel a wnâi, neu ai rhyw fynegiant o genedlaetholdeb sydd yma? Er mai dehongliad deniadol fyddai hwnnw ar un olwg, y mae Thomas Roberts yn ddiweddarach yn ei draethawd yn cynnig ymwadiad rhag i neb ei gyhuddo o annog gwrthryfel. Credai Thomas Roberts y dylid mabwysiadu dulliau cyfansoddiadol i newid y drefn. Nid aeth ei ysbryd chwyldroadol yn ddim pellach na galw ar bobl i drefnu i ddod ynghyd mewn pwyllgorau plwyf, neu festri ys dywedodd, lle gallent fynegi eu pryderon a phenodi dau i'w cynrychioli mewn cynulliad neu gymanfa sirol, lle gellid pleidleisio ar fater y degwm neu unrhyw fater arall:

> Ni fynnwn er dim wrthwynebu cyfraith ddrwg, a hynny drwy foddion anghyfreithlon, rhag ofn wrth hynny ddiddymu neu ddifetha yr holl gyfreithiau da. Eto, yr un amser, fe a wrthwynebwn gyfraith ddrwg trwy eglurhad cyflawn o'i hanghymmwysdra, a thrwy wrthbrofiad cadarn, yn gynorthwyol gyda chytundeb fy nghydwladwyr, a hynny er lles a budd iddynt hwy a'u hiliogaeth.[63]

Yr oedd ei bortread o'r cyfreithiwr fel twyllwr trachwantus yn un eithaf cyffredin, wrth gwrs. Ond yn ei ddarluniau o'r dryswch a ddaw yn sgil y defnydd o dermau dieithr mewn iaith sydd yn estron i'r Cymry, y mae gwaith Thomas Roberts yn hawlio sylw gan ei fod yn adrodd profiad amserol a chwbl Gymreig. Cafodd hanesyn Llwyn-rhudol am y camgyfieithu a'r dryswch ieithyddol yn Sesiwn Fawr Caernarfon argraff fawr ar ei gyfaill, Jac Glan-y-Gors. Yr oedd ym-drechion William Evans a'i wall wrth iddo geisio cyfieithu 'carn lleidr' yn 'hilt of a thief' yn hytrach na 'lleidr pennaf', wedi goglais Jac.[64] Cyfansoddodd hwnnw faled yn dychanu'r sefyllfa:

> A fuoch chwi 'rioed mewn Sesiwn yng Nghymru,
> Lle mae cyfraith ac ieithoedd yn cael eu cymysgu?
> Rhai yn siarad Cymraeg, a'r lleill yn rhai Seisnig,
> A nhwythau'r twrneiod yn chwarae'r ffon ddwybig.
>
> Bu yno'n ddiweddar ryw helynt mewn treial,
> A'r Ustus ar ddodwy wrth wrando ar ddadal;
> Gast i Gadwaladr o Ben Ucha'r Nant
> A giniawodd ar oen i Siôn Ty'n-y-Pant.
>
> A Siôn aeth i gyfraith trwy lawer o boen,
> I wneud i Cadwaladr roi tâl am yr oen;

A chownsler o Lundain, dan godi ei glôs,
A gododd i fyny *to open the cause.*

'Gentlemen of the jury:
Cadwallader's dog of the Head of the Nant,
Killed a fat lamb of John Ty'n-y-Pant,
We claim in this court, without any dispute,
The value of the lamb, with all cost of suit.'

Fe dyngai rhyw Gymro: 'Mae'n hysbys i mi
Nad ydyw Cadwalad yn cadw'r un ci'.
Y cownsler a waeddai: *'Pray don't be in haste,*
If he don't keep a ci *well he does keep* a gast.'

Fe atebai un o'r jury: 'Meddwl 'r ŷm ni
Na welwyd yng Nghymru erioed ast yn gi,
Ac ni ellwch chwithau efo'ch cyfraith a'ch Saesneg
Wneud caseg yn geffyl. Na cheffyl yn gaseg.'

Ond Siôn Robert Rolant o Ben Isa'r Dre,
Ddaeth yno i gyfieithu pob gair yn ei le;
Ar ôl sychu ei drwyn i gael edrych yn drefnus,
Dechreuodd ar osteg i ddysgu'r hen Ustus.

'My Lord and Gentlemen of the Jury:
Mae llawer o feddyliau, 'rwy'n gofyn eich barn,
Yn Gymraeg ac yn Saesneg i'r gair elwir CARN–
"Carn ceffyl", "carn twca", a'i gyfieithu o chwith,
Gellwch alw "carn lleidr" yn "hilt of a thief".'

'But ci *is a dog, and male is a* gwryw,
So cow is a buwch *and bull is a* tarw,
And gast *is a bitch – which shaking her* cynffon –
The same sex, my Lord, as your madams in London.'

A'r hen Ustus dd'wedai: *'It appears to me,*
This man lost his lamb between a gast *and a* ci;
The value of verdict we may easily rejoin' –
'My Lord, 'twas a cigfran *that killed the* oen.'

'*A* cigfran!!
Against such a name there is no accusation,
It mentions a dog in this declaration,
But what is a cigfran? – *I can't make a guess',*
'My Lord it's a blackbird who lives upon flesh.'

'*A bird that destroyed such an innocent creature,*
Of course, he must be of a ravenous nature,
He'll pick out your eyes, my Lord, in a crack,
Just like an old lawyer, he is always in black.'

Wel, cofiwch i gyd mai gwell yw cytuno,
Rhag ofn y cewch frathiad os ewch i gyfreithio,
A mynd yn y diwedd, ar ol cadw sŵn,
Fel yr aeth yr oen bach rhwng y cigfrain a'r cŵn.[65]

Yr oedd Jac yn darlunio mewn modd cofiadwy y gwirionedd am bolisi iaith ffaeledig, ac am safon wallus y cyfieithu yn y llysoedd. Gyda'r barnwyr yn uniaith Saesneg, y tystion yn uniaith Gymraeg, a'r cyfieithydd yn bur wamal, yr oedd swyddogion eraill y llys yn aml yn gorfod ymyrryd i sicrhau cywirdeb y cyfieithu.[66]

Dyma safbwyntiau blaengar na fyddent yn amherthnasol yn ein hoes ni, a hawdd fyddai inni wirioni ar feiddgarwch Jac a Llwynrhudol, a chymryd eu bod yn llefaru ar ran eu cyd-Gymry. Nid dyna'r gwir, wrth gwrs. Eithriadau oedd y lleisiau radicalaidd, a theyrngarwch oedd y brif thema mewn trafodaeth gyhoeddus yng Nghymru wedi'r Chwyldro Ffrengig. Yr oedd yna lawer mwy o lyfrau ac ysgrifau yn mabwysiadu safbwynt o deyrngarwch i'r Goron ac ufudd-dod i'r drefn sefydledig nag oedd o gynnyrch llenyddol radicalaidd.[67] Yn ogystal, yr oedd y posibilrwydd y ceid ymosodiad o Ffrainc yn fater o ofid erbyn diwedd y ddeunawfed ganrif, a hynny yn creu awydd i amddiffyn y drefn a phwysleisio rhinweddau'r gyfraith.[68] Cafodd cyrch aflwyddiannus y Ffrancwyr ar Abergwaun ym 1797 ynghyd â'r gwrthryfel yn Iwerddon ym 1798 gryn effaith ar y farn gyhoeddus, gan ladd y geiniogwerth o radicaliaeth a oedd gan y Cymry.[69] Yn wir, oherwydd y gred eu bod yn annog gwrthryfel gan eu bod mor gyhoeddus o blaid y Chwyldro Ffrengig, wynebodd rhai o'r radicaliaid erledigaeth.

Cyflwynodd William Richards, Lynn (1749–1818), adroddiad am achos o deyrnfradwriaeth a ddygwyd yn erbyn dau Anghydffurfiwr ym 1797, yn ei bamffled *Cwyn y Cystuddiedig* (1797). Adroddodd fel y rhoddwyd Thomas John a Samuel Griffith dan glo ar amheuaeth o gynorthwyo'r gelyn yn dilyn cyrch aflwyddiannus y Ffrancwyr yn Abergwaun yn Chwefror 1797. Ar ôl bron i saith mis o dan glo yn aros am eu prawf, cafodd y ddau eu rhyddhau yn Sesiwn Fawr Hwlffordd. Adrodd am y cam a gawsant a wna Richards, gan feio'r Eglwyswyr a'r Methodistiaid am eu herlid am eu bod yn Anghydffurfwyr.[70] Yr oedd yr undodwr Tomos Glyn Cothi i wynebu'r un dynged yn 1801, pryd y'i carcharwyd am ganu cyfieithiadau Cymraeg o ganeuon chwyldroadol Ffrengig. Ond ni fu erlyniadau'r wladwriaeth yn llwyddiannus bob tro. Gorfoleddu yn y rheithgor mewn penillion Saesneg a wnaeth Iolo Morganwg yn Chwefror 1795, ar ôl iddynt ddyfarnu'r tri diffynnydd Hardy, Tooke a Thelwall yn ddieuog o deyrnfradwriaeth wedi achos yn yr Old Bailey. 'Our juries – our themes of eternal applause!' oedd byrdwn ei gân y tro hwnnw.[71]

Rhaid cofio hefyd fod yr atgof am drallodion y Rhyfel Cartref yn Lloegr yn para ar lawr gwlad. Yr oedd straeon am ormes Cromwell a'r erledigaeth a brofodd Anghydffurfwyr ar ôl yr Adferiad, yn golygu bod rhai o'r Cymry yn petruso rhag dilyn llwybr chwyldro. Erbyn diwedd y ddeunawfed ganrif, yr oedd golygyddion papurau newydd a fu gynt yn cyhoeddi baledi radicalaidd bellach yn datgan eu teyrngarwch ac yn galw am gadw'r gyfraith.[72] A chyda bygythiad Napoleon yn dod fwy-fwy i'r amlwg fel y deuai'r ddeunawfed ganrif i'w therfyn, yr oedd hyd yn oed Jac Glan-y-Gors yn clodfori Nelson ac yn cefnogi'r rhyfel yn erbyn Ffrainc.[73] Nid rhyfedd, felly, i'r radicaliaid a'r Jacobiniaid Cymreig ymdawelu, er i'r gefnogaeth i America brofi ychydig mwy o hirhoedledd.[74]

Un o arweinwyr y gwrthchwyldro yng Nghymru oedd Walter Davies, sef Gwallter Mechain (1761–1849). Er ei fod yn gyn-ddisgybl barddol i'r hen radical William Jones, Llangadfan, cafodd addysg yn Rhydychen a Chaergrawnt cyn cychwyn gyrfa yn yr offeiriadaeth a thyfu yn dipyn o hen snob. Ysgrifennodd am gyflwr cymdeithas, gan gynnwys y gyfraith, a lluniodd draethawd ar ryddid ar gyfer Eisteddfod Gwyneddigion 1790, traethawd gwrthradicalaidd a oedd yn annog pobl i fod yn fwy diolchgar am fendithion bywyd.[75] Yr oedd ei waith yn fynegiant o'r adwaith crefyddol i seciwlariaeth y chwyldroadwyr dieflig a osododd resymeg dyn uwchlaw ffydd ac awdurdod y Goruchaf. Ond nid am resymau gwleidyddol yn unig y surodd y berthynas rhwng Gwallter Mechain a Twm o'r Nant. Chwaraeodd y cythraul eisteddfodol ei ran yntau. Mewn eisteddfod yn y Bala ym mis Mai 1789 cafwyd anghytundeb ymysg y beirniaid ynghylch pwy oedd awdur y gerdd orau, gyda Twm o'r Nant, Jonathan Hughes a Gwallter Mechain yn ymgiprys am y wobr. Gofynnwyd i'r Gwyneddigion benderfynu'r mater, a Gwallter a orfu, er i David Samwel, a oedd yn un o'r beirniaid, roi ysgrifbin arian i Twm fel gwobr gysur.[76]

Ymysg ysgrifau Gwallter Mechain ar bynciau gwleidyddol oedd *Diwygiad neu Ddinystr*, sef ei gyfieithiad o *Reform or Ruin* o eiddo John Bowdler.[77] Drwy gyfieithiad, cyflwynodd ddadleuon Bowdler i'r Cymry i'w darbwyllo nad camlywodraethu oedd gwraidd anghyfiawnderau a chaledi mewn cymdeithas ond pechodau'r bobl.[78] Galwad am ddiwygiad ysbrydol i ysgogi diwygiad cymdeithasol a wnaed gan Gwallter, ac erfyniad i'r bobl ufuddhau i gyfreithiau'r wlad oedd ei gri. Bellach, yr oedd dadrithiad cyffredinol gyda'r chwyldro yn Ffrainc, ac ofn canlyniadau'r cyfnod o fraw a'i dilynodd, ynghyd ag oblygiadau'r rhyfel rhwng Prydain a Ffrainc yn cymedroli'r farn gyhoeddus.[79] Yn ddeallusol, yr oedd Gwallter yn ddisgybl i Ellis Wynne, a gorfoleddai yn y ffaith fod Cymro a Sais bellach yn gydradd yng ngolwg y gyfraith.[80] Fel y radicaliaid, credai mewn diwygiad, ond diwygiad ym muchedd pechaduriaid yn hytrach na diwygiad cyfundrefnol.[81] Yr oedd Gwallter yng nghwmni beirdd eraill ceidwadol eu hogwydd, megis Dafydd Ionawr, Ieuan Lleyn a Dafydd Ddu Eryri, a phob un ohonynt yn feirniadol iawn o Lwynrhudol a Glan-y-Gors.[82] Er gwaethaf ambell ymdrech i gael cymod rhyngddynt, yn ofer y bu hynny. Pan gerddodd Jac Glan-y-Gors yr holl ffordd i Ddolgellau er mwyn cael ysgwyd llaw hefo Dafydd Ionawr, wedi iddo gyrraedd trothwy'r tŷ ni chafodd ddim gronyn o groeso wrth weld y drws yn cau yn glep yn ei wyneb.[83]

Ni chafodd y fflachiadau o radicaliaeth a brofwyd ar ddiwedd y ddeunawfed ganrif lawer o argraff yng Nghymru ar y pryd. Am y tro, byddai'r drefn, yr *Ancien Régime* yng Nghymru, yn parhau'n ddiogel.[84] Ac yr oedd y gyfundrefn honno yn cynnwys barnwriaeth a llysoedd cyfraith a oedd yn arfau i gadarnhau awdurdod Lloegr a'i hiaith ar bobl Cymru. Ond ni ddiffoddodd gwreichion radicaliaeth yn llwyr. Ym Merthyr Tudful, y dref ddiwydiannol fywiog a brofodd dwf syfrdanol yn negawdau cyntaf y bedwaredd ganrif ar bymtheg, byddai radicaliaid yn ymgynnull i drafod diwygiadau cymdeithasol.[85] Yma y cafodd Iolo Morganwg loches gyda'i fab a'i ferched o bryd i'w gilydd, ac yma y ceid gweithwyr a oedd yn aelodau Cymdeithas Athronyddol Cyfarthfa, a sefydlwyd ym 1807, yn darllen gwaith Tom Paine a Voltaire.[86] Pa ryfedd mai yma, ym 1831, y cododd y gweithwyr mewn gwrthryfel, gan godi'r faner goch am y tro cyntaf mewn hanes, a gwrthwynebu tlodi ac anghyfiawnder.[87] Er i'w hymgyrch fethu, ac er i Lewsyn yr Heliwr gael ei alltudio ac i Dic Penderyn gael ei grogi ar gam, bu eu dylanwad yn fawr a phellgyrhaeddol.[88] Yn fuan wedi'r digwyddiadau ym Merthyr, camodd y Siartwyr i'r bwlch, a hwy a gynhaliodd yr ymgyrch dros ddiwygio cymdeithas yn y degawdau canlynol.[89]

Ac eto, er y canu protest a'r mynegiant o anniddigrwydd mewn pamffled neu ysgrif, ai radicaliaid oedd Llwynrhudol a Glan-y-Gors mewn gwirionedd? Ynteu ai defnyddio syniadau radicalaidd a'u cymhwyso i ysgwyd eu cydwladwyr o'u difaterwch a'u taeogrwydd oedd y nod? Yr oedd Jac yn daer ei ymosodiad ar 'y gwŷr boneddigion sydd yn ceisio gwadu a gw'radwyddo eu gwlad, eu hiaith a'u cenedl'.[90] Nid at foneddigion Lloegr y cyfeiriai. Ni ellid bod wedi eu cyhuddo hwy o wadu eu hiaith a'u cenedl. Na, y bonedd oedd yn prysur droi eu cefn ar y Gymraeg a oedd gan Jac mewn golwg. A Seisnigrwydd y system gyfreithiol a thwyll y cyfreithwyr oedd byrdwn ei gwynion. Efallai nad ymhonni eu bod yn athronwyr yn nhraddodiad oes yr Oleuedigaeth yr oedd Jac Glan-y-Gors a Thomas Roberts wedi'r cwbl; yn hytrach, radicaliaid a feirniadai gyflwr eu cenedl hwy eu hunain oeddent. Galw ar bobl Cymru i ddeffro ac adfer urddas eu hiaith, troi cefn ar ymgyfreitha trallodus a ffyrdd yr estron, a datod hualau cymdeithasol trwy ddulliau heddychlon a wnaethant hwy. Yn hynny o beth, nid oedd fawr o wahaniaeth rhyngddynt a'r baledwyr a'r anterliwtwyr hynny a'u rhagflaenodd. Er hynny, gadawsant eu gwaddol ar eu hôl, ac nid yn gwbl ofer y llafuriasant. Gellir hyd yn oed honni bod ganddynt ddisgynyddion yn y ffydd sydd heddiw'n galw am adfer urddas y Gymraeg, ac am gyfiawnder ieithyddol yn y llysoedd yn enw cyfiawnder cymdeithasol.

Nodiadau

1 Gweler Eric Hobsbawm, *The Age of Revolution* (London: Weidenfeld & Nicholson, 1962), tt. 73–4.

2 John Davies, *Hanes Cymru* (London: Penguin, 2007), tt. 291–363.

3 Gweler trafodaeth John James Evans, *Dylanwad y Chwyldro Ffrengig ar Lenyddiaeth Cymru* (Lerpwl: Hugh Evans a'i Feibion, 1928), t. 11.

4 Edmund Burke, *Reflections on the Revolution in France* (London: James Dodsley, 1790).

5 Gweler J. Hampden Jackson, 'Tom Paine and the Rights of Man', yn David Thomson (gol.), *Political Ideas* (London: Watts & Co., 1966), tt. 107–17.

6 Gweler Maurice Cranston, 'John Locke and Government by Consent', yn David Thomson (gol.), *Political Ideas* (London: Watts & Co., 1966), tt. 67–80.

7 Gweler Isser Woloch, *Eighteenth-Century Europe: Tradition and Progress, 1715–1789* (New York: W. W. Norton & Co., 1982), tt. 235–46.

8 Gweler Simon Brooks, *O dan Lygaid y Gestapo: Yr Oleuedigaeth Gymraeg a Theori Lenyddol yng Nghymru* (Caerdydd: Gwasg Prifysgol Cymru, 2004), tt. 1–20.

9 Gweler Paul Frame, *Liberty's Apostle: Richard Price: His Life and Times* (Cardiff: University of Wales Press, 2015).

10 Gweler Geraint H. Jenkins, *The Foundations of Modern Wales 1642–1780* (Oxford: Oxford University Press, 2002), tt. 320–2.

[11] Gweler Geraint H. Jenkins, 'The Unitarian Firebrand, the Cambrian Society and the Eisteddfod', yn Geraint H. Jenkins (gol.), *A Rattleskull Genius: The Many Faces of Iolo Morganwg* (Cardiff: University of Wales Press, 2005), tt. 269–92.

[12] Gweler Edward Williams (Iolo Morganwg), 'Trial by Jury, The Grand Palladium of British Liberty (1795)', yn Elizabeth Williams, *English-language Poetry from Wales 1789–1806* (Cardiff: University of Wales Press, 2013), tt. 147–8.

[13] Ceri W. Lewis, *Iolo Morganwg* (Caernarfon: Gwasg Pantycelyn, 1995), tt. 129–40.

[14] Gweler R. T. Jenkins, *Hanes Cymru yn y Deunawfed Ganrif* (Caerdydd: Gwasg Prifysgol Cymru, 1931; arg. 1972), t. 64.

[15] Gweler Robert Pope, 'Methodistiaeth a Chymdeithas', yn John Gwynfor Jones (gol.), *Hanes Methodistiaeth Galfinaidd Cymru, Cyfrol III: Y Twf a'r Cadarnhau (c.1814–1914)* (Caernarfon: Gwasg Pantycelyn, 2011), tt. 351–421, ar 356.

[16] Pope, 'Methodistiaeth a Chymdeithas', tt. 381–421.

[17] Gweler Cathryn A. Charnell-White, 'Networking the nation: the bardic and correspondence networks of Wales and London in the 1790s', yn Mary-Ann Constantine a Dafydd Johnston (goln), *'Footsteps of Liberty and Revolt': Essays on Wales and the French Revolution* (Cardiff: University of Wales Press, 2013), tt. 143–67.

[18] Jenkins, *The Foundations of Modern Wales 1642–1780*, tt. 391–2.

[19] Evans, *Dylanwad y Chwyldro Ffrengig ar Lenyddiaeth Cymru*, t. 41.

[20] Gweler Gwyn Davies, *Griffith Jones, Llanddowror: Athro Cenedl* (Bangor: Gwasg Bryntirion, 1984); Eryn M. White, 'Addysg Boblogaidd a'r Iaith Gymraeg 1650–1800', yn Geraint H. Jenkins (gol.), *Y Gymraeg yn ei Disgleirdeb: Yr Iaith Gymraeg cyn y Chwyldro Diwydiannol* (Caerdydd: Gwasg Prifysgol Cymru, 1997), tt. 315–38.

[21] Marion Löffler, *Welsh Responses to the French Revolution: Press and Public Discourse 1789–1802* (Cardiff: University of Wales Press, 2012), tt. 2–3.

[22] Löffler, *Welsh Responses to the French Revolution*, tt. 52–3.

[23] Gweler Marion Löffler, *Political Pamphlets and Sermons from Wales 1790–1806* (Cardiff: University of Wales Press, 2014), t. 9.

[24] Gweler Geraint H. Jenkins, '"A Rank Republican [and] a Leveller": William Jones, Llangadfan', *Welsh History Review*, 17 (3) (1995), 365–86.

[25] William Jones, *Awdl ar y pedwar mesur ar hugain i ryddid a thrais*. Fe'i hatgynhyrchir gan Cathryn A. Charnell-White yn *Welsh Poetry of the French Revolution 1789–1805* (Cardiff: University of Wales Press, 2012), tt. 102–9.

[26] Charnell-White, *Welsh Poetry of the French Revolution 1789–1805*, t. 408.

[27] Jones, *Awdl ar y pedwar mesur ar hugain i ryddid a thrais*, ll.17.

[28] Jones, *Awdl ar y pedwar mesur ar hugain i ryddid a thrais*, ll.30.

[29] Jones, *Awdl ar y pedwar mesur ar hugain i ryddid a thrais*, ll.23–8.

[30] Jones, *Awdl ar y pedwar mesur ar hugain i ryddid a thrais*, ll.33–6.

[31] Jones, *Awdl ar y pedwar mesur ar hugain i ryddid a thrais*, ll.97–100.

[32] Löffler, *Political Pamphlets and Sermons from Wales 1790–1806*, tt. 61–3.

[33] Meic Stephens (gol.), *Cydymaith i Lenyddiaeth Cymru*, arg. newydd (Caerdydd: Gwasg Prifysgol Cymru, 1997), t. 396

[34] Evans, *Dylanwad y Chwyldro Ffrengig ar Lenyddiaeth Cymru*, t. 148.

[35] Gweler E. G. Millward (gol.), *Cerddi Jac Glan-y-Gors* (Cyhoeddiadau Barddas, 2003), t. 10.

[36] Ceir y faled yn Marion Löffler, 'Cerddi Newydd gan John Jones, "Jac Glan-y-Gors"', *Llên Cymru*, 33 (2010), 143–50, ar 147.

[37] Evans, *Dylanwad y Chwyldro Ffrengig ar Lenyddiaeth Cymru*, t. 149.

[38] John Jones, (Glan-y-Gors), *Seren tan Gwmmwl* (Lerpwl: Hugh Evans a'i Feibion, 1923), tt. 13–14.

[39] Gweler Peter D. G. Thomas, *Politics in Eighteenth Century Wales* (Cardiff: University of Wales Press, 1998), tt. 28–53.

[40] Jones, *Seren tan Gwmmwl*, tt. 29–34.

[41] Jones, *Seren tan Gwmmwl*, t. 38.

[42] Jones, *Seren tan Gwmmwl*, tt. 43–4.

[43] Jones, *Seren tan Gwmmwl*, t. 15.

[44] Jones, *Seren tan Gwmmwl*, t. 44.

[45] Jack Jones (Glan-y-Gors), *Toriad y Dydd* (Lerpwl: Hugh Evans a'i Feibion, 1923), t. 6.

[46] Jones, *Toriad y Dydd*, t. 7.

[47] Jones, *Toriad y Dydd*, tt. 19–25.

[48] Gweler Geoffrey Ellis, *Napoleon* (London: Longman, 1998), tt. 76–8.

[49] Jones, *Toriad y Dydd*, tt. 13–14.

[50] Jones, *Toriad y Dydd*, tt. 7–8.

[51] Millward (gol.), *Cerddi Jac Glan-y-Gors*, t. 13.

[52] Löffler, *Welsh Responses to the French Revolution*, t. 289.

[53] Löffler, *Welsh Responses to the French Revolution*, tt. 49–52, 255–93.

[54] Millward (gol.), *Cerddi Jac Glan-y-Gors*, t. 17.

[55] Gweler Arthur Meirion Roberts, *Thomas Roberts Llwynrhudol a'i Gyfnod* (Pwllheli: Darlith Flynyddol Clwb y Bont, 2006), t. 20.

[56] Thomas Roberts (Llwynrhudol), *Cwyn yn erbyn Gorthrymder* (1798) (Caerdydd: Gwasg Prifysgol Cymru, 1928), tt. 15–26. Atgyhyrchiad ffacsimili yw hwn o'r fersiwn gwreiddiol a gyhoeddwyd gan John Jones, Chapel Street, Soho, Llundain. Heb ymyrryd â rhin y fersiwn gwreiddiol, yn y dyfyniadau a gynhwysir yma, yr wyf wedi diweddaru ychydig ar yr orgraff er eglurder.

[57] Roberts, *Cwyn yn erbyn Gorthrymder*, t. 15.

[58] Roberts, *Cwyn yn erbyn Gorthrymder*, tt. 16–17.

[59] Roberts, *Cwyn yn erbyn Gorthrymder*, tt. 17–18.

[60] Roberts, *Cwyn yn erbyn Gorthrymder*, tt. 20–1.

[61] Roberts, *Cwyn yn erbyn Gorthrymder*, tt. 21–2.

[62] Roberts, *Cwyn yn erbyn Gorthrymder*, t. 26.

[63] Roberts, *Cwyn yn erbyn Gorthrymder*, t. 43.

[64] Gweler nodyn E. G. Millward (gol.), *Blodeugerdd Barddas o Gerddi Rhydd y Ddeunawfed Ganrif* (Llandybïe: Cyhoediadau Barddas, 1991), t. 333.

[65] Atgynhyrchir yma y fersiwn a gyhoeddwyd gan Millward (gol.), *Cerddi Jac Glan-y-Gors*, tt. 60–3. Yno ceir y dôn y dylid ei chanu gyda'r faled, sef *Sweet Home/Diferion o Frandi*. Rhaid cyfeirio at y ffynhonnell honno am y dôn a'r gytgan.

[66] Gweler Mark Ellis Jones, '"Dryswch Babel?": Yr Iaith Gymraeg, Llysoedd Barn a Deddfwriaeth yn y Bedwaredd Ganrif ar Bymtheg', yn Geraint H. Jenkins (gol.), *Gwnewch Bopeth yn Gymraeg: Yr Iaith Gymraeg a'i Pheuoedd 1801–1911* (Caerdydd: Gwasg Prifysgol Cymru, 1999), tt. 553–80, t. 555.

[67] Löffler, *Welsh Responses to the French Revolution*, tt. 92–3.

[68] Löffler, *Welsh Responses to the French Revolution*, t. 19.

[69] Prys Morgan, *The Eighteenth Century Renaissance* (Llandybïe: Christopher Davies, 1981), t. 144.

[70] Löffler, *Political Pamphlets and Sermons from Wales 1790–1806*, tt. 63–5.

[71] Gweler Iolo Morganwg, 'Trial by Jury, The Grand Palladium of British Liberty (1795)', tt. 147–8.

[72] Löffler, *Welsh Responses to the French Revolution*, tt. 113–14.

[73] Evans, *Dylanwad y Chwyldro Ffrengig ar Lenyddiaeth Cymru*, tt. 186–7.

[74] Gweler Gwyn A. Williams, *The Search for Beulah Land* (London: Croom Helm, 1980), tt. 179–80.

[75] Ceir sylwadau ar berthynas Gwallter Mechain a William Jones, Llangadfan, yn Geraint H. Jenkins, 'The "Rural Voltaire" and the "French madcaps"', yn Mary-Ann Constantine a Dafydd Johnston (goln), *'Footsteps of Liberty and Revolt': Essays on Wales and the French Revolution* (Cardiff: University of Wales Press, 2013), tt. 115–42.

[76] Gweler Dafydd Glyn Jones (gol.), *Canu Twm o'r Nant* (Bangor: Dalen Newydd, 2010), t. 16.

[77] Walter Davies, *Diwygiad neu Ddinystr: wedi ei dynnu allan o lyfr Saesnaeg a elwir Reform or Ruin* (Croesoswallt: W. Edwards, 1798).

[78] Evans, *Dylanwad y Chwyldro Ffrengig ar Lenyddiaeth Cymru*, tt. 179–80.

[79] Davies, *Hanes Cymru*, tt. 339–40.

[80] Löffler, *Welsh Responses to the French Revolution*, t. 40.

[81] Evans, *Dylanwad y Chwyldro Ffrengig ar Lenyddiaeth Cymru*, t. 181.

[82] Evans, *Dylanwad y Chwyldro Ffrengig ar Lenyddiaeth Cymru*, t. 182–3.

[83] Gweler Albert Evans-Jones (Cynan), 'Jac Glan-y-Gors 1766–1821', TCHSD, 16 (1967), 62–81, ar 62.

[84] Gweler Jenkins, *The Foundations of Modern Wales 1642–1780*, t. 341.

[85] Gwyn A. Williams, 'The Making of Radical Merthyr 1800–1836', *Welsh History Review*, 1 (2) (1961), 161–92.

[86] Gweler D. Gareth Evans, *A History of Wales 1815–1906* (Cardiff: University of Wales Press, 1989), tt. 163–4.

[87] Davies, *Hanes Cymru*, t. 353.

[88] Gweler Gwyn A. Williams, *The Merthyr Rising* (Cardiff: University of Wales Press, 1998).

[89] Gweler David J. V. Jones, *The Last Rising: The Newport Chartist Insurrection of 1839* (Cardiff: University of Wales Press, 1999).

[90] Gweler *Araith Jac Glan-y-Gors yng Nghymdeithas y Cymreigyddion, 1796,* a atgynhyrchir yn Millward (gol.), *Cerddi Jac Glan-y-Gors*, t. 143.

8

'Aur ben cyfreithwyr y byd': Rhwng Radicaliaeth a Chenedlaetholdeb

Yn swyddogol, cyfundrefn drwyadl Seisnig oedd y gyfundrefn gyfiawnder a weinyddid yng Nghymru erbyn canol y bedwaredd ganrif ar bymtheg. Gyda diddymiad y Sesiwn Fawr ym 1830, collodd Cymru hyn a oedd yn weddill o'i hunaniaeth gyfreithiol, os hunaniaeth ydoedd mewn gwirionedd erbyn hynny.[1] Yr oedd cyfnewid cyfundrefn anachronistaidd y Sesiwn Fawr am y brawdlys Seisnig yn dwysáu absenoldeb yr iaith Gymraeg ymysg yr uwch-farnwriaeth yng Nghymru.[2] Ni cheid unrhyw ddefnydd o'r Gymraeg gan farnwyr y brawdlysoedd hyn gan mai'r pennaf nod oedd sicrhau bod Cymru wedi ei hymgorffori yn llwyr i gyfundrefn gyfreithiol Lloegr. Ac nis gellid cyflawni hynny heb ddileu unrhyw arlliw o arwahanrwydd. Saesneg fyddai unig iaith swyddogol y llysoedd cyfiawnder, er mai'r Gymraeg oedd yr iaith ar dafod leferydd mwyafrif pobl Cymru trwy gydol y bedwaredd ganrif ar bymtheg.[3] Er i rai mudiadau gwlatgar fel y Cymreigyddion geisio hyrwyddo'r defnydd o'r Gymraeg yn y llysoedd barn fel rhan o ymgyrch ehangach i adfer urddas yr iaith Gymraeg, yr oedd polisi iaith y llysoedd yn seiliedig ar yr egwyddor o unieithrwydd Seisnig a sefydlwyd yn wreiddiol gan waharddeb y Deddfau Uno.[4]

Atgyfnerthwyd polisi iaith y llysoedd gan agweddau gelyniaethus mwy cyffredinol tuag at y Gymraeg. Yr oedd adroddiadau'r comisiynwyr addysg, y Llyfrau Gleision drwgenwog, a gyhoeddwyd ym 1847, yn beio'r Gymraeg am holl bechodau'r Cymry.[5] Honnwyd bod y defnydd o'r Gymraeg gan dystion yn y llysoedd barn yn symptom o glefyd cenedlaethol, a'i fod yn hyrwyddo anwiredd, twyll ac anudon-iaeth.[6] Cafwyd tystiolaeth barod i anniweirdeb ac anonestrwydd y Cymry, megis eiddo'r Parchedig St George Armstrong Williams, rheithor Llannor yn Llŷn, a ddywedodd hyn am ei blwyfolion:

> The morals of the people generally in this neighbourhood are very low, especially in respect of falsehood and want of chastity. It is very difficult to get a servant who will speak the truth. There is not often open dishonesty to be met with among them, but they give away their master's property, and do not think it wrong to do so. They have a great disposition to withhold the truth; this is to be seen in a court of justice. It is with great difficulty that you can get them to give the evidence of which they are possessed.[7]

Yr oedd geiriau'r rheithor yn fêl ar fysedd y comisiynwyr. Adlewyrchwyd agweddau gelyniaethus y sefydliad Seisnig tuag at yr iaith Gymraeg mewn erthygl ym mhapur newydd *The Times* ym Medi 1866. Melltith ydoedd y Gymraeg i Gymru, meddid, yn atal y Cymry rhag cyfranogi o fendithion gwareiddiad ac yn eu cadw yn nhywyllwch anwybodaeth. Er mwyn cyfranogi o'r hyn a elwid y 'culture and morality of England', rhaid oedd i'r anwariaid droi eu cefnau ar yr hen iaith ynysig a oedd bellach ar ei gwely angau.[8]

Er hyn oll, ac yng nghanol y tywyllwch hwn yn hanes hunaniaeth gyfreithiol Cymru, gwelwyd gwreichion o obaith, o ddihuno ac, ar adegau prin, o wrthsefyll. Y proffwydi barddol yn y cyfnod ar ôl gwar-adwydd 1847 oedd Ieuan Gwynedd ac, yn fwy hirhoedlog, R. J. Derfel. Hwy oedd yr agosaf i fod yn etifeddion Llwynrhudol a Glan-y-Gors. Lluniodd Derfel ddrama fydryddol, anterliwtaidd ei naws, yn dychanu'r giwed a fu'n gyfrifol am adroddiadau'r comisiynwyr addysg, a'i galw'n *Brad y Llyfrau Gleision* (ac iddo ef mae'r clod am lunio'r ymadrodd enwog a oedd yn seiliedig, wrth gwrs, ar frad y cyllyll hirion).[9] Teg yw nodi mai Eglwyswyr a gafodd y bai ganddo am yr enllib ysgytwol hwnnw ar y Cymry a'r Gymraeg, ac nid cyfreithwyr. Daeth beio'r Eglwys Wladol yn obsesiwn ymysg y Cymry Anghydffurfiol am weddill y ganrif. Ni ddylid gorbwysleisio pwysigrwydd Derfel fel bardd, ychwaith, a phethau fel 'Morwynion Glân Meirionnydd' ac 'Aelwyd Fach fy Rhiant' oedd swmp llawer iawn o'i gynnyrch barddol.[10] Do, fe fynegodd ei genedlaetholdeb mewn prydyddiaeth o dro i dro, megis yn ei gerdd 'Fy Ngwlad! Fy Ngwlad', pan fynnodd: 'fel pobl nid oes gennym wlad o gwbl/Na llathen o dir yn y byd'.[11] Ond ni ellir anghytuno â dyfarniad Gwenallt mai 'bardd eilradd neu drydedd radd ydoedd'.[12] Fel lluniwr traethodau, llythyrau ac ysgrifau, fodd bynnag, yr oedd tipyn mwy o siâp arno, a bu'n lladmerydd go huawdl dros sosialaeth a thros egin-genedlaetholdeb, gan ddadlau dros brifysgol, llyfrgell genedlaethol a phapur dyddiol Cymraeg. Ymosododd ar Sais-addoliaeth ac ar daeogrwydd y Cymry a'u difaterwch tuag at y Gymraeg. Ni chafwyd ganddo, er hynny, unrhyw sylw o werth ar gyfundrefn gyfreithiol ei wlad.

Enghraifft fwy cyfreithiol ei naws o'r gwrthsefyll yn erbyn yr ysbryd gwrth-Gymraeg hwn oedd yr ymgyrchu cyson i sicrhau barnwyr oedd yn medru'r Gymraeg. Yn y llysoedd sirol, a sefydlwyd yn y 1840au i ddelio â materion sifil, cafwyd ymgyrchu a brofodd beth llwyddiant. Cymaint felly fel y bu i dri o'r pum barnwr a benodwyd i lysoedd sirol Cymru ym 1847 fedru'r iaith. Ceir hefyd dystiolaeth i'r iaith gael ei defnyddio gan y barnwyr hyn mewn gwrandawiadau, a hynny er gwaethaf y gwaharddiad yn y Deddfau Uno.[13] Yn ddiweddarach yn y ganrif, penodwyd barnwyr o Saeson di-Gymraeg yn y llysoedd sirol, datblygiad a gythruddodd wleidyddion radical Cymreig y cyfnod.[14] O ganlyniad, ym 1872 cafwyd ymyrraeth seneddol er mwyn sicrhau y penodid barnwyr yn y llysoedd sirol a fedrai'r Gymraeg.[15]

Yn ogystal ag ymdrechion fel hyn o blaid y Gymraeg yn y llysoedd, ac er gwaethaf Seisnigrwydd swyddogol y system gyfiawnder, ar lawr gwlad yr oedd pethau ychydig yn fwy addawol. Yr oedd y Cymry Cymraeg yn parhau i ddefnyddio ac i ymddiried yn y llysoedd barn, a hynny oherwydd bod llawer o'r swyddogion yn medru'r Gymraeg, yn adnabod eu cymdeithas, ac yn hyblyg eu hagwedd at reolau iaith. Cymerwch y rheithgorau yn y brawdlys a'r llys chwarter fel enghreifftiau. Wedi eu gwyso o blith rhydd-ddeiliaid a thenantiaid da eu byd, ynghyd â siopwyr a masnachwyr, yr oedd y rhain yn cynnwys nifer sylweddol o Gymry Cymraeg, yn enwedig yn y siroedd lle'r oedd y Gymraeg yn iaith y mwyafrif. Yr oeddent, at ei gilydd, yn adlewyrchu cyfansoddiad ieithyddol eu cymdeithas. Ac yn y llysoedd chwarter, nid yn unig y rheithgor a sicrhâi elfen o Gymreictod yn y gyfundrefn. Yr oedd ynadon heddwch Cymru, hyd yn oed erbyn ail hanner y ganrif, yn medru'r iaith i raddau go helaeth.[16] Ym 1858, er enghraifft, yr oedd pump o gadeiryddion llysoedd chwarter sirol Cymru (o'r tair sir ar ddeg) yn rhugl yn Gymraeg, a phedwar arall a chanddynt rywfaint o wybodaeth ohoni. Dim ond pedwar o gadeiryddion llysoedd chwarter Cymru a oedd yn gwbl ddi-glem o ran y Gymraeg.[17]

Go brin na cheir gwell enghraifft o Gymreictod y llys chwarter yng nghanol y bedwaredd ganrif ar bymtheg nag yn sir Feirionnydd. Yn y 1860au, dirprwy gadeirydd y llys chwarter ym Meirionnydd oedd yr hynafiaethydd enwog William Watkin Edward Wynne, Peniarth, Llanegryn. Gwnaeth y bonheddwr diwylliedig hwn, a fu'n fyfyriwr yn Ysgol Westminster a Phrifysgol Rhydychen, gymwynas fawr â Chymru drwy arbed a gwarchod rhai o lawysgrifau amhrisiadwy'r genedl.[18] Sicrhaodd y byddai enw Peniarth yn dragwyddol gysylltiedig â llawysgrifau a thrysorau llenyddol. Gwasanaethodd yn y Senedd o 1852 hyd at 1865, pan y'i holynwyd gan ei fab, W. R. M. Wynne. Yr oedd hefyd, wrth gwrs, yn Geidwadwr ac yn Ucheleglwyswr nodedig, ac, yn hynny o beth, yn groes i'r graen i drwch gwerin Meirion.

Gwaetha'r modd, fe erys y cof am Wynne Peniarth i lawer oherwydd iddo ddod yn agos at golli ei sedd seneddol yn etholiadau enwog 1859, a hynny i'r Rhyddfrydwr a'r cyfreithiwr, David Williams, Castell Deudraeth. Enillodd ymateb y tirfeddianwyr le annileadwy yn chwedloniaeth gwerin gwlad, wrth i nifer o'r tenantiaid a bleidleisiodd o blaid y Rhyddfrydwr gael eu troi o'u ffermydd gan y landlordiaid.[19] Trodd R. W. Price, Rhiwlas, bump o'i denantiaid o'u ffermydd, a throdd Syr Watkin Williams Wynn saith tenant o'i ffermydd yntau, gan godi rhent saith arall a fethodd â phleidleisio o gwbl. Yn arwyddocaol, yn y flwyddyn 1859 y ganwyd Thomas Edward Ellis yn y Cynlas, fferm ym mhlwyf Llandderfel ac ar ystâd y Rhiwlas.[20]

Un a fyddai yn ddi-os yn rhannu diddordebau ac anian lenyddol Wynne, yn ogystal â gwasanaethu fel ynad ym Meirionnydd, oedd John Pughe, Bryn-awel, Aberdyfi, neu Ioan ab Hu Feddyg fel y'i hadwaenid yn y cylchoedd llenyddol.[21] Yn Gymrawd o Goleg Brenhinol y Llaw-feddygon, yr oedd hefyd yn awdur llawer o lyfrau yn Gymraeg a Saesneg, gan gynnwys cofiant i Eben Fardd, a luniodd yn Gymraeg, a chyfieithiad yn Saesneg o *Meddygon Myddfai, The Physicians of Myddfai.* Nid Cymraeg bratiog oedd eiddo Ioan ab Hu Feddyg, yr awdur a'r llenor, a siawns nad oedd pobl ddiwylliedig Meirion yn gwerthfawrogi gŵr o'i deip fel ynad yn llys cyfiawnder eu bro.

O holl deuluoedd bonheddig Meirionnydd a gyfrannodd eu siâr i rengoedd yr ynadon neu'r fainc farnwrol, ymysg y mwyaf blaenllaw oedd teulu Richards, Caerynwch, Dolgellau. Cadeirydd y llys chwarter yng nghyfnod W. W. E. Wynne ac Ioan ab Hu Feddyg oedd Richard Meredyth Richards, bargyfreithiwr a wasanaethodd fel Uchel Siryf ym 1865, ac a olynodd ei dad a'i daid i'r proffesiwn cyfreithiol.[22] Fe'i penodwyd yn gadeirydd llys chwarter Meirionnydd ym 1857, a gwasan-aethai fel ynad yn sir Ddinbych yn ogystal.[23] Bu ei dad, Richard Richards, hefyd yn llwyddiannus ym myd y gyfraith, gan ddiweddu ei yrfa yn Feistr Llys Siawnsri. Ond ei daid oedd yr enwocaf o'r brid cyfreithiol hwn, sef Syr Richard Richards, Barwn Richards, barnwr o fri a ddyr-chafwyd yn Arglwydd Brif Farwn y Trysorlys ym 1817. Ef oedd y barnwr yn achos Jeremiah Brandreth ac eraill, a ddienyddiwyd am deyrnfradwriaeth ym 1817, y troseddwr olaf yn hanes cyfreithiol Prydain i'w gosbi trwy gael ei ben wedi ei dorri. Bu farw'r Barwn Richards ym 1823, a'i gladdu yn y Deml Fewnol.[24]

Yr oedd marwolaeth y Barwn Richards yn achlysur mor arwydd-ocaol fel y parodd i Gymreigyddion Caernarfon osod y testun hwn ar gyfer cystadleuaeth yr awdl yn yr eisteddfod a gynhaliwyd ganddynt ar Ddydd Gŵyl Dewi 1824: 'Awdl Marwnad i'r Diweddar Brif Ynad Dysgedig, Y Barwn Richards, Caerynwch, a fu farw Tachwedd 11, 1823, yn 71 oed'.[25] Y mae'r cyfiawnhad a roddwyd yn y cyfansoddiadau cyhoeddedig dros y dewis o destun yn ddadlennol, ac yn cyfleu ysbryd y cyfnod:

> Ystyrid yr Arglwydd Prif Farwn yn ŵr cadarn yn y gyfraith, a mwynhâi ymddiried a chyfeillach yr Arglwydd Canghellwr, yn lle yr hwn yr eisteddodd ar amryw achlysuron, drwy awdurdod arbennig yn y Senedd ddyrchafedig yn weinyddwr Tŷ'r Arglwyddi. Ni safai un dyn yn uwch nag ef mewn cymeriad personol; enillodd ei ddull caredig a mwynaidd iddo ymlyniad serchog pawb o'i gydnabod – ni fyddai cyfeillach oeraidd fyw gydag ef. Cystuddiwyd ei Arglwyddiaeth er's amser maith gan yr Wrwst (spasm). Bu farw yn Llundain, Ddydd Mawrth yr 11 o Dachwedd 1823, yn 71 oed. Teimlir colled nid bychan ar ôl y gŵr bonheddig tra pharchus hwn, nid yn unig yn ei deulu, ac y'mhlith ei gydnabod, ond, yn y wladwriaeth yn gyffredin.[26]

Dyma Gymro a ddringodd yr ysgol Seisnig gan ennill clod iddo'i hun yn Llundain fawr, yn barchus a chymeradwy ac yn esiampl i'w ddilyn. Ac onid oedd hynny hefyd yn brawf bod y Cymry yn ddinasyddion cyflawn yn ymerodraeth Prydain? Dyna werthoedd hirhoedlog yr oes, a'r Cymry Anghydffurfiol Gymraeg yn enwedig.[27]

Ymatebodd y beirdd i'r her o lunio marwnad deilwng o'r fath wron gyda chryn frwdfrydedd, a daeth sawl ymgais i law. Yn eu plith yr oedd gwaith o eiddo Gwilym Cawrdaf, neu William Ellis Jones (1795–1848), brodor o Abererch, sir Gaernarfon. Bu Cawrdaf yn brentis yng Nghaernarfon cyn treulio gweddill ei oes fel argraffydd yn Nolgellau. Tra yng Nghaernarfon, bu'n dysgu crefft y prydydd yn un o ddosbarthiadau llenyddol Dafydd Ddu Eryri, yr ysgolfeistr a'r athro barddol hynod hwnnw a ddigiodd wrth y radicaliaid ac annog eraill i wneud yr un peth.[28] Gan Dafydd Ddu y cafodd ei fedyddio'n Gwilym Cawrdaf.[29] Bu Cawrdaf yn ymhél ag arlunio ac yn barddoni er pleser, a daeth i gysylltiad â rhai o feirdd amlwg ei gyfnod.[30] Dyma ddetholiad o'i farwnad ef i'r diweddar farnwr:

Dewraf was mewn daear fud,
Gŵr hael galon o fron frwd,
Aur ben cyfreithwyr y byd.

Perffaith trwy'r gyfraith i gyd,
A fu'r gŵr hyd fro gweryd;
Gwnai, er clod ei gosod yn gyson
A llaw fanwl i'w holl ofynion,
Mynai hedd, trugaredd i'r gwirion,
Gwiw ei agwedd, – gwae i euogion,
Hoff wiliodd Reithwyr ffolion – bu'n fynych
Yn hyll edrych ar ollwng lladron.[31]

Yr oedd yn ymgais Gwilym Cawrdaf ryw adlais o gerdd Lewis Morris i Ladron Grigyll. Diolch i bortread Gwilym Cawrdaf, gellir dychmygu'r barnwr dewr yn edrych yn o hyll ar reithwyr ffôl a fu'n ystyried gadael lladron yn rhydd. Byddai Lewis Morris wedi bod wrth ei fodd â'r fath farnwr yn llys Biwmares bron i ganrif ynghynt. Un arall a fentrodd gynnyrch ei awen i'r gystadleuaeth oedd Caswallon, sef Robert Owen, Caernarfon, a dyma ddetholiad o'i ymgais ef:

Ymgais hwn megis Ynad
Oedd am iawnder gloywder gwlad.
Y 'mhob llys, dilys bu'n dal
Am burdeb y 'mhob ardal.
Awr yn nydd, ni wnâi er neb,
Ben anwyl, dderbyn wyneb
Cywir farn, carai o'i fodd,
A fai draws, ef a'i drysodd.
Ni wnâi'n cudeg ben cadarn,
Er y byd, fyth wyro barn.
I sôn helyntion y wlad,
Hygar oedd ei gyrhaeddiad.

Fel cyfreithiwr, uniawn farnwr,
Goruchwyliwr gwir uchelog,
Parch a chariad drwy yr hollwlad
Ga'dd yr Ynad gwiwddewr enwog.[32]

Meistrolaeth y Barwn Richards ar ieithoedd y gyfraith a gymerodd fryd Ap Cadwgan, sef William Williams, Dinbych, yn un o'r englynion yn ei awdl. Diolch i'w ymgais, cawn hefyd gadarnhad bod ganddo, fel nifer o fonedd Meirionnydd y cyfnod, afael da ar y Gymraeg:

Adwaenai ef y Lladiniaith – o'i gwraidd,
A grym y Saesoniaith;
Hefyd y Gymraeg hyfaith;
Gŵr oedd a enwogai'r iaith.[33]

Fel Cyfreithiwr, gŵr teg oedd,
Hynodol gadarn ydoedd;
Fel Dadleuydd clodrydd, clau,
Oedd enwog yn ei ddoniau;
Fel Barnwr, Brawdwr, mewn bri,
Barnwr, tra theg heb wyrni;
Ac yr oedd y cywir ŵr
Yn addas fel Seneddwr:
Un ardderchog, enwog oedd,
Godidog i gyd ydoedd.[34]

Er gwaethaf ymdrechion glew y cyfeillion hyn, y buddugwr ym marn y beirniaid oedd Owen Williams o Gaernarfon, Owain Gwyrfai (1790–1874), cowper wrth ei alwedigaeth, ac un arall o gywion Dafydd Ddu Eryri. Daethai enwogrwydd i Owain Gwyrfai fel awdur, hynafiaethydd a golygydd pur gynhyrchiol. Yn ogystal, erbyn diwedd ei oes, fe'i cyfrifid yn dipyn o gymeriad.[35] Ni wyddom pwy oedd beirniaid y gystadleuaeth yng Nghaernarfon, ond yr oedd Owain Gwyrfai yn ddyn lleol, a tybed a fu hynny'n fanteisiol iddo? Dyma ddetholiad o awdl Owain Gwyrfai:

Codwyd e'n Ynad cadarn, ymholai
Am helynt unionfarn,
I'w gyfyl ni chaid geu-farn;
Er aur fil ni wyrai'r farn.

Wele y Barnwr hylaw, heb wyrni,
Ŵr goleuddawn, yn Nhy'r Arglwyddi,
Ymhlith y Deuddeg yn mynegi barn,
Y bybyr gu-farn, heb ebargofi.[36]

Oer-bryd am y pren hir-braff-diwreiddiwyd
Cedrwydden uchel-braff,
Anwyl-bren oedd ganol-braff,
Ni welid pen y pren praff.[37]

Yr oedd ôl cryn ymdrech ar waith Owain Gwyrfai, fel petai wedi bod yn pori'n go ddwys yn rhai o weithiau salaf beirdd y cyfnod am ysbrydoliaeth neu esiampl cyn ei mentro hi. Y mae'r llinell 'er aur fil ni wyrai'r farn' yn cyfleu'r syniad bod yma farnwr mor gadarn ei farn a solet ei gymeriad fel na ellid ei lwgrwobrwyo, a da o beth oedd hynny mewn barnwr, wrth gwrs. Beth bynnag am gywirdeb portread Owain Gwyrfai o'i wrthrych, y mae'n amheus bod englyn a'i phrifodl yn defnyddio'r gair 'praff' bedair gwaith yn llawer o gamp. Ni allwn ond casglu bod y safon lenyddol yn bur sigledig, a bod hynny, hefyd, yn arwydd o'r amserau i ddod. Yr oedd y pwnc, y cywair a'r arddull i gyd yn awgrymu bod pethau'n dirywio, a cheir rhyw naws Fictoraidd, barchus yn y cynnyrch (er na fyddai'r surbwch honno ar yr orsedd am ddegawd dda eto). Fel y cofnodwyd yn yr adroddiad papur newydd o'r achlysur, ac yn hollol nodweddiadol: 'diweddwyd yr eisteddfod gan chwareu Duw gadwo'r Brenin ar y telynau'.[38]

Hynod hallt fu dyfarniad haneswyr llên ar gynnyrch beirdd y bedwaredd ganrif ar bymtheg, a cheir yng nghynnyrch Eisteddfod Caernarfon 1824 enghreifftiau o nodweddion prydyddu'r cyfnod: y canu gwrthrychol, disgrifiadol, rhyddieithol weithiau, estron ac amhersonol ar destunau sâl.[39] Beiai Thomas Parry y mudiad eisteddfodol, ac ar William Owen Pughe yn bersonol, am hyrwyddo'r tueddiadau diffrwyth hyn.[40] Er nad yw'n fwriad yma i graffu ar y dadleuon llenyddol, y mae'n arwyddocaol bod dirywiad chwaeth a safonau llenyddol yn cyd-ddigwydd â diwedd hunaniaeth gyfreithiol, ill dau yn symptomau o gyflwr cyffredinol y genedl ar y pryd. Nid oedd y seilwaith, y sefydliadau na'r safonau i sicrhau rhywbeth amgenach, wrth gwrs. Yn ogystal, gormeswyd y genedl gan ysbryd gwasaidd a thaeog, gan 'israddoldeb seicolegol', er ymdrechion rhai unigolion, megis Henry Richard, Michael D. Jones ac Emrys ap Iwan, a geisiodd ymddatod rhag y cyflwr hwn.[41] Prin fu effaith Emrys ap Iwan ar 'nychdod y Gymraeg ym meddylfryd y genedl', ysywaeth, er i'w esiampl a'i barodrwydd i ddefnyddio'r Gymraeg yn wyneb pob sarhad, gan gynnwys yn y llysoedd barn, ysgogi etifeddion i godi yng Nghymru yn ail hanner yr ugeinfed ganrif.[42]

O ganlyniad, prin yw'r gwaddol o safbwynt y gyfraith mewn llên yn ystod y bedwaredd ganrif ar bymtheg. Efallai mai cerdd orau'r ganrif ar ei hyd a chanddi ryw elfen gyfreithiol yw'r englyn enwog a luniodd Robert ap Gwilym Ddu (1766–1850) i'r olygfa gyfreithiol honno pan brofwyd Crist gerbron Peilat, y llywodraethwr Rhufeinig:

Dros fai nas haeddai mae'n syn – ei weled
Yn nwylo Rhufeinddyn:
Ei brofi gan wael bryfyn,
A barnu Duw gerbron dyn.[43]

Dichon y byddai rhai yn edliw ai englyn cyfreithiol ydyw hon o gwbl. Purion. Ond ofer fyddai chwilio am sylwebaeth neu feirniadaeth o'r gyfundrefn gyfreithiol seciwlar mewn llenyddiaeth yn ystod y bedwaredd ganrif ar bymtheg. Er mai fel cyfnod o aileni cenedl y Cymry y caiff diwedd y bedwaredd ganrif ar bymtheg ei gofio gan lawer o haneswyr, nid oedd gan yr aileni hwnnw elfennau cyfreithiol o unrhyw werth.[44] Gyda throad yr ugeinfed ganrif, gwelir nad oedd pethau wedi newid rhyw lawer o ran ymwneud llenyddol â'r gyfraith. Ceid y molawd neu'r deyrnged achlysurol i gyfreithiwr, wrth gwrs. Pan fu farw'r Barnwr Gwilym Williams o Feisgyn (1839–1906), y gŵr y ceir y cerflun trawiadol ohono o waith Goscombe John o flaen y llysoedd barn ym Mharc Cathays, Caerdydd, cafwyd ymateb barddol helaeth i'w ymadawiad. Er enghraifft, dyma englyn o waith Myfyr Hefin (1874–1955) o Dreorci iddo:

> Huna'r mawr Farnwr mwy, – emynau siom
>   O'r 'meini' sy'n tramwy,
> A'i hedd oedd bron hollti'n ddwy,
> A'i wlad rodd waedd glywadwy.[45]

Prin yr oedd barnwr ar y fainc a haeddai ei goffáu mewn prydyddiaeth yn fwy na Gwilym Williams, oherwydd yr oedd ymhlith y to o fargyfreithwyr a siaradai Gymraeg ac a benodwyd i'r fainc yn dilyn yr alwad am farnwyr a fedrai'r iaith. Yn bwysicach, bu'n lladmerydd brwd dros yr iaith yn y llysoedd, fel y nodwyd yn y wasg pan fu farw:

> Ni fu barnwr erioed yn fwy poblogaidd yn y siroedd Cymraeg a gyfansoddant y gylchdaith; yr oedd yn beth newydd dan haul clywed barnwr yn siarad ac yn holi tystion mewn Cymraeg glan, gloyw, gan gynghori neu gondemnio, fel y byddai galwad; ac yn cario gweithrediadau'r llys ymlaen yn aml yn iaith y bobl. Credai'r bobl fod y milflwyddiant yn ymyl, a bod llwyr ryddfreiniad yr hen genedl ar wawrio.[46]

Yn ogystal â'i frwdfrydedd tuag y Gymraeg tra oedd ar y fainc, yr oedd Gwilym Williams yn eisteddfodwr diwylliedig a chanddo ddiddordebau llenyddol eang. Yr oedd yn awdur ac yn ddarlithydd deheuig yn y ddwy iaith, a'r anian lenyddol yn ei waed. Etifeddodd hwnnw gan ei dad, David Williams, a wnaeth ei ffortiwn fel perchennog pyllau glo yng nghymoedd y de, ac yntau hefyd yn eisteddfodwr a bardd a chanddo'r llysenw 'Alaw Goch'. Cymaint oedd ei fri fel yr enwyd Trealaw yn y Rhondda ar ei ôl.[47] Bu Gwilym Williams yn gadeirydd

Pwyllgor Cyffredinol Eisteddfod Genedlaethol Pontypridd ym 1893, ond gorfu iddo ddefnyddio ei awdurdod barnwrol i'r eithaf pan brotestiodd Gwilym Cowlyd ar lwyfan y brifwyl oherwydd anghytundeb â'r ddau feirniad arall ar fater yr awdl orau am y gadair. Er mwyn osgoi anhrefn, gorchmynnodd y barnwr iddo adael y llwyfan. Cafwyd adroddiad llawn o'r digwyddiad yn *Y Faner*. Dyma ddetholiad:

> Yna, galwodd yr arweinydd ar Pedrog i draddodi y feirniadaeth ar yr awdl ar 'Bulpud Cymru', am yr hon y cynnygid gwobr o 25 punt, a chadair dderw gerfiedig, gwerth 10 punt. Beirniedid y cyfansoddiadau ar destyn y gadair gan Pedrog, Dyfed a Gwilym Cowlyd. Ymddengys fod Pedrog a Dyfed yn cytuno yn eu beirniadaethau, ond fod Cowlyd yn gwahaniaethu; ac am hynny, efe a hawliai gael traddodi ei feirniadaeth ei hun. Gwrthwynebodd y Barnwr Gwilym Williams iddo gael gwneyd dim o'r fath. Safai y bardd a'r barnwr ar y llwyfan, a siaradent yn fywiog â'u gilydd, a chlywai y sawl oedd yn agos y barnwr yn dyweyd, 'Dim gair, syr, dyna'r rheol, a dyna'r gyfraith.' Gwrthdystiai Cowlyd; ond dadganai y barnwr, 'Myfi sydd mewn awdurdod yma heddyw, a rhaid i chwi ufuddhau, syr.' Dywedodd y barnwr fod yn rhaid i'r bardd adael y llwyfan. Dywedodd y bardd na wnâi ddim. Ceisiodd yr arweinydd ei berswadio, a cheisiodd yr Hybarch Archddiacon Griffiths, ac eraill, wneyd yr un peth; ond Cowlyd nid â'i ymaith o gwbl. Yn y cyfamser, yr oedd y dorf wedi dechreu deall y sefyllfa, a chymeradwyent y barnwr yn anferth. Galwodd yr arweinydd ar Pedrog a Dyfed yn ffurfiol i draddodi y feirniadaeth; ond er fod y swyddogion yn ceisio arwain Cowlyd ymaith, efe a fynnodd gael myned i ffrynt y llwyfan ac ebai, 'Gwaherddir fi i roddi fy meirniadaeth. Daethum yma yr holl ffordd o Wynedd i wneyd hynny, ac ni chaniateir i mi siarad.' Y barnwr (yn gyffrous) :– 'Na chewch, syr, ni chewch chwi ddim.' Gwilym Cowlyd (wrth y dorf) :– 'A wnewch chwi wrandaw pa beth sydd gennyf i'w ddyweyd?' Y barnwr:– 'Na, peidiwch.' Rhoddwyd cymeradwyaeth uchel i'r barnwr am ei waith yn gwrthod i Cowlyd gael ei ffordd yn benrhydd fel y

> mynnai; a dywedodd y barnwr, 'Darfu i ni, fel pwyllgor, benderfynu ar dri bardd i feirniadu awdlau y gadair; a'r amcan mewn pennu rhif anghyfartal ydoedd, cael mwyafrif, pe buasai dadl (clywch clywch). Yn awr, dyma gennym wahaniaeth opiniwn yma – Pedrog a Dyfed ydynt yn gytûn ar un ochr, tra yr anghytuna Gwilym Cowlyd; ac y mae ei hun. Meddaf fi, fel mater o gyfraith a chyfiawnder, nad oes gan y dyn hwn, yn y lleiafrif, ddim hawl i roddi ei feirniadaeth yma' (cymeradwyaeth). Gwilym Cowlyd :– 'Un gair.' Y barnwr :– 'Dim un gair, syr' (cymeradwyaeth uchel). Parhäai Cowlyd i wrthod myned ymaith; ond o'r diwedd, llwyddwyd i'w berswadio; ac aeth Pedrog a Dyfed yn mlaen.[48]

Ni welwyd na chynt na wedyn y fath ymyrraeth farnwrol ar lwyfan y brifwyl, ac ni freuddwydiodd Twm o'r Nant a'i gyfoeswyr am sefyllfa ryfeddach nag a welwyd ar lwyfan Prifwyl Pontypridd. Y Parchedig J. Ceulanydd Williams oedd y gorau o'r saith ymgeisydd ym marn Pedrog a Dyfed, ac ef a hebryngwyd i'r llwyfan i'w gadeirio gan Clwydfardd, yr Archdderwydd, yn sŵn datganiad seindorf bres o *See the Conquering Hero Comes*. Bu'n rhaid i Gwilym Cowlyd, neu'r Prifardd Pendant fel yr adwaenai ei hun bellach, oherwydd yr oedd wedi mynd yn greadur go ryfedd (od, hynny yw) yn ei henaint, ei bwrw hi'n ôl tua Llanrwst heb gael dweud ei ddweud.[49] Yr oedd testun yr awdl, yr holl basiant, ynghyd â gorchest yr hen Gowlyd, yn adlewyrchiad perffaith o'r oes. Ymhen llai na degawd, gwelid cadeirio T. Gwynn Jones am ei awdl 'Ymadawiad Arthur', gan osod safon ac agor pennod newydd yn hanes yr awdl a chystadleuaeth y gadair yn y brifwyl.[50]

Cafwyd teyrnged farddol i'r Barnwr Gwilym Williams pan fu farw gan gyd-farnwr a rannai ei ddiddordebau llenyddol ac eisteddfodol, sef Thomas Marchant Williams (1845–1914). Yr oedd yntau yn noddwr parod i'r sefydliadau cenedlaethol, megis Anrhydeddus Gymdeithas y Cymmrodorion a Chyngor Cymdeithas yr Eisteddfod Genedlaethol, ac yn ymhél â barddoni ac yn llenydda yn ogystal. Cynrychiolai'r ddau Williams do o farnwyr Cymraeg diwylliedig a fu'n gefnogol i'r iaith yn y llysoedd ac a liniarodd ychydig ar ddelwedd estron y llysoedd barn ym mywyd y genedl. Ymysg y lleill, ceid Robert Arthur Griffith, neu Elphin (1860–1936), bargyfreithiwr a benodwyd yn ynad cyflogedig Merthyr Tudful ac Aberdâr, a bardd a gyhoeddodd ffrwyth ei awen mewn dwy gyfrol, *Murmuron Menai* ac *O Fôr i Fynydd*. Y mae'n debyg ei fod hefyd yn un o arloeswyr y soned Gymraeg.[51] Un arall oedd Syr Daniel Lleufer Thomas (1863–1940), ynad cyflogedig Pontypridd a'r Rhondda a fu'n gymwynaswr hael â nifer o sefydliadau cenedlaethol ac yn lladmerydd dros gyfiawnder cymdeithasol a lles y gweithwyr.[52] Cyhoeddodd Marchant Williams deyrnged awenyddol i Gwilym Williams yn y *Weekly Mail*:

Ar ael y bryn, ar fin y Fro,
Saif 'Llan y Santaidd dri.'
O fewn y fynwent, yn y gro,
Gorwedda cawr o fri.
Nid oes gan Angau gledd i'w glod,
Er iddo'i ddwyn o'i sedd.
Cyfiawnder beunydd oedd ei nod –
Rhown flodau ar ei fedd.[53]

Chwarae teg i Marchant Williams am deyrnged ddiffuant, ac am ddal gafael, waeth pa mor fregus ydoedd, ar yr hen draddodiad o lunio marwnad yn Gymraeg. Gwaetha'r modd, ac er taerineb Gwilym Williams dros y Gymraeg a'i esiampl odidog o farnwr dwyieithog, i Goleg Eton yr anfonwyd mab y barnwr. Gan hynny, ac o fewn llai na chenhedlaeth, troi yn Saeson a Thorïaid rhonc a wnaeth ei ddisgynyddion.

Er ambell eithriad nodedig, at ei gilydd, prin iawn yw'r cyfeiriadau cyfreithiol yng ngwaith beirdd a llenorion o ganol y bedwaredd ganrif ar bymtheg ymlaen. Ni chawn na chyfreithiwr na barnwr, llys barn na sefyllfa gyfreithiol yn un o nofelau Daniel Owen (dim ond ambell blismon, o bosibl, a hynny ar ymylon stori). Parhaodd y traddodiad o drin y cyfreithiwr fel cocyn hitio i ryw raddau, do. Mewn cyfrol o farddoniaeth ysgafn, casglwyd enghreifftiau o feddargraffiadau tafod yn y boch i gyfreithwyr, rhai ohonynt yn dyddio o ddiwedd y bedwaredd ganrif ar bymtheg neu droad y ganrif ddilynol. Yn y gyfrol hon, ceir englyn o eiddo John Ceiriog Hughes (1832–1887) yn dwyn y teitl 'Y Cyfreithiwr':

Eich gelyn yn eich galwad, – mab y diawl
Ym mhob dim heb eithriad;
Mab lledrith ym mhob lladrad,
A mab y tric ym mhob trâd.[54]

Dyna ni safbwynt bardd a ganodd am nant y mynydd a gofidiau serch, er ei fod yntau'n ddigon parod i ddychanu'r Eisteddfod ac elfennau parchus eraill ym mywyd ei genedl o bryd i'w gilydd.[55] Parhad o hen draddodiad dychanu'r cyfreithwyr a sefydlwyd gan Thomas Prys, Plasiolyn, a'i ddilynwyr sydd yma, wrth gwrs. Dyma enghraifft arall, y tro hwn o eiddo Thomas Jacob Thomas, sef Sarnicol (1873–1945), i'r 'Twrnai':

Pwy roes dy fraster it i gyd?
Ffyliaid yn ffraeo yn y byd;
Cânt hwy'n eu tro'r amheuthun mawr
O'th weled dithau'n ffreio 'nawr.[56]

Diniwed fel hyn oedd delweddau cyfreithiol y beirdd a'r llenorion hyd nes i'r ugeinfed ganrif fynd rhagddi. Ychydig o dynnu coes, canu telynegol, llawer o ystrydebu, dyna mewn gwirionedd fu'r sefyllfa rhwng tua 1830 a thua 1930. Ac felly'r bennod fer hon. Fodd bynnag, yn raddol, a chyda thwf cenedlaetholdeb a thwf y mudiad iaith yn enwedig, darganfu'r beirdd a'r llenorion eu lleisiau protest, a deffrôdd eu hawydd i feirniadu unwaith eto. Rhoddodd y gwrthdaro â sefydliadau llywodraeth a chyfraith destunau cyfreithiol i lenydda arnynt, yn enwedig os bu'r gyfraith, rhywfodd, yn achos anghyfiawnder ym marn y beirdd a'r llenorion. A dyna fydd y thema yn y bennod nesaf.

Nodiadau

[1] Ceir trafodaeth o'r amgylchiadau a'u harwyddocâd gan J. L. Thomas yn 'Legal Wales: its modern origins and its role after devolution: national identity, the Welsh language and parochialism', yn Thomas Glyn Watkin (gol.), *Legal Wales: Its Past, Its Future* (Cardiff: Welsh Legal History Society, 2001), tt. 113–65.

[2] Gweler Mark Ellis Jones, '"An Invidious Attempt to Accelerate the Extinction of our Language": the Abolition of the Court of Great Sessions and the Welsh Language', *Welsh History Review*, 19 (2) (1998), 226–64.

[3] Ceir sylwadau ar hyn gan Robyn Léwis, *Cyfiawnder Dwyieithog?* (Llandysul: Gomer, 1998), tt. 50–63.

[4] Dewi Watkin Powell, 'Y llysoedd, yr awdurdodau a'r Gymraeg: Y Ddeddf Uno a Deddf yr Iaith Gymraeg', yn T. M. Charles-Edwards, M. E. Owen a D. B. Walters (goln), *Lawyers and Laymen* (Cardiff: University of Wales Press, 1986), tt. 287–315, t. 297.

[5] Ceir astudiaeth fanwl o'r cyfnod gan Gwyneth Tyson Roberts, *The Language of the Blue Books: The Perfect Instrument of Empire* (Cardiff: University of Wales Press, 1998).

[6] Gweler sylwadau Mark Ellis Jones, '"Dryswch Babel"?: Yr Iaith Gymraeg, Llysoedd Barn a Deddfwriaeth yn y Bedwaredd Ganrif ar Bymtheg', yn Geraint H. Jenkins (gol.), *Gwnewch Bopeth yn Gymraeg: Yr Iaith Gymraeg a'i Pheuoedd 1801–1911* (Caerdydd: Gwasg Prifysgol Cymru, 1999), tt. 553–80, t. 563.

[7] *Reports of the Commissioners of Inquiry into the state of education in Wales: Part 3, North Wales* (London: Her Majesty's Stationery Office, 1847), Atodiad A, t. 41.

[8] Ceid yr adroddiad yn *The Times*, 8 Medi 1866, 8.

[9] Gweler R. J. Derfel, *Brad y Llyfrau Gleision* (Rhuthyn: I. Clarke, 1854).

[10] Gweler R. J. Derfel, *Rhosyn Meirion* (Rhuthyn: I. Clarke, 1853).

[11] R. J. Derfel, *Caneuon* (Manchester: R. J. Derfel, 1891), t. 15.

[12] Gweler D. Gwenallt Jones, *Detholiad o Ryddiaith Gymraeg R. J. Derfel* (Y Clwb Llyfrau Cymreig, 1945), t. 24.

[13] Jones, '"Dryswch Babel"?', t. 560.

[14] Jones, '"Dryswch Babel"?', tt. 566–9.

[15] Ceir cofnod o'r hanes yn erthygl Mark Ellis Jones, 'Wales for the Welsh? The Welsh County Court Judgeships, 1868–1900', *Welsh History Review*, 19 (4) (1999), 643–78.

[16] Gweler Richard W. Ireland, *Land of White Gloves? A History of Crime and Punishment in Wales* (London: Routledge, 2015), tt. 72–3.

[17] Jones, '"Dryswch Babel"?', t. 574.

[18] Ceir ei hanes gan Gildas Tibbott, 'William Watkin Edward Wynne', CHCSF, I (1949), 69–77.

[19] Gweler adroddiad o'r hanes gan Ieuan Gwynedd Jones, 'Merioneth Politics in the Mid-Nineteenth Century: The Politics of a Rural Economy', CHCSF, V

(1968), 273–334; D. G. Lloyd Hughes, 'David Williams, Castell Deudraeth and the Merioneth elections of 1859, 1865 and 1868', CHCSF, V (1968), 335–51. Ceir syniad o hanes y gynrychiolaeth seneddol yn y ganrif flaenorol gan Peter D. G. Thomas, 'The Parliamentary Representation of Merioneth during the Eighteenth Century', CHCSF, III (1958), 128–36.

[20] Aelod Seneddol Rhyddfrydol sir Feirionnydd o 1886 hyd 1899, pan fu farw, ac aelod o lywodraeth Gladstone o 1892 hyd ei farwolaeth. Gweler Thomas Iorwerth Ellis, *Thomas Edward Ellis: Cofiant* (Lerpwl: Hugh Evans, 1944).

[21] Gweler amlinelliad o'i hanes yn Thomas Nicholas, *Annals and Antiquities of the Counties and county Families of Wales*, II (London: Longmans, 1872) t. 706.

[22] Gweler ei bedigri cyfreithiol yn H. J. Owen, 'Chief Baron Richards of the Exchequer', CHCSF, IV (1961), 37–46. Gweler hefyd grynodeb yn Thomas Nicholas, *Annals and Antiquities of the Counties and County Families of Wales*, I (London: Longmans, 1872), t. 415; Nicholas, *Annals and Antiquities of the Counties and county Families of Wales*, II, tt. 707–14.

[23] Ceir trafodaeth ar gyfansoddiad cymdeithasol y farnwriaeth yn Lloegr yn Daniel Duman, *The Judicial Bench in England 1727–1875: The Reshaping of a Professional Elite* (London: Royal Historical Society, 1982).

[24] Gweler yr erthygl arno yn yr ODNB.

[25] *Aeron Awen, sef Awdlau, Cywyddau, Englynion a Thraethiadau a Ddanfonwyd i Eisteddfod Gymreigyddion Caernarfon, Mawrth 1, 1824* (Caernarfon: L. E. Jones, 1824).

[26] *Aeron Awen*, t. 3.

[27] Y mae gwerthoedd yr oes a'u heffaith ar y bywyd cenedlaethol ymysg y pethau sydd wedi eu gwyntyllu gan Simon Brooks, *Pam na fu Cymru: Methiant Cenedlaetholdeb Cymraeg* (Caerdydd: Gwasg Prifysgol Cymru, 2015).

[28] David Thomas (1759–1822). Gweler Meic Stephens (gol.), *Cydymaith i Lenyddiaeth Cymru*, arg. newydd (Caerdydd: Gwasg Prifysgol Cymru, 1997), t. 702.

[29] Gweler Cynan Evans-Jones, 'Tad Beirdd Eryri: Dafydd Tomos ("Dafydd Ddu Eryri") 1759–1822', *Trafodion Anrhydeddus y Cymmrodorion* (1970), 7–23, ar 14.

[30] Gweler Stephens (gol.), *Cydymaith i Lenyddiaeth Cymru*, t. 424.

[31] *Aeron Awen*, t. 27.

[32] *Aeron Awen*, tt. 32–3.

[33] *Aeron Awen*, t. 38.

[34] *Aeron Awen*, t. 41.

[35] Evans-Jones, 'Tad Beirdd Eryri', 12–13.

[36] *Aeron Awen*, tt. 14–15.

[37] *Aeron Awen*, tt. 14–16.

[38] *North Wales Gazette*, 4 Mawrth 1824, 3.

[39] Gweler, er enghraifft, Hywel Teifi Edwards, 'Y Prifeirdd wedi'r Brad', yn Prys Morgan (gol.), *Brad y Llyfrau Gleision: Ysgrifau ar Hanes Cymru* (Llandysul: Gwasg Gomer, 1991), tt. 166–200.

[40] Gweler Thomas Parry, *Hanes Llenyddiaeth Gymraeg hyd 1900* (Caerdydd: Gwasg Prifysgol Cymru, 1945), tt. 244–50.

[41] Gweler ysgrif Bobi Jones ar Emrys ap Iwan yn R. M. Jones, *Llenyddiaeth Gymraeg 1902–1936* (Llandybïe: Cyhoeddiadau Barddas, 1987), t. 95.

[42] Gweler Hywel Teifi Edwards, *Codi'r Hen Wlad yn ei Hôl 1850–1914* (Llandysul: Gwasg Gomer, 1989), t. 144.

[43] OBWV, t. 529.

[44] Felly y caiff hanes y cyfnod ei gyflwyno gan Kenneth O. Morgan yn *Rebirth of a Nation: A History of Modern Wales* (Oxford: Oxford University Press, 1981).

[45] *Seren Cymru*, 11 Hydref 1907, 14.

[46] *Tarian y Gweithiwr*, 5 Ebrill 1906, 5.

[47] Ceir ysgrifau ar y tad a'r mab yn y *Bywgraffiadur Cymreig ar-lein*. Gweler *https://bywgraffiadur.cymru/article/c-WILL-DAV-1809* a *https://bywgraffiadur.cymru/article/c-WILL-GWI-1839* (cyrchwyd 13 Ionawr 2019).

[48] *Baner ac Amserau Cymru*, 12 Awst 1893, 7–8.

[49] Gweler E. D. Rowlands, *Dyffryn Conwy a'r Creuddyn* (Lerpwl: Gwasg y Brython, Hugh Evans a'i Feibion, 1947), tt. 125–8.

[50] Gweler sylwadau Alan Llwyd, *Prifysgol y Werin: Hanes Eisteddfod Genedlaethol Cymru 1900-1918* (Llandybïe: Cyhoeddiadau Barddas, 2008), t. 138.

[51] Gweler Herman Jones, *Y Soned Gymraeg hyd 1900* (Llandysul: Gwasg Gomer, 1967), t. 139.

[52] Gweler sylwadau Gwilym Prys Davies arno, ac ar Gwilym Williams, yn *Llafur y Blynyddoedd* (Dinbych: Gwasg Gee, 1991), tt. 23–5.

[53] Gweler *Weekly Mail*, 14 Ebrill 1906, 6.

[54] Elwyn Edwards (gol.), *Yr Awen Lawen: Blodeugerdd Barddas o Gerddi Ysgafn a Doniol* (Llandybïe: Cyhoeddiadau Barddas, 1989), t. 334.

[55] Megis yn *Gohebiaethau Syr Meurig Grynswth*. Gweler J. Ceiriog Hughes, *Oriau'r Hwyr* (Wrecsam: Hughes a'i Fab, 1860), tt. 73–124.

[56] Edwards (gol.), *Yr Awen Lawen*, t. 262.

9

'Yn erbyn arglwydd, gwlad a deddf': Llên, Cyfraith a Phrotest

Argraffiadau o wŷr a sefydliadau'r gyfraith gan leygwyr o feirdd a llenorion a welwyd yn bennaf ers yr oesoedd canol. Fe ailymddangosodd hen ffenomen lenyddol, sef y beirdd-gyfreithwyr neu'r llenorion-gyfreithwyr, yn ystod yr ugeinfed ganrif. Ac o bryd i'w gilydd, ceid cynnyrch llenyddol ar bwnc cyfreithiol ganddynt. Yn eu plith roedd prifeirdd megis Brinley Richards (1904–1981), a wasanaethodd dymor fel Archdderwydd yn ogystal. Cyhoeddwyd ysgrifau o'i eiddo ar bwnc y gyfraith, megis 'Y Gyfraith a Chyfiawnder', ysgrif a oedd yn cynnwys cyfres o fyfyrdodau ar ystyr cyfiawnder ac agweddau eraill o'r gyfraith.[1] Dro arall, 'Y Gyfraith a Moesoldeb' a aeth â'i fryd.[2] Yn ei gyfrol o farddoniaeth, *Cerddi'r Dyffryn*, ceid ganddo englyn i'r cyfreithiwr, englyn sydd yn profi y gall y cyfreithiwr wneud sbort arno'i hun wrth chwarae ar y ddelwedd o'r twrnai fel creadur tafod llyfn sydd â'i lygaid ar y geiniog:

Rhown fawl i'r diawl a'i dylwyth; – dwed y gwir,
  Dwed y gau yn esmwyth;
Daw a'i rwyd wedi'r adwyth
A chewch yn gost – chwech ac wyth.[3]

Nid gwamalu a wna'r bardd yn ei gerdd 'Y Gymraeg', fodd bynnag, ond rhannu â ni ei berthynas hanfodol â'i iaith, er gwaethaf proffesiwn a'i orfodai i droi'n feunyddiol at y Saesneg i ennill ei fara menyn. Dyma sut y crisielir y berthynas honno ar ddiwedd y gerdd:

> Ynot yr ymddigrifais,
> Ac megis y Gyfraith i'r Salmydd gynt
> Buost imi'n fyfyrdod beunydd.
> Lladmeraist, crisialaist fy mod, –
> Cawellaist fy myfyrdodau
> A'th ymadroddion ynghudd yn fy nghalon.
>
> Er imi ymlwybro'n hir
> O gwmpas crochanau'r Gyfraith
> A sawru'i Sacsonaidd flas,
> Ni laciaist dy afael ynof
> Yng ngwindy fy mhererindod.[4]

Datgelir mwy am berthynas gymhleth ac anghyfforddus Brinli â'i grefft feunyddiol yn ei gerdd hynod 'Cyffes'. Ynddi, cawn ef yn cyffesu iddo fabwysiadu anian a oedd yn groes i'w natur er mwyn cyflawni ei ddyletswyddau proffesiynol. Bodolaeth ddeublyg, nos a dydd, golau a thywyllwch, megis Janus, fu ei hynt fel twrnai. Ac y mae rhyw nodyn annisgwyl o sinigaidd yn treiddio'r gerdd, megis yn ei ddisgrifiad o'i gleientiaid fel y 'bobol barchus' a'u 'chwenychgar reddf', neu'r cybydd sydd yn rhannu ei gynilion rhwng y 'gwaedgwn', llinellau sydd bron yn adlais o brofiadau Twm o'r Nant a'i gyfoedion. Mae ei gyffes yn cynnwys cyfaddefiad iddo ddyfalbarhau gyda'r gyfraith oherwydd atyniad mamon, a'r manteision ariannol a ddaethai iddo o drin cyfreithiau. Trawiadol iawn yw ei gyffes iddo 'ymfwlturo uwch y crochanau cig'. Ond tua'r diwedd, er beichiau'r gyfraith, cyffesa iddo dderbyn nodded mewn cerdd dafod, ei 'sêffti falf achubol'. A dichon y bydd llawer o Gymry byd y gyfraith yn uniaethu â'i brofiad a'i angen i ymryddhau o ofynion galwedigaeth feichus:

Ymgroesais rhag ymdapru'n
Ddadleuwr bach go lew –
Rhag imi ymberffeithio'n
Y grefft o hollti blew.

Er deisyf am ddoethineb
I ddatod pob dispiwt,
Anghenraid oedd meistroli
Y ddawn o fod yn giwt.

Yn sŵn cynhennau oesol
Crensian dogfennau crin
Y dysgais yn rhigolaidd
Mai teirant oedd rwtîn.

Twrio trwy hen gyfrolau
Ar sut i unioni cam,
Ar cyfan o'm llyfrydda
Heb air o iaith fy mam.

Hen arfer oedd y patrwm
I nodi maint fy mhlwy;
Tu mewn i'w ffiniau cyndyn
Y deddfwyd at bob clwy.

Dysgais am natur ddynol,
Clywais ei nodau cras,
A'r pwys ar hawl gyfreithiol,
Am greisis heb ddim gras.

Fe welais bobol barchus
Yn eu chwenychgar reddf
Heb falio am anghyfiawnder
Os oedd tu mewn i'r ddeddf.

Rhoed imi bres y cybydd
Wedi'r cribinio ffôl
I'w rannu rhwng y gwaedgwn
Disgwylgar ar ei ôl.

Nid di-apêl oedd Mamon
O'i ysglyfaethus drig
I minnau ymfwlturo
Uwch y crochanau cig.

A rhywrai'n edliw beunydd
Fy mod wrth dyfu'n hŷn
Yn byw yn dra chyfforddus
Ar ffolinebau dyn.

Fe'm temtiwyd gan 'yr awen'
Yn aml i hel fy mhac
Am fod y ffordd drwy'r labyrinth
Yn ddim ond *cul-de-sac.*

Mi brofais ias cerdd dafod
A'i gogoniannau gwych
Yn sêffti falf achubol
I fywyd digon sych.

Hynny a roes im asbri
I lacio tyndra 'myd;
Y gyfraith fu 'mywoliaeth;
Nid honno aeth â'm bryd.[5]

Llysoedd Môn fu tiriogaeth broffesiynol y cyfreithiwr Rowland Jones (1909–1962), sef Rolant o Fôn, ac yn ystod gyrfa hir cofnododd ambell brofiad neu dro trwstan ar ffurf cerdd neu rigwm. Ar un achlysur, pan oedd cyfreithiwr arall wedi ei alw i'r llys ym Miwmares ar fyr rybudd, a heb gael y cyfle i ymwisgo'n addas ac yn unol â'r hyn a ddisgwylid, cafodd groeso pur oeraidd gan y barnwr. Fel hyn y cofiodd Rolant yr achlysur:

> Fe ruthrodd Dafydd tua'r Llys,
> Heb grysbas wlanan a heb grys,
> Ac meddai'r Barnwr mawr ei bwn,
> 'Wel, Arglwydd mawr, o ble daeth hwn?'[6]

Dro arall, yr oedd dwy wraig wedi cweryla'n o ddrwg â'i gilydd, cymaint nes eu bod a'u bryd i fynd i gyfraith dros y mater. Yn annibynnol ac yn ddiarwybod i'w gilydd, gofynasant i Rolant weithredu drostynt yn yr anghydfod. Ni allai Rolant gynrychioli'r ddwy, wrth gwrs, ac anfonodd un at gyfreithiwr arall gyda'r nodyn cyfreithiol yma:

> Dwy ŵydd dew
> Ddim yn gall;
> Plua di un,
> Mi blua innau'r llall.[7]

Dengys y rhigymau hyn hiwmor a ffraethineb Rolant, wrth gwrs, ynghyd â'i ddawn i weld ffolineb ei gyd-ddyn drwy ei sbectol broffesiynol. Yr oedd yr awen hefyd yn cynnig dihangfa o'r byd cyfreithiol iddo, rhywbeth y cydnabu ei gyfaill, Gwilym R. Tilsley, mewn englynion coffa iddo:

> Yn huawdl yn y frawdlys – a selog
> Dros hawliau'r anghenus,
> Heriai y rhai gwatwarus,
> A'u llorio'n llwyr yn y llys.
>
> Ond o'r llys at fwynder llên – y deuai
> A dianc yn llawen
> O we'r ddeddf i fröydd hen,
> A hwyl reiol yr awen.[8]

Os er mwyn 'dianc yn llawen' y byddai'r cyfreithwyr llengar yn troi at yr awen, yr oedd profiadau byd gwaith yn ysgogi'r awen hefyd o bryd i'w gilydd. Bu cynhyrchion llenyddol-gyfreithiol Robyn Léwis, enillydd y Fedal Ryddiaith ac Archdderwydd arall o blith y cyfreithwyr llengar, yn sylweddol.[9] Ceid ganddo ysgrifau ffeithiol a chreadigol ynghyd â dadansoddiadau o'r gyfraith a geiriaduron cyfraith, hwynt oll yn adlewyrchu ei ymroddiad i Gymreictod, a Chymreictod y gyfraith yn benodol.

Cyfreithiwr arall a fu'n prydyddu, ac a ddaeth i amlygrwydd yn bennaf oherwydd ei delynegion a'i gerddi i blant, oedd Isaac Daniel Hooson (1880–1948), y cymwynaswr hoffus o'r Rhos. Gyda'i arddull hamddenol a diymdrech, bu llunio cân a cherdd yn fodd iddo yntau ddianc o'i orchwylion beunyddiol, a cheir tystiolaeth yn ei gerddi mai byd 'di-liw, diflas, undonog, oedd byd y gyfraith iddo'.[10] Gwelir hyn yn llinellau agoriadol ei gerdd 'Aderyn', cerdd sy'n sôn am achlysur pan yr ehedodd aderyn bach drwy'r ffenestr ar ddamwain i'w swyddfa rhyw ddiwrnod:

> Paham, paham, aderyn hardd,
> Y daethost ti i swyddfa'r bardd –
> I le mor llwm, mor groes i'th reddf,
> O'r llwyni ir at lyfrau'r ddeddf;
> O'r awyr rydd i gyfyng rwyd
> Ystafell fwll cyfreithiwr llwyd.[11]

Dyma fardd a ddywedodd lawer o wirioneddau mawr am y byd a'i bethau, hyd yn oed os nad oedd yn fardd mawr yng ngolwg rhai.[12] Ceir cerdd ganddo ac iddi flas cyfreithiol yn dwyn y teitl 'Hawliau'. Myfyrdod telynegol ydyw'r gerdd ar natur hawliau, ac er mai ysgafn yw'r arddull y mae ynddi neges bur amserol. Daeth ieithwedd hawliau'r ddeunawfed ganrif yn ffasiynol unwaith eto yn ystod ail hanner yr ugeinfed ganrif. Er mai yn y ddeunawfed ganrif y ffurfiwyd y cysyniad o hawl ddynol yn wreiddiol, profodd adferiad yn sgil cyflafan yr Ail Ryfel Byd, gyda chyfraith ryngwladol a'r drefn gydwladol newydd yn cael eu sylfaenu i raddau helaeth ar egwyddorion hawliau dynol.[13]

Yng Nghymru, credid y gellid priodoli'r syniad o hawl yng nghyd-destun brwydr yr iaith neu hyd yn oed y mudiad cenedlaethol yn gyffredinol.[14] Ond yn gynnil iawn, ceir yng ngherdd I. D. Hooson fynegiant o'i amheuaeth o ddibynadwyedd y syniad o hawl fel sail i gyfiawnder. Ynddi, cawn y bardd yn ensynio bod unrhyw ddiffiniad neu ganfyddiad o hawl yn dibynnu ar bersbectif yr un sydd yn hawlio, ac, o'r herwydd, ceir elfen braidd yn hunanol yn y pwyslais cyson ar 'hawl' fel sail i gyfiawnder. Yn y gerdd, y mae'r heliwr neu'r potsiar, y barnwr, a'r creadur yn y ffagl yn cyfleu eu safbwyntiau personol a gwahanol ar eu hawliau hwy eu hunain.

Mi welais ŵr– llechwrus ŵr –
Un min y nos, ar ddistaw droed,
Yn gosod creulon fagl ddur
I ddal diniwed deulu'r coed;
Haerai y gŵr ei hawl a'i reddf
Yn erbyn arglwydd, gwlad a deddf.

Mi welais ŵr – truenus ŵr –
O flaen y llys ar wŷs ei well,
A'r Ustus balch â sarrug drem
Yn sôn am ddirwy, cosb a chell;
Dadleuai'r gŵr ei hawl a'i reddf,
Pwysleisiai'r Ustus hawliau'r ddeddf.

Mi welais yn y fagl ddur
Greadur bach a'i wddf yn dynn,
A'i ffroenau'n wlyb gan ddafnau gwaed,
Ac yn ei lygaid olwg syn;
Dadleuai yntau yno'n lleddf
Ei hawl i fyw yn ôl ei reddf.[15]

Y mae'r gerdd hyfryd hon yn ein hatgoffa o'r amwysedd anorfod sydd yn natur yr hyn a elwir yn 'hawliau'. Dadansoddi natur hawliau oedd pwnc y cyfreithegwr Hohfeld, a bwysleisiodd fod cyfatebiadau cyfreithiol yn tarddu o hawliau cyfreithiol, a bod angen inni ddeall hynny wrth ddefnyddio ieithwedd hawliau. Er enghraifft, ceir yr hawl hwnnw sydd yn gosod dyletswyddau neu gyfrifoldebau ar eraill i weithredu mewn rhyw fodd, neu'r hawl hwnnw sydd, o fod yn fanwl gywir, yn golygu rhyddid rhag ymyrraeth yn hytrach na hawl fel y cyfryw. Nid yw rhyddid o'r fath yn creu gofyniad ar neb arall ond yn atal unrhyw awdurdod rhag ymyrryd â'r rhyddid. Dangosodd Hohfeld hefyd fod cydberthynas rhwng hawl y naill a dyletswydd y llall, braint y naill ac ataliad ar y llall, grym neu awdurdod y naill ac atebolrwydd y llall, imiwnedd y naill ac anghymwysedd y llall. Ei ddadl greiddiol oedd nad yw hawliau yn bethau di-gost, ac y defnyddir y syniad o hawl, weithiau, mewn modd llac ac amhendant mewn trafodaeth. Y mae yna fyrdd o hawliau a hawlir, a myrdd o ddyletswyddau a grëir ganddynt. A cheir weithiau wrthdaro rhwng yr hawliau a fynnir gan un a'r dyletswyddau neu ofynion y maent yn eu gosod ar un arall, gan fod hawl a fynnir gan un yn anorfod yn creu gofyniad neu faich ar rywun arall, neu, hyd yn oed, yn mynnu'r flaenoriaeth ar hawliau eraill.[16]

Bu cyfreithegwyr y ganrif ddiwethaf yn ymrafael â'r gwrthdaro a gyfyd rhwng hawliau honedig.[17] Lle ceir gwrthdaro, rhaid i'r hawl a fynnir fod yn ddigon pwysig i gyfiawnhau'r cyfyngiad neu'r ddyletswydd ar eraill, neu i ennill blaenoriaeth ar hawliau eraill, a mater moesol a gwleidyddol yw pennu'r flaenoriaeth yn amlach na pheidio.[18] Er, er enghraifft, y datgenir yr hawl i ryddid mynegiant mewn offerynnau rhyngwladol, nid yw'r hawl hwnnw yn absoliwt.[19] Cydnabyddir hefyd yr hawl i amddiffyn enw da rhag enllib, a gall yr hawl hwnnw fod yn oruwch na'r hawl i ryddid mynegiant mewn amgylchiadau arbennig, megis lle y defnyddir yr hawl i ryddid mynegiant i ledaenu celwyddau athrodus. Mater o bolisi cyhoeddus yw blaenoriaethu hawliau, a'u gosod yn nhrefn eu pwysigrwydd, a gall hynny hefyd adlewyrchu statws y rhai sydd yn hawlio mewn perthynas â'r rhai sydd o dan rwymedigaeth i'r hawl.[20]

Dyna rai o'r syniadau pwysig a dyrys a ddaw i'r meddwl o ddarllen telyneg I. D. Hooson, sydd, er ei symlrwydd, yn ein hysgogi i fyfyrio am hydrinedd hawliau a'u natur oddrychol. Camgymeriad fyddai meddwl mai rhyw delyneg fach ddiniwed ydyw. Y mae'n llawn negeseuon proffoclyd ac yn codi pwyntiau dyrys a chymhleth.

Cerdd arall a chanddi ddadl athronyddol-gyfreithiol yn llechu ynddi, er mai diriaethol eto yw ei naws ar yr olwg gyntaf, yw'r un o eiddo W. R. P. George ar y testun 'J. R. Y Carcharor'. Yr oedd W. R. P. George, Ap Llysor (1912–2006), yn gyw o frid cyfreithwyr, wrth gwrs, ac ef yw'r trydydd yn ein trindod o Archdderwyddon o fyd y gyfraith.[21] Dyma gerdd ganddo sydd yn seiliedig ar ei brofiadau proffesiynol mewn cyswllt â chleient pur anarferol. Cawn wybod am gefndir y gerdd yn hunangofiant y bardd-gyfreithiwr a gyhoeddwyd yn Saesneg.[22] Er mwyn gwerthfawrogi cynnwys y gerdd, y mae'n werth ailadrodd rhai o'r ffeithiau.

Rhywbryd ar ddechrau'r 1950au daeth galwad ar y bardd i gynghori dau ddyn, sef Joseph Roberts ac un o'r enw Cumber, a gyhuddwyd o fyrgleriaeth wedi iddynt dorri i mewn i orsaf betrol a dwyn arian o'r sêff. Yr oedd tystiolaeth fforensig gadarn yn eu herbyn, gan fod darnau mân o ddrws y sêff wedi eu canfod ar drowsus Roberts. Er hynny, rhoddasant gyfarwyddyd i'w cyfreithiwr mai eu bwriad oedd pledio'n ddieuog. Yr oedd gan Roberts record o droseddu a bu yn y carchar am gyfnodau o'r blaen, ac yr oedd, yn ddigon naturiol, yn ofni y câi dymor arall o garchar petai'n cael ei ganfod yn euog. Nid oedd yn ŵr treisgar o gwbl, ond yn hytrach yn dipyn o dwyllwr, neu *con man* fel y dywedir yn Saesneg. Er i'r barnwr roi cyfarwyddyd y byddai pledio'n euog yn lleihau'r gosb, ac er cryfed y dystiolaeth yn eu herbyn, mynnu pledio'n ddieuog a chael eu profi gan y rheithgor a wnaeth y diffynyddion. Ar derfyn yr achos, fodd bynnag, dyfarniad y rheithgor oedd bod y ddau yn euog o'r drosedd.

Cyn i'r barnwr (sef cadeirydd llys chwarter sir Gaernarfon ar y pryd, yr Arglwydd Morris o Borth-y-gest) gyhoeddi'r ddedfryd, ni ddywedodd Cumber air, ond fe siaradodd Roberts. Gofynnodd i'r llys gadw mewn cof y gymeradwyaeth iddo dderbyn am ei wasanaeth milwrol yn y dwyrain canol yn ystod y rhyfel. Yna, ac er syfrdan i bawb, dyfynnodd y lleidr eiriau o ddrama Shakespeare, *Henry IV*, rhan 2:

'Presume not that I am the thing I was/When thou dos't hear I am as I have been'.[23] Bwriad Roberts oedd perswadio'r barnwr i'w ddedfrydu ef a'i gyd-ddiffynnydd ar y sail mai ef oedd yn bennaf gyfrifol am y drosedd, ac nid Cumber. Cymerodd yr Arglwydd Morris yr hyn a ddywedodd Roberts i ystyriaeth, cyn ei ddedfrydu ef i wyth mlynedd o garchar, a'i gyd-ddiffynnydd i dair blynedd o garchar.

Creodd ymddygiad anhunanol a diwylliedig Roberts yn y llys gryn argraff ar ei gyfreithiwr, a deimlai fod Roberts wedi derbyn dedfryd lem. Yn arwyddocaol, cyfarfu'r cyfreithiwr â'r barnwr ar siawns rai dyddiau wedi'r gwrandawiad llys, a hynny yn yr orsaf betrol lle cyflawnwyd y drosedd. Cawsant sgwrs fer, a dywedodd yr Arglwydd Morris wrth W. R. P. George: 'I was pretty heavy in my sentence on Roberts but you know, William, we can't have people like that around in our district.'

Gofynnodd Roberts i'w gyfreithiwr a fyddai'n fodlon rhoi geiriadur Saesneg iddo er mwyn iddo geisio gwella ei afael ar yr iaith honno tra byddai dan glo. Gofynnodd iddo hefyd a fyddai'n fodlon llythyru ag ef gan nad oedd ganddo neb arall y gallai ysgrifennu ato. A dyna ddechrau ar gyfnod o lythyru rhwng y ddau am gyfnod o ryw bum mlynedd, sef y cyfnod tra oedd Roberts yn y carchar. Daeth W. R. P. George i adnabod Roberts yn bur dda trwy'r llythyru hwn, a sylweddoli ei fod yn ddyn galluog a chanddo'i rinweddau, ond ei fod wedi colli ei ffordd mewn bywyd. Chwalwyd ei gartref pan oedd yn blentyn, yn Lerpwl o bosibl, ac ymunodd â'r fyddin adeg y rhyfel ac yntau ond yn ddeunaw oed. Cawn hanes cefndir Roberts yn y gerdd. Yn ystod y llythyru a fu rhyngddynt, ceisiodd W. R. P. ei ddarbwyllo bod ystyr i fywyd, a'i berswadio i newid ei ffyrdd a throi dalen newydd pan gawsai ei ryddid unwaith eto.

Maes o law, rhyddhawyd Roberts, a daeth y cysylltiad rhyngddynt i ben hyd nes, flynyddoedd wedyn, i Roberts unwaith eto ildio i'r temtasiwn i ddwyn. Y tro hwn, fe'i cafodd ei hun gerbron barnwr yn y Llys Troseddol Canol (yr Old Bailey) yn Llundain. Ysgrifennodd cyfreithiwr o Lundain, a oedd yn ei gynrychioli'r tro hwn, at W. R. P. i ofyn a fuasai'n fodlon llunio gair neu ddau ar ran Roberts i sôn am ei adnabyddiaeth ef ohono. Gwnaeth yntau hynny, ac mae'n debyg i eirda

W. R. P. fod o gymorth i Roberts a lliniaru'r gosb a osodwyd arno ar yr achlysur hwnnw.

Dyma'r cefndir i'r gerdd hynod a luniodd y bardd-gyfreithiwr nodedig hwn, cerdd sydd yn fyfyrdod dwys ar fywyd unigolyn galluog a lithrodd, yng nghysgod ei gefndir difreintiedig, ac a garcharwyd:

> 'Dos i gylch-droi'n iard y carchar,' meddai'r barnwr,
> 'Am wyth mlynedd, ddihiryn diwerth.' Nid ar ferthyr
> I egwyddor y caeodd y dwbl-ddorau.
>
> Un o hogiau'r pedwardegau ydoedd,
> Heb gadair wag wrth fwrdd brecwast,
> Nac aelwyd eiddgar amdano yn ei aros.
>
> Meddai J. R. wrth y barnwr. 'Nac ystyriwch
> Yr hyn wyf-fi, ond y dyn a allaswn fod, –
> Ac nid ar fy nghyd-garcharor yr oedd y bai,'
> O'r doc daeth ei eiriau dewr, 'ond arna i
> Oedd y bai, a bai bywyd;
> A mawr fai fy mwrw i fyd
> Y gwter gynt, a strydoedd-cefn hwteri
> Y fro chwerw i'm cyfarch i.
>
> 'Trwy'r wybren, noson geni,
> Cyrch teirawr, croch hwteri;
> Bomiau'n angau i'n dinas ni.
>
> 'Yn lle aelwyd, twll weli,
> Daear wyw, cyrff yn drewi;
> Llwch, anialwch oeddem ni.
>
> 'I hen dram aeth rhai mamau,
> Babanod, llygod a llau;
> Yno, aeth mam a minnau.

'Ein hanes, ymwahanu;
Bûm ifanc lanc, un o lu,
Di-aelwyd a di-deulu.

'Amryw a aeth i Gymru,
A'i môr iach o'r bedlam ru;
Minnau'r llanc fûm un o'r llu.

'Fe'n golchwyd, llosgwyd ein llau;
Dysgu difri weddïau
Mewn heniaith a wnaem ninnau.

'Bu'n gwyliau heb un gelyn;
Efo'r hogiau, llanciau Llŷn,
Awn adref i Garn Fadryn.

'Cofiaf dawel Anelog;
Y Foel lefn dan afael og.
Rhwyfo'r cwch ar fôr cuchiog,

'A daear Aberdaron, –
Lle i wrando lli'r wendon
A'i hunig dwrf – rhwyg y don.

'Oriau'r llawen orffennol!
Heddiw un awr ni ddaw'n ôl.

'Fel hun, farnwr, diflannodd
A fu ym Mai wrth fy modd.'

Meddai'r barnwr; 'Mewn cur,
Tu ôl i'r muriau, mewn atgof
Cei dy chwerw brofi.'

Ei flynyddoedd – mor flin oeddynt![24]

Cyflëir cydymdeimlad a thosturi'r bardd â'r gŵr a brofodd blentyndod anodd, ac a ddaeth i Gymru i gael lloches o'r ddinas ddrylliedig ac o'r cartref a chwalwyd, a chael ysbaid o hapusrwydd cyn i hen fwganod ei blentyndod ei droi'n ddyn anniddig ac yn droseddwr. Ac yn hyn oll y mae'r bardd hefyd yn cyfleu'r argraff bod anghyfiawnder yn y carcharu, neu hyd yn oed yn cwestiynu priodolrwydd carchar fel cosb. Yn grefftus, y mae'r gerdd yn troi o'r wers rydd yng ngolygfa'r llys i'r llefaru mewn cynghanedd wrth i Roberts fynegi ei atgofion.

Cerdd ydyw hon sydd hefyd yn ein hysgogi i ymholi'n ddwys ynglŷn ag ystyr a phwrpas cyfundrefnau cosbi'r wladwriaeth. Y mae'n ein hatgoffa am ddadleuon Foucault, a hawliodd nad offeryn i gosbi yn ôl haeddiant, neu strwythur i adfer a chymell yr unigolyn i newid ei ffordd o fyw, yw'r carchar mewn gwirionedd.[25] Yn hytrach, y mae'r carchar yn un elfen o fewn mecanwaith cymdeithasol sydd â'i bwrpas i reoli a disgyblu. Y mae ysgolion a ffatrïoedd yn sefydliadau eraill yn y gyfundrefn reoli hon yn theori Foucault: hynny yw, byddai'n dadlau mai pennaf bwrpas ysgolion yw cadw plant oddi ar y strydoedd a'u disgyblu, ac nid eu haddysgu. Rheoli cymdeithas a'i chadw o dan wyliadwriaeth banoptig yw swyddogaeth bwysicaf y carchar yn y dadansoddiad Foucaultaidd hwn.

Yn sicr, y mae llu o amcanion polisi sydd yn sail i'r gyfundrefn garcharu, ac nid ydynt bob amser yn cydorwedd yn gyfforddus.[26] Er bod cosbi'r troseddwr yn ôl ei haeddiant yn un amcan, anfonir troseddwr i garchar fel condemniad moesol a chyhoeddus o ddrygioni'r weithred, a thrwy hynny anfonir neges o ataliaeth i weddill cymdeithas (ac yn enwedig i'r dosbarthiadau isaf mewn cymdeithas ym marn Foucault).[27] Y mae'r carcharu, felly, yn weithred o gondemniad yn ogystal â phrawf cyhoeddus o barodrwydd y gyfundrefn i gosbi yn unol â difrifolwch y drosedd, er rhybudd i eraill. Y mae hefyd yn ffordd o reoli cymdeithas, ac o gyflyru agweddau cymdeithasol. O gymhwyso rhai o'r syniadau Foucaltaidd hyn i'r cyd-destun penodol hwn, ni chafodd Roberts wyth mlynedd dan glo oherwydd ei fod yn haeddu'r gosb am yr hyn a wnaeth, neu oherwydd mai dyna oedd ei angen i'w alluogi i ddiwygio ei ymddygiad (ni fu adferiad yn ystyriaeth o gwbl yn yr achos hwn). Fe'i carcharwyd, yng ngeiriau'r barnwr yn yr orsaf betrol, gan 'nad ydym eisiau pobl fel yna yn ein hardal'. Ffordd o reoli symudiadau Roberts oedd pennaf nod ei garcharu yng nghyffes y barnwr, a thrwy hynny, wrth gwrs, ddwysáu ei hunaniaeth fel troseddwr. Yn sicr, nid delfrydiaeth parthed y gyfundrefn gosbi droseddol sydd yn y gerdd yma, ond profiad sydd yn ein hysgogi i gwestiynu gwir werth a theilyngdod y carcharu.

Anghyfiawnder ym myd y gyfraith a roddodd yr ysbrydoliaeth i'r gerdd a ystyrir nesaf hefyd. Crogwyd Timothy Evans ym 1950 wedi iddo'i gael yn euog gan lys barn o lofruddio ei wraig, Beryl, a'u merch fach yn eu cartref mewn fflat yn 10 Rillington Place, Llundain. Yn ystod y treial, mynnodd Evans ei fod yn ddieuog, ac mai cymydog o'r enw John Christie oedd y llofrudd. Yr oedd Evans a'i wraig wedi ymwneud â Christie ychydig cyn iddi farw, am eu bod am erthylu plentyn yr oedd Beryl yn ei gario yn y groth ar y pryd. Yr oedd erthylu yn anghyfreithlon bryd hynny, ac yr oedd Christie yn cynnig ei wasanaeth fel erthylwr stryd gefn.

Dair blynedd wedi i Evans gael ei grogi, daeth hi i'r amlwg bod Christie wedi llofruddio chwech o wragedd a'i fod yr hyn a elwir yn *serial killer*. Cyn iddo gael ei grogi, cyfaddefodd Christie iddo lofruddio gwraig Timothy Evans. Daeth ymchwiliad swyddogol yn ddiweddarach i'r casgliad ei fod wedi llofruddio merch Timothy Evans hefyd. Yng ngoleuni hyn oll, rhoddwyd pardwn i Timothy Evans ym 1966, un mlynedd ar bymtheg wedi iddo gael ei grogi. Pa werth i'r fath bardwn, gofynnwyd? Onid oedd Evans yn ei fedd? Gweithred wag a diystyr oedd rhoi pardwn i ddyn a grogwyd ar gam, ac ni allai'r fath gardod gyfreithiol dadwneud y niwed. Onid oedd gadael yr euog yn rhydd yn llai o anfadwaith na chrogi'r dieuog? Bu'r achos hwn o gamweinyddu cyfiawnder yn allweddol yn y penderfyniad i ddiddymu'r gosb eithaf ym 1965.

Ysgogodd hanes Evans, ac amgylchiadau'r pardwn ym 1966, i Gwilym R. Jones (1903–1993) lunio cerdd ddeifiol ei beirniadaeth o'r gyfundrefn gyfiawnder. A hithau'n rhy hwyr i Evans, ac i eraill a grogwyd ar gam, diddymwyd y grocbren o garchardai'r deyrnas. Yn ei gerdd, y mae Gwilym R. yn herio moesoldeb cyfundrefn gyfiawnder sydd yn bodloni ar gynnig 'pardwn' fel iawn am anghyfiawnder enbyd megis yr un a gyflawnwyd yn erbyn bachgen anllythrennog, nad oedd ond pump ar hugain oed.

I Timothy Evans

(Y diniweityn o Ferthyr Tudful a grogwyd
ac a gafod bardwn ymhen 16 mlynedd).

Am un ar bymtheng mlynedd maith
Y bu Cyfiawnder ar ei daith;
Disgynnodd ddoe oddi ar ei farch
I stwffio'n pardwn dan gaead d'arch.
Cerfier uwch ben dy feddrod glas
Ein teyrnged mewn llythrennau bras;

'Rhwygodd y glog a guddiai'r trais
Sy 'nghudd yng nghyfraith oer y Sais,
A phlannu pry i wneud ei frad
Yn rhuddin holl grocbrenni'n gwlad'.

Am hyn ymgreinied wrth dy fedd
Bob barnwr sydd ar uchel sedd,
A gwae nyni â'n cosbau gwyw
Na allwn godi'r marw'n fyw.
Bydd glud Macbeth o'th galon di
Ar ddwylo ein cenhedlaeth ni.[28]

Y mae'r cyfeiriad Shakespearaidd at y llofrudd Macbeth, a gawsai ei boenydio gan ysbrydion y meirwon a lofruddiwyd ganddo, yn cyfleu'r syniad o Timothy Evans a'i dynged yn pwyso ar gydwybod y byw. Ac nid yw'r 'glud' sydd ar ddwylo cymdeithas, gan fod un diniwed wedi ei grogi, yn hawdd i'w olchi ymaith.

Os oedd anghyfiawnderau byd y gyfraith yn ysbrydoli'r awen erbyn hyn, yr oedd datblygiad y mudiad cenedlaethol yn ystod yr ugeinfed ganrif yn rhoi dimensiwn penodedig Gymreig iddi. Gellir dadlau mai llosgi'r ysgol fomio ym Mhenyberth ym 1936 oedd yr enghraifft gynharaf o'r gwrthdaro rhwng cyfraith a hunaniaeth a ysgogodd y beirdd.[29] Cafwyd ymateb deublyg. Yn gyntaf, cafwyd protestio yn erbyn y cynllun i sefydlu'r ysgol fomio yn y lle cyntaf, a hynny mewn ardal wledig Gymraeg a chanddi hen draddodiad Cristnogol ers oes y saint. Yr oedd arweinwyr eglwysig, nifer ohonynt yn heddychwyr, yn flaenllaw yn yr ymgyrch i atal y datblygiad.[30] Yn ail, ac wedi methiant yr ymgyrch, cafwyd ymateb barddol i'r achosion troseddol yn erbyn Lewis Valentine, Saunders Lewis a D. J. Williams, y tri a gymerodd gyfrifoldeb am y llosgi, a mynd i swyddfa'r heddlu i gyfaddef mai hwy a gyflawnodd y weithred.[31] Sbardunodd y dirmyg a ddangoswyd atynt ym mrawdlysoedd Caernarfon a Llundain ymateb chwyrn.[32]

Araith Saunders Lewis (1893–1985) ym mrawdlys Caernarfon a roddodd fynegiant gloyw i'r cyfiawnhad dros y weithred o dorcyfraith gan dri gŵr parchus, dynion na fyddai torcyfraith yn rhan o'u natur mewn amgylchiadau cyffredin. Oherwydd trais y llywodraeth ar dir sanctaidd Llŷn a'r llwybr tuag Enlli, oherwydd yr ymosodiad ar foesoldeb Cristnogol, ac mewn ymdrech i amddiffyn yr hyn oedd yn gysegredig, fel 'gweithred sagrafennol' y cyfiawnhawyd y weithred.[33] Hawliodd Saunders Lewis mai gweithred foesol ydoedd yn fwy na gweithred boliticaidd, un a gyflawnwyd mewn ufuddhad i gydwybod Gristnogol.[34] Disgrifiwyd ei anerchiad fel 'ymarferiad mewn metaffiseg Gristonogol Aristotelaidd'.[35] Gan dynnu ar gyfreitheg glasurol a Christnogol, yr oedd yn fynegiant o'r egwyddor *Lex iniusta non est lex*, a briodolir i Awstin ac i Aquinas, ac i athronwyr yr eglwys ar hyd y canrifoedd.[36] Ufuddhau i reswm, i gydwybod ac i gyfiawnder yw hanfodion y gyfraith naturiol yn athroniaeth Aquinas. Y gyfraith naturiol yw'r gyfraith uwch sydd yn gydnaws â threfn a hanfod y greadigaeth. Os yw cyfraith dyn yn mynd yn groes i'r gyfraith naturiol, y mae ei dilysrwydd yn darfod, ac nid ydyw yn rhwymo'r gydwybod. Meddai Aquinas: 'y mae gan bob cyfraith ddynol rywfaint o hanfod gwir gyfraith, gan ei bod yn tarddu o'r gyfraith naturiol. Ond os yw ar unrhyw bryd yn gwrthdaro â chyfraith naturiol, nid yw bellach yn wir gyfraith ond yn wrthun iddi.'[37] A dyna sylfeini athronyddol araith Saunders Lewis ym mrawdlys Caernarfon ym 1936.

Yn ddiweddarach, dehonglwyd araith Saunders Lewis a gweithred y tri ym Mhenyberth mewn termau mwy seciwlar, a'i gweld fel yr enghraifft gyntaf o anufudd-dod sifil neu ddinesig yn y Gymru fodern. Fe gyfyd cwestiynau cyfreithiol pellach o'r dehongliad hwn. Beth sy'n peri i dorcyfraith fod yn anufudd-dod sifil? Pryd gellir rhoi cyfiawnhad moesol dros anufudd-dod sifil? John Rawls sydd yn cynnig y dehongliad mwyaf cynhwysfawr o amodau a natur anufudd-dod sifil.[38] Yn Gymraeg, y mae darlith Dr Meredydd Evans ar y pwnc hefyd yn werth ei darllen.[39] Ganddynt cawn ganllawiau ar brif elfennau anufudd-dod sifil, sef ei bod yn weithred gyhoeddus, ddi-drais a chydwybodol o dorcyfraith, gyda'r nod o sicrhau newid mewn cyfreithiau neu bolisïau'r llywodraeth. Ei nodweddion hanfodol yw ei natur gyhoeddus ac agored ynghyd â pharodrwydd yr un sy'n gweithredu i dderbyn canlyniadau cyfreithiol ei weithred. Ym marn Rawls, y mae hyn yn dangos bod y weithred yn gyson â pharch at reol y gyfraith, oherwydd mae'r gweithredwr yn derbyn ei fod yn ddarostyngedig i'r drefn gyfreithiol ac yn derbyn y gosb a ddaw o dan y drefn. Hyn sydd yn creu'r gwahaniaeth allweddol rhwng gweithred o anufudd-dod sifil a gweithred droseddol.

Os dyma yw nodweddion allweddol anufudd-dod sifil, o dan ba amgylchiadau y mae cyfiawnhad drosto? Yn gyffredinol, ystyrir bod anufudd-dod sifil yn fwy moesol a derbyniol na throseddau cyffredin a mathau eraill o brotest, megis gweithredu milwriaethus neu weithred o drais. Caiff ei ysbrydoli gan argyhoeddiad moesol a diffuant bod angen gweithredu er mwyn osgoi anghyfiawnderau a grëir gan gyfreithiau neu bolisïau'r wladwriaeth. I rai, gellir cyfiawnhau anufudd-dod sifil os oes tebygolrwydd y daw newid cadarnhaol o'r weithred. Mater arall yw p'un a yw'r argyhoeddiad yn un dilys, a gall fod hynny ynddo'i hun yn ddadleuol. Y prif wrthwynebiad i dorcyfraith yn enw anufudd-dod sifil yw ei fod yn ymosodiad ar yr egwyddor o reolaeth y gyfraith (*rule of law*), ac mewn cymdeithas rydd a democrataidd y mae pobl o dan rwymedigaeth foesol gyffredinol i ufuddhau i'r gyfraith. Dyna un o reolau mawr gwareiddiad, o gyfnod Socrates hyd at Rawls a'r cyfreithegwyr cyfoes, sef bod yn rhaid darostwng i'r gyfraith, boed hynny yn fanteisiol neu yn anfanteisiol i'r unigolyn, fel elfen o'r contract cymdeithasol. Ni ellir goddef cymdeithas 'pick and mix', cyn belled ag y mae ufuddhau i'r gyfraith yn y cwestiwn. Y mae disgwyl i'r gyfraith gynnal ein hawliau, ein buddiannau a'n rhyddid personol heddiw, ond i fynnu ein hawl i dorri'r gyfraith yfory pan nad ydyw yn ein siwtio, hyd yn oed ar sail cydwybod, yn rhesymegol anghyson, os nad yn rhagrithiol ac anfoesol. Y mae gan y dinesydd ddyletswydd i ufuddhau i'r gyfraith ac i ddefnyddio'r sianelau cyfreithiol a dinesig priodol, trwy gyfranogiad gwleidyddol, i newid cyfreithiau nad ydynt yn cytuno â hwy.[40]

Er bod ufuddhau i'r gyfraith yn ofyniad digon rhesymol o'r dinesydd mewn amgylchiadau arferol, cyfyd anhawster pan fydd y sianelau yn ddiffygiol neu'n cael eu torri, neu pan fo dilysrwydd y gyfundrefn gyfreithiol yn ansicr. Yn yr amgylchiadau hynny, gellir gweld anufudd-dod sifil fel gweithred angenrheidiol. Yn ychwanegol, gall fod gan ddinasyddion cyfrifol a chydwybodol rwymedigaeth i wrthsefyll deddfau sy'n hyrwyddo canlyniadau annheg. Y mae Joseph Raz yn dadlau mai dim ond mewn cyfundrefn ormesol, lle nad oes cyfle i gyfranogiad gwleidyddol, y mae gan unigolion hawl i ymgymryd â thor cyfraith yn enw anufudd-dod sifil.[41] Yng nghyd-destun Cymru, cenedl sydd wedi'i darostwng gan gymydog pwerus, gyda'i chyfundrefn gyfreithiol frodorol wedi ei diddymu, a'i sefydliadau cyfreithiol wedi eu hamsugno gan gyfundrefn estron, y mae'n gwestiwn diddorol a ellid ystyried y wladwriaeth Brydeinig ar y sbectrwm gormesol yn theori Joseph Raz.

Os oedd barnwriaeth Lloegr yn fyddar i ddadleuon diffynyddion achos llosgi Penyberth, fe esgorodd y Tân yn Llŷn ar ddeiseb genedlaethol i ddileu'r cymal hwnnw a oedd yn diarddel yr iaith o weinyddiaeth cyfiawnder yn Neddf Uno 1536, ac i gael statws cyfartal i'r Gymraeg a'r Saesneg. Llwyddwyd i ryw raddau gyda'r naill amcan, gyda phasio Deddf Llysoedd Cymreig 1942, ond y mae'r llall eto i'w gyflawni yn ei gyflawnder.[42] Un o'r ymatebion llenyddol enwocaf i'r digwyddiad ar y pryd oedd hwnnw o eiddo R. Williams Parry (1884–1956) yn ei gerdd 'Cymru 1937', soned lle ceisia'r bardd ddeffro ei gyd-Gymry a'u ceryddu wedi eu hymateb dof i'r weithred ym Mhenyberth.[43] Ynddi, cawn adlais o gywydd Dafydd ap Gwilym i'r gwynt, y cyfeiriwyd ati eisoes ('Ni'th dditia neb, ni'th etail/Na llu rhugl, na llaw rhaglaw'')[44], fel y dengys y llinellau agoriadol:[45]

Cymer i fyny dy wely a rhodia, O Wynt,
Neu'n hytrach eheda drwy'r nef yn wylofus waglaw;
Crea anniddigrwydd drwy gyrrau'r byd ar dy hynt –
Ni'th eteil gwarchodlu teyrn na gosgorddlu rhaglaw.[46]

Ac eithrio'r efelychiad yma o gywydd Dafydd ap Gwilym, a'r cyfeiriad at osgorddlu rhaglaw, nid oes rhagor o gyfeiriadaeth gyfreithiol yn y soned. Difaterwch y Cymry yn hytrach na'r llysoedd barn a daniodd awen Williams Parry. Yn ddiweddarach, yn ei gerdd 'Penyberth', ysbrydolwyd Gwynn ap Gwilym (1950–2016) gan yr achosion llys a'r broses gyfreithiol i gyfleu ei neges am arwyddocâd gweithred y tri:

'Prydferthwch', sibrydodd y dail wrth y nos,
a'r nos wrth y lloer, a'r lloer wrth y gwynt.
'Prydferthwch', utganodd y gwynt dros y rhos;
'mae tân yn Llŷn'.

'Cyfiawnder', dyfarnodd y rhos wrth y graig,
a'r graig wrth y glaw, a'r glaw wrth y môr.
'Cyfiawnder', ochneidiodd y môr wrth y traeth;
'mae tân yn Llŷn'.

'Dyna drais', meddai Lloegr wrth reithwyr y fainc,
A rheithwyr y fainc wrth farnwr y llys.
'Dyna drais', meddai'r barnwr, 'a hallt yw'r gosb
am dân yn Llŷn.'

'Dieuog', sisialodd yr haul wrth y ddôl,
A'r ddôl wrth y nant, a'r nant wrth y glyn.
'Dieuog', wylodd y glyn wrth y gwlith,
am dân yn Llŷn.

'Gwinllan a roddwyd i'm gofal', medd ef;
'Rhaid ei diwyllio fy hun.
Ac fe gyfyd cenhedlaeth fel ffenics o lwch
y tân yn Llŷn.'[47]

Ceir yma adlais o farwnad enwog Gruffudd ab yr Ynad Coch i Llywelyn ap Gruffudd, yn enwedig yr adran honno sy'n adrodd, 'Poni welwch chwi hynt y gwynt a'r glaw', lle disgrifir natur a'r greadigaeth yn ymateb i gwymp y tywysog.[48] Ynddi, hefyd, y mae gwrthgyferbyniad trawiadol rhwng y safbwyntiau a fynegir gan elfennau natur, sydd yn gweld y llosgi fel gweithred brydferth a chyfiawn, a safbwynt estron y barnwr, sef Lloegr, sydd yn mynnu mai trais a gafwyd gan y tri. Ond yn y cyfeiriadau celfydd at elfennau natur, a hwythau'n cymeradwyo'r weithred yn un gyfiawn, ceir adlais o athroniaeth Aquinas ar y gyfraith naturiol, sydd yn wir gyfraith goruwch deddfau gwladwriaethol. Deallodd y bardd arwyddocâd athronyddol yr araith yng Nghaernarfon i'r dim. A Saunders Lewis yw'r 'ef' yn y pennill olaf, wrth gwrs, fel yr awgryma'r dyfyniad adnabyddus o'i ddrama *Buchedd Garmon*. Y mae'r gerdd yn cloi ar nodyn gobeithiol a hyderus y daw eto genhedlaeth a ysbrydolir gan y tân yn Llŷn.

Ysbrydolwyd Saunders Lewis yntau gan chwedlau a hanes ei genedl yn rhai o'i brif gynyrchiadau llenyddol, ac ynddynt hefyd y ceir cyfeiriadau cyfreithiol o'r gorffennol. Yn y ddrama *Blodeuwedd* ceir yn y bedwaredd act, a thua diwedd y ddrama, y defnydd o eirfa'r gyfraith pan gaiff Llew Llaw Gyffes ddial am frad Blodeuwedd a Gronw Pebr. Wyneba Blodeuwedd gosb am fradychu ei gŵr, a cheir cyfeiriadaeth gyfreithiol yn ei deialog â Gwydion, y dewin a'i creodd, gyda'r defnydd o'r hen air cyfreithiol, *galanas*, yn ystod yr ymson:[49]

Blodeuwedd:	Pa beth a wneuthum i i haeddu cosb?
Gwydion:	Gwenwyn, brad, galanas, hudo gŵr i'w angau, Rhyw fanion felly nad ydynt wrth fodd pawb.[50]

Ceir themâu cyffelyb mewn drama arall o eiddo Saunders Lewis sydd wedi ei lleoli yng ngorffennol Cymru, a lle ceir gwraig garismataidd arall yn brif gymeriad. Yn y ddrama *Siwan*, lle ceir y 'berthynas ddelfrydol rhwng barddoniaeth a naturoliaeth',[51] defnyddiodd y dramodydd ei wybodaeth drylwyr o hanes Cymru'r oesoedd canol a'i geirfa gyfreithiol wrth iddo ei saernïo. Yr hanes am grogi Gwilym Brewys, un o farwniaid y Mers a chanddo gysylltiadau brenhinol â Lloegr, a hynny ar orchymyn y tywysog Llywelyn ab Iorwerth ym Mai 1230, a ysbrydolodd y dramodydd. Gweinyddwyd y gosb am iddo, Gwilym Brewys, gael ei ddal yn ystafell wely Siwan, gwraig Llywelyn Fawr a merch gordderch John, Brenin Lloegr.[52] Y mae'r ddrama yn gofnod o ddigwyddiad hanesyddol o bwys, ac yn fyfyrdod dirdynnol ar ystyr cariad, priodas a ffyddlondeb.

Dangosir trwy gyfrwng y ddrama *Siwan* feistrolaeth y dramodydd ar hanes Cymru, a chawn gyfeiriadau cyfreithiol sydd yn gwreiddio'r ddrama yn gadarn yn oes tywysogion Gwynedd. Yn wir, efallai mai anfodlonrwydd y dramodydd ag anwybodaeth y Cymry o'u hanes a fu'n rhannol gyfrifol am iddo ei llunio.[53] Yn yr act gyntaf, cawn ddeialog rhwng Siwan a Gwilym Brewys, lle trafodir cysylltiadau teuluol agos y ddau a'r priodasau a drefnwyd rhwng eu teuluoedd i gryfhau'r berthynas wleidyddol rhyngddynt. Trefnwyd bod Isabela, merch Gwilym Brewys, i ddyfod yn wraig i Dafydd, etifedd a mab Llywelyn a Siwan, a hithau ond yn wyth oed. Ond, yn unol â chyfreithiau'r Cymry, nid oedd modd cyfannu'r briodas yn gorfforol hyd nes y byddai'n bedair ar ddeg oed, gan mai dim ond gwragedd rhwng pedair ar ddeg a deugain oed a gâi feichiogi o dan Gyfraith Hywel.[54] Dyna sydd yn esbonio pryder Siwan y byddai saith blynedd o aros hyd nes y gwelid gobaith am fab ac etifedd i Dafydd, mater a oedd yn amlwg yn pwyso ar feddwl y gwladweinydd craff:

Siwan: Os priodir Isabela eleni bydd eto chwe blynedd
Cyn y daw hi yma at Ddafydd;
Ni all fod aer i Aberffraw am flwyddyn wedyn.[55]

Adlewyrchir, trwy enau Siwan, y newidiadau cyfansoddiadol a chyfreithiol y bu Llywelyn ab Iorwerth yn eu hyrwyddo. Bu'n gyfrifol am newidiadau cyfansoddiadol a danseiliodd werthoedd traddodiadol y cyfreithiau Cymreig tuag at blant anghyfreithlon, wrth ddynodi ei ail fab, Dafydd, yn aer iddo ar draul hawliau Gruffudd, y mab hynaf ond mab o berthynas flaenorol a ddyfarnwyd yn anghyfreithlon gan yr Eglwys.[56] Awgrymir yn y ddrama hefyd fod dylanwad Siwan yn bersonol ar y datblygiadau hyn:

Siwan: Mae cyfnod hapus Gymreig plant llwyn a pherth
Ar ben i deulu'r Tywysog. Pam y poenais i
I gael gan y Pab fy nghydnabod innau'n gyfreithlon
Ond i sefydlu llinach Aberffraw o dad i fab,
Fel ach Iŵl Cesar yn olyniaeth frenhinol ddi-nam?[57]

Y mae'r eirfa gyfreithiol yn ei hamlygu ei hun wrth i Siwan fynegi ei thristwch i Gwilym, a chyfaddef ei bod 'yma'n alltud'.[58] Yr oedd 'alltud' yn derm cyfreithiol penodol yn yr oesoedd canol a olygai rhywun o'r tu allan i Gymru, ac yr oedd statws israddol i'r alltud yn draddodiadol.[59] Pan ddychwel Llywelyn i'r llys, a dal Siwan a Gwilym yn yr ystafell wely, y mae'n gorchymyn rhwymo Gwilym. Y mae Gwilym yn ymateb trwy gynnig iawn am y sarhad a achosodd i Llywelyn wrth garu'r dywysoges yng ngwely'r tywysog. Ond y mae Llywelyn yn gwrthod ei gynnig ac yn mynnu cymryd ei fywyd fel cosb.[60]

Yr oedd Llywelyn yn mynnu cosb, nid yn gymaint ar sail godineb, ond yn rhinwedd y ffaith y cyflawnwyd brad trwy gyfathrachu'n rhywiol â brenhines.[61] Yr oedd datblygiad y cysyniad o frad yn erbyn y tywysog yn adlewyrchu'r tueddiad i ganoli grym a dyrchafu statws y tywysog yng Ngwynedd yn ystod y drydedd ganrif ar ddeg. Eto, y mae'r ddrama yn adlewyrchu'r sefyllfa wleidyddol pan glywir Llywelyn yn cyfeirio at '[f]rad, aflendid, halogiad fy ngwely a'm gwraig'.[62] Wrth gwrs, y mae'r olygfa yn un llawn tensiwn ac yn amlhaenog, a cheir ymwybyddiaeth fod penderfyniad Llywelyn yn creu perygl o ryfel, o ddial ac o wanhau Gwynedd. Dyna pam y mae Siwan yn ymbilio arno i bwyllo, ond yn ofer, wrth i'w gŵr gyhoeddi: 'Caiff grogi fel lleidr pen ffordd'.[63]

Yn yr ail act, cawn Siwan eto yn holi sut y cafodd Gwilym Brewys ei brofi a'i gondemnio: 'Sut y condemniwyd ef? Gan lys yr ynad? Neu'r Tywysog ei hun?'[64] Y mae'r cyfeiriad at 'lys yr ynad' eto'n arwyddocaol o safbwynt hanes cyfreithiol. Yng Ngwynedd, yr oedd swyddogaeth y barnwr proffesiynol, yr ynad llys, yn bwysicach nag yn y Deheubarth lle y byddai uchelwyr lleyg fel arfer yn gweinyddu cyfiawnder.[65] Gallai'r ynad llys gynnal llys yn absenoldeb y brenin, a byddai'n barnu'r achosion yn erbyn swyddogion eraill yn llys y brenin.[66] Ceir disgrifiad o brawf Gwilym Brewys yng ngeiriau Alis y forwyn:

Alis: Mae rhai yn dweud
I Ednyfed Fychan grefu am arbed ei einioes
Rhag ofn y sarhad i'r Brenin a holl arglwyddi'r Mers.
Pan fethodd hynny, dadleuodd dros dorri ei ben,
Dienyddiad barwn bonheddig. Wrandawai mo'r Teyrn.[67]

Yr oedd Ednyfed Fychan yn ddistain ac yn ben cynghorwr yn llys Llywelyn ab Iorwerth, ac yn hynafiad nifer o deuluoedd bonheddig Gwynedd, gan gynnwys Tuduriaid Penmynydd a sefydlodd linach o frenhinoedd Lloegr. Yr oedd ymdrechion Ednyfed i osgoi argyfwng diplomataidd eto'n ddrych ar arferion gwleidyddol a chyfreithiol yr oes. Yn ddiweddarach yn yr ail act, yn yr olygfa lle crogir Gwilym Brewys, ceir Alis yn disgrifio'r sefyllfa i'w meistres, Siwan:

Siwan: Sut olwg sy arno?
Alis: Llodrau a chrys amdano; mae o'n droednoeth, rhaff am ei wddw,
A phenteulu'r llys yn arwain pen y rhaff yn ei law.[68]

Yr oedd y penteulu, neu 'ben teilu', yn brif swyddog yn llys y brenin ac yn gyfrifol am yr osgordd.[69] Gan hynny, yr oedd yn cyflawni swyddogaeth flaenllaw yn y ddefod o grogi Gwilym Brewys. Yr hyn a gyflëir yw bod y crogi yn weithred beryglus yn wleidyddol, ac yn un a greai'r risg y byddai dial am y sarhad gan y brenin neu'r arglwyddi eraill ar Ororau Cymru. Heb amheuaeth, os bwriad pennaf Saunders Lewis oedd llunio drama fydryddol greadigol, lluniodd hefyd ddrama hanesyddol a oedd wedi ei seilio ar wybodaeth fanwl a thrylwyr o arferion a geirfa Cyfraith Hywel yn oes Llywelyn Fawr.[70]

Parodd i'r Tân yn Llŷn i Saunders Lewis brofi cyfundrefn gyfreithiol ei oes drosto'i hun, a threuliodd gyfnod yn un o garchardai Lloegr. Felly hefyd Waldo Williams (1904–1971). Gydol y 1950au, gwrthododd Waldo dalu'r dreth incwm mewn protest yn erbyn agwedd ryfelgar Llywodraeth Prydain, gyda Rhyfel Corea, yn enwedig, yn ysgogi ei safiad dros heddwch. Ni allai mewn cydwybod gyfrannu tuag at gynnal cyfundrefn a roddai'r fath werth ar filitariaeth, gyda'r orfodaeth filwrol a oedd yn paratoi bechgyn ifanc at ryfel hefyd yn destun pryder iddo. Bu o lys i lys yn ystod y 1950au a'r 1960au cynnar, gan fforffedu ei eiddo i'r beilïaid a ddaethai heibio'i gartref yn eu tro i orfodi hawliau'r Goron arno. Pan nad oedd ganddo ddim yn weddill y gallai'r beili ei atafaelu, wynebai gyfnodau o garchar. Treuliodd chwe wythnos yng ngharchar Ashwell Road, Oakham, Rutland, ar ddechrau 1961. Fe'i rhyddhawyd ar 25 Mawrth, Dydd Gŵyl Fair, ac ysbrydolodd hynny englyn ganddo:[71]

> Siŵr le yn y sir leiaf – heb un cwrt
>   Hyd ben cwarter gaeaf.
> Yma â'm pâl mi dalaf:
> Ŵyl Fair Mawrth, o'm plwyf rhwym af.[72]

Do, fe safodd Waldo yn erbyn grym ac awdurdod y gyfraith, ond nid oes cerdd o'i eiddo sydd yn mynegi chwerwder tuag at y gyfundrefn a'i gadawodd yn waglaw, neu'n dilorni'r gyfraith mewn unrhyw fodd. I'r gwrthwyneb, mewn ysgrif o'i eiddo yn dyddio o 1956, 'Pam y

Gwrthodais Dalu Treth yr Incwm', y mae'n egluro ei safiad ac yn adrodd am ei brofiadau gyda'r awdurdodau:

> y mae'n dda gennyf gydnabod yma y parch a'r cwrteisi a gefais bob cam o'r ffordd: gan swyddogion y dreth incwm a gafodd y gwaith anhyfryd o atafaelu fy eiddo, ar ôl hi ymhŵedd arnaf i newid fy meddwl; gan y cyfreithwyr a gynrychiolai'r comisiynwyr o flaen y barnwr; a chanddo yntau, y barnwr ei hun.[73]

Pwy na allai fod yn gwrtais tuag at ddyn a oedd mor ddidwyll a difalais? Er y boen a'r gofid achoswyd iddo, derbyniodd ganlyniadau ei weithredoedd yn raslon, a thrwy hynny ddilyn yn ôl traed Gandhi yn nhraddodiad anrhydeddus anufudd-dod sifil.[74]

Erbyn y 1960au, a brwydr yr iaith yn ei hanterth, daeth pynciau cyfreithiol newydd i ysbrydoli'r beirdd a'r llenorion. Bu profiadau cyfreithiol aelodau Cymdeithas yr Iaith Gymraeg, wrth iddynt gael eu dwyn gerbron y llysoedd a'u carcharu am eu gweithredoedd, yn ysgogi'r llenorion a'r beirdd i fynegi eu hymateb.[75] Dyma gyfnod lle nad oedd tawelwch parchus neu rigymu diniwed yn gydnaws ag anghenion yr oes. Yr oedd cyfrifiad 1961 yn tystio bod yr iaith yn prysuro i'w bedd. Traddododd Saunders Lewis ei ddarlith enwog 'Tynged yr Iaith', darlith a ysgogwyd gan safiad dewr y Beasleys yn erbyn y casineb ieithyddol a ddangoswyd tuag atynt gan gyngor Llanelli yn gymaint â dim, a darlith a fyddai'n rhoi tân ym moliau'r ifanc.[76] Sefydlwyd Cymdeithas yr Iaith Gymraeg yn haf 1962, a gellir dadlau mai dyma pryd y ganwyd y Gymru brotest fel mudiad lled dorfol yn gweithredu ar sail egwyddorion anufudd-dod sifil, a dulliau di-drais.[77] Dyma oedd cynhysgaeth Penyberth ynghyd ag esiampl y mudiad hawliau sifil yn America'r cyfnod.[78] Ac, yn ychwanegol, yr oedd trychineb Tryweryn yn bwrw ei gysgod dros fywyd cenedlaethol.[79] Pan fethodd prosesau democratiaeth Prydain ag atal y boddi, cymerodd rhai gwŷr ifanc y penderfyniad i ddefnyddio dulliau mwy chwyldroadol i'w atal, dulliau a arweiniodd i'w carcharu am eu gweithredoedd.[80]

Bu'r ymateb gwleidyddol a llenyddol i'r digwyddiadau yn Nhryweryn yn ffyrnig, ac, fel y dywedodd Alan Llwyd, 'yr oedd ysbryd cenedlaetholdeb yn llosgeirias yn y tir.'[81] Ceisiwyd lliniaru ar yr adwaith i Dryweryn trwy gynnig cysur i'r Cymry cenedlaetholgar ar ffurf deddfwriaeth i godi statws y Gymraeg yn y llysoedd.[82] O ganlyniad, rhoddodd Deddf yr Iaith Gymraeg 1967 yr hawl i ddefnyddio'r Gymraeg mewn llysoedd barn. Ond ni fu hynny'n ddigon i ddofi'r beirdd a'r llenorion. Gwelwyd cynnyrch llenyddol a oedd yn ymateb yn feirniadol i'r gyfundrefn gyfiawnder a'r modd yr oedd yr ymgyrchwyr yn cael eu trin yn y llysoedd. Gwelai Gwyndaf Evans (1913–1986), a fu'n Archdderwydd yn y 1960au, gyffelybiaeth Feiblaidd i'r driniaeth a gafodd y rhai a garcharwyd dros yr iaith, fel y dengys y detholiad hwn o'i gerdd 'Y Carcharorion (Cyflwynedig i Ffred Ffransis a'i debyg)':

> Y gwŷr a lusgwyd o flaen eu gwell,
> A than lach rhyw Beilat, a ddaeth o bell,
> Eu hel fel dihirod i estron gell.
>
> A'u trosedd? Arddel eu gwlad a'u hiaith,
> Rhyfygu amddiffyn hen Gymru'r graith
> A sigwyd gan ormes canrifoedd maith.[83]

Y mae natur a gwerthoedd estron y gyfundrefn gyfiawnder yn hen thema, ac yn un a amlygir dro ar ôl tro yng nghynnyrch llenyddol y cyfnod. Rhagrith y gyfundrefn gyfreithiol oedd byrdwn cerdd Mathonwy Hughes (1901–1999), 'Y Barnwr'. Ceir ynddi ddau bennill sydd yn cyfleu dwy olygfa wahanol. Yn y cyntaf cawn y barnwr yn yr eglwys yn ystod y gwasanaeth a gynhelid i ddechrau'r tymor cyfreithiol, gwasanaeth lle y deisyfid bendith yr hollalluog ar weithrediadau'r llys yn y dyddiau i ddod. Yno, sonnid am faddeuant pechodau, am drugaredd ac am gyfiawnder dwyfol. Yn yr ail bennill, cawn y barnwr wrth ei waith, yn ddidrugaredd ac yn gweithredu cyfiawnder y ddeddf:

i Yn yr eglwys

Pan lafarganai yr offeiriad siant
    Gerbron yr allor a'i chanhwyllau ynghýn,
Penliniai'r barnwr yn fucheddol sant
    Gan fwmial gair am air â'r prelad gwyn.
Pan gododd y cynulliad bach drachefn
    I ganu'r Nunc Dimitis ag un llef,
Cyfododd yntau'n golofn bantiog-gefn
    Gan gyffes-dystio i'w faddeuant Ef.
Yna, gan gefnu ar y dalgrog wen,
    A'r cymun eisoes yn pellhau o'r cof,
Camodd yn bwyllog, canys ef oedd ben,
    I 'Rolls' difwstwr y gosgorddlu dof
Hebryngai'i 'Grandrwydd' porffor, ac ar wŷs
    Teyrngarol utgyrn, camodd tua'r llys.

ii Yn y llys

Pan safai saith gŵr ifanc ger ei fron
    A 'Grym yr Atgyfodiad' yn eu llais,
Dros iaith a rhyddid yn y Gymru hon,
    Eu sêl a'u safiad nid adwaenai'r Sais.
Pan dorrai'r geiriau gwylaidd ar ei glyw,
    Y gadarn her nas clywodd clust cyn hyn,
A chenedl yn cyhoeddi: 'Bydded fyw
    Drwy Gymru'r heniaith,' gwelwai'r gŵr di-gryn.
Yna, ymsythodd megis teyrn ar sedd,
    Gan godi'i aeliau uwch y cwrt di-lun,
Traethodd y Gyfraith â chaledwch gwedd,
    Cyn bwrw'r bois i garchar un ac un;
I farnwr Lloeger, ar brynhawngwaith lleddf,
    Nid oedd Gyfiawnder ond cyfiawnder deddf.[84]

Nid rhyfedd i'r bardd ymateb yn chwerw i'r barnwr yn ei gerdd. Yr oedd agweddau barnwrol ymhell o fod yn haelionus tua'r Gymraeg yn y 1960au. Profiad Neil Jenkins, wrth iddo ofyn i ynadon heddwch Merthyr Tudful am gael defnyddio'r Gymraeg yn eu llys yn 1966, oedd cael ei wrthod yn bur swrth. Aeth â'i gŵyn gerbron yr Uchel Lys, a thrwy hynny ddangos gwendid y ddeddfwriaeth a gafwyd ym 1942, pan ganiateid defnyddio'r Gymraeg yn llysoedd Cymru, ond dim ond gan y rhai na wyddent Saesneg.[85] Mynegodd un barnwr y farn nad oedd mwy o hawl i ddefnyddio'r Gymraeg yn llysoedd Cymru nad a oedd gan Bwyliad i ddefnyddio'i iaith yn llysoedd Llundain. Nid pob barnwr oedd mor haerllug, mae'n deg nodi, a dangosodd yr Arglwydd Denning fwy o gydymdeimlad tuag at ymgyrchwyr iaith a ymddangosodd o'i flaen ar achlysur arall.[86]

Yn ei gyfrol *Cilmeri a Cherddi Eraill*, cawn deyrnged gan Gerallt Lloyd Owen (1944–2014) i un arall o selogion brwydr yr iaith, sef Angharad Tomos. Ynddi, mae'r bardd yn gwrthgyferbynnu dewrder a pharodrwydd Angharad i weithredu drosto a thros eu hiaith, a chymryd y canlyniadau o wneud hynny, gyda'i lwfrdra ef ei hun sydd, ymysg llawer, yn hapusach yn cuddio yn ei lyfrgell yn y tŷ. Y mae hi gan hynny yn procio ei gydwybod, a chydwybod llawer o'i gyd-Gymry, sydd yn gyndyn o droi egwyddor honedig yn weithred neu'n safiad. Yn un o'r penillion, y mae'r bardd yn gofyn iddi beidio â'i wadu, ond hefyd am iddi beidio â'i dynnu ef gyda hi i'r llys barn i dderbyn ei ran o'r cyfrifoldeb dros ddyfodol ei iaith:

paid â'm gwadu am ennyd,
A minnau'n llochesu
Ynot, ond paid â'm tynnu
I'r llys na'm tywys o'r tŷ.[87]

Yn yr un cywair, lluniodd Idris Reynolds englyn i'r 'Carcharor', sef i Ffred Ffransis ar adeg ei garcharu dros y Gymraeg. Y mae'r carcharor yma yn cynrychioli'r genedl sydd yn gaeth, a'r carchar yw'r canrifoedd o fod o dan ormes estron:

Dianc o'th gell ni elli, – hawliau iaith
Yw y clo sydd arni,
Ein hanes yw'r cadwyni,
A'r Gymraeg ei muriau hi.[88]

Ymateb bardd a garcharwyd dros yr iaith a gawn gan Menna Elfyn yn ei cherdd 'Rhif 257863 HMP'. Treuliodd ddau gyfnod yng ngharchar Pucklechurch, ac ysgogodd y profiadau hyn iddi lunio cerddi yn costrelu'r effaith a gafodd ei hymweliadau gorfodol â phalasau'r frenhines.[89] Cerdd annisgwyl o optimistaidd ydyw 'Rhif 257863 HMP', fodd bynnag, lle mae'r bardd yn gweld gwerth ac ysbrydoliaeth o gael y profiad o fod yn y carchar, ac yn ymwrthod ag unrhyw hawl i ferthyrdod.

Na chydymdeimlwch â mi,
nid Pasternak mohonof
na Mandelstam ychwaith,
gallwn dalu fy ffordd o'r ddalfa,
teirawr a byddwn yn y tŷ.

Gwesty rhad ac am ddim yw hwn,
ond lle cyfoethog,
ymysg holl ddyfrliwiau teimlad,
barrau yw bara a caws bardd.

Diolch frenhines, am y stamp ar sebon,
am uwd, yn ei bryd. Am dywelion anhreuliedig,
'rwyf yma dros achos
Ond des o hyd i achosion newydd.[90]

Pa achosion newydd? Byddai'r profiad yn siŵr o fod wedi agor ei llygaid i gyflwr carchardai, a charchardai menywod yn enwedig. O gofio'r themâu eraill yng ngwaith y bardd, dichon iddi eu gweld fel offerynnau gormes mewn byd o orthrwm gwrywaidd. Lluniodd gerdd arall yn sgil y profiad o garchar, er mai oherwydd bod ei gŵr yng ngharchar Abertawe dros yr iaith y cafwyd 'Llety Ystumllwynarth' ganddi. Dyma gerdd sydd yn delweddu ei llythyr ato fel gwŷs gyfreithiol sydd yn gweithredu fel llatai i fynegi ei chariad ato: 'gyrraf wŷs, / I lety oer, yn llatai brys'.[91] Dyma fardd gwleidyddol, wrth gwrs, ac nid syndod i gyfundrefn gyfiawnder y wladwriaeth (cyfundrefn oedd ac sydd yn drymlwythog wrywaidd) dderbyn cerydd yn ei cherddi.

Teimlir y brathiad ceryddol hwnnw mewn cerdd arall a luniwyd i'w gŵr wedi iddo gael ei euogfarnu gan lys am ei safiad dros yr iaith, a'i garcharu am chwe mis, sef 'Wedi'r Achos (Blaen-plwyf), 1978'. Cyfnod yr ymgyrchu tanbaid dros sianel deledu Gymraeg oedd hwn, wrth gwrs, gydag arweinwyr Cymdeithas yr Iaith Gymraeg yn arwain yr ymgyrch drwy ymyrryd â'r mast ym Mlaen-plwyf ger Aberystwyth fel gweithred o brotest. Yr oedd rheithgor yn yr achos gwreiddiol, a gynhaliwyd yng Nghaerfyrddin, wedi methu â chytuno ar eu dyfarniad, a bu'n rhaid cynnal ail achos rai misoedd yn ddiweddarach.[92] Dyna pryd yr euogfarnwyd y diffynyddion. Er mai cerdd serch ydyw i raddau helaeth, y mae'r llinellau clo yn bwrw eu hergydion tuag at yr ail reithgor a ddyfarnodd ei fod yn euog:

A thra oeddit ti – yn gaeth,
aeth deuddeg o reithwyr
i'w cartrefi'n rhydd.[93]

Ysbrydolwyd nifer o gerddi a chanddynt elfen gyfreithiol yng nghyddestun canu gwladgarol, yn aml mewn ymateb i achlysur neu ddigwyddiad penodol. Fel y gellid disgwyl, cafwyd ymateb llenyddol i'r arwisgiad yng Nghaernarfon ym 1969. Mewn cerdd o eiddo Lewis Valentine (1893–1986), 'Yr Arwisgo', ceir beirniadaeth o'r modd y cyfrannodd rhai o'r Cymry parchus diwylliedig tuag at gynnal yr achlysur. Ynddi, ceir y llinellau hyn, sydd yn adlais o hen werthoedd cyfreithiol yr oesoedd canol:

Lle bu'n tramwyo angylion Duw
Cudd-blismyn ffel ry ôl eu traed,
A lle bu gwlith yr Ysbryd Glân
Mae cyfraith sarrug a sarhaed.[94]

Diddorol yma yw'r defnydd o'r ffurf *sarhaed*, sef y ffurf a geid yn yr hen lawysgrifau cyfraith. Mae'n ddyfais effeithiol wrth ein hatgoffa o'r gorffennol balch pan oedd gan y genedl ei chyfreithiau ei hun o dan nawdd ei thywysogion, a hynny'n wrthgyferbyniad llwyr â'r sefyllfa a fodolai ym 1969. I'r bardd, yr oedd y gyfraith yn cynnal cyfundrefn estron ac yn fygythiad i ddyfodol y Gymraeg, gan mai'r gyfraith oedd yn cynnal trefn gymdeithasol lle mai'r Saesneg a gawsai'r lle blaenaf, a lle mai Saesneg, hyd nes dyfodiad deddf iaith 1967 o leiaf, oedd priod iaith y llysoedd. Ymddengys fod y beirdd yn defnyddio ymadroddion neu dermau o gyfreithiau Hywel o bryd i'w gilydd i bwysleisio hunaniaeth a hanes y Cymry. Gwnaeth Waldo hynny, er enghraifft, yn ei gywydd mawl i D. J. Williams (1885–1970):

Mawr ŵr blaen ym more'r Blaid
A mawrion ei gymheiriaid,
Plaid fechan y Dadannudd,
Hawlwyr oent i'r genedl rydd.[95]

Plaid Cymru oedd plaid 'y Dadannudd', ymadrodd yn llawysgrifau Cyfraith Hywel a olygai hawl gŵr i adfeddiannu tir ei hynafiaid wedi iddo gael ei gymryd oddi arno yn anghyfreithlon.[96] I Waldo, hon oedd y blaid a geisiai adfer i'r genedl ei hawl dros ei gwlad wedi'r dadfeddiannu gan bŵer estron. Defnyddir Cyfraith Hywel yn bwrpasol i bwysleisio hen hawliau'r Cymry.

Rhaid gochel rhag tybio bod y canu cenedlaetholgar hwn yn adlewyrchu barn gyffredinol neu feddylfryd trwch y boblogaeth. Nid felly yr oedd hi, wrth gwrs. Yr oedd Cymry Cymraeg yn eu miloedd yn gwirioni ar yr Arwisgo, a phur dila oedd y gefnogaeth i'r mudiad cenedlaethol yn amlach na pheidio.[97] Nid pob cerdd a chanddi gyfeiriadaeth gyfreithiol a ddilynai'r trywydd cenedlaetholgar, ychwaith, ac ni ddarfu'r awydd i ddychanu, neu hyd yn oed i ganmol gwŷr y gyfraith, pan oedd amgylchiadau yn gofyn am hynny. Cafwyd englyn bedd-argraff i'r cyfreithiwr gan T. Llew Jones (1915–2009), englyn sydd yn y rhych dychanol:[98]

Er gweniaith a llurgunio – y gyfraith
Yn gyfrwys i dwyllo,
Draw'n y Farn, druan â fo,
Y Gwirionedd geir yno![99]

Bardd arall a luniai gerdd at ddefnydd cymdogaeth a chydnabod oedd Dic Jones (1934–2009). Ceir ganddo ambell gerdd a chanddi gyfeiriadaeth gyfreithiol. Enghraifft o hyn oedd yr englyn a luniodd ar adeg ymddeoliad ynad heddwch o'r fainc leol yn Aberteifi. Arwerthwr oedd yr ynad wrth ei alwedigaeth, fel yr eglura'r englyn, ac mae'r arddull hwyliog, tafod yn y boch yn amlwg yma:

Cyson oedd fel ocsiwnêr – yn ei fart
Ac ar fainc bob amser,
Rhoesai i ffarm brisiau ffêr
Ac i fandal gyfiawnder.[100]

Dro arall, mewn limrig, camweinyddu cyfiawnder yn y llysoedd a'r achosion hynny lle carcharwyd rhai ar gam a gymerodd ei fryd. A'i dafod yn y boch eto, ond yn bwrw ergydion dilys tuag at y gyfundrefn gyfreithiol a ganiataodd gamweinyddu cyfiawnder, meddai:

Os perchir pob barnwr drwy'i enwi
Yn Lord Justice rhywbeth neu'i gily',
Peth od nad yw'n ca'l,
A'r boi rong yn y jâl,
Ei alw'n Injustice bryd hynny.[101]

Nid ysgafnder sydd yn nodweddu ei englyn 'Crogi Dic Penderyn', fodd bynnag. Crogwyd Dic Penderyn yng nghanol Caerdydd ar 13 Awst 1831 yn dilyn treial ym mrawdlys Caerdydd, pan gafodd ei euogfarnu o ymosodiad honedig ar filwr yn ystod y terfysgoedd ym Merthyr Tudful y flwyddyn honno. Credai llawer ar y pryd ei fod wedi cael ei grogi ar gam.[102] Yn y blynyddoedd diweddar, ceisiodd rhai gwleidyddion gael pardwn iddo fel cadarnhad swyddogol o'r cam a wnaethpwyd ag ef. Megis yng ngherdd Gwilym R. Jones i Timothy Evans, y mae Dic Jones yn herio gwerth y fath bardwn, ac yn amau mai gweithred ofer i leddfu cydwybod euog cymdeithas ydyw, cyn cloi drwy ddatgan mai dim ond un barnwr a all roddi pardwn bellach:

I'r diras a grogasant, – eu purdeb
Mewn pardwn a roesant,
Ond mae'n hwyr bob dim a wnânt –
O Dduw y daw maddeuant.[103]

Nid cerdd ysgafn a gafwyd ganddo yn "Dedfryd", 'chwaith. Ymateb beirniadol i euogfarnu athrawes a'i dedfrydu i gyfnod o garchar gohiriedig, a hynny am guro plentyn yn ei hysgol, sydd yma. Daeth disgyblu corfforol yn anghyfreithlon yn y Deyrnas Unedig yn y 1980au, ac y mae'r gyfraith bresennol i'w ganfod yn Neddf Addysg 1996.[104] Derbyniodd y ddeddfwrfa a'r llysoedd y ddadl bod cosbi plant yn gorfforol gan athrawon mewn ysgolion yn ymyrryd â'u hawliau dynol. Gwêl y bardd, serch hynny, fai ar gyfundrefn sydd, yn ei olwg ef, yn cymryd ochr plant anystywallt ar draul athrawon cydwybodol. Ceir cic ganddo tuag at feddylfryd rhyddfrydol sydd yn rhoi 'hawliau sifil' goruwch 'comon sens'. Cawn y bardd hefyd yn cwestiynu doethineb y cyngor swyddogol a fodolai am gyfnod a oedd yn cynghori athrawon i beidio cyffwrdd â phlentyn, hyd yn oed os mai dim ond rhoi cysur oedd ei bwrpas (cyngor a oedd yn ceisio gwarchod athrawon rhag cyhuddiadau maleisus):

Y mae carchar yn aros
Pob rhyw athro rhagor os
I ryw lowt y rhydd glowten
Fe dynn y byd yn ei ben.

Does neb i fod gwastrodi
Epil di-foes ein hoes ni,
Waeth y rhain yw ffrwyth yr hil
A saif dros hawliau sifil.

Gwae i athrawes anwesu
Un o'r plant i drwsio'r plu
Wedi rhyw ddiddrwg ffrwgwd
Sws bach i ddod dros ei bwd,
Waeth mae murmur cysur côl
I rai yn gamdrin rhywiol.

Aeth yng nghlorian yr annoeth
Gomon sens yn nonsens noeth.[105]

Yr oedd y bardd nid yn unig yn mynegi tipyn o synnwyr cyffredin, ond safbwynt rhesymegol yn ogystal. Y mae arbenigwyr ym maes seicoleg bellach yn credu bod cyffwrdd yn gorfforol â phlentyn ar adegau, er mwyn cysuro, canmol neu annog, yn bwysig i ddatblygiad emosiynol a lles plentyn.[106] Ac erbyn hyn, y mae cyngor swyddogol y llywodraeth yn Llundain wedi newid ychydig yng ngoleuni'r farn arbenigol. Bellach, cynghorir ei bod yn iawn i athro neu athrawes gyffwrdd â phlentyn os yw hynny er lles y plentyn.[107]

Ymddengys fod ymddygiad yr ieuenctid, a'r modd y mae'r gyfundrefn gyfiawnder yn ymateb i gamymddwyn parhaus ganddynt, bron yn thema yng ngwaith Dic Jones. Yn ei gerdd 'Cyfraith a Threfn', troseddwr ifanc yn ymddangos gerbron llys barn yng Nghaerdydd am y canfed tro, ac yn troseddu wedyn ymhen awr ar ôl iddo adael y llys, a barodd i'r bardd lunio ymateb prydyddol. Eto, cawn feirniadaeth o agweddau 'wleidyddiaeth gywir' yr oes, a beirniadu gwerthoedd y llunwyr polisi a chyfreithiau a wneir yn gymaint ag ymddygiad y drwg-weithredwr o lanc:

> Crwtyn deg i'r cwrt yn dod
> Yn beryg bro yn barod,
> A'r fainc yn ei gyfrif o'n
> Rhy ieuanc i'w ddirwyo.
> A rhaid fu'i ollwng yn rhydd
> Â gair neu ddau o gerydd.
>
> Ym mhen awr y mae'n ei ôl
> Ar ei fwriad arferol,
> Ac fel y bu'i ran ganwaith
> Yn rhydd heb na cherydd chwaith
> Na'r un gair edifeiriol.
>
> Gwae ni ein proffwydi ffôl,
> A gwae wleidyddiaeth gywir
> Sy'n gwrthod gwybod y gwir.[108]

O bryd i'w gilydd, ceid cyfreithwyr neu sefyllfaoedd cyfreithiol mewn nofelau yn ogystal. Mewn nofel i blant, *Un Noson Dywyll*, o eiddo T. Llew Jones, ceir cyfreithiwr yn un o arwyr y nofel.[109] Nofel hanesyddol ydyw, wedi ei lleoli yng ngorllewin Cymru yn ystod cyfnod Helyntion Beca yn hanner cyntaf y bedwaredd ganrif ar bymtheg. Yr hyn a geir ynddi yw stori am ymgyrch arwyr y nofel i sicrhau y byddai ystâd Plas Dôl y Brain yn cael ei drosglwyddo i'r gwir etifedd, a hynny drwy brofi ewyllys Syr Henri Rhydderch. Wynebant lu o rwystrau a heriau, ond ymddengys Hugh Williams, y cyfreithiwr o Gaerfyrddin, fel dyn egwyddorol sydd yn barod i ymladd eu hachos er gwaetha'r peryglon iddo ef yn bersonol. Cawn wybod ei fod hefyd yn ymladd i gael gwared â'r tollbyrth a fu'n gymaint o faich ar y werin. Dyma gyfreithiwr sydd yn arwr radicalaidd, yn wahanol i'r stereoteip a geir yn y traddodiad llenyddol yn gyffredinol.

Seiliodd T. Llew Jones y cymeriad yn ei nofel ar gyfreithiwr cig a gwaed a fu'n cynrychioli'r rhai a fu'n flaenllaw yn ystod Helyntion Beca yng ngwrandawiadau'r llys yng Nghaerfyrddin. Yr oedd Hugh Williams (1796–1874) yn adnabyddus yn y cyfnod hwn fel cyfreithiwr radicalaidd, a chefnogai fudiad y Siartwyr yn ogystal. Rhoddodd o'i wasanaeth am ddim er lles y mudiad, gan gynnwys Siartwyr Llanidloes ym 1839.[110]

Cyfreithwraig yw'r prif gymeriad yn nofel fer Caryl Lewis *Jackie Jones*, ac ynddi cawn wybod am y cymhlethdodau a ddaw iddi yn sgil ei llwyddiant fel amddiffynnydd troseddwyr.[111] Nofel gyfoes yw hon, sydd yn adlewyrchu'r cynnydd yn nifer y menywod ym myd y gyfraith yn ein hoes ni. Dichon y ceir enghreifftiau eraill o nofel neu ddrama Gymraeg lle y caiff cyfreithiwr ran yn y stori, gan gynnwys dramâu teledu Cymraeg. Ni chafwyd, serch hynny, erioed gymeriadau mor gofiadwy a chanolog â Rumpole neu Kavanagh QC, lle yr oedd eu galwedigaeth mor greiddiol i'w hynt a helynt, fel y cafwyd yn Saesneg. Mewn drama deledu a ddarlledwyd ar S4C yn y blynyddoedd diwethaf, *Un Bore Mercher*, cafwyd y prif gymeriad yn gyfreithwraig. Ond nid oedd ei bywyd fel cyfreithwraig, neu olygfeydd mewn llys barn, yn rhan bwysig o wead y plot mewn gwirionedd. Yn hytrach, nid oedd ei galwedigaeth ond modd o'i phortreadu fel gwraig alluog, broffesiynol, dda ei byd.

Gyda throad yr unfed ganrif ar hugain, yr oedd statws cyfreithiol y Gymraeg yn iachach nag y bu ers canrifoedd. Daeth datganoli deddfwriaethol â phosibiliadau newydd i'r Gymraeg ym myd llywodraeth a'r gyfraith. Cafwyd deddfwriaeth newydd ar gyfer hyrwyddo'r iaith a rhoddi hawliau i'w siaradwyr, a daeth yr iaith yn elfen hydreiddiol wrth lunio polisi cyhoeddus yng Nghymru. Hyrwyddid yr iaith yn y llysoedd gan farnwyr a oedd yn gefnogol i'r Gymraeg ac yn ymrwymedig i'r weledigaeth o gyfiawnder dwyieithog.[112] Ac eto, er y newid yn yr hinsawdd swyddogol tuag at y Gymraeg, a'r llwyddiannau a welwyd, erys rhai bwganod nas gellir eu difa dros nos. Nid ar chwarae bach y mae newid ymddygiad pobl tuag at yr iaith, a'u cymell i'w defnyddio pan gânt y cyfle. Y mae'r hen reddfau taeog yn para'n wydn er pob ymdrech i genhadu dros yr iaith. Yn y gyfrol *Cerddi Cyfiawnder*, cafwyd casgliad o gerddi oedd yn ymateb i wahanol agweddau ar weinyddu cyfiawnder troseddol, gan gynnwys plismona, y llysoedd a charchardai.[113] Yn eu plith, cafwyd cerdd drawiadol gan Gwyn Thomas (1936–2016) sydd yn folawd i Richard Brunstrom, a oedd yn Brif Gwnstabl Heddlu Gogledd Cymru ar y pryd.[114]

Yr oedd y Prif Gwnstabl Brunstrom yn frodor o Fanceinion, yn un a ddysgodd y Gymraeg ac, yn fwy na hynny, yn bencampwr dros y Gymraeg o fewn heddlu'r gogledd. Yr oedd ganddo frwdfrydedd iach tuag at y Gymraeg, a meddwl agored o'r math y gellid ei ddisgwyl gan un nad oedd wedi ei lethu gan ragfarnau, ansicrwydd a gorthrymder y gorffennol. O'r herwydd, nid oedd ganddo fawr o amynedd â thaeogrwydd ieithyddol rhai o'i gydweithwyr o Gymry, a oedd, mae'n siŵr, yn parhau yn feddyliol yng nghysgod ei ragflaenydd, David Owen, a'r genhedlaeth honno a wrthwynebodd pob ymgais i ddefnyddio'r Gymraeg yng ngwaith yr heddlu. Yma, gydag uniongyrchedd di-lol, a thipyn o ddylanwad y Bardd Cwsg ar y cywair (a pha syndod o gofio ei ddiddordeb mawr yng ngwaith y bardd o'r Lasynys), y mae Gwyn Thomas yn canmol agwedd gadarnhaol y prif heddwas hwn o Sais tuag at y Gymraeg, ac yn ceryddu'r Cymry hynny sydd yn creu esgusodion dros israddio eu hiaith a'i thrin fel sbwriel dan 'gaeadau biniau':

Amser a fu
Pan nad oedd y Gymraeg yng Nghymru
Yn iaith swyddogol yr Heddlu.
Amser a fu
Pan oedd y Gymraeg yng Nghymru
Yn iaith a allai'n peryglu!
Amser a fu
Pan allai'r Gymraeg yng Nghymru
Ein hisraddio hyd anallu.
Yna fe ddaeth
Sais yn Brif Gwnstabl, ac fe wnaeth
Fyd sylweddol o wahaniaeth.
Gŵr ydoedd o
Na theimlai raid i gywilyddio

Am ein hiaith – yr oedd hi yno,
Meddai o, i'w defnyddio.
Diolch amdano,
Diolch amdano –
Mae eisiau mwy o Saeson
'Run fath a Richard Brunstrom,
A llai o'r Cymry hynny sy'n dyfeisio problemau
Er mwyn cau y Gymraeg dan gaeadau biniau.[115]

Efallai na wnaeth datganoli, heb sôn am ei oblygiadau cyfreithiol, sbarduno'r awen ac esgor ar gyfoeth o lenyddiaeth greadigol, hyd yma beth bynnag.[116] Ac efallai nad yw hynny ond yn adlewyrchu'r ffaith mai diniwed ac anysbrydoledig oedd y setliad cyfansoddiadol a gafwyd ym 1997. Dim ond yn ddiweddar y mae datganoli wedi cyrraedd cyflwr lle gellir gobeithio y bydd gan lenorion a beirdd rywbeth i'w ddweud amdano. Ar yr un pryd, rhaid cydnabod, wrth gwrs, nad peth hawdd yw llunio cerdd ar bwerau deddfu neu i gwnsler cyffredinol, a chreu barddoniaeth gelfydd â deunydd o'r fath. Serch hynny, cafwyd ambell ymgais i fynegi ymateb llenyddol i'r wawr ddemocrataidd newydd yn hanes y genedl.

Bu i'r bardd a'r cyfreithiwr Emyr Lewis ymateb i sefydlu'r Cynulliad Cenedlaethol ar ddiwedd y ganrif ddiwethaf trwy lunio cerdd yn dwyn y teitl 'Poni Wenwch?' Dyma gerdd grafog-optimistaidd sydd yn troi galarnadu Gruffudd ab yr Ynad Coch ar ei ben:

Mae'r gwynt a'r glaw wedi peidio,
mae'r sêr wedi neidio'n ôl,
mae Ab Yr Ynad wedi cael sioc: –
trodd galar yn *rock 'n' roll*.

Mae'r holl ddyniadon fu'n ynfyd
i gyd wedi troi yn gall;
mae'r tir a'r môr yn ôl yn eu lle
yn lle bod y naill yn lle'r llall.

O'r diwedd stopiodd y deri
â pheri twrw, mae'n ffaith
fod pendefigaeth marwnadu blin
ar ben, a'r werin ar waith.[117]

Yn fwy diweddar, ac yn nhraddodiad y canu mawl, lluniodd Emyr Lewis englynion i gyfarch yr Arglwydd Thomas o Gwmgïedd ar ei ymddeoliad fel Arglwydd Brif Ustus Cymru a Lloegr. Camp nodedig yr Arglwydd Thomas oedd dringo i binacl y farnwriaeth, gan ddyfod y Cymro cyntaf ers cenedlaethau i ddal y barchus, arswydus swydd. Bu hefyd yn gefnogol iawn i ddatblygiad hunaniaeth Gymreig y gyfraith, ac yn bennaf gyfrifol dros sicrhau bod rhuglder yn Gymraeg, a'r gallu i gynnal llys trwy gyfrwng yr iaith, yn gymhwyster hanfodol ar gyfer rhai swyddi barnwrol.[118] Beth well na chyfarchiad iddo gan gyfreithiwr awenyddol?

yn y drefn o gadw'r hedd – mae yno,
　　er mwyn cael cydbwysedd,
ran i glorian ac i gledd
ac i awen Cwmgïedd:

awen sy'n rhoi goruwch sŵn rheg – ei le
　　i lais clir rhesymeg;
yn wyneb ymffrost, gosteg;
uwch rhuo taer, chwarae teg.[119]

Gyda'r nodyn cadarnhaol hwn, gellir gobeithio y bydd beirdd a llenorion eto'n ymateb i ffenomenau cyfreithiol yn ein hoes ni, weithiau'n feirniadol, weithiau'n obeithiol, ond bod amser yn berthnasol. Onid dyna eu swyddogaeth a'u braint? Cawn gloi ein detholiad o'r delweddau cyfreithiol mewn llên gydag englyn teimladwy Emyr i'w dad, y bargyfreithiwr Alun Kynric Lewis. Mab yn marwnadu tad. Cyfreithiwr yn coffáu cyfreithiwr:

fy nhad cydnerth, fy nhad llawn chwerthin iach,
fy nhad anghyffredin;
brwydrwr, arwr, pererin;
hoff enaid praff. fy nhad prin.[120]

Mewn treial troseddol yn Llys y Goron, wedi i'r dystiolaeth gael ei chlywed, a'r eiriolwyr i annerch y rheithgor, daw tro'r barnwr i grynhoi. A ninnau yn cyrraedd diwedd ein harolwg o'r gyfraith yn ein llên, daeth yn amser i grynhoi.

Nodiadau

1 Brinley Richards, *Hamddena* (Abertawe: Tŷ John Penry, 1972), tt. 86–98.
2 Caiff ei chynnwys yng nghyfrol deyrnged Huw Walters a W. Rhys Nicholas (goln), *Brinli: Cyfreithiwr, Bardd, Archdderwydd* (Abertawe: Tŷ John Penry, 1984), tt. 114–21.
3 Brinley Richards, *Cerddi'r Dyffryn* (Abertawe: Tŷ John Penry, 1967), t. 80.
4 Walters a Nicholas (goln), *Brinli: Cyfreithiwr, Bardd, Archdderwydd*, t. 162.
5 Walters a Nicholas (goln), *Brinli: Cyfreithiwr, Bardd, Archdderwydd*, tt. 157–8.
6 Gweler portread hyfryd Emlyn Richards, *Rolant o Fôn: Y Bardd-Gyfreithiwr* (Caernarfon: Gwasg Gwynedd, 1999), t. 54.
7 Richards, *Rolant o Fôn: Y Bardd-Gyfreithiwr*, t. 55.
8 Richards, *Rolant o Fôn: Y Bardd-Gyfreithiwr*, t. 131.
9 Ennillodd y Fedal Ryddiaith yn yr Eisteddfod Genedlaethol: Robyn Léwis, *Esgid yn Gwasgu* (Llys yr Eisteddfod Genedlaethol, 1980).
10 Gweler dadansoddiad Alan Llwyd, *Y Grefft o Greu: Ysgrifau ar Feirdd a Barddoniaeth* (Cyhoeddiadau Barddas, 1997), tt. 173–90, t. 180.
11 Gweler ei gerdd 'Aderyn' a geir yn y gyfrol *I. D. Hooson: Y Casgliad Cyflawn* (Bethesda: Gwasg Gee, 2012), t. 10.
12 Ceir gwerthfawrogiad ohono gan W. R. Jones, *Bywyd a Gwaith I. D. Hooson* (Dinbych: Gwasg Gee, 1954).
13 Gweler Siartr y Cenhedloedd Unedig (1945), erthygl 1, a'r Datganiad Cyffredinol ar Hawliau Dynol (1948). Ceir sylwebaeth gan Marc Weller (gol.), *Universal Minority Rights: A Commentary on the Jurisprudence of International Courts and Treaty Bodies* (Oxford: Oxford University Press, 2007), tt. 5–7.
14 Gweler, er enghraifft, Gwion Lewis, *Hawl i'r Gymraeg* (Talybont: Y Lolfa, 2008), neu Huw Lewis, 'Y Gymraeg a Hawl i Sicrwydd Ieithyddol', yn Simon Brooks a Richard Glyn Roberts (goln), *Pa Beth yr Aethoch Allan i'w Achub?* (Llanrwst: Gwasg Carreg Gwalch, 2013), tt. 188–207.

[15] I. D. Hooson, *Cerddi a Baledi* (Dinbych: Gwasg Gee, 1956), t. 34.

[16] Wesley Newcomb Hohfeld, *Fundamental Legal Conceptions, As Applied in Judicial Reasoning and Other Legal Essays* (New Haven: Yale University Press, 1919).

[17] Ceir trafodaeth ddiddorol gan Jeremy Waldron, 'Rights in Conflict', *Ethics*, 99 (3) (1989), 503–19.

[18] Joseph Raz, *The Morality of Freedom* (Oxford: Clarendon Press, 1986), t. 166.

[19] Gweler Confensiwn Ewropeaidd ar Hawliau Dynol (1950), erthygl 10.

[20] Gweler Waldron, 'Rights in Conflict', 503–19.

[21] Yr oedd ei dad, William George, a'i ewythr, David Lloyd George, yn gyfreithwyr, ac y mae'r traddodiad o ddilyn y gyfraith yn para hyd heddiw ymysg ei ddisgynyddion. Ceir ei hunangofiant yn William George, *My Brother and I* (London: Eyre & Spottiswoode, 1958).

[22] Gweler W. R. P. George, *88 Not Out: An Autobiography* (Pen-y-groes: Gwasg Dwyfor, 2001), tt. 303–5.

[23] Gweler *Henry IV*, rhan 2, act 5, golygfa 5.

[24] Gweler W. R. P. George, *Cerddi'r Neraig* (Llandybïe: Llyfrau'r Dryw, 1968), tt. 62–3.

[25] Michel Foucault, *Surveiller et Punir* [Disgyblaeth a chosb] (Paris: Gallimard, 1975).

[26] Ceir traethodau difyr ar egwyddorion dedfrydu yn Andrew von Hirsch, Andrew J. Ashworth a Julian Roberts (goln), *Principled Sentencing: Readings on Theory and Policy* (Oxford: Hart, 2009).

[27] Gweler sylwadau Lucia Zedner, *Criminal Justice* (Oxford: Clarendon Press, 2004), tt. 241–2.

[28] Gwilym R. Jones, *Cerddi Gwilym R.* (Y Bala: Llyfrau'r Faner, 1969), t. 109.

[29] Ceir detholiad da o'r ymatebion llenyddol hynny yn Elwyn Edwards (gol.), *Cadwn y Mur: Blodeugerdd Barddas o Ganu Gwladgarol* (Caernarfon: Cyhoeddiadau Barddas, 1990), tt. 391–449.

[30] Ceir yr hanes yn Dafydd Jenkins, *Tân yn Llŷn* (Caerdydd: Plaid Cymru, 1975).

[31] Gweler T. Robin Chapman, *Un Bywyd o Blith Nifer: Cofiant Saunders Lewis* (Llandysul: Gomer, 2006), t. 185.

[32] Jenkins, *Tân yn Llŷn*, t. 63.

[33] Chapman, *Un Bywyd o Blith Nifer*, t. 189.

[34] Atgynhyrchir yr araith yn Jenkins, *Tân yn Llŷn*, tt. 126–41.

[35] Chapman, *Un Bywyd o Blith Nifer*, t. 188.

[36] Gweler sylwadau Brian Bix, *Jurisprudence: Theory and Context* (London: Sweet & Maxwell, 2006), tt. 65–70.

[37] Thomas Aquinas, *Summa Theologiae*, rhan gyntaf yr ail ran, cwestiwn 95, erthygl 2.

[38] John Rawls, *A Theory of Justice* (Cambridge: Harvard University Press, 1971).

[39] Gweler Meredydd Evans, 'Anufudd-dod Dinesig', *Efrydiau Athronyddol*, 57 (1994), 75–88.

[40] Ceir sylwadau pellach gan J. W. Harris, *Legal Philosophies* (Oxford: Oxford University Press, 2004), tt. 225–33.

[41] Joseph Raz, *The Authority of Law: Essays on Law and Morality* (Oxford: Clarendon Press, 1979).

[42] Ceir yr hanes gan J. Graham Jones, 'The National Petition on the Legal Status of the Welsh Language, 1938–1942', *Welsh History Review*, 18 (1996), 92–123.

[43] Gweler R. Williams Parry, *Cerddi'r Gaeaf* (Dinbych: Gwasg Gee, 1952), t. 63.

[44] CDG, cerdd 47, ll.20–2, t. 194.

[45] Gweler sylwadau Alan Llwyd, *Bob: Cofiant R. Williams Parry 1884–1956* (Llandysul: Gwasg Gomer, 2013), tt. 333–7.

[46] Parry, *Cerddi'r Gaeaf*, t. 63.

[47] Gwynn ap Gwilym, 'Penyberth', yn J. Eirian Davies (gol.), *Cerddi '72* (Llandysul: Gwasg Gomer, 1972), t. 58.

[48] CBT VII, cerdd 36, ll.63–70, a tt. 414–33.

[49] Ymddengys y ffurf 'galanas' hefyd yn y ddrama Esther, pan ddisgrifia Haman yr Agagiad y modd y lladdodd Samuel y Brenin Agag bum canrif ynghynt wrth iddo yntau ddatgelu'r ysgogiad dros ddifa'r Iddewon yn act gynta'r ddrama. Gweler Saunders Lewis, *Esther* (Abertawe: Christopher Davies, 1960), t. 13.

[50] Gweler Ioan M. Williams, *Dramâu Saunders Lewis: Y Casgliad Cyflawn, Cyfrol I* (Caerdydd: Gwasg Prifysgol Cymru, 1996), tt. 282–3.

[51] Gweler Tudur Hallam, *Saunders y Dramodydd* (Caernarfon: Gwasg Pantycelyn, 2013), t. 31.

[52] Fel y nodir ym Mrut y Tywysogion: 'y ulwydyn honno y croget Gwilym Brewys Ieuanc y gann Lywelin ap Ioruerth, wedy y dala yn ystauell y tywyssawc gyt a merch Ieuan vrenhin, gwreic y tywyssawc'. Gweler BT, t. 228, ll.17.

[53] Chapman, *Un Bywyd o Blith Nifer*, t. 290.

[54] LLI, t. 66; hefyd, Dafydd Jenkins, *The Law of Hywel Dda* (Llandysul: Gomer, 2000), t. 132.

[55] Williams (gol.), *Dramâu Saunders* Lewis, t. 541.

[56] R. R. Davies, *The Age of Conquest: Wales 1063–1415* (Oxford: Oxford University Press, 2000), t. 249.

[57] Williams (gol.), *Dramâu Saunders* Lewis, tt. 541–2.

[58] Williams (gol.), *Dramâu Saunders* Lewis, t. 544.

[59] Jenkins, *The Law of Hywel* Dda, t. 311.

[60] Williams (gol.), *Dramâu Saunders* Lewis, t. 551.

[61] Thomas Glyn Watkin, *The Legal History of Wales*, 2il arg. (Cardiff: University of Wales Press, 2012), t. 98.

[62] Williams (gol.), *Dramâu Saunders* Lewis, t. 552.

[63] Williams (gol.), *Dramâu Saunders* Lewis, t. 553.

[64] Williams (gol.), *Dramâu Saunders* Lewis, t. 558.

[65] Watkin, *The Legal History of Wales*, t. 71.

[66] Dafydd Jenkins, *Cyfraith Hywel: Rhagarweiniad i Gyfraith Gynhenid Cymru'r Oesau Canol* (Llandysul: Gwasg Gomer, 1970), tt. 96–7.
[67] Williams (gol.), *Dramâu Saunders* Lewis, t. 559.
[68] Williams (gol.), *Dramâu Saunders* Lewis, t. 563.
[69] Jenkins, *Cyfraith Hywel*, t. 26.
[70] Gweler Bruce Griffiths, 'His Theatre', yn Alun R. Jones a Gwyn Thomas (goln), *Presenting Saunders Lewis* (Cardiff: University of Wales Press, 1983), tt. 79–92, t. 84.
[71] Adroddir yr hanes yn Alan Llwyd, *Waldo: Cofiant Waldo Williams 1904–1971* (Talybont: Y Lolfa, 2014), tt. 252–3, 360–71, 393–5.
[72] Alan Llwyd a Robert Rhys (goln), *Waldo Williams: Cerddi 1922–1972* (Llandysul: Gomer, 2014), cerdd 284, tt. 409 a 658.
[73] Gweler Damian Walford Davies (gol.), *Waldo Williams: Rhyddiaith* (Caerdydd: Gwasg Prifysgol Cymru, 2001), t. 318.
[74] Llwyd, *Waldo: Cofiant Waldo Williams*, tt. 349–50, 371.
[75] Gweler Dylan Phillips, *Trwy Ddulliau Chwyldro . . .? Hanes Cymdeithas yr Iaith Gymraeg, 1962–1992* (Llandysul: Gomer, 1998).
[76] Darlledwyd ar 13 Chwefror 1962. Gweler Marged Dafydd (gol.), *Ati Wŷr Ifainc* (Caerdydd: Gwasg Prifysgol Cymru, 1986), t. 88.
[77] Colin H. Williams, 'Non-violence and the Development of the Welsh Language Society 1962–*c*.1974', *Welsh History* Review, 8 (1994), 426–55.
[78] Gweler Ann Ffrancon a Geraint H. Jenkins, *Merêd: Detholiad o Ysgrifau Dr. Meredydd Evans* (Llandysul: Gomer, 1994), tt. 338–43.
[79] K. O. Morgan, *Rebirth of a Nation: A History of Modern Wales* (Oxford: Oxford University Press, 1981), tt. 381–2.
[80] Gweler Owain Williams, *Cysgod Tryweryn* (Caernarfon: Gwasg Gwynedd, 1979).
[81] Gweler Alan Llwyd, *Barddoniaeth y Chwedegau: Astudiaeth Lenyddol-hanesyddol* (Caernarfon: Cyhoeddiadau Barddas, 1986), t. 88.
[82] Gweler Gwilym Prys Davies, 'Statws Cyfreithiol yr Iaith Gymraeg yn yr Ugeinfed Ganrif', yn Geraint H. Jenkins a Mari A. Williams (goln), *Eu Hiaith a Gadwant? Y Gymraeg yn yr Ugeinfed Ganrif* (Caerdydd: Gwasg Prifysgol Cymru, 2000), tt. 207–38; hefyd, R. Gwynedd Parry, *David Hughes Parry: A Jurist in Society* (Cardiff: University of Wales Press, 2010), tt. 131–49.
[83] E. Gwyndaf Evans, 'Y Carcharorion', yn J. Eirian Davies (gol.), *Cerddi '72* (Llandysul: Gwasg Gomer, 1972), t. 46.
[84] Gweler Mathonwy Hughes, *Creifion* (Y Bala: Llyfrau'r Faner, 1979), tt. 27–8.
[85] Gweler *R. v. Merthyr Tydfil Justices, ex parte Jenkins* [1967] 1 All E.R. 636.
[86] *Morris v. Crown Office* (1970) 2 Q.B. 114.
[87] Gerallt Lloyd Owen, *Cilmeri a Cherddi Eraill* (Caernarfon: Gwasg Gwynedd, 1991), tt. 53–4.
[88] Elwyn Edwards (gol.), *Cadwn y Mur: Blodeugerdd Barddas o Ganu Gwladgarol* (Caernarfon: Cyhoeddiadau Barddas, 1990), t. 587.

[89] Mae'n sôn am hyn yn ei hunangofiant: Menna Elfyn, *Cennad* (Cyhoeddiadau Barddas, 2018), tt. 58–62.

[90] Menna Elfyn, *Merch Perygl: Cerddi 1976–2011* (Llandysul: Gwasg Gomer, 2011), t. 42.

[91] Elfyn, *Merch Perygl: Cerddi 1976–2011*, t. 24.

[92] Elfyn, *Cennad*, t. 61.

[93] Elfyn, *Merch Perygl: Cerddi 1976–2011*, t. 28.

[94] Edwards (gol.), *Cadwn y Mur*, t. 510.

[95] Llwyd a Robert Rhys (goln), *Waldo Williams: Cerddi 1922–1972*, cerdd 254, ll.11–14, t. 385.

[96] Gweler Jenkins, *Cyfraith Hywel*, tt. 50–1.

[97] Gweler, er enghraifft, Martin Johnes, *Wales since 1939* (Manchester: Manchester University Press, 2012), tt. 237–8.

[98] Ymhlith eraill o gylch beirdd y Cilie a luniodd ddychangerdd i gyfreithiwr, gweler englyn Gerallt Jones i'r 'Twrne' yn ei *Ystad Bardd* (Llandysul: Gwasg Gomer, 1974), t. 61.

[99] Gweler Huw Ceiriog (gol.), *Y Flodeugerdd o Englynion Ysgafn* (Abertawe: Christopher Davies, 1981), t. 72.

[100] Elsie Reynolds (gol.), *Yr Un Hwyl a'r Un Wylo: Cerddi Gwlad Dic Jones* (Llandysul: Gwasg Gomer, 2011), t. 76.

[101] Gweler Reynolds (gol.), *Yr Un Hwyl a'r Un Wylo: Cerddi Gwlad Dic Jones*, t. 184.

[102] Ceir dadansoddiad o'r amgylchiadau o safbwynt cyfreithiol gan Nicholas Orton Cooke, 'The King -v- Richard Lewis and Lewis Lewis, Cardiff, 13 July 1831: The Trial of Dic Penderyn', yn Thomas Glyn Watkin (gol.), *The Trial of Dic Penderyn and Other Essays* (Cardiff: Welsh Legal History Society, 2002), tt. 110–27.

[103] Gweler Reynolds (gol.), *Yr Un Hwyl a'r Un Wylo: Cerddi Gwlad Dic Jones*, t. 133.

[104] Deddf Addysg 1996, adran 548.

[105] Ceri Wyn Jones (gol.), *Cerddi Dic Yr Hendre: Detholiad o Farddoniaeth Dic Jones* (Llandysul: Gomer, 2010), t. 255.

[106] Rachael Pells, 'Teachers who avoid touching children are guilty of child abuse, experts claim (Child psychologists say physical contact with pupils is "absolutely essential" for brain development)', *The Independent*, 18 Chwefror 2017. Gweler *https://www.independent.co.uk/news/education/education-news/teachers-who-avoid-touching-children-guilty-of-child-abuse-experts-psychologists-dangerous-a7586926.html* (cyrchwyd 25 Ionawr 2019).

[107] The Department for Education, 'School discipline: new guidance for teachers', 11 Gorffennaf 2011.

[108] Jones (gol.), *Cerddi Dic Yr Hendre*, t. 267.

[109] T. Llew Jones, *Un Noson Dywyll* (Llandysul: Gomer, 1973).

[110] Ceir ysgrif arno gan Gwynfor Evans, *Seiri Cenedl* (Llandysul: Gomer, 1986), tt. 197–200.

[111] Caryl Lewis, *Jackie Jones* (Talybont: Y Lolfa, 2008).

[112] Gweler R. Gwynedd Parry, *Cymru'r Gyfraith: Sylwadau ar Hunaniaeth Gyfreithiol* (Caerdydd: Gwasg Prifysgol Cymru, 2012).
[113] Bethan Jones Parry (gol.), *Cerddi Cyfiawnder* (Bwrdd Cyfiawnder Troseddol Gogledd Cymru ac eraill, 2007).
[114] Parry (gol.), *Cerddi Cyfiawnder*, t. 32.
[115] Parry (gol.), *Cerddi Cyfiawnder*, t. 32.
[116] Gweler Angharad Price, 'Dim Oll? Ymateb Nofelwyr Cymraeg i Ddatganoli', *Llên Cymru*, 34 (2011), 237–47.
[117] Emyr Lewis, *Dysgu Deud Celwydd yn Tsiec* (Llanrwst: Gwasg Carreg Gwalch, 2004), t. 16.
[118] Trafodir hyn yn R. Gwynedd Parry, 'Is breaking up hard to do? The case for a separate Welsh jurisdiction', *The Irish Jurist*, 57 (2017), 61–93.
[119] Emyr Lewis, *twt lol* (Llanrwst: Gwasg Carreg Gwalch, 2018), t. 69.
[120] Lewis, *twt lol*, t. 9.

10

Crynhoi

Yn y nofel *Guy Mannering* o eiddo Syr Walter Scott, ceir golygfa mewn swyddfa cyfreithiwr pan glywir Mr Pleydell, y twrnai, yn egluro i gleient pam y mae ganddo gymaint o glasuron llên yn ei lyfrgell. Y mae'r esboniad cofiadwy a rydd Pleydell iddo hefyd yn berthnasol i genadwri'r gyfrol hon: 'A lawyer without history and literature is a mechanic, a mere working mason; if he possesses some knowledge of these, he may venture to call himself an architect.'[1]

Efallai mai troi at lenyddiaeth i ddyfnhau dealltwriaeth o'r gyfraith oedd y nod ar gychwyn y siwrnai. Tua'i diwedd, gogoniant y traddodiad llenyddol Cymraeg yw'r hyn sydd yn ei amlygu ei hun. Do, fe gaed syniadaeth, clyfrwch a chanfyddiadau newydd yn llawer o'r delweddau llenyddol o'r gyfraith. Ond fe gafwyd yn y profiadau unigol, diriaethol, personol sydd yn nodweddu'r cynnyrch rywbeth mwy na hynny. Trwy gelfyddyd, cafwyd amgyffred newydd o'r hyn a fynegodd T. H. Parry-Williams mor gofiadwy, sef 'mai trech na dysg yw dwyster munud awr'.[2]

Ar hyd yr oesoedd, bu cynnyrch y beirdd a'r llenorion yn ddrych i'r amseroedd. Gweithredant fel dehonglwyr eu hoes, a bu eu ffrwythau'n gyfrwng i ddeall effaith cyfraith, cyfreithwyr a sefydliadau'r gyfraith ar gymdeithas. Hwy oedd lleisiau ein cydwybod, ein dyheadau a'n hofnau, a hynny'n aml yn nannedd y gwyntoedd gerwin a chwythai'n eu herbyn. Yn yr oesoedd canol, hwy oedd ceidwaid ein cof, a mynegasant werthoedd ac arferion y Cymry wrth iddynt atgoffa tywysogion ac arglwyddi o'u treftadaeth gyfreithiol. Pan gollwyd y frwydr dros annibyniaeth, hwy a barhaodd i herio'r diwylliant estron a oedd yn cynyddol ennill tir. A phan nad oedd ganddynt na llys na noddwr i'w cynnal, troesant at feirniadaeth a dychan a ffurfiau newydd i fynegi eu syniadau. Rhoddodd y wasg brintiedig lwyfan i leisiau newydd a chynhaliodd ddiwylliant poblogaidd y gallai ystod ehangach o bobl gyfrannu iddo a chyfranogi ohono. A chyda'r cynnydd mewn ymwybyddiaeth a llythrennedd gwleidyddol o ganol y bedwaredd ganrif ar bymtheg ymlaen, cafwyd ton newydd o sylwebaeth ar y gyfraith wrth i'r hen genedl ganfod hyder i roi mynegiant newydd i'w hunaniaeth.

Wrth gwrs, bu'r myfyrdodau llenyddol ar y gyfraith yn fyfyrdodau ar nifer o bynciau cysylltiedig. Gwelsom fod syniadau am gyfiawnder yn cael lle amlwg yn y cynnyrch llenyddol. Onid oedd marwnad Dafydd ab Edmwnd i Siôn Eos yn brotest yn erbyn anghyfiawnder ei grogi? Ac onid anghyfiawnderau'r wladwriaeth Brydeinig tuag at y Gymraeg a'i gwarcheidwaid fu byrdwn cyfreithiol beirdd a llenorion ail hanner yr ugeinfed ganrif? Ceid o bryd i'w gilydd brotest lenyddol yn erbyn anghyfiawnder mewn achos penodol. Ac eto, wrth edrych ar y canon yn ei gyfanrwydd, nid sylwebaeth ar gyfiawnder cyfreithiau yw'r brif thema sydd yn dod i'r amlwg.

Llawn cyn bwysiced yn y delweddau o'r gyfraith mewn llên fu'r syniad o hunaniaeth. Yn aml, bu'r berthynas gysyniadol rhwng y gyfraith a phwy ydym yn sylfaen i'r ymdriniaeth lenyddol. Ein gwerthoedd, ein daliadau, ein ffordd o fyw, ein perthynas â'n gilydd, ac â'n Duw, sydd yn ymdreiddio'r corff yma o lenyddiaeth. Y cysyniad cyfreithiol clasurol oedd mai arferion a gwerthoedd y bobl oedd ffynhonnell y cyfreithiau Cymreig. Nid teyrn yn gosod y gyfraith ar y bobl oedd Hywel Dda, ond cynhaliwr arferion a gwarantydd eu traddodiadau. Yr oedd y traddodiad Cymreig, o'r herwydd, yn caniatáu beirniadaeth a herio gan nad mynegiant o annheyrngarwch ydoedd hyn. Yr oedd cyfreithiau annheg neu arferion pwdr yn teilyngu ac yn derbyn cerydd y beirdd. Gwahanol oedd y diwylliant cyfreithiol yn Lloegr, gyda'i bwyslais cynyddol ar awdurdod brenhinol, ar unffurfiaeth cyfreithiol ac ar ganoli'r gyfundrefn.

Rhoddodd y gyfraith ddeunydd gwerthfawr i lenorion a chwiliai am gyfle i greu gwrthdaro yn eu gwaith. Y tyndra a'r gwrthdaro rhwng cyfreithiau estron a chyfiawnder cynhenid, neu rhwng ffyrdd pechod a chyfiawnder dwyfol, yw'r llinyn aur sy'n cydio'r Gogynfeirdd gyda beirdd protest yr ugeinfed ganrif. Er bod camwri'r twrneiod yn y byd hwn yn destun gwawd yng ngweledigaethau'r Bardd Cwsg, natur pechod dyn, ei gamweddau yn erbyn cyfraith Dduw, a'i angen am edifeirwch ac achubiaeth oedd testun ei bregeth. Ac yng ngweithiau'r baledwyr a'r anterliwtwyr, y gwrthgyferbyniad rhwng Cymreictod y rhai a ddaethai gerbron y llysoedd, a Seisnigrwydd y gyfundrefn gyfiawnder sydd yn ei amlygu ei hun dro ar ôl tro.

O dreiddio'n ddyfnach i feddylfryd y beirdd a'r llenorion ynghylch y berthynas rhwng cyfiawnder a hunaniaeth, daw'r cynnwys cyfreithiol â ni wyneb y wyneb â syniad arall, sef dilysrwydd, sef *legitimacy*. Dyma egwyddor sydd yn mynnu nad sicrhau canlyniadau cywir yw unig swyddogaeth y gyfundrefn gyfiawnder. Rhaid iddi hefyd gael ei gweld yn gwneud hynny trwy ddulliau a phrosesau teg. Nid yn unig y mae'n rhaid i benderfyniadau llysoedd barn fod yn gywir, rhaid i'r broses o ddyfarnu fod yn ddilys yn ogystal. Esgorodd y syniad bod dilysrwydd y broses mor bwysig â chywirdeb y canlyniad ar egwyddor yr achos teg. Ei hanfod yw'r gred na cheir dilysrwydd mewn dyfarniad cyfreithiol lle defnyddiwyd dulliau annheg neu broses ffaeledig.

Enghraifft o hyn yw'r egwyddor na all unigolyn fod yn farnwr yn ei achos ei hun. Os ydyw yn ymddangos bod gan un sydd yn gweithredu fel barnwr fudd personol yn y canlyniad, ni all weithredu fel barnwr. Nid oherwydd nad ydyw yn medru bod yn ddiduedd mewn gwirionedd y'i gwaherddir rhag cyflawni'r dasg. Efallai ei fod, fel unigolyn, yn gymeriad cryf ac egwyddorol, a gall roi heibio ystyriaethau personol wrth fynd at ei waith. Nid yw hynny'n ddigon, serch hynny, lle yr ymddengys yn wrthrychol i berson rhesymol fod posibilrwydd y gall ystyriaethau o fudd personol ddylanwadu ar ei farn. Er mwyn i'r achos fod yn deg, rhaid i'r broses ymddangos yn deg. Dyna yw hanfod dilysrwydd y broses.

Dadl ysgolheigion fel Tom Tyler o Brifysgol Iâl yw bod pobl yn ufuddhau i'r gyfraith oherwydd bod ganddynt hyder fod y broses yn deg ac yn ddilys (*legitimate* a olygir yma).[3] Cyfreithlondeb y gyfundrefn a'i dilysrwydd sydd yn cyflyru ufudd-dod a pharodrwydd y dinesydd i gydweithio â'r gyfundrefn er mwyn cynnal y gyfraith.[4] Y mae parch tuag at y gyfundrefn gyfreithiol yn allweddol i'w llwyddiant, ac nid ar ofn neu ormes y dylid sylfaenu'r system gyfreithiol. Y mae'r mwyafrif yn parchu awdurdod y gyfraith oherwydd ei dilysrwydd sylfaenol, a'i dilysrwydd sydd yn ennyn hyder yng nghyfiawnder y gyfraith.[5] Gan hynny, y mae agwedd y bobl tuag at y gyfundrefn gyfreithiol yn cael ei ffurfio gan eu canfyddiad o ba mor deg yw'r prosesau a ddefnyddir gan y gyfundrefn. Ar lefel unigol a chymunedol, y mae profiadau a chanfyddiadau o ddilysrwydd system gyfreithiol yn dylanwadu ar barodrwydd pobl i gydweithio, i gefnogi ac i ufuddhau i'r drefn. Y mae hi felly'n talu ffordd i'r system gyfreithiol, er mwyn gweithio'n effeithiol, ennyn parch y gymdeithas, a hynny trwy ddangos sensitifrwydd tuag at y farn gyhoeddus ar faterion yn ymwneud â chyfiawnder.[6]

Er bod yna ddyletswydd gyffredinol i ufuddhau i'r gyfraith, y mae'r ddyletswydd honno o dan bwysau pan fo'r gyfraith yn annheg neu yn anfoesol. Sail y ddyletswydd i ufuddhau yw dilysrwydd y gyfraith a'r gyfundrefn sydd yn ei chynnal.[7] Cwestiynu dilysrwydd y gyfundrefn gyfreithiol a wnaeth nifer o'r beirdd a'r llenorion ar hyd yr oesoedd. Cwestiynu ffynhonnell a chynnwys y cyfreithiau, cwestiynu'r modd y gweinyddid y cyfreithiau a chwestiynu dilysrwydd y gyfundrefn ei hun. Yr amheuaeth o'i dilysrwydd a greodd awydd i feirniadu, i wrthsefyll ac i brotestio, ac i fynegi'r brotest trwy gyfrwng llên. Erys eu safbwyntiau a'u dadleuon yn berthnasol i ni heddiw. Gwyddom fod y gyfundrefn gyfiawnder yn biler allweddol mewn pensaernïaeth lywodraethol ddemocrataidd. Credwn fod cyfiawnder ieithyddol, cyfiawnder trwy gyfrwng y Gymraeg, yn allweddol i'n canfyddiad o ddilysrwydd y gyfundrefn gyfiawnder yng Nghymru. Ac y mae'r drafodaeth ar ddatblygiad awdurdodaeth gyfreithiol ar wahân i Gymru yn seiliedig, yn ei hanfod, ar syniadau am ddilysrwydd y system gyfiawnder a'i pherthynas â'n hunaniaeth genedlaethol.

Rhybudd i gloi. Soniwyd eisoes am fudandod beirdd a llenorion ar bynciau cyfansoddiadol a chyfreithiol ers datganoli. Ni ellir bod yn afresymol yn ein disgwyliadau yn hyn o beth, wrth gwrs. Go brin y cawn yn fuan weld gosod testun awdl y gadair genedlaethol ar bwnc megis awdl foliant i dribiwnlysoedd Cymru, neu fawl i ddyfarniadau'r barnwr llywyddol. Nid yw pethau haniaethol y gyfraith yn cynnig deunydd da ar gyfer llên. Haws yw credu mai cocyn hitio fydd y cyfreithiwr o hyd, gan mai dyna dynged colofnau'r wladwriaeth ymhob oes. Y mae hynny yn gwbl briodol, ac yn arwydd o gymdeithas iach. Serch hynny, y mae traddodiad cyfraith mewn llên yn ein hatgoffa am swyddogaeth gymdeithasol y llenor, a'i ddyletswydd i fod yn gyfrwng i fynegi barn a beirniadaeth ar faterion cyfreithiol ac ar anghyfiawnderau ei oes. Gwae ni os esgeulusir y swyddogaeth hon.

Nodiadau

1 Syr Walter Scott, *Guy Mannering, Volume II*, Waverley Novels (Edinburgh: T. C. & E. C. Jack, 1901), t. 100. Dyfynwyd gan Glanville Williams yn ei gyfrol *Learning the Law*, 13eg arg. (London: Sweet & Maxwell, 2006), t. 269.

2 Gweler y gerdd 'I'm Hynafiaid', yn T. H. Parry-Williams, *Casgliad o Gerddi* (Llandysul: Gomer, 1987), t. 53.

3 Tom R. Tyler, *Why People Obey the Law* (Princeton: Princeton University Press, 2006).

4 Tyler, *Why People Obey the Law*, t. 270.

5 Tyler, *Why People Obey the Law*, t. 272.

6 Tom R. Tyler, 'Procedural Justice, Legitimacy, and the Effective Rule of Law', *Crime and Justice*, 30 (2003), 283–357.

7 Kent Greenawalt, 'The Natural Duty to Obey the Law', *Michigan Law Review*, 84 (1) (1985), 1–62.

Llyfryddiaeth

Anhysbys, *Aeron Awen, sef Awdlau, Cywyddau, Englynion a Thraethiadau a Ddanfonwyd i Eisteddfod Gymreigyddion Caernarfon, Mawrth 1, 1824* (Caernarfon: L. E. Jones, 1824).

——, *Baner ac Amserau Cymru*, 12 Awst 1893, 7–8.

——, *Baner ac Amserau Cymru*, 14 Chwefror 1914, 3.

——, *Caneuon Ffydd* (Pwyllgor y Llyfr Emynau Cydenwadol, 2001).

——, *Celt Llundain*, 23 Mehefin 1900, 3.

——, *Y Cymmrodor*, 10 (Llundain: Y Cymmrodorion, 1889), 231–5.

——, *Llyfr Emynau a Thonau y Methodistiaid Calfinaidd a Wesleaidd* (Caernarfon a Bangor: Llyfrfa'r Methodistiaid Calfinaidd a Llyfrfa'r Methodistiaid Wesleaidd, 1929).

——, *North Wales Gazette*, 4 Mawrth 1824, 3.

——, *Reports of the Commissioners of Inquiry into the state of education in Wales: Part 3, North Wales* (London: Her Majesty's Stationery Office, 1847).

——, *Seren Cymru*, 11 Hydref 1907, 14.

——, *Tarian y Gweithiwr*, 5 Ebrill 1906, 5.

——, *The Times*, 8 Medi 1866, 8.

——, *Weekly Mail*, 14 Ebrill 1906, 6.

Amin, Nathen, *The House of Beaufort: The Bastard Line that Captured the Crown* (Stroud: Amberley Publishing Limited, 2017).

Andrews, Rhian M., et al., (goln), *Gwaith Bleddyn Fardd a Beirdd Eraill Ail Hanner y Drydedd Ganrif ar Ddeg*, Cyfres Beirdd y Tywysogion, VII (Caerdydd: Gwasg Prifysgol Cymru, 1996).

ap Gwilym, Gwynn, 'Penyberth', yn J. Eirian Davies (gol.), *Cerddi '72* (Llandysul: Gwasg Gomer, 1972), t. 58.

Aquinas, Thomas, *Summa Theologiae*, rhan gyntaf yr ail ran, cwestiwn 95, erthygl 2.

Ashton, G. M., *Anterliwtiau Twm o'r Nant* (Caerdydd: Gwasg Prifysgol Cymru, 1964).

——, (gol.), *Hunangofiant a Llythyrau Twm o'r Nant* (Caerdydd: Gwasg Prifysgol Cymru, 1948).

Baker, J. H., *An Introduction to English Legal History*, 4ydd arg. (London: Butterworths, 2002).

Baker, J. N. L., *Jesus College Oxford 1571–1971* (Oxford: Jesus College, 1971).

Baker-Jones, Leslie, *Princelings, Privilege and Power: The Tivyside Gentry in their Community* (Llandysul: Gomer, 1999).

Barrell, A. D. M., ac M. H. Brown, 'A settler community in post-conquest rural Wales', *Welsh History Review*, 17 (3) (1995), 332–55.

Beeching, yr Arglwydd, *Report of the Royal Commission on Assize and Quarter Sessions, Cmnd 4153 of* 1969 (London: Her Majesty's Stationery Office, 1969).

Bently, Lionel, Brad Sherman, Dev Gangjee a Phillip Johnson, *Intellectual Property Law*, 5ed arg. (Oxford: Oxford University Press, 2018).

Bix, Brian, *Jurisprudence: Theory and Context* (London: Sweet & Maxwell, 2006).

Bolt, Robert, *A Man for All Seasons* (London: Heinemann, 1960).

Bowen, D. J., (gol.), *Gwaith Gruffudd Hiraethog* (Caerdydd: Gwasg Prifysgol Cymru, 1990).

Breeze, Andrew, *Medieval Welsh Literature* (Dublin: Four Courts Press, 1997).

Boyer, A., *The Political State of Great Britain Vol. XXXI* (London: cyhoeddiad preifat, 1726).

Bramley, Kathleen Anne, et al., (goln), *Gwaith Llywelyn Fardd I ac Eraill o Feirdd y Ddeuddegfed Ganrif*, Cyfres Beirdd y Tywysogion, II (Caerdydd: Gwasg Prifysgol Cymru, 1996).

Brand, Paul, 'An English Legal Historian Looks at the Statute of Wales', yn Thomas Glyn Watkin (gol.), *Y Cyfraniad Cymreig: Welsh Contributions to Legal Development* (Bangor: Cymdeithas Hanes Cyfraith Cymru/Welsh Legal History Society, 2003), tt. 20–56.

Brooks, Simon, *O dan Lygaid y Gestapo: Yr Oleuedigaeth Gymraeg a Theori Lenyddol yng Nghymru* (Caerdydd: Gwasg Prifysgol Cymru, 2004).

——, *Pam na fu Cymru: Methiant Cenedlaetholdeb Cymraeg* (Caerdydd: Gwasg Prifysgol Cymru, 2015).

Burke, Edmund, *Reflections on the Revolution in France* (London: James Dodsley, 1790).

Burke, P., *New Perspectives on Historical Writing* (Cambridge: Polity Press, 1991).

——, (gol.), 'History of Events and the Revival of Narrative', yn P. Burke (gol.), *New Perspectives on Historical Writing* (Cambridge: Polity Press, 1991), tt. 233–48.

Ceiriog, Huw, (gol.), *Y Flodeugerdd o Englynion Ysgafn* (Abertawe: Christopher Davies, 1981).

Chapman, T. Robin, *Un Bywyd o Blith Nifer: Cofiant Saunders Lewis* (Llandysul: Gomer, 2006).

Charles, B. G., *George Owen of Henllys: A Welsh Elizabethan* (Aberystwyth: National Library of Wales, 1973).

Charles-Edwards, T. M., *Wales and the Britons 350–1064* (Oxford: Oxford University Press, 2013).

——, a Paul Russell, (goln), *Tair Colofn Cyfraith: The Three Columns of Law in Medieval Wales* (Bangor: Cymdeithas Hanes Cyfraith Cymru/Welsh Legal History Society, 2005).

——, Morfydd E. Owen, a Paul Russell, (goln), *The Welsh King and his Court* (Cardiff: University of Wales Press, 2000).

Charnell-White, Cathryn A., *Welsh Poetry of the French Revolution 1789–1805* (Cardiff: University of Wales Press, 2012).

——, 'Networking the nation: the bardic and correspondence networks of Wales and London in the 1790s', yn Mary-Ann Constantine a Dafydd Johnston (goln), *'Footsteps of Liberty and Revolt': Essays on Wales and the French Revolution* (Cardiff: University of Wales Press, 2013), tt. 143–67.

Clancy, Joseph P., *Medieval Welsh Poems* (Dublin: Four Courts Press, 2003).

Cooke, Nicholas Orton, 'The King -v- Richard Lewis and Lewis Lewis, Cardiff, 13 July 1831: The Trial of Dic Penderyn', yn Thomas Glyn Watkin (gol.), *The Trial of Dic Penderyn and Other Essays* (Cardiff: Welsh Legal History Society, 2002), tt. 110–27.

Cranston, Maurice, 'John Locke and Government by Consent', yn David Thomson (gol.), *Political Ideas* (London: Watts & Co., 1966), tt. 67–80.

Curtis, Gila, *The Life and Times of Queen Anne* (London: Weidenfeld & Nicolson, 1972).

Curtis, Kathryn, et al., 'Beirdd benywaidd yng Nghymru cyn 1800', *Y Traethodydd*, CXLI (1986), 12–27.

Dafydd, Marged, (gol.), *Ati Wŷr Ifainc* (Caerdydd: Gwasg Prifysgol Cymru, 1986).

Davies, Ceri, *Welsh Literature and the Classical Tradition* (Cardiff: University of Wales Press, 1995).

Davies, Damian Walford, (gol.), *Waldo Williams: Rhyddiaith* (Caerdydd: Gwasg Prifysgol Cymru, 2001).

Davies, Gwilym Prys, *Llafur y Blynyddoedd* (Dinbych: Gwasg Gee, 1991).

——, 'Statws Cyfreithiol yr Iaith Gymraeg yn yr Ugeinfed Ganrif', yn Geraint H. Jenkins a Mari A. Williams (goln), *Eu Hiaith a Gadwant? Y*

Gymraeg yn yr Ugeinfed Ganrif (Caerdydd: Gwasg Prifysgol Cymru, 2000), tt. 207–38.

Davies, Gwyn, *Griffith Jones, Llanddowror: Athro Cenedl* (Bangor: Gwasg Bryntirion, 1984).

Davies, John, *Hanes Cymru* (London: Penguin, 2007).

Davies, J. Eirian, (gol.), *Cerddi '72* (Llandysul: Gwasg Gomer, 1972).

Davies, Morris, *Casgliad o Salmau a Hymnau* (Bala: Robert Saunderson, 1835).

Davies, R. R., 'The Survival of the Bloodfeud in Medieval Wales', *History*, 54 (1969), 338–57.

——, 'The law of the March', *Welsh History Review*, 5 (1) (1970), 1–30.

——, *The Revolt of Owain Glyndŵr* (Oxford: Oxford University Press, 1995).

——, *The Age of Conquest: Wales 1063–1415* (Oxford: Oxford University Press, 2000).

Davies, Sean, 'The Teulu, *c.*633–1283', *Welsh History Review*, 21 (3) (2003), 413–54.

Davies, Sioned, *The Mabinogion* (Oxford: Oxford University Press, 2007).

Department for Education, 'School discipline: new guidance for teachers', 11 Gorffennaf 2011.

Derfel, R. J., *Rhosyn Meirion* (Rhuthyn: I. Clarke, 1853).

——, *Brad y Llyfrau Gleision* (Rhuthyn: I. Clarke, 1854).

——, *Caneuon* (Manchester: R. J. Derfel, 1891).

Davies, Walter, *Diwygiad neu Ddinystr: wedi ei dynnu allan o lyfr Saesnaeg a elwir Reform or Ruin* (Croesoswallt: W. Edwards, 1798).

Duman, Daniel, *The Judicial Bench in England 1727–1875: The Reshaping of a Professional Elite* (London: Royal Historical Society, 1982).

Dworkin, Ronald M., 'Law as Interpretation', *The Politics of Interpretation*, 9 (1) (1982), 179–200.

Edwards, Elwyn, (gol.), *Yr Awen Lawen: Blodeugerdd Barddas o Gerddi Ysgafn a Doniol* (Llandybïe: Cyhoeddiadau Barddas, 1989).

——, (gol.), *Cadwn y Mur: Blodeugerdd Barddas o Ganu Gwladgarol* (Caernarfon: Cyhoeddiadau Barddas, 1990).

Edwards, Huw Meirion, (gol.), *Gwaith y Nant* (Aberystwyth: Canolfan Uwchefrydiau Cymreig a Cheltaidd Prifysgol Cymru, 2013).

Edwards, Hywel Teifi, *Codi'r Hen Wlad yn ei Hôl 1850–1914* (Llandysul: Gwasg Gomer, 1989).

——, 'Y Prifeirdd wedi'r Brad', yn Prys Morgan (gol.), *Brad y Llyfrau Gleision: Ysgrifau ar Hanes Cymru* (Llandysul: Gwasg Gomer, 1991), tt. 166–200.

Edwards, J. Goronwy, 'Hywel Dda and the Welsh Lawbooks', yn Dafydd Jenkins (gol.), *Celtic Law Papers: Introductory to Welsh Medieval Law and Government* (Bruxelles: Librairie Encyclopédique, 1973), tt. 135–60.

——, 'The Language of the Law Courts in Wales: some Historical Queries', *Cambrian Law Review*, 6 (1975), 5–9.

Edwards, Owen M., *Cartrefi Cymru ac Ysgrifau Eraill*, arg. diwygiedig (Wrecsam: Hughes a'i Fab, 1962).
Edwards, Thomas (Twm o'r Nant), *Gardd o Gerddi* (Merthyr Tudful: T. Price, 1826).
——, *Pedair Colofn Gwladwriaeth* (Caerfyrddin: W. Jones, 1840).
——, *Tri Chryfion Byd – sef Cariad, Tylodi ac Angau*, gol. Norah Isaac (Llandysul: Gwasg Gomer, 1975).
Elfyn, Menna, *Merch Perygl: Cerddi 1976–2011* (Llandysul: Gwasg Gomer, 2011).
——, *Cennad* (Cyhoeddiadau Barddas, 2018).
Ellis, Geoffrey, *Napoleon* (London: Longman, 1998).
Ellis, T. E. Ellis, *Gweithiau Morgan Llwyd* (Bangor: Jarvis & Foster, 1899).
Ellis, Thomas Iorwerth, *Thomas Edward Ellis: Cofiant* (Lerpwl: Hugh Evans, 1944).
Ellis, T. P., *Welsh Tribal Law and Custom in the Middle Ages* (Oxford: Clarendon Press, 1926).
Evans, Caradoc, *My People* (London: Dennis Dobson Ltd, 1953).
Evans, D. Gareth, *A History of Wales 1815–1906* (Cardiff: University of Wales Press, 1989).
Evans, Dylan Foster, (gol.), *Gwaith Hywel Swrdwal a'i Deulu* (Aberystwyth: Canolfan Uwchefrydiau Cymreig a Cheltaidd Prifysgol Cymru, 2000).
Evans, E. D., 'Golygiadau Politicaidd Ellis Wynne fel yr amlygir hwy yn *Gweledigaetheu y Bardd Cwsc*', *Llên Cymru*, 31 (2008), 165–76.
Evans, E. Gwyndaf, 'Y Carcharorion', yn J. Eirian Davies (gol.), *Cerddi '72* (Llandysul: Gwasg Gomer, 1972), t. 46.
Evans, Gwynfor, *Seiri Cenedl* (Llandysul: Gomer, 1986).
Evans, G. G., *Elis y Cowper* (Caernarfon: Gwasg Pantycelyn, 1995).
Evans, John James, *Dylanwad y Chwyldro Ffrengig ar Lenyddiaeth Cymru* (Lerpwl: Hugh Evans a'i Feibion, 1928).
Evans, Meredydd, 'Anufudd-dod Dinesig', *Efrydiau Athronyddol*, 57 (1994), 75–88.
Evans-Jones, Albert, (Cynan), 'Jac Glan-y-Gors 1766–1821', TCHSD, 16 (1967), 62–81.
——, 'Tad Beirdd Eryri: Dafydd Tomos ("Dafydd Ddu Eryri") 1759–1822', *Trafodion Anrhydeddus y Cymmrodorion* (1970), 7–23.
Feer, Esther, a Nerys Ann Jones, 'The Poet and his Patrons: the Early Career of Llywarch, Brydydd y Moch', yn Helen Fulton (gol.), *Medieval Celtic Literature and Society* (Dublin: Four Courts Press, 2005), tt. 132–62.
Fielitz, Sonja, (gol.), *Literature as History/History as Literature: Fact and Fiction in Medieval to Eighteenth-Century British Literature* (Frankfurt-am-Main: Peter Lang, 2007).

Foucault, Michel, *Surveiller et Punir* [Disgyblaeth a chosb] (Paris: Gallimard, 1975).

Frame, Paul, *Liberty's Apostle: Richard Price: His Life and Times* (Cardiff: University of Wales Press, 2015).

Freeman, Michael, ac Andrew Lewis, (goln), *Law and Literature: Current Legal Issues 1999, Volume 2* (Oxford: Oxford University Press, 1999).

Fulton, Helen, *Dafydd ap Gwilym and the European Context* (Cardiff: University of Wales Press, 1989).

——, 'Fairs, Feast-Days and Carnival in Medieval Wales: Some Poetic Evidence', yn Helen Fulton (gol.), *Urban Culture in Medieval Wales* (Cardiff: University of Wales Press, 2012), tt. 223–52.

Fychan, Cledwyn, 'Y Canu i Wŷr Eglwysig Gorllewin Sir Ddinbych, TCHSD, 28 (1979), 115–82.

Ffrancon, Ann, a Geraint H. Jenkins, *Merêd: Detholiad o Ysgrifau Dr. Meredydd Evans* (Llandysul: Gomer, 1994).

George, William, *My Brother and I* (London: Eyre & Spottiswoode, 1958).

George, W. R. P., *Cerddi'r Neraig* (Llandybïe: Llyfrau'r Dryw, 1968).

——, *88 Not Out: An Autobiography* (Pen-y-groes: Gwasg Dwyfor, 2001).

Greenawalt, Kent, 'The Natural Duty to Obey the Law', *Michigan Law Review*, 84 (1) (1985), 1–62.

Green, Anna, a Kathleen Troup, *The Houses of History: A Critical Reader in Twentieth-Century History and Theory* (Manchester: Manchester University Press, 1999).

Griffith, J. E., *Pedigrees of Anglesey and Caernarvonshire Families* (Horncastle: W. K. Morton, 1914).

Griffith, T. Ceiri, *Achau rhai o Deuluoedd Hen Siroedd Caernarfon, Meirionnydd, a Threfaldwyn* (Talybont: Y Lolfa, 2012).

Griffiths, Bruce, 'His Theatre', yn Alun R. Jones a Gwyn Thomas (goln), *Presenting Saunders Lewis* (Cardiff: University of Wales Press, 1983), tt. 79–92.

Gruffydd, R. Geraint, 'A Poem in Praise of Cuhelyn Fardd from the Black Book of Carmarthen', *Studia Celtica*, X–XI (1975–6), 198–209.

——, 'A Glimpse of Medieval Court Procedure in a Poem by Dafydd Ap Gwilym', yn C. Richmond ac I. Harvey (goln), *Recognitions: Essays Presented to Edmund Fryde* (Aberystwyth: National Library of Wales, 1996), tt. 165–76.

——, 'Yr Iaith Gymraeg mewn Ysgolheictod a Diwylliant 1536–1660', yn Geraint H. Jenkins (gol.), *Y Gymraeg yn ei Disgleirdeb: Yr Iaith Gymraeg cyn y Chwyldro Diwydiannol* (Caerdydd: Gwasg Prifysgol Cymru, 1997), tt. 339–64.

Hallam, Tudur, 'Croesholi Tystiolaeth y Llyfrau Cyfraith: Pencerdd a Bardd Teulu', *Llên Cymru*, 22 (1999), 1–11.

——, *Saunders y Dramodydd* (Caernarfon: Gwasg Pantycelyn, 2013).

Harris, Joseph, *Casgliad o Hymnau* (Caerfyrddin: A. Williams, 1845).
Harris, J. W., *Legal Philosophies* (Oxford: Oxford University Press, 2004).
Haycock, Marged, (gol.), *Blodeugerdd Barddas o Ganu Crefyddol Cynnar* (Llandybïe: Cyhoeddiadau Barddas, 1994).
——, (gol.), *Legendary Poems from the Book of Taliesin* (Aberystwyth: Cambrian Medieval Celtic Studies, 2015).
Heinze, Eric, '"Were it not against our laws": oppression and resistance in Shakespeare's *Comedy of Errors*', *Legal Studies*, 29 (2) (2009), 230–63.
Hobsbawm, Eric, *The Age of Revolution* (London: Weidenfeld & Nicholson, 1962).
Hohfeld, Wesley Newcomb, *Fundamental Legal Conceptions, As Applied in Judicial Reasoning and Other Legal Essays* (New Haven: Yale University Press, 1919).
Hooson, I. D., *Cerddi a Baledi* (Dinbych: Gwasg Gee, 1956).
——, *Y Casgliad Cyflawn* (Bethesda: Gwasg Gee, 2012).
Howard, Sharon, *Law and Disorder in Early Modern Wales: Crime and Authority in the Denbighshire Courts, c.1660–1730* (Cardiff: University of Wales Press, 2008).
Howell, David W., *Patriarchs and Parasites: The Gentry of South-West Wales in the Eighteenth Century* (Caerdydd: Gwasg Prifysgol Cymru, 1986).
Howells, Nerys Ann, (gol.), *Gwaith Gwerful Mechain ac Eraill* (Aberystwyth: Canolfan Uwchefrydiau Cymreig a Cheltaidd Prifysgol Cymru, 2001).
Hughes, D. G. Lloyd, 'David Williams, Castell Deudraeth and the Merioneth elections of 1859, 1865 and 1868', CHCSF, V (1968), 335–51.
Hughes, J. Ceiriog, *Oriau'r Hwyr* (Wrecsam: Hughes a'i Fab, 1860).
Hughes, Mathonwy, *Creifion* (Y Bala: Llyfrau'r Faner, 1979).
Hunter, Jerry, *Soffestri'r Saeson: Hanesyddiaeth a Hunaniaeth yn Oes y Tuduriaid* (Caerdydd: Gwasg Prifysgol Cymru, 2000).
Hutton, Ronald, *Charles the Second, King of England, Scotland and Ireland* (Oxford: Clarendon Press, 1989).
Huws, Bleddyn Owen, *Y Canu Gofyn a Diolch* (Caerdydd: Gwasg Prifysgol Cymru, 1998).
——, 'Rhan o Awdl Foliant Ddienw i Syr Dafydd Hanmer', *Dwned*, 9 (2003), 43–64.
——, 'Gramadeg Barddol Honedig Syr Dafydd Hanmer', *Llên Cymru*, 28 (2005), 178–80.
Huws, Catrin Fflur, 'Law, Literature, Language and the Construction of Welsh Identity', yn Thomas Glyn Watkin (gol.), *The Carno Poisonings and Other Essays* (Bangor: Welsh Legal History Society, 2010), tt. 99–120.
Ifans, Dafydd, a Rhiannon Ifans, *Y Mabinogion* (Llandysul: Gomer, 1995).
Iggers, Georg G., *Historiography in the Twentieth Century* (Middletown: Wesleyan University Press, 2005).

Ireland, Richard W., 'First Catch your Toad: Medieval Attitudes to Ordeal and Battle', *Cambrian Law Review*, 10 (1980), 50–61.

——, *A Want of Good Order and Discipline: Rules Discretion and the Victorian Prison* (Cardiff: University of Wales Press, 2007).

——, *Land of White Gloves? A History of Crime and Punishment in Wales* (Oxford: Routledge, 2015).

Jackson, J. Hampden, 'Tom Paine and the Rights of Man', yn David Thomson (gol.), *Political Ideas* (London: Watts & Co., 1966), tt. 107–17.

James, Christine, 'Dafydd (Llwyd): *Dosbarthwr* – the Literary Culture of some Cardiganshire Lawyers', yn Noel S. B. Cox a Thomas Glyn Watkin (goln), *Canmlwyddiant, Cyfraith a Chymreictod: A Celebration of the life and work of Dafydd Jenkins 1911–2012* (Bangor: Cymdeithas Hanes Cyfraith Cymru/Welsh Legal History Society, 2011), tt. 154–69.

Jenkins, Dafydd, *Cyfraith Hywel: Rhagarweiniad i Gyfraith Gynhenid Cymru'r Oesau Canol* (Llandysul: Gwasg Gomer, 1970).

——, 'Law and Government in Wales before the Act of Union', yn J. A. Andrews (gol.), *Welsh Studies in Public Law* (Cardiff: University of Wales Press, 1970), tt. 7–29.

——, 'A family of Medieval Welsh Lawyers', yn Dafydd Jenkins (gol.), *Celtic Law Papers: Introductory to Welsh Medieval Law and Government* (Bruxelles: Librairie Encyclopédique, 1973), tt. 121–34.

——, *Tân yn Llŷn* (Caerdydd: Plaid Cymru, 1975).

——, 'Pencerdd a Bardd Teilu', *Ysgrifau Beirniadol*, XIV (1988), 19–46.

——, 'Bardd Teulu and Pencerdd', yn T. M. Charles-Edwards, Morfydd E. Owen a Paul Russell (goln), *The Welsh King and his Court* (Cardiff: University of Wales Press, 2000), tt. 142–66.

——, *The Law of Hywel Dda* (Llandysul: Gomer, 2000).

——, 'Towards the Jury in Medieval Wales', yn John W. Cairns a John McLeod, *'The Dearest Birth Right of the People of England': The Jury in the History of the Common Law* (Oxford: Hart, 2002), tt. 17–46.

——, a Morfydd E. Owen, (goln), *The Welsh Law of Women* (Cardiff: University of Wales Press, 1980).

Jenkins, Geraint H., '"A Rank Republican [and] a Leveller": William Jones, Llangadfan', *Welsh History Review*, 17 (3) (1995), 365–86.

——, 'Adfywiad yr Iaith a'r Diwylliant Cymraeg 1660–1800', yn Geraint H. Jenkins (gol.), *Y Gymraeg yn ei Disgleirdeb: Yr Iaith Gymraeg cyn y Chwyldro Diwydiannol* (Caerdydd: Gwasg Prifysgol Cymru, 1997), tt. 365–400.

——, *The Foundations of Modern Wales 1642–1780* (Oxford: Oxford University Press, 2002).

——, 'The Unitarian Firebrand, the Cambrian Society and the Eisteddfod', yn Geraint H. Jenkins (gol.), *A Rattleskull Genius: The Many Faces of Iolo Morganwg* (Cardiff: University of Wales Press, 2005), tt. 269–92.

——, '"Taphy-land historians" and the Union of England and Wales 1536–2007', *Journal of Irish Scottish Studies*, 1 (2) (2008), 1–27.

——, 'The "Rural Voltaire" and the "French madcaps"', yn Mary-Ann Constantine a Dafydd Johnston (goln), *'Footsteps of Liberty and Revolt': Essays on Wales and the French Revolution* (Cardiff: University of Wales Press, 2013), tt. 115–42.

——, Richard Suggett ac Eryn M. White, 'Yr Iaith Gymraeg yn y Gymru Fodern Gynnar', yn Geraint H. Jenkins (gol.), *Y Gymraeg yn ei Disgleirdeb: Yr Iaith Gymraeg cyn y Chwyldro Diwydiannol* (Caerdydd: Gwasg Prifysgol Cymru, 1997), tt. 45–119.

Jenkins, Nia Mai, '"A'i Gyrfa Megis Gwerful": Bywyd a Gwaith Angharad James', *Llên Cymru*, 24 (2001), 79–112.

Jenkins, R. T., *Hanes Cymru yn y Deunawfed Ganrif* (Caerdydd: Gwasg Prifysgol Cymru, 1931; arg. 1972).

Johnes, Martin, *Wales since 1939* (Manchester: Manchester University Press, 2012).

Johnson, Lizabeth, 'Attitudes Towards Spousal Violence in Medieval Wales', *Welsh History Review*, 24 (4) (2009), 81–115.

Johnston, Dafydd, *Llên y Llenor: Iolo Goch* (Caernarfon: Gwasg Pantycelyn, 1989).

——, *Llên yr Uchelwyr: Hanes Beirniadol Llenyddiaeth Gymraeg 1300–1525* (Caerdydd: Gwasg Prifysgol Cymru, 2005).

——, (gol.), *Gwaith Iolo Goch* (Caerdydd: Gwasg Prifysgol Cymru, 1988).

——, (gol.), *Blodeugerdd Barddas o'r Bedwaredd Ganrif ar Ddeg* (Llandybïe: Cyhoeddiadau Barddas, 1989), tt. 23–4.

——, (gol.), *Canu Maswedd yr Oesoedd Canol* (Pen-y-bont ar Ogwr: Seren, 1991).

——, (gol.), *Gwaith Lewys Glyn Cothi* (Caerdydd: Gwasg Prifysgol Cymru, 1995).

——, (gol.), *Gwaith Llywelyn Goch ap Meurig Hen* (Aberystwyth: Canolfan Uwchefrydiau Cymreig a Cheltaidd Prifysgol Cymru, 1998).

——, et al., (goln), *Cerddi Dafydd ap Gwilym* (Caerdydd: Gwasg Prifysgol Cymru, 2010).

Jones, Alun R., *Lewis Morris* (Caerdydd: Gwasg Prifysgol Cymru, 2004).

Jones, Bedwyr Lewis, 'Yr Hen Bersoniaid Llengar', yn Gerwyn Williams (gol.), *Gorau Cyfarwydd: Detholiad o Ddarlithoedd ac Ysgrifau Beirniadol Bedwyr Lewis Jones* (Cyhoeddiadau Barddas, 2002), tt. 126–66.

Jones, Ceri Wyn, (gol.), *Cerddi Dic Yr Hendre: Detholiad o Farddoniaeth Dic Jones* (Llandysul: Gomer, 2010).

Jones, D. Gwenallt, *Detholiad o Ryddiaith Gymraeg R. J. Derfel* (Y Clwb Llyfrau Cymreig, 1945).

Jones, Dafydd Glyn, (gol.), *Canu Twm o'r Nant* (Bangor: Dalen Newydd, 2010).

Jones, David J. V., *The Last Rising: The Newport Chartist Insurrection of 1839* (Cardiff: University of Wales Press, 1999).

Jones, E. D., 'The Brogyntyn Welsh Manuscripts', CLLGC, VI (3) (1950), 223–48.

Jones, Elin M., a Nerys Ann Jones, (goln), *Gwaith Llywarch ap Llywelyn 'Prydydd y Moch'*, Cyfres Beirdd y Tywysogion, V (Caerdydd: Gwasg Prifysgol Cymru, 1991)

Jones, Emyr Wyn, 'Twm o'r Nant and Sion Dafydd Berson', TCHSD, 30 (1981), 45–72.

Jones, Ffion Mair, *Welsh Ballads of the French Revolution 1793–1815* (Cardiff: University of Wales Press, 2012).

——, '"Brave Republicans": representing the Revolution in a Welsh interlude', yn Mary-Ann Constantine a Dafydd Johnston (goln), *'Footsteps of Liberty and Revolt': Essays on Wales and the French Revolution* (Cardiff: University of Wales Press, 2013), tt. 191–211.

Jones, Gerallt, *Ystad Bardd* (Llandysul: Gwasg Gomer, 1974).

Jones, Gwilym R., *Cerddi Gwilym R.* (Y Bala: Llyfrau'r Faner, 1969).

Jones, Herman, *Y Soned Gymraeg hyd 1900* (Llandysul: Gwasg Gomer, 1967).

Jones, Ieuan Gwynedd, 'Merioneth Politics in the Mid-Nineteenth Century: The Politics of a Rural Economy', CHCSF, V (1968), 273–334.

Jones, John, (Glan-y-Gors), *Seren tan Gwmmwl* (Lerpwl: Hugh Evans a'i Feibion, 1923).

——, *Toriad y Dydd* (Lerpwl: Hugh Evans a'i Feibion, 1923).

Jones, J. Graham, 'The National Petition on the Legal Status of the Welsh Language, 1938–1942', *Welsh History Review*, 18 (1996), 92–123.

Jones, John Gwynfor, 'The Welsh poets and their patrons, *c.*1550–1640', *Welsh History Review*, 9 (3) (1979), 245–77.

——, 'Concepts of Order and Gentility', yn J. Gwynfor Jones, *Class, Community and Culture in Tudor Wales* (Cardiff: University of Wales Press, 1989), tt. 121–57.

——, *Concepts of Order and Gentility in Wales 1540–1640* (Llandysul: Gomer, 1992).

——, 'Yr Iaith Gymraeg a Llywodraeth Leol: Ustusiaid Heddwch a'r Llysoedd Chwarter *c.*1536–1800', yn Geraint H. Jenkins (gol.), *Y Gymraeg yn ei Disgleirdeb: Yr Iaith Gymraeg cyn y Chwyldro Diwydiannol* (Caerdydd: Gwasg Prifysgol Cymru, 1997), tt. 181–205.

——, *The Welsh Gentry 1536–1640* (Cardiff: University of Wales Press, 1998).

——, *The Dialogue of the Government of Wales (1594): Updated Text and Commentary* (Cardiff: University of Wales Press, 2010).

Jones, Keith Williams, *A Calendar of the Merioneth Quarter Sessions Rolls, Vol. I: 1733–65* (Dolgellau: Merioneth County Council, 1965).

Jones, Mark Ellis, '"An Invidious Attempt to Accelerate the Extinction of our Language": the Abolition of the Court of Great Sessions and the Welsh Language', *Welsh History Review*, 19 (2) (1998), 226–64.

——, '"Dryswch Babel"?: Yr Iaith Gymraeg, Llysoedd Barn a Deddfwriaeth yn y Bedwaredd Ganrif ar Bymtheg', yn Geraint H. Jenkins (gol.), *Gwnewch Bopeth yn Gymraeg: Yr Iaith Gymraeg a'i Pheuoedd 1801–1911* (Caerdydd: Gwasg Prifysgol Cymru, 1999), tt. 553–80.

——, 'Wales for the Welsh? The Welsh County Court Judgeships, 1868–1900', *Welsh History Review*, 19 (4) (1999), 643–78.

Jones, Nerys Ann, 'Prydydd y Moch: Dwy Gerdd "Wahanol"', *Ysgrifau Beirniadol*, XVIII (1992), 55–72.

——, ac Ann P. Owen, (goln), *Gwaith Cynddelw Brydydd Mawr I*, Cyfres Beirdd y Tywysogion, III (Caerdydd: Gwasg Prifysgol Cymru, 1991).

Jones, R. Brinley, *Prifysgol Rhydychen a'i Chysylltiadau Cymreig (hyd at ddiwedd yr unfed ganrif ar bymtheg)* (Llanwrda: Gwasg y Porthmyn, 1983).

——, *Rhamant Rhydychen: Cyfleoedd Cymry'r Canrifoedd* (Caerfyrddin: Canolfan Peniarth, 2015).

Jones, R. M., *Llenyddiaeth Gymraeg 1902–1936* (Llandybïe: Cyhoeddiadau Barddas, 1987).

Jones, Thomas, (gol.), *Brut y Tywysogyon or The Chronicle of the Princes (Red Book of Hergest Version)* (Cardiff: University of Wales Press, 1955).

Jones, T. Gwynn, (gol.), *Gwaith Tudur Aled*, I (Caerdydd: Gwasg Prifysgol Cymru, 1926).

Jones, T. Llew, *Un Noson Dywyll* (Llandysul: Gomer, 1973).

Jones, W. R., *Bywyd a Gwaith I. D. Hooson* (Dinbych: Gwasg Gee, 1954).

Keeton, George W., *Shakespeare's Legal and Political Background* (London: Pitman, 1967).

Kelly, Fergus, *A Guide to Early Irish Law* (Dublin: Dublin Institute for Advanced Studies, 1988).

Kerr, Margaret H., Richard D. Forsyth a Michael J. Plyley, 'Cold Water and Hot Iron: Trial by Ordeal in England', *Journal of Interdisciplinary History*, 22 (4) (1992), 573–95.

Kirby, D. P., 'Hywel Dda', *Welsh History Review*, 8 (1) (1976), 1–13.

Korngiebel, Diane M., 'English Colonial Ethnic Discrimination in the Lordship of Dyffryn Clwyd: Segregation and Integration, 1282–*c*.1340', *Welsh History Review*, 23 (2) (2007), 1–24.

Kornstein, Daniel J., *Kill All the Lawyers? Shakespeare's Legal Appeal* (Princeton: Princeton University Press, 1994).

Lake, Alun Cynfael, 'Cipdrem ar Anterliwtiau Twm o'r Nant', *Llên Cymru*, 21 (1998), 50–73.

——, *Anterliwtiau Huw Jones o Langwm* (Caernarfon: Cyhoeddiadau Barddas, 2000).

——, 'Lewys, "Gwalch Morgannwg Wen"', *Llên Cymru*, 28 (2005), 115–37.

——, 'Siôn Rhydderch y Bardd Caeth', yn Jason Walford Davies (gol.), *Gweledigaethau: Cyfrol Deyrnged yr Athro Gwyn Thomas* (Bangor: Cyhoeddiadau Barddas, 2007), tt. 134–58.
——, *Huw Jones o Langwm* (Caernarfon: Gwasg Pantycelyn, 2009).
——, 'William Jones a'r "Ddau Leidir Baledae"', *Llên Cymru*, 33 (2010), 124–42.
——, 'Siôn Rhydderch', *Llên Cymru*, 34 (2011), 88–108.
——, (gol.), *Gwaith Huw ap Dafydd ap Llywelyn ap Madog* (Aberystwyth: Canolfan Uwchefrydiau Cymreig a Cheltaidd Prifysgol Cymru, 1995).
——, (gol.), *Gwaith Lewys Morgannwg I* (Aberystwyth: Canolfan Uwchefrydiau Cymreig a Cheltaidd Prifysgol Cymru, 2004).
——, (gol.), *Gwaith Lewys Morgannwg II* (Aberystwyth: Canolfan Uwchefrydiau Cymreig a Cheltaidd Prifysgol Cymru, 2004).
Lewis, Barry J., ac Eurig Salisbury, (goln), *Gwaith Gruffudd Gryg* (Aberystwyth: Canolfan Uwchefrydiau Cymraeg a Cheltaidd Prifysgol Cymru, 2010).
Lewis, Caryl, *Jackie Jones* (Talybont: Y Lolfa, 2008).
Lewis, Ceri W., *Iolo Morganwg* (Caernarfon: Gwasg Pantycelyn, 1995).
Lewis, Emyr, *Dysgu Deud Celwydd yn Tsiec* (Llanrwst: Gwasg Carreg Gwalch, 2004).
——, *twt lol* (Llanrwst: Gwasg Carreg Gwalch, 2018).
Lewis, Gwion, *Hawl i'r Gymraeg* (Talybont: Y Lolfa, 2008).
Lewis, Henry, Thomas Roberts ac Ifor Williams, *Cywyddau Iolo Goch ac Eraill* (Caerdydd: Gwasg Prifysgol Cymru, 1937).
Lewis, Huw, 'Y Gymraeg a Hawl i Sicrwydd Ieithyddol', yn Simon Brooks a Richard Glyn Roberts (goln), *Pa Beth yr Aethoch Allan i'w Achub?* (Llanrwst: Gwasg Carreg Gwalch, 2013), tt. 188–207.
Léwis, Robyn, *Esgid yn Gwasgu* (Llys yr Eisteddfod Genedlaethol, 1980).
——, *Cyfiawnder Dwyieithog?* (Llandysul: Gomer, 1998).
Lewis, Saunders, *Esther* (Abertawe: Christopher Davies, 1960).
——, *Meistri'r Canrifoedd: Ysgrifau ar Hanes Llenyddiaeth Gymraeg* (Caerdydd: Gwasg Prifysgol Cymru, 1973).
——, *Meistri a'u Crefft* (Caerdydd: Gwasg Prifysgol Cymru, 1981).
Löffler, Marion, 'Cerddi Newydd gan John Jones, "Jac Glan-y-Gors"', *Llên Cymru*, 33 (2010), 143–50.
——, *Welsh Responses to the French Revolution: Press and Public Discourse 1789–1802* (Cardiff: University of Wales Press, 2012).
——, *Political Pamphlets and Sermons from Wales 1790–1806* (Cardiff: University of Wales Press, 2014).
Lucas, John, 'The Weight of History: Poets and Artists in World War Two', yn Simon Barker a Jo Gill (goln), *Literature as History: Essays in Honour of Peter Widdowson* (London: Continuum, 2010), tt. 66–79.

Lynch, Peredur I., 'Court Poetry, Power and Politics', yn T. M. Charles-Edwards, Morfydd E. Owen a Paul Russell (goln), *The Welsh King and his Court* (Cardiff: University of Wales Press, 2000), tt. 167–90.

Lloyd, Dennis, *The Idea of Law* (London: Penguin, 1964).

Lloyd, Nesta, (gol.), *Blodeugerdd Barddas o'r Ail Ganrif ar Bymtheg*, 1 (Llandybïe: Cyhoeddiadau Barddas, 1993).

Llwyd, Alan, *Barddoniaeth y Chwedegau: Astudiaeth Lenyddol-hanesyddol* (Caernarfon: Cyhoeddiadau Barddas, 1986).

——, *Y Grefft o Greu: Ysgrifau ar Feirdd a Barddoniaeth* (Cyhoeddiadau Barddas, 1997).

——, *Prifysgol y Werin: Hanes Eisteddfod Genedlaethol Cymru 1900–1918* (Llandybïe: Cyhoeddiadau Barddas, 2008).

——, *Bob: Cofiant R. Williams Parry 1884–1956* (Llandysul: Gwasg Gomer, 2013).

——, *Waldo: Cofiant Waldo Williams 1904–1971* (Talybont: Y Lolfa, 2014).

——, ac Elwyn Edwards, (goln), *Gwaedd y Bechgyn: Blodeugerdd Barddas o Gerddi'r Rhyfel Mawr 1914–1918* (Llandybïe: Cyhoeddiadau Barddas, 1989).

——, a Robert Rhys, (goln), *Waldo Williams: Cerddi 1922–1972* (Llandysul: Gomer, 2014).

Llyfrgell Genedlaethol Cymru, MS 132C: 'Anterliwt 1889'.

Mahler, Margaret, *A History of Chirk Castle and Chirkland* (London: G. Bell & Sons Ltd, 1912).

Millward, E. G., (gol.), *Blodeugerdd Barddas o Gerddi Rhydd y Ddeunawfed Ganrif* (Llandybïe: Cyhoediadau Barddas, 1991).

——, (gol.), *Cerddi Jac Glan-y-Gors* (Cyhoeddiadau Barddas, 2003).

Milsom, S. F. C., *Historical Foundations of the Common Law* (London: Butterworths, 1981).

Morgan, Kenneth O., *Rebirth of a Nation: A History of Modern Wales* (Oxford: Oxford University Press, 1981).

Morgan, Prys, *The Eighteenth Century Renaissance* (Llandybïe: Christopher Davies, 1981).

Nicholas, Thomas, *Annals and Antiquities of the Counties and County Families of Wales*, I (London: Longmans, 1872).

——, *Annals and Antiquities of the Counties and county Families of Wales*, II (London: Longmans, 1872).

North, Peter, 'Is Law Reform too Important to be left to Lawyers?', *Legal Studies*, 5 (2) (1985), 119–32.

Owen, Aneurin, (gol.), *Ancient Laws and Institutes of Wales*, 1 (London: G. E. Eyre & A. Spottiswoode, 1841).

Owen, Ann Parry, '"A mi, feirdd, i mewn a chwi allan": Cynddelw Brydydd Mawr a'i grefft', yn Morfydd E. Owen a Brynley F. Roberts (goln), *Beirdd a Thywysogion: Barddoniaeth Llys yng Nghymru, Iwerddon a'r Alban* (Caerdydd ac Aberystwyth: Gwasg Prifysgol Cymru a LLGC, 1996), tt. 143–65.

Owen, Geraint Dyfnallt, 'Sir Ddinbych yn Oes Elisabeth I', TCHSD, 14 (1965), 97–119.

Owen, Gerallt Lloyd, *Cilmeri a Cherddi Eraill* (Caernarfon: Gwasg Gwynedd, 1991).

Owen, Goronwy Wyn, *Morgan Llwyd* (Caernarfon: Gwasg Pantycelyn, 1992).

——, *Rhwng Calfin a Böhme: Golwg ar Syniadaeth Morgan Llwyd* (Caerdydd: Gwasg Prifysgol Cymru, 2001).

——, 'Argyfwng y Beirdd a'r Dyneiddwyr yn yr Unfed a'r Ail Ganrif ar Bymtheg', *Llên Cymru*, 33 (2010), 107–23.

Owen, H. J., 'Chief Baron Richards of the Exchequer', CHCSF, IV (1961), 37–46.

Owen, Morfydd E., 'Noddwyr a Beirdd', yn Morfydd E. Owen a Brynley F. Roberts (goln), *Beirdd a Thywysogion: Barddoniaeth Llys yng Nghymru, Iwerddon a'r Alban* (Caerdydd ac Aberystwyth: Gwasg Prifysgol Cymru a LLGC, 1996), tt. 75–107.

Parry, Bethan Jones, (gol.), *Cerddi Cyfiawnder* (Bwrdd Cyfiawnder Troseddol Gogledd Cymru ac eraill, 2007).

Parry, R. Gwynedd, *David Hughes Parry: A Jurist in Society* (Cardiff: University of Wales Press, 2010).

——, *Cymru'r Gyfraith: Sylwadau ar Hunaniaeth Gyfreithiol* (Caerdydd: Gwasg Prifysgol Cymru, 2012).

——, 'Is breaking up hard to do? The case for a separate Welsh jurisdiction', *The Irish Jurist*, 57 (2017), 61–93.

Parry, R. Williams, *Cerddi'r Gaeaf* (Dinbych: Gwasg Gee, 1952).

Parry, Thomas, *Hanes Llenyddiaeth Gymraeg hyd 1900* (Caerdydd: Gwasg Prifysgol Cymru, 1945).

——, *Baledi'r Ddeunawfed Ganrif* (Caerdydd: Gwasg Prifysgol Cymru, 1986).

——, (gol.), *Gwaith Dafydd ap Gwilym* (Caerdydd: Gwasg Prifysgol Cymru, 1952).

——, (gol.), *Oxford Book of Welsh Verse* (Oxford : Oxford University Press, 1962).

Parry-Williams, T. H., *Casgliad o Gerddi* (Llandysul: Gomer, 1987).

Peate, Iorwerth C., *The Welsh House* (Burnham-on-Sea: Llanerch Press, 2004).

Pells, Rachael, 'Teachers who avoid touching children are guilty of child abuse, experts claim (Child psychologists say physical contact with pupils is "absolutely essential" for brain development)', *The Independent*, 18 Chwefror 2017. Gweler *https://www.independent.co.uk/news/education/education-news/teachers-who-avoid-touching-children-guilty-of-child-abuse-experts-psychologists-dangerous-a7586926.html* (cyrchwyd 25 Ionawr 2019).

Phillips, Dylan, *Trwy Ddulliau Chwyldro…? Hanes Cymdeithas yr Iaith Gymraeg, 1962–1992* (Llandysul: Gomer, 1998).

Phillips, J. R. S., *The Justices of the Peace in Wales and Monmouthshire 1541–1689* (Cardiff: University of Wales Press, 1975).

Phillips, O. Hood, *Shakespeare and the Lawyers* (London: Methuen, 1972).
——, a Paul Jackson, *Constitutional and Administrative Law*, 8fed arg. (London: Sweet & Maxwell, 2001).
Pierce, James, *The Life and Work of William Salesbury: A Rare Scholar* (Talybont: Y Lolfa, 2016).
Pierce, T. Jones, *Medieval Welsh Society* (Cardiff: University of Wales Press, 1972).
Plucknett, Theodore F. T., *Taswell-Langmead's English Constitutional History* (London: Sweet & Maxwell, 1960).
Pope, Robert, 'Methodistiaeth a Chymdeithas', yn John Gwynfor Jones (gol.), *Hanes Methodistiaeth Galfinaidd Cymru, Cyfrol III: Y Twf a'r Cadarnhau (c.1814–1914)* (Caernarfon: Gwasg Pantycelyn, 2011), tt. 351–421.
Posner, Richard, *Law and Literature: A Misunderstood Relation* (Cambridge: Harvard University Press, 1988).
Powell, Dewi Watkin, 'Y llysoedd, yr awdurdodau a'r Gymraeg: Y Ddeddf Uno a Deddf yr Iaith Gymraeg', yn T. M. Charles-Edwards, M. E. Owen a D. B. Walters (goln), *Lawyers and Laymen* (Cardiff: University of Wales Press, 1986), tt. 287–315.
Price, Angharad, 'Dim Oll? Ymateb Nofelwyr Cymraeg i Ddatganoli', *Llên Cymru*, 34 (2011), 237–47.
Prys, Tomos, (Plasiolyn), 'Cywydd i ddangos mai uffern yw Llundain', *Ysgrifau Beirniadol*, XIV (1988), 134–51.
Raz, Joseph, *The Authority of Law: Essays on Law and Morality* (Oxford: Clarendon Press, 1979).
——, *The Morality of Freedom* (Oxford: Clarendon Press, 1986).
Rawls, John, *A Theory of Justice* (Cambridge: Harvard University Press, 1971).
Reynolds, Elsie, (gol.), *Yr Un Hwyl a'r Un Wylo: Cerddi Gwlad Dic Jones* (Llandysul: Gwasg Gomer, 2011).
Richards, Brinley, *Cerddi'r Dyffryn* (Abertawe: Tŷ John Penry, 1967).
——, *Hamddena* (Abertawe: Tŷ John Penry, 1972).
Richards, Emlyn, *Rolant o Fôn: Y Bardd-Gyfreithiwr* (Caernarfon: Gwasg Gwynedd, 1999).
Richards, Melville, 'Prydydd y Moch', TCHSD, 11 (1962), 110–11.
Richardson, Douglas, a Kimball G. Everingham, *Magna Carta Ancestry: A Study in Colonial and Medieval Families IV*, 2il arg. (Salt Lake City: Genealogical Publishing Company, 2011).
Roberts, Arthur Meirion, *Thomas Roberts Llwynrhudol a'i Gyfnod* (Pwllheli: Darlith Flynyddol Clwb y Bont, 2006).
Roberts, Enid, (gol.), *Gwaith Siôn Tudur I* (Caerdydd: Gwasg Prifysgol Cymru, 1980).
——, 'Everyday Life in the Homes of the Gentry', yn J. Gwynfor Jones (gol.), *Class, Community and Culture in Tudor Wales* (Cardiff: University of Wales Press, 1989), tt. 39–78.

Roberts, Enid Pierce, 'Teulu Plas Iolyn', TCHSD, 13 (1964), 38–110.
Roberts, Gwyneth Tyson, *The Language of the Blue Books: The Perfect Instrument of Empire* (Cardiff: University of Wales Press, 1998).
Roberts, Peter R., 'Deddfwriaeth y Tuduriaid a Statws Gwleidyddol "Yr Iaith Frytanaidd"', yn Geraint H. Jenkins (gol.), *Y Gymraeg yn ei Disgleirdeb: Yr Iaith Gymraeg cyn y Chwyldro Diwydiannol* (Caerdydd: Gwasg Prifysgol Cymru, 1997), tt. 121–50.
Roberts, Sara Elin, 'Addysg Broffesiynol yng Nghymru yn yr Oesoedd Canol: y Beirdd a'r Cyfreithwyr', *Llên Cymru*, 26 (2003), 1–17.
——, 'Dafydd ap Gwilym, ei Ewythr a'r Gyfraith', *Llên Cymru*, 28 (2005), 100–14.
——, *The Legal Triads of Medieval Wales* (Cardiff: University of Wales Press, 2007).
——, 'Emerging from the Bushes: The Welsh Law of Women in the Legal Triads', yn Joseph F. Eska (gol.), *Law, Literature and Society*, CSANA Yearbook 7 (Dublin: Four Courts Press, 2008), tt. 58–76.
——, 'The Welsh Legal Triads', yn Thomas Glyn Watkin (gol.), *The Welsh Legal Triads and Other Essays* (Bangor: Welsh Legal History Society, 2012), tt. 1–22.
Roberts, Thomas, (Llwynrhudol), *Cwyn yn erbyn Gorthrymder* (1798) (Caerdydd: Gwasg Prifysgol Cymru, 1928).
Roberts, Thomas, 'Cywydd y Cwest ar Forgan ap Dafydd o Rydodyn gan Ruffudd Llwyd ap Dafydd ab Einion', *Bulletin of the Board of Celtic Studies*, 1 (1921–3), 237–40.
——, (gol.), *Gwaith Dafydd ab Edmwnd* (Bangor: Jarvis & Foster, 1914).
——, (gol.), *Gwaith Tudur Penllyn ac Ieuan ap Tudur Penllyn* (Caerdydd: Gwasg Prifysgol Cymru, 1958).
Roberts, T. R., *Edmwnd Prys, Archddiacon Meirionnydd* (Caernarfon: cyhoeddwyd gan yr awdur, 1899).
Rosser, Siwan M., *Y Ferch ym Myd y Faled: Delweddau o'r Ferch ym Maledi'r Ddeunawfed Ganrif* (Caerdydd: Gwasg Prifysgol Cymru, 2005).
——, 'Lladron a Beirniaid Llên: Astudio Baledi'r Ddeunawfed Ganrif', *Studia Celtica*, XLI (2007), 185–98.
Rowland, William, *Tomos Prys o Blas Iolyn* (Caerdydd: Gwasg Prifysgol Cymru, 1964).
Rowlands, E. D., *Dyffryn Conwy a'r Creuddyn* (Lerpwl: Gwasg y Brython, Hugh Evans a'i Feibion, 1947).
Scott, Walter, *Guy Mannering, Volume II*, Waverley Novels (Edinburgh: T. C. & E. C. Jack, 1901).
Seaton, James, 'Law and Literature: Works, Criticism, and Theory', *Yale Journal of Law & Humanities*, 11 (1999), 479–507.
Sedgwick, R., (gol.), *The History of Parliament: the House of Commons 1715–1754* (Martlesham: Boydell & Brewer, 1970).

Shaw, William A., *The Knights of England* (London: Sherratt & Hughes, 1906).
Skeel, Caroline A. J., *The Council in the Marches of Wales: a study in local government in the sixteenth and seventeenth centuries* (London: Hugh Rees Ltd, 1904).
Skyrme, Thomas, *History of the Justices of the Peace* (Chichester: Barry Rose, 1991).
Smith, J. Beverley, 'Gwlad ac Arglwydd', yn Morfydd E. Owen a Brynley F. Roberts (goln), *Beirdd a Thywysogion: Barddoniaeth Llys yng Nghymru, Iwerddon a'r Alban* (Caerdydd ac Aberystwyth: Gwasg Prifysgol Cymru a LLGC, 1996), tt. 237–57.
——, *Llywelyn ap Gruffudd: Prince of Wales* (Cardiff: University of Wales Press, 1998).
Smith, Llinos Beverley, 'The Statute of Wales, 1284', *Welsh History Review* 10 (2) (1980), 127–54.
Stacey, Robin Chapman, 'Divorce, Medieval Welsh Style', *Speculum*, 77 (4) (2002), 1107–27.
——, 'Law and Literature in Medieval Ireland and Wales', yn Helen Fulton (gol.), *Medieval Celtic Literature and Society* (Dublin: Four Courts Press, 2005), tt. 65–82.
Stephens, Meic, (gol.), *Cydymaith i Lenyddiaeth Cymru*, arg. newydd (Caerdydd: Gwasg Prifysgol Cymru, 1997).
Suggett, Richard, 'Yr Iaith Gymraeg a Llys y Sesiwn Fawr', yn Geraint H. Jenkins (gol.), *Y Gymraeg yn ei Disgleirdeb: Yr Iaith Gymraeg cyn y Chwyldro Diwydiannol* (Caerdydd: Gwasg Prifysgol Cymru, 1997), tt. 151–79.
Swartz, Dorothy Dilts, 'The Legal Status of Women in Early and Medieval Ireland and Wales in Comparison with Western European and Mediterranean Societies: Environmental and Social Correlations', *Proceedings of the Harvard Celtic Colloquium*, 13 (1993), 107–18.
Thomas, Gwyn, *Y Bardd Cwsg a'i Gefndir* (Caerdydd: Gwasg Prifysgol Cymru, 1971).
——, 'Golwg ar Gyfundrefn y Beirdd yn yr Ail Ganrif ar Bymtheg', yn R. Geraint Gruffydd (gol.), *Bardos: Penodau ar y Traddodiad Barddol Cymreig a Cheltaidd* (Caerdydd: Gwasg Prifysgol Cymru, 1982), tt. 76–94.
Thomas, John L., 'Legal Wales: its modern origins and its role after devolution: national identity, the Welsh language and parochialism', yn Thomas Glyn. Watkin (gol.), *Legal Wales: Its Past, Its Future* (Cardiff: Welsh Legal History Society, 2001), tt. 113–65.
Thomas, M. Wynn, *Morgan Llwyd: Ei Gyfeillion a'i Gyfnod* (Caerdydd: Gwasg Prifysgol Cymru, 1991).
Thomas, Peter D. G., 'The Parliamentary Representation of Merioneth during the Eighteenth Century', CHCSF, III (1958), 128–36.
——, *Politics in Eighteenth Century Wales* (Cardiff: University of Wales Press, 1998).

Thompson, W., *Postmodernism and History* (Basingstoke: Palgrave, 2004).
Thomson, Mark A., *A Constitutional History of England 1642 to 1801* (London: Methuen, 1938).
Tibbott, Gildas, 'William Watkin Edward Wynne', CHCSF, I (1949), 69–77.
Treitel, G. H., 'Jane Austen and the Law', *Law Quarterly Review*, 100 (1984), 549–86.
Tyler, Tom R., 'Procedural Justice, Legitimacy, and the Effective Rule of Law', *Crime and Justice*, 30 (2003), 283–357.
——, *Why People Obey the Law* (Princeton: Princeton University Press, 2006).
Vaughan, Herbert M., *The South Wales Squires* (London: Methuen, 1926).
von Hirsch, Andrew, Andrew J. Ashworth a Julian Roberts, (goln), *Principled Sentencing: Readings on Theory and Policy* (Oxford: Hart, 2009).
Waldron, Jeremy, 'Rights in Conflict', *Ethics*, 99 (3) (1989), 503–19.
Walters, D. B., 'The European Context of the Welsh Law of Matrimonial Property', yn Dafydd Jenkins a Morfydd Owen (goln), *The Welsh Law of Women* (Cardiff: University of Wales Press, 1980), tt. 115–31.
——, 'Honour and Shame', yn Thomas Glyn Watkin (gol.), *Canmlwyddiant, Cyfraith a Chymreictod* (Bangor: Cymdeithas Hanes Cyfraith Cymru/Welsh Legal History Society, 2011), tt. 229–48.
Walters, Huw, a W. Rhys Nicholas, (goln), *Brinli: Cyfreithiwr, Bardd, Archdderwydd* (Abertawe: Tŷ John Penry, 1984).
Warren, John, *The Past and its Presenters: An Introduction to Issues in Historiography* (London: Hodder & Stoughton, 1998).
Waters, W. H., *The Edwardian Settlement of North Wales in its Administrative and Legal Aspects (1284–1343)* (Cardiff: University of Wales Press, 1935).
Watkin, Thomas Glyn, 'Hamlet and the Law of Homicie', *Law Quarterly Review*, 100 (1984), 282–310.
——, 'Cyfreithwyr Cymru Oes y Dadeni', yn Thomas Glyn Watkin (gol.), *Y Cyfraniad Cymreig: Welsh Contributions to Legal Development* (Bangor: Cymdeithas Hanes Cyfraith Cymru/Welsh Legal History Society, 2003), tt. 57–72.
——, *The Legal History of Wales*, 2il arg. (Cardiff: University of Wales Press, 2012).
——, (gol.), *The Trial of Dic Penderyn and Other Essays* (Cardiff: Welsh Legal History Society, 2002).
——, (gol.), *Canmlwyddiant, Cyfraith a Chymreictod* (Bangor: Cymdeithas Hanes Cyfraith Cymru/Welsh Legal History Society, 2011).
Weisberg, Richard, *Poethics and Other Strategies of Law and Literature* (Columbia: Columbia University Press, 1992).
Weller, Marc, (gol.), *Universal Minority Rights: A Commentary on the Jurisprudence of International Courts and Treaty Bodies* (Oxford: Oxford University Press, 2007).

White, Eryn M., 'Addysg Boblogaidd a'r Iaith Gymraeg 1650–1800', yn Geraint H. Jenkins (gol.), *Y Gymraeg yn ei Disgleirdeb: Yr Iaith Gymraeg cyn y Chwyldro Diwydiannol* (Caerdydd: Gwasg Prifysgol Cymru, 1997), tt. 315–38.

White, H., *The Content of the Form: Narrative Discourse and Historical Representation* (Baltimore: Johns Hopkins University Press, 1987).

White, James Boyd, *The Legal Imagination: Studies in the Nature of Legal Thought and Expression* (Boston: Little, Brown and Co., 1973).

William, Aled Rhys, (gol.), *Llyfr Iorwerth* (Caerdydd: Gwasg Prifysgol Cymru, 1960).

Williams, Colin H., 'Non-violence and the Development of the Welsh Language Society 1962–c.1974', *Welsh History* Review, 8 (1994), 426–55.

Williams, Edward, Iolo Morganwg, 'Trial by Jury, The Grand Palladium of British Liberty (1795)', yn Elizabeth Williams, *English-language Poetry from Wales 1789–1806* (Cardiff: University of Wales Press, 2013), tt. 147–8.

Williams, Elizabeth, (gol.), *English-language Poetry from Wales 1789–1806* (Cardiff: University of Wales Press, 2013).

Williams, Glanmor, *Recovery, Reorientation and Reformation: Wales c.1415–1642* (Oxford: Clarendon Press, 1987).

——, *Renewal and Reformation: Wales c.1415–1642* (Oxford: Oxford University Press, 1987).

——, *Wales and the Reformation* (Cardiff: University of Wales Press, 1999).

Williams, Glanville, *Learning the Law*, 13fed arg. (London: Sweet & Maxwell, 2006).

Williams, Gruffydd Aled, *Ymryson Edmwnd Prys a Wiliam Cynwal* (Caerdydd: Gwasg Prifysgol Cymru, 1986).

——, 'Tudur Aled ai cant yn dda om barn i: Cywydd Cymod Wmffre ap Hywel ap Siancyn o Ynysymaengwyn a'i Geraint', *Llên Cymru*, 30 (2007), 57–99.

Williams, Gwyn A., 'The Making of Radical Merthyr 1800–1836', *Welsh History Review*, 1 (2) (1961), 161–92.

——, *The Search for Beulah Land* (London: Croom Helm, 1980).

——, *The Merthyr Rising* (Cardiff: University of Wales Press, 1998).

Williams, Ifor, *Pedeir Keinc y Mabinogi* (Caerdydd: Gwasg Prifysgol Cymru, 1930).

——, *Canu Taliesin* (Caerdydd: Gwasg Prifysgol Cymru, 1960).

Williams, Ioan M., *Dramâu Saunders Lewis: Y Casgliad Cyflawn, Cyfrol I* (Caerdydd: Gwasg Prifysgol Cymru, 1996).

Williams, J. Llywelyn, ac Ifor Williams, (gol.), *Gwaith Guto'r Glyn* (Caerdydd: Gwasg Prifysgol Cymru, 1939).

Williams, J. E. Caerwyn, a Peredur I. Lynch, (goln), *Gwaith Meilyr Brydydd a'i Ddisgynyddion ynghyd â Dwy Awdl Ddi-enw o Ddeheubarth*, Cyfres Beirdd y Tywysogion, I (Caerdydd: Gwasg Prifysgol Cymru, 1994).

Williams, Owain, *Cysgod Tryweryn* (Caernarfon: Gwasg Gwynedd, 1979).
Williams, S. J., a J. E. Powell, *Cyfraith Hywel Dda yn ôl Llyfr Blegywryd* (Caerdydd: Gwasg Prifysgol Cymru, 1961).
Williams, W. Ogwen, *Calendar of the Caernarvonshire Quarter Sessions Records: Volume I, 1541–1558* (Caernarvon: Caernarvonshire Historical Society, 1956).
Williams, W. R., *The History of the Great Sessions, 1542–1830* (Brecon: cyhoeddiad preifat, 1899).
Woloch, Isser, *Eighteenth-Century Europe: Tradition and Progress, 1715–1789* (New York: W. W. Norton & Co., 1982).
Wood, E. M., a J. B. Foster, (goln), *In Defense of History: Marxism and the Postmodern Agenda* (New York: Monthly Review Press, 1997).
Wynne, Ellis, *Gweledigaethau y Bardd Cwsg*, gol. Patrick J. Donovan a Gwyn Thomas (Llandysul: Gwasg Gomer, 1998).
Zedner, Lucia, *Criminal Justice* (Oxford: Clarendon Press, 2004).
Zurcher, Andrew, *Shakespeare and Law* (London: Methuen Drama, 2010).

Mynegai

12/9/2019